VIE

DE

MONSEIGNEUR ANGEBAULT

ÉVÊQUE D'ANGERS

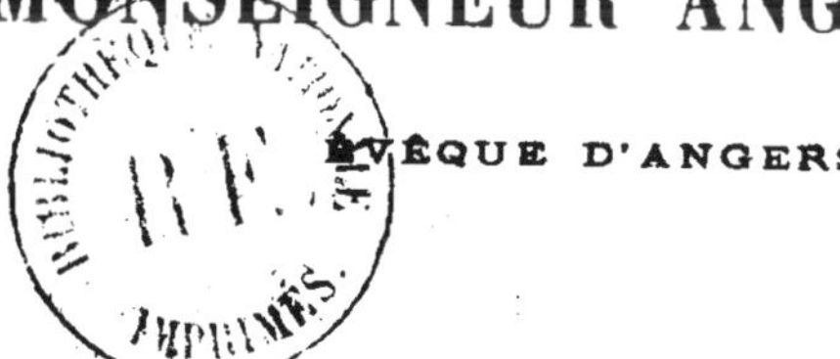

OUVRAGES DU MÊME AUTEUR

Le Martyre de sainte Cécile, drame en prose, pour jeunes filles. Brochure in-8°. — 0 fr. 50.

Le saint Drame de Lourdes, également pour jeunes filles. Brochure in-8°. — 0 fr. 60.

La Maison de M. Montaudon, comédie en trois actes, pour garçons. Brochure in-16 jésus. — 1 fr.

Un Professeur de Théologie : Notice sur M. l'abbé René Gillet. Brochure in-8°. — 0 fr. 75.

MONSEIGNEUR ANGEBAULT

1790 - 1869

VIE

DE

MGR ANGEBAULT

ÉVÊQUE D'ANGERS

ASSISTANT AU TRONE PONTIFICAL
CHEVALIER DE LA LÉGION D'HONNEUR

PAR

L'ABBÉ L. GILLET

CURÉ-DOYEN DES ROSIERS-SUR-LOIRE (MAINE-ET-LOIRE)
ANCIEN PRO-SECRÉTAIRE DE L'ÉVÊCHÉ

ANGERS
GERMAIN ET G. GRASSIN, IMPRIMEURS-LIBRAIRES
de Monseigneur l'Évêque, du Grand-Séminaire et du Clergé
40, rue du Cornet et rue Saint-Laud

1899

DÉCLARATION

L'auteur de ce livre déclare que, s'il a quelquefois donné le nom de saint à un prélat que l'Église n'a point élevé sur les autels, il ne l'a fait qu'au sens indiqué par les décrets d'Urbain VIII du 13 mars 1625 et du 5 juin 1631. Il déclare, en outre, qu'il soumet, avec grande joie, cet ouvrage et sa personne au jugement du Saint-Siège, désavouant à l'avance, de bouche et de cœur, tout ce qui, contre sa volonté, ne serait point conforme à l'enseignement de la sainte Église catholique, apostolique et romaine, sa mère, dans l'obéissance de laquelle il veut vivre et mourir.

LETTRE

DE

S. G. Mgr RUMEAU

ÉVÊQUE D'ANGERS

Angers, le 1er juillet 1899.

Cher Monsieur le Curé,

Je suis heureux de vous accorder pour votre Vie de Mgr Angebault *l'imprimatur que vous attendez depuis si longtemps. La cause de béatification de la Vénérable Mère Marie de Sainte-Euphrasie Pelletier, fondatrice du Bon-Pasteur d'Angers, cause actuellement en instance, ne vous a pas permis de conserver le chapitre où vous traitiez des relations entre Mgr Angebault et le Bon-Pasteur : vous compléterez plus tard votre ouvrage en vous conformant aux décisions de la Sainte Église. Quant à certains sujets de controverse qui sollicitèrent l'attention de mon vénéré prédécesseur, par exemple les débats sur l'étendue de l'autorité pontificale, l'urgence du retour à la Liturgie romaine, l'attitude et l'action du journalisme catholique, je vous laisse la responsabilité de vos appréciations en réservant les miennes. Ces remarques faites, j'applaudis de tout cœur au surcroît d'honneur que votre livre ne manquera pas d'apporter à la glorieuse mémoire de Mgr Angebault, l'un des Évêques d'Angers qui ont le plus mérité, par leurs talents et leur zèle, l'impérissable reconnaissance du diocèse.*

Veuillez agréer, cher Monsieur le Curé, l'assurance de mon affectueux dévouement en N. S.

† JOSEPH, Év. d'Angers.

LETTRE

DE

S. E. LE CARDINAL RICHARD

ARCHEVÊQUE DE PARIS

Paris, le 3 août 1899.

Cher Monsieur le Curé,

Je joins volontiers ma bénédiction à celle de Monseigneur l'Évêque d'Angers pour la publication de la Vie de Mgr Angebault.

Ce vénérable Évêque appartenait par sa naissance au diocèse de Nantes. La lecture de votre livre me rappellera plusieurs de mes plus chers souvenirs d'enfance. Quand la Providence me conduisit à l'Évêché de Nantes, sous l'épiscopat de Mgr de Hercé et de Mgr Jacquemet, il était encore tout rempli de la mémoire de l'infatigable collaborateur de l'Administration diocésaine. La pieuse Congrégation des Sœurs de Saint-Gildas, dont il fut le véritable fondateur, demeure, dans le diocèse de Nantes, le mémorial per-

manent de son dévouement sacerdotal à tous les grands intérêts de l'Église, parmi lesquels la question de l'éducation chrétienne doit être placée au premier rang.

Ce sera donc avec édification et avec bonheur que le clergé et les fidèles du diocèse de Nantes liront le récit de la vie du vénérable Évêque, dont le nom n'est pas oublié.

Veuillez agréer, cher Monsieur le Curé, l'assurance de mon affectueux dévouement en N. S.

† FR. CARD. RICHARD,

Arch. de Paris.

AUX LECTEURS

Ce livre est une œuvre de bonne foi. D'autres l'auraient écrit avec plus de talent, nul avec plus de sincérité. Nous ne nous sommes jamais fait d'illusion sur ce qui nous manquait pour composer cet ouvrage et nous aurions désiré ne pas nous en charger. Nous avons dû céder à une volonté auguste[1] à laquelle tout nous faisait un devoir de ne pas résister. Ce sera notre excuse auprès des lecteurs.

Nous avons été, nous le sentons, incomplet. Un curé de campagne, isolé et pauvre, sans aucune relation qui puisse faciliter ses recherches, éprouve une grande difficulté à se procurer les documents dont il a besoin. Peut-être la vie de Mgr Angebault se ressentira-t-elle de cette difficulté. Nous avons fait tout notre possible pour qu'il n'en fût pas ainsi.

Quand nous avons dû aborder certains chapitres délicats, nous y avons mis, en conscience, beaucoup de réserve et en même temps de droiture. De

[1] Celle de Mgr Mathieu, archevêque de Toulouse, alors notre évêque, à Angers.

plus, nous avons soumis ces passages à de hautes autorités qui ont bien voulu les approuver et, quoi qu'il puisse advenir, car on ne saurait satisfaire tout le monde, ce sera notre force et notre consolation.

Et maintenant, après avoir remercié toutes les personnes qui ont bien voulu nous aider dans ce travail[1], nous voulons remercier Dieu qui nous a donné la force de le mener à terme. Nous le prions, à genoux, de le bénir, de lui faire produire quelques fruits d'édification, et nous le supplions d'avoir au moins pour agréable notre ardent désir de contribuer à sa gloire en mettant en relief la vie d'un de ses serviteurs.

L. G.

Aux Rosiers, ce 10 août 1898, en la fête de saint Laurent.

[1] Spécialement Mgr Pessard, M. Urseau et Mme la Supérieure générale des Sœurs de Saint-Gildas-des-Bois.

VIE

DE

MONSEIGNEUR ANGEBAULT

ÉVÊQUE D'ANGERS

CHAPITRE PREMIER

Naissance, enfance et jeunesse de Mgr Angebault

Naissance de Guillaume-Laurent-Louis Angebault; sa famille; la première éducation. — Il est confié à M. Mongazon. — Il va à l'Institution Lieutard. — Il étudie la philosophie sous M. Baudoin. M. Maréchal. — Vocation au sacerdoce. — Opposition de Mme Angebault. — Il se rend au Séminaire de Nantes. — Il reçoit les ordres mineurs et le sous-diaconat. — Épreuves, fatigues. — Il songe à entrer chez les Jésuites. — Il est ordonné prêtre. — Il est nommé vicaire à Saint-Donatien, puis secrétaire à l'Évêché. — Il est nommé chanoine. — Mgr de Guérines le nomme chanoine titulaire. — Ses travaux à l'Évêché. — La maison de Retraite, la maison des missionnaires diocésains. — Soins qu'il donne aux religieuses. — La Congrégation des jeunes gens. — Il perd sa mère, son petit neveu, sa belle-sœur. — Il dirige son père.

Guillaume-Laurent-Louis Angebault naquit à Rennes, le 17 juin 1790. Sa famille appartenait au barreau. Son bisaïeul avait été sénéchal de la ville d'Ancenis. Son aïeul, après avoir exercé quelque temps la profession d'avocat à Paris, s'était fixé à Nantes. Enfin, son père, Guillaume-Thomas Angebault, plaidait au Parlement de Rennes.

Ce dernier avait épousé une demoiselle Le Vacher qui lui donna deux fils. Celui dont nous écrivons la vie fut l'aîné.

La suppression des parlements, ordonnée par décret de la Constituante, le 7 septembre 1790, obligea M. Angebault à venir, avec sa famille, se réfugier à Nantes. Là, ses convictions religieuses et monarchiques le firent bientôt rechercher et inquiéter. Après s'être caché quelque temps, il fut arrêté et jeté en prison, et ses biens furent confisqués. Sa femme, réduite à la plus extrême misère, dut se faire ouvrière pour gagner le pain de chaque jour. Encore y parvenait-elle difficilement. Pendant ce temps-là, la grand'mère de Guillaume était détenue au Bouffay avec deux de ses sœurs, et le jeune enfant s'en allait tous les jours à la prison voir ses grandes tantes et recevait d'elles une partie du riz que l'on servait aux prisonniers.

De son côté, la famille Le Vacher n'était pas épargnée. M. Le Vacher, dénoncé par un fermier, avait été arrêté, jugé et condamné à mourir dans les 24 heures, pour avoir fait dire la messe dans sa maison de campagne par un prêtre non assermenté. Il monta sur l'échafaud. Le même tribunal condamnait Mme Le Vacher à une détention perpétuelle.

Le 9 thermidor rendit la liberté aux prisonniers ; mais les dures privations imposées à l'aïeule de Guillaume l'avaient conduite aux portes du tombeau. Elle succomba deux jours après être sortie de prison. Ces cruels événements laissèrent au jeune Guillaume un souvenir qui ne s'effaça jamais.

A peine échappé au danger qui le menaçait, M. Angebault se hâta de recueillir chez lui les prêtres catholiques dont les jours n'étaient point encore en sécurité. Ils venaient tour à tour se cacher dans sa maison hospitalière, et ils y célébraient la messe dans une mansarde. On y conduisait quelquefois le jeune enfant, sur la discrétion duquel on croyait pouvoir compter, bien qu'il ne fût encore âgé que de cinq ans. Peut-être y puisa-t-il le germe de sa vocation. En tout cas, il en conçut un profond respect pour nos saints mystères, et il conserva pieusement toute sa vie, comme un souvenir de ces jours de douleur, une boîte qui avait servi de tabernacle dans la mansarde et où l'on avait souvent caché le Très Saint Sacrement.

Telle était la famille au sein de laquelle le jeune Guillaume passa les douze premières années de sa vie, et où il reçut une éducation chrétienne dont le souvenir le consolait encore dans sa dernière maladie. « Mon premier besoin, « écrivait-il quelques jours avant sa mort, est de témoi- « gner toute ma reconnaissance à mes vertueux parents « pour l'éducation si religieuse qu'ils m'ont donnée. C'est « à leur sage direction que je dois le bonheur de ma vie et « l'espérance d'une récompense éternelle. »

Avec les principes de la vie chrétienne, Guillaume dut puiser aussi, dans sa famille, les premiers éléments des lettres, car alors aucune institution régulière d'enseignement n'existait à Nantes. Nous le voyons cependant fréquenter une sorte de petite pension dite des *Amis réunis*. Il y étudia vraisemblablement jusqu'en 1802.

A cette époque, le Concordat venait de rendre à l'Église de France une paix sinon très généreuse, au moins très appréciée. Sans l'impérieuse volonté du premier consul et ses emportements plus ou moins sincères, la religion eût obtenu, sans doute, une part meilleure. Toutefois, l'opinion publique tenait compte au vainqueur de l'anarchie révolutionnaire des difficultés qu'il trouvait devant lui, et elle lui savait gré de comprendre que la France était chrétienne et qu'il fallait respecter sa foi. Les cœurs étaient à l'espérance, et de toutes parts déjà se montraient des ouvriers évangéliques pleins d'ardeur et rivalisant de zèle pour réparer les maux causés par dix ans de persécution religieuse.

L'un d'eux, et non le moins zélé, M. Mongazon, dont la mémoire sera éternellement en bénédiction sur la terre d'Anjou, s'efforçait de faire revivre, autant qu'il était possible, l'ancien collège de Beaupréau. Les bâtiments avaient été, en grande partie, consumés par le feu, et l'on ne pouvait songer à trouver un abri dans ces murs à moitié démolis. M. Mongazon fit d'abord appel aux élèves. Il en vint quelques-uns qu'il garda avec lui au presbytère.

Le jeune Angebault fut de ce nombre. Son père le conduisit à Beaupréau, déterminé vraisemblablement par la renommée de l'ancien collège, et aussi par la connaissance des vertus de M. Mongazon. On était au mois de mars 1802.

C'était un collège qui recommençait. Hélas! Il ne se composait que du directeur et des élèves. De bâtiments point, si ce n'est en espérance. L'élève de 1802, devenu plus tard évêque d'Angers, rappelait, en 1866, le souvenir de son entrée à la maison de M. Mongazon. « Cette œuvre, disait-il, eut les plus faibles commencements. En voulez-vous la preuve ? »

« Il y a bien des années, mon bon père venait présenter un tout jeune enfant à M. Mongazon. La ville de Beaupréau se relevait à peine de ses ruines, et M. Mongazon ne pouvait recevoir, que dans le presbytère, quelques pauvres enfants, l'espoir de la religion renaissante. Impossible de vous faire comprendre l'état de délabrement de cette maison ; à peine si elle avait des portes, et, lorsqu'on nous y présenta, nous nous rappelons que nos regards surpris aperçurent l'ouverture de la cave toute béante : oh ! ne craignez pas, il n'y avait pas de vin. Pour dortoir, nous avions un grenier sous les tuiles ; nous y montions par une échelle, et les fenêtres mal jointes n'étaient closes que par du papier. On y gelait l'hiver, on y étouffait l'été ; et cependant, grâce à l'insouciance du jeune âge, grâce surtout aux tendres soins de M. Mongazon qui aimait ses enfants comme la meilleure des mères, on y vivait heureux et content. »

Avec cet amour quasi-maternel, M. Mongazon ne pouvait s'accommoder longtemps du régime et de la demeure imposés à ses premiers enfants. Il jetait avec convoitise ses regards sur un immeuble plus vaste et mieux approprié au but qu'il recherchait. C'était une maison qui avait été fondée autrefois pour servir d'habitation aux choristes de la paroisse de Beaupréau et qui, en conséquence, était et est encore connue sous le nom de *Maison des enfants de chœur*. M. Mongazon put l'acquérir assez vite, car M. Angebault y alla étudier, bien qu'il ait quitté Beaupréau dès 1805. On n'y fut guère plus à l'aise qu'au presbytère. « Le nombre des élèves avait augmenté, continue l'évêque d'Angers, mais rien n'avait changé dans le régime primitif; mêmes étaient les privations, même l'amour des élèves pour leur père, même leur juvénil entrain, leur animation aux jeux. »

Ce que fut le nouvel écolier parmi ses condisciples nous ne le savons qu'imparfaitement. L'auteur de la charmante notice sur le collège de Beaupréau, M. l'abbé Bernier, se sentait mal à l'aise pour louer, dans son évêque, l'élève d'autrefois. Il nous apprend, néanmoins, que le jeune Guillaume « posséda pleinement l'estime et l'affection de « tous les maîtres et de tous les élèves, et qu'il y laissa les « plus honorables souvenirs. » Il nous apprend aussi que, sur une liste constatant les places obtenues, en 1805, par les rhétoriciens, dans une composition en version latine, l'élève Angebault figure au second rang, ne laissant au-dessus de lui que Charles Loyson, le plus fameux joûteur qui ait passé au collège de Beaupréau, Charles Loyson, mort trop jeune, mais non pas sans célébrité, puisqu'il fut vainqueur, en poésie, de Casimir Delavigne et qu'il est placé par Sainte-Beuve entre Millevoye et Lamartine.

L'application à l'étude du jeune Guillaume, qui est attestée par les palmarès de l'époque, n'enlevait rien à la vivacité et à l'entrain de son caractère. Son ardeur faillit même lui devenir funeste. La terrasse sur laquelle les enfants prenaient leur récréation était très au-dessus du terrain avoisinant. Un mur l'entourait, mais peu élevé. Or, un jour, poursuivi à la course par un de ses condisciples, le jeune Guillaume, pour sauver l'honneur de son parti, sauta bravement dans le vide et tomba d'une hauteur de vingt-huit pieds, sur les débris d'un mur écroulé. « L'ange tutélaire de l'église d'Angers se trouvait là, sans « doute, et il prêta la main à l'ange gardien du jeune « Guillaume pour empêcher le futur évêque de se rompre « le cou[1]. »

La chute fut cependant terrible. « On vint me relever, « disait plus tard M. Angebault en parlant de cet accident, « j'étais sans connaissance. Heureusement qu'un vénérable « vieillard, confesseur de la foi, M. le curé de la Poitevi- « nière, m'avait donné, peu après ma première commu- « nion, le scapulaire, et je devrai toujours remercier la « Sainte Vierge de m'avoir préservé dans un si grand « péril. Hélas ! étais-je prêt à paraître devant Dieu ? »

La réponse à cette question, Mgr Angebault l'a faite plus tard, sans s'en douter. « C'est là, écrivait-il en parlant de « Beaupréau, c'est là que j'eus le bonheur de faire ma « première communion. Jamais le souvenir de ce jour si « précieux ne s'échappera de ma mémoire. Je vois encore « la place où je reçus pour la première fois mon divin « Maître et le pavé que j'arrosai de mes larmes. Je vois « encore, dans les jardins, les petites cabines de feuillage « que nous avions faites, à l'imitation des solitaires, pour « y passer nos jours de retraite. » Est-il étonnant que Marie veillât sur les jours d'un enfant dont la piété était déjà si tendre et si solide ?

[1] Note sur Beaupréau.

Ce fut aussi à Beaupréau que Guillaume fut confirmé par Mgr Montault des Isles, de si douce mémoire. Le prélat ne se douta pas, sans doute, qu'il imposait, ce jour-là, les mains à celui qui devait, plus tard, continuer sa mission dans le diocèse d'Angers.

Cependant, le jeune Guillaume n'était pas appelé à rester longtemps sous la direction de M. Mongazon. Il avait 15 ans lorsqu'en 1805 il termina son cours de rhétorique. Son père lui écrivit de se tenir prêt à sortir de Beaupréau pour n'y plus rentrer. Il avait résolu de l'envoyer à Paris faire ses études de philosophie. Le cœur du jeune homme fut sensiblement affligé de cette nouvelle. S'éloigner de maîtres qu'il vénérait, de condisciples qu'il aimait et au milieu desquels il vivait heureux, c'était pour lui un vrai sacrifice. Il fit, auprès de son père, d'instantes mais vaines réclamations : il fallut obéir. En se séparant de cette maison si chère à son cœur, il espérait bien n'en pas perdre le souvenir; pourtant il était loin de penser qu'il serait lui-même un jour le restaurateur de l'ancien collège, après une nouvelle révolution, et qu'il irait, comme évêque d'Angers, bénir la chapelle restaurée quelques mois avant sa mort.

A cette époque, l'Université, rêvée par le nouvel empereur des Français, n'existait pas encore. Un prêtre distingué, M. l'abbé Liautard, avait ouvert, rue Notre-Dame-des-Champs, un pensionnat qui devait devenir célèbre plus tard, sous le nom de collège Stanislas. L'établissement se recommandait aux familles par les principes de son directeur et par l'éducation religieuse qu'y recevaient les jeunes gens. C'est là que le jeune Guillaume se rendit, au mois d'octobre 1805. Il y devait faire ses études philosophiques, mais on attendait encore le professeur de philosophie, et pendant un mois le nouvel élève dut aller étudier, en qualité d'externe, au cours de Saint-Sulpice. Puis, ayant appris que le professeur attendu ne viendrait pas, il se décida à redoubler sa rhétorique. Ce ne fut pas un malheur. Il sentit se développer son goût pour les études littéraires et se livra au travail avec une ardeur toute nouvelle. Le succès couronna ses efforts, et il revint à Nantes, à la fin de l'année scolaire, chargé de lauriers.

Il ne devait plus retourner à Paris. Une lettre de M. Liautard, en date du 6 septembre 1806, nous apprend que M. Angebault avait résolu de retirer son fils. Cette lettre nous donne des détails trop précieux pour que nous puissions nous dispenser de la publier :

« Extrêmement pressé, écrivait M. Liautard, le jour du « départ de Monsieur votre fils, je n'ai pu lui donner un « certificat suivant son mérite. Les occupations dont nous « sommes constamment surchargés m'ont, au reste, empê- « ché de négocier, auprès de vous, un changement dans « vos projets. Il m'aurait été très avantageux de garder « votre fils un an de plus. Peut-être lui-même n'y aurait-il « pas perdu.

« Mais, pour ne m'occuper que de mon intérêt propre, « ne dois-je pas regarder comme extrêmement précieux, « pour une maison qui commence, un élève qui joint au « talent dans tous les genres (les listes des prix en feront « foi) une douceur admirable avec ses condisciples, « beaucoup de candeur, de droiture et de docilité avec « ses maîtres, une bonhomie, symbole de l'innocence, « beaucoup de sagesse et d'attention dans tous les exer- « cices, malgré la fougue de l'âge et la vivacité du tempé- « rament.

« Tel était, Monsieur, notre fils auquel nous nous étions « peu à peu très attachés. Puisse-t-il, Monsieur, remplir « les espérances que nous avons conçues de lui et répondre, « jusqu'à la fin, aux soins si rares et si précieux que vous « prenez de son éducation. Veuillez bien lui dire que « nous ne cessons de l'aimer de tout notre cœur, que nous « le prions de ne pas nous oublier ; et si jamais ses affaires

« le ramenaient à Paris, qu'il regarde notre maison « comme la sienne et qu'il ne pense pas avoir ici de « meilleurs amis que nous. »

Pourquoi donc M. Angebault enlevait-il son fils à un établissement où, en si peu de temps, il avait su conquérir de si vives sympathies et mériter tant d'affection? En voici la raison.

Mgr Duvoisin, alors évêque de Nantes, avait conçu une haute estime pour M. Angebault et, par intérêt pour son fils, il lui avait indiqué un établissement, peu connu il est vrai, mais qui offrait les plus sérieuses garanties. C'était le collège de Chavagnes.

Dans un lieu presque désert, perdu au fond du Bocage, s'élevait le bourg de Chavagnes-en-Paillers, à moitié ruiné par la guerre civile. C'est là que, au milieu de masures noircies par l'incendie et à peine restaurées, avait été installé le Petit-Séminaire de La Rochelle. Le diocèse de Luçon n'existait pas encore.

Comme à Beaupréau, les bâtiments du presbytère, fort pauvres et d'ailleurs très insuffisants, servaient d'habitation aux élèves. Mais la divine Providence y avait placé pour maîtres deux hommes capables, zélés et unis par les liens de la plus tendre charité, bien qu'ils fussent, par leur caractère, entièrement opposés l'un à l'autre. Le premier était un ancien Eudiste qui, pendant la Révolution, était demeuré aux Sables, donnant des leçons de hautes mathématiques. Sa science était profonde, et ce fut vraisemblablement ce qui décida M. Angebault à conduire son fils à Chavagnes.

Le second était le vénérable abbé Baudouin, confesseur de la foi, échappé aux pontons de l'Ile de Ré, curé de la paroisse, supérieur du collège et fondateur de la Société des religieuses Ursulines de Jésus et de la congrégation des Enfants de Marie-Immaculée, Oblats de Saint-Hilaire. Ce saint homme joignait à une ardente piété et à une simplicité admirable un sens exquis, beaucoup de délicatesse de tact et une grande finesse d'esprit.

Mgr Duvoisin, appréciant la valeur de ces deux hommes, décida M. Angebault à leur confier son fils. Guillaume se rendit donc à Chavagnes au mois d'octobre 1806. Il y demeura trois ans à étudier la philosophie. A cette heureuse époque, les épreuves universitaires du baccalauréat n'obligeaient point encore les étudiants à abréger le temps de la haute culture intellectuelle en tronquant ou en supprimant presque les études philosophiques. M. Angebault avait bien placé sa confiance et son fils trouva à Chavagnes tout ce que recherchaient son esprit et son cœur : des maîtres instruits et pieux, des études intéressantes, des amitiés fidèles et des vertus solides. La sage direction de M. Baudouin fixa pour jamais les principes de la foi dans son âme, et il put se laisser aller doucement à cette piété affectueuse qui devait, toute sa vie, le distinguer.

Parmi les élèves qui étudiaient alors à Chavagnes se trouvait un jeune homme de Saintes, nommé Maréchal. Il fut pour Guillaume ce trésor précieux dont parle la Sainte Écriture. La conformité de leur goût pour l'étude, leur inclination semblable à la piété, rapprochèrent bien vite les deux étudiants. Il se forma entre eux l'une de ces pures liaisons que la mort seule peut briser. Ils choisirent une habitation commune, dans le bourg, à la porte du collège, et ils mirent en commun ce qu'ils avaient d'argent, d'intelligence et de cœur pour doubler leur trésor.

M. Baudouin les suivait avec une paternelle sollicitude. Il savait l'heureuse influence qu'ils exerçaient l'un sur l'autre et, pressentant peut-être que Dieu avait sur eux des desseins particuliers, il les cultivait avec soin. Il crut pouvoir, pendant la dernière année qu'ils passèrent ensemble sous sa direction, leur accorder la faveur, bien rare dans ce temps-là, de communier tous les dimanches. Ce fut une grande joie pour les deux amis. « Je me rap-

« pelle encore, écrivait longtemps après l'Évêque d'Angers,
« je me rappelle ces souvenirs avec bonheur ; et, je dois
« l'avouer, c'était avec une véritable joie que nous voyions
« arriver le jour du dimanche pour nous asseoir ensemble
« à la table sainte. »

Heureuses les âmes qui n'ont d'autres souvenirs de leur jeunesse! Leur vie sera comme un éternel printemps et les désillusions de l'âge n'affaibliront en eux ni les fermes espérances, ni les pures affections, ni les saints dévouements. Elles renouvelleront sans cesse leur jeunesse comme celle de l'aigle, en répétant avec le roi David : Je m'approcherai sans cesse du Dieu qui réjouit ma jeunesse.

On comprend que les jours coulaient rapides au milieu de ces joies de l'étude et de la piété. Le cours de philosophie s'achevait. « Je devais quitter, écrit M. Angebault,
« je devais quitter sans retour ces lieux si chers. M. Ma-
« réchal terminait, comme moi, ses études philosophiques
« et nous nous entretenions souvent de la position où
« nous allions bientôt nous trouver dans les écoles de
« droit, lui, à Poitiers, moi à Rennes ou à Paris. Le bon
« père Baudouin voulut bien me donner, par écrit, ses
« conseils. Je lui fis mes adieux, je les fis à mon cher
« Maréchal et je me rendis à Sucé, chez mes parents. »

Ainsi les deux amis se promettaient de suivre une voie parrallèle. Leur espérance fut réalisée mais autrement qu'ils ne le pensaient. Pendant les vacances, M. Maréchal, qui se proposait d'étudier le droit à Poitiers, se sentit attiré vers le sanctuaire. Il suivit fidèlement le chemin que Dieu lui montrait et revint près de M. Baudouin commencer ses études de théologie. Devenu prêtre, il rendit de grands services au diocèse de La Rochelle, soit comme supérieur du collège de Saint-Jean-d'Angély, soit comme grand vicaire. Il est mort laissant après lui d'unanimes regrets et la renommée d'une vertu exemplaire.

Pas plus que M. Maréchal, M. Angebault ne songeait alors à l'état ecclésiastique. Mais l'influence de M. Baudouin avait sans doute préparé le cœur de son disciple aux touches secrètes de la grâce. L'évêque d'Angers sembla plus tard le reconnaître. « Que pourrais-je vous dire, écrivait-il le 3 juillet 1848, à un de ses anciens condisciples, qui exprimât dignement ma reconnaissance et ma vénération pour M. Baudouin. J'ai eu le bonheur de passer trois ans à Chavagnes et même d'être dirigé par lui. J'étais bien jeune alors et ne songeais nullement qu'un jour je dusse faire partie de la tribu sainte. C'est peut-être à sa direction, à ses prières, que je dois ce bonheur. »

Autour de M. Angebault on ne pensait pas non plus pour lui à une vocation sacerdotale.

Qui eût dit que ce jeune homme si plein d'ardeur, si riche d'espérances, si bien fait pour briller au milieu du monde, y conquérir tous les suffrages, y briguer tous les honneurs, sacrifierait tout à Dieu si facilement et qu'il n'aurait à lutter que pour vaincre la volonté d'une mère pourtant si chrétienne ? Laissons-le raconter lui-même cet épisode de sa vie. Rien ne vaudrait le simple et touchant récit qu'il en a fait. En l'écoutant, nous comprendrons mieux la souffrance de son cœur où luttèrent si longtemps, l'un contre l'autre, l'amour de Dieu et l'amour de sa mère :

« Mon père me destinait au barreau et se préparait à m'envoyer à Rennes, pour y étudier le droit. Jamais je n'avais opposé une résistance à ses volontés ; jamais non plus je ne m'étais occupé ni de vocation ni d'avenir ; mais, pendant ces vacances, des réflexions sérieuses occupaient mes loisirs. Livré à moi-même, j'allais m'asseoir sous un grand châtaignier, dans un petit vallon, et là je passais des heures entières à réfléchir aux desseins de Dieu sur moi et à le prier de m'éclairer. N'ayant plus mon saint directeur, M. Baudouin, je ne m'ouvrais à personne, mais je priais avec ferveur et je voyais avec anxiété approcher le terme des vacances.

« Je devais, cette année-là même, tirer à la conscription; mes parents avaient eu la bonté d'acheter un remplaçant, qu'on gardait à grand'peine, à force d'argent. Je demandai à mon père à différer mon départ de quelques semaines, ce qu'il me permit. Pour lui, il retourna à Nantes où l'appelaient ses occupations, et moi je demeurai à Sucé, près de ma mère, continuant à réfléchir mûrement. J'écrivis inutilement à M. Baudouin; il ne me répondit pas. Alors, croyant être éclairé et décidé, je me rendis à Nantes, et j'allai trouver mon père pour lui faire part de mes projets. Je me rappellerai longtemps ce moment. Mon père était seul à dîner; je voulus parler, je balbutiais; enfin je lui dis que je voulais être prêtre. A cette annonce, il s'arrêta, des larmes roulaient dans ses yeux; il était plein de foi, mais aussi de prudence. Quoique cette détermination contrariât tous ses plans pour mon frère et pour moi, il me dit que quand la volonté de Dieu lui serait bien connue il n'y mettrait plus d'obstacles, mais qu'il voulait que ma vocation fût examinée par des hommes graves et éclairés.

« Il fut donc convenu que j'entrerais au Petit Séminaire de Nantes, qui était réuni au Grand Séminaire, sous prétexte d'y attendre le moment de la conscription, fixée au mois de mars.

« Mais mon père, qui avait peur peut-être que la crainte du service militaire ne nuisît à la liberté de mes réflexions, me déclara qu'il ne renverrait pas le conscrit qu'il avait acheté. J'allai me renfermer au Séminaire. Ma mère, qui était à la campagne, fut consternée en apprenant cette nouvelle. Quoiqu'elle fût extrêmement pieuse, elle ne pouvait se faire à l'idée de me voir prêtre, croyant, je pense, qu'il faudrait bien que je me séparasse de mes parents lorsque je serais appelé à exercer le saint ministère. Elle revint à la ville, mais mon père m'engagea à ne pas la venir voir de suite. Enfin, au bout d'une quinzaine, je me présentai chez mes parents : ma mère me reçut très froidement. Je crus pouvoir lui dire que j'allais rester à dîner; alors, d'un ton sévère que jamais elle n'avait pris avec moi, elle me dit que si je me présentais à table elle allait se retirer et se faire servir dans son appartement. Je n'oublierai jamais ce moment. Je sortis tout ému et j'allai me prosterner, fondant en larmes, au pied de l'autel de la Sainte Vierge, dans l'église de Sainte-Croix ; j'en sortis plus calme et je rentrai au Séminaire. »

Et, comme le cœur qui souffre est plus enclin à la bonté, il eût pu ajouter qu'en sortant de l'église il donna à un pauvre qui lui demandait l'aumône tout ce qu'il avait d'argent sur lui.

On s'étonnera peut-être qu'une femme aussi chrétienne que l'était Mme Angebault se soit opposée avec tant de force à la vocation de son fils. Le fait est moins surprenant qu'il ne paraît d'abord. La vocation à l'état ecclésiastique est, sans doute, un grand honneur pour la famille dont un membre est appelé à la plus haute dignité qui soit sur la terre, mais elle implique une vie de dévouement qui fait toujours tressaillir douloureusement le cœur d'une mère en lui montrant tout d'abord la séparation et l'éloignement de l'enfant chéri. Ne soyons pas trop sévères pour la tendresse maternelle, même quand elle s'égare. Dieu ne permet-il pas qu'il en soit ainsi quelquefois, afin de rendre plus grand et plus méritoire le sacrifice du prêtre, appelé à quitter son père et sa mère pour le service des autels ?

L'épreuve fut douloureuse pour le jeune Guillaume. Quelque temps après son entrée au Séminaire, il fit entamer des négociations près de sa mère par un ecclésiastique en qui elle avait toute confiance. Les démarches n'aboutirent pas. « Je ne permettrai jamais, avait dit Mme Angebault, que mon fils porte l'habit ecclésiastique avant trois ans. » Aussi soumis qu'il était ferme, le jeune homme répondit : « J'obéirai, je me soumettrai à tous les délais, mais ma détermination est irrévocable. » Plus de deux ans s'écoulèrent sans que Mme Angebault changeât de volonté. Enfin, vaincue par la constance de son fils, ne pouvant plus nier l'appel de Dieu, elle n'attendit pas le terme qu'elle s'était fixé et donna son consentement.

Était-ce simple disposition physique, ou la lutte morale qu'il soutenait depuis si longtemps l'avait-elle fatigué au point d'exercer une fâcheuse influence sur sa santé ? Toujours est-il que M. Angebault était alors dans un état de faiblesse extrême. Il recevait au Séminaire de Nantes les leçons des Sulpiciens, mais, dans l'état d'épuisement où il se trouvait, il ne pouvait suivre qu'un seul cours de théologie. Du moins cherchait-il avec ardeur à développer sa piété au contact des pieux et modestes fils de M. Olier. Un jour vint, cependant, où il fallut changer la direction du Séminaire de Nantes. L'empereur, dans un accès de mauvaise humeur, prononça la dissolution de la Société. Quelques lettres décachetées à la poste avaient fait connaître que les Sulpiciens ne croyaient pas que tout fût alors, en France, pour le mieux dans le meilleur des mondes. L'empereur, s'adressant à son ministre, écrivait d'Utrecht, à la date du 8 octobre 1811, ces simples mots : « Je ne veux point de Sulpiciens dans le Séminaire de Paris ; je vous l'ai dit cent fois, je vous le répète pour la dernière fois. Prenez des mesures telles que cette Société soit dissoute. » Les Sulpiciens furent remplacés, au mois de novembre 1811, par des prêtres séculiers.

On mit à la tête du Grand-Séminaire de Nantes M. l'abbé Bodinier, homme de foi et de dévouement, qui sut continuer dignement, jusqu'en 1814, l'œuvre des Sulpiciens. Le nouveau directeur conçut bien vite pour le jeune séminariste une estime et une affection qui ne firent que s'accroître avec le temps, et il en parlait encore avec émotion jusque dans les dernières années de sa vie.

Sous ce maître vénéré, M. Angebault poursuivit sans incident le cours de ses études théologiques ; mais, comme toujours, il cultiva de préférence la piété, persuadé avec raison qu'elle est l'âme de la vie sacerdotale et que sans elle la science est impuissante à sauver les âmes. Il reçut successivement la tonsure et les ordres mineurs, marquant chacun de ses pas vers le sacerdoce par un accroissement de vertu.

Enfin, aux Quatre-Temps de la Trinité 1813, le jeune clerc fut appelé au sous-diaconat. C'était l'heure qu'il désirait depuis longtemps. Quand il l'entendit sonner, il se mit à trembler. Semblable à ces saints qui reculèrent devant le sacerdoce, il eût voulu fuir jusqu'au désert. Il nous a laissé le récit de la crise qu'il subit alors. Que les chrétiens du monde, trop enclins à ne considérer que les honneurs du sacerdoce sans en sonder les redoutables responsabilités, lisent cette page!

« Depuis longtemps, dit-il, j'attendais avec ardeur le « jour où je serais ordonné sous-diacre; et cependant, « durant la retraite qui précéda l'ordination, je fus saisi « d'une crainte extraordinaire qui m'ôta l'appétit, le « sommeil et le repos. Je craignais de faire une fausse « démarche ; je me disais qu'avec ma mauvaise santé je « ne pourrais travailler, et je ne comprenais pas qu'un « prêtre pût demeurer oisif. Je me retirais pour cacher les « larmes qui m'inondaient malgré moi. Enfin, j'allai « trouver le bon M. Bodinier pour lui déclarer que je ne « me présenterais pas à l'ordination. Il releva mon cou- « rage abattu, me consola en me parlant avec sa bonté « accoutumée. J'achevai ma retraite; mais, au matin même « du jour de l'ordination, lorsque, dans la sacristie de la « cathédrale, je vis les ornements qui m'étaient destinés, « mes craintes se réveillèrent avec plus de violence, et je

« fus saisi d'une espèce de tremblement. M. Gougis, sulpi-
« cien, qui était mon confesseur, avait été placé vicaire à
« la cathédrale après la dispersion de 1811. Il s'approcha
« de moi, me ranima un peu, et je me laissai traîner à
« l'ordination pendant laquelle je fus comme absorbé,
« suffoqué par une émotion dont je ne comprenais pas la
« cause. Mais, lorsque l'ordination fut terminée, je retrou-
« vai le calme et la paix, mes inquiétudes cessèrent et,
« depuis lors, je n'ai rien éprouvé de semblable. »

Comme on le voit, ce qui préoccupait le plus M. l'abbé Angebault, c'était la crainte de ne pouvoir travailler suffisamment au service et à la gloire de Dieu. L'activité de son esprit, le zèle dont son cœur était animé, lui faisaient envisager le sacerdoce comme une vie de labeurs, féconds sans doute, mais durs à supporter, et la seule pensée que la fragilité de sa constitution le rendrait impuissant le tenait dans le doute et l'incertitude. S'il avait pu lire dans l'avenir, il n'eût pas éprouvé de si grandes perplexités, car nul ne travailla davantage et les entreprises qu'il mena à bon terme sont telles qu'on se demande comment le plus robuste tempérament n'en eût pas été épuisé. Le secret qu'il employa pour surmonter les défaillances de sa nature fut, sans doute, celui qu'il nous a fait connaître dans l'une de ses lettres. Écrivant, quelques années plus tard, à sa cousine, religieuse du Carmel, il lui disait, en revenant sur les impressions de sa première ordination :
« O mon enfant, en me relevant, je pensai que le bon
« Dieu aurait pitié de ma faiblesse, qu'il n'avait pas besoin
« de mes faibles services et qu'il ne me demandait pas
« tant de *travailler* que de *l'aimer*. » C'est dans son amour de Dieu et dans sa piété qu'il trouva la force de soutenir, pendant cinquante et quelques années, ces labeurs du sacerdoce dont la seule pensée lui causait tant d'effroi. L'apôtre avait raison : la piété est utile à tout.

Au reste, la frayeur qu'il ressentit en se prosternant sur

le pavé du sanctuaire ne l'agita pas au point de lui enlever toute la jouissance du sacrifice. « Avec quelle ardeur, « dit-il encore dans la lettre que nous venons de citer, je « demandais à Dieu la grâce d'être un bon prêtre ! En me « relevant, j'étais calme et, le reste de la cérémonie, « j'éprouvai une paix, une joie, un bonheur qui me firent « oublier les trois jours précédents. Souvenirs délicieux « que j'aime toujours à rappeler et que chaque ordination « réveille en moi. »

Après l'ordination, M. l'abbé Angebault, fatigué par tant d'émotions diverses, dut interrompre ses études pour aller à la campagne prendre un peu de repos. Puis, il se remit au travail et, bien qu'il se vît forcé, de temps à autre, de le suspendre, il se trouva prêt pour l'ordination du diaconat. Même il acheva son cours de théologie avant d'avoir atteint l'âge requis pour l'ordination sacerdotale. Il eut alors la pensée d'aller à Paris suivre, sous ses maîtres de Saint-Sulpice, ce que l'on appelle le grand cours. Sa santé ne le lui permit pas et le médecin s'opposa formellement au départ. Il en éprouva du regret, mais il fit généreusement son sacrifice à Dieu. Ce n'était pas, du reste, le premier qu'il lui offrait depuis qu'il s'était consacré à Lui. Il avait, en effet, songé à entrer au noviciat des Jésuites. Mais les fils de saint Ignace étaient alors dispersés. Quelques-uns s'étaient réunis en Russie, et c'est là que M. Angebault pensait aller les rejoindre. Toutefois, les communications étaient difficiles et les chances de succès incertaines. Il crut voir dans ces obstacles la preuve que Dieu ne l'appelait pas dans la Société de Jésus, et il renonça à suivre un attrait qui ne lui paraissait pas conforme aux desseins de la Providence. Il demeura donc à Nantes.

Au mois de juin 1815, il atteignait sa vingt-cinquième année Il y avait alors deux ans que le siège épiscopal de Nantes était vacant par la mort de Mgr Duvoisin, décédé au mois de juillet 1813. La Révolution des cent-jours menaçait de prolonger encore la vacance du siège. M. Angebault ne voulut pas attendre davantage; il résolut d'aller demander la consécration sacerdotale à un diocèse étranger. Il vint à Angers, avec deux autres nantais, dont l'un était M. Audrain, mort depuis curé de la cathédrale de Nantes.

Aux Quatre-Temps de septembre, il se prosternait pour recevoir le sacerdoce aux pieds de cet autel où, vingt-sept ans plus tard, il devait être sacré évêque, pour remplacer comme deuxième successeur, le vénérable pontife qui lui imposait les mains.

Au retour de l'ordination, M. l'abbé Angebault fut nommé vicaire à Saint-Donatien, paroisse fixée à l'extrémité d'un des faubourgs de Nantes. Les vicaires capitulaires, M. de Bruc et M. Bodinier, n'ignoraient pas, ce dernier surtout, les talents et la piété du jeune prêtre, et c'est sans doute pour cela qu'ils tinrent à ne pas l'éloigner d'eux et à lui faire faire ses débuts dans une des paroisses de la ville. M. l'abbé Angebault en fut d'autant plus heureux qu'il rencontrait là, pour guider ses premiers pas dans le ministère paroissial, un curé rempli de l'esprit apostolique, M. l'abbé Jambu, confesseur de la foi, condamné autrefois à l'exil par les révolutionnaires de 93.

Sous cette sage et paternelle direction, le nouveau vicaire put donner libre cours à son zèle et il n'y manqua point. Malheureusement ses forces le trahirent de bonne heure; il fut pris de crachements de sang qui l'obligèrent à ne prêcher que rarement et brièvement. Ce fut pour lui une grande souffrance; il eut de la peine à modérer l'activité de son bon vouloir.

Il n'y perdit rien, cependant, car les sacrifices qu'il dut s'imposer pour régler son ardeur lui donnèrent de l'expérience et lui apprirent à se posséder lui-même et à ne compter que sur Dieu pour le succès de ses entreprises.

Il ne fut pas d'ailleurs longtemps arrêté. M. Bodinier,

qui ne perdait pas de vue son ancien élève, l'appela, le 8 février 1817, à travailler, sous la direction de M. l'abbé Delamare, au secrétariat de l'Évêché. Tout en se mettant à l'œuvre avec son ardeur accoutumée, M. Angebault n'en continua pas moins, à prêter, le dimanche, son concours de vicaire à l'excellent curé de Saint-Donatien, jusqu'à ce que Mgr d'Andigné de Mayneuf vînt, vers la fin de l'année 1819, occuper le siège épiscopal de Nantes et prendre en main l'administration diocésaine. M. Delamare ayant quitté l'Évêché, M. Angebault resta seul secrétaire et dut abandonner complètement ses fonctions vicariales. Le 2 décembre suivant, il fut nommé chanoine honoraire. « Monseigneur, écrivait-il le 3, était hier prodigue de « faveurs, il a nommé trois chanoines honoraires au « nombre desquels, il a bien voulu me placer, tout indigne « que j'en suis. »

L'épiscopat du nouvel évêque fut de bien courte durée. Avant même d'arriver à Nantes, Mgr d'Andigné avait été plusieurs fois frappé de paralysie ; il succomba à une nouvelle attaque le 2 février 1822. On vit alors quelle confiance il avait en son jeune secrétaire ; il en fit son légataire universel et le chargea des œuvres de charité qu'il avait voulu faire en mourant.

Ce même jour, les chanoines, réunis en chapitre, rédigeaient de la manière suivante leur procès-verbal. « L'assemblée capitulaire du 2 février 1822, jour de la mort de Mgr Louis-Jules-François d'Andigné de Mayneuf, évêque de Nantes, a nommé M. Guillaume-Laurent-Louis Angebault, secrétaire de MM. les Vicaires capitulaires, MM. Bodinier et Bascher. »

Cette fois, la vacance du siège ne fut pas longue. Quelques semaines après la mort de Mgr d'Andigné, M. de Guérines, grand vicaire de l'Évêque de Clermont, fut nommé au siège épiscopal de Nantes, qu'il vint occuper au mois de décembre de la même année. C'était un homme de talents distingués et qu'une longue expérience des affaires rendait tout à fait apte à l'administration du beau et grand diocèse qui lui était confié.

Le nouvel évêque maintiendrait-il M. Angebault au secrétariat? Il y avait lieu de le croire; mais on faisait déjà des vœux pour l'avancement du secrétaire. Le R. P. Dom Antoine, abbé de la Trappe de Meilleraye, se faisait l'interprète des sentiments du clergé nantais, quand, à la date du 2 avril 1822, il écrivait à Mgr de Guérines, la lettre suivante :

« Je ne sais si vous amènerez avec vous un vicaire « général; mais, dans le cas où vous n'en auriez pas pour « adjoindre à M. Bodinier, permettez-moi de vous faire « connaître un homme trop humble et trop modeste pour « se mettre en avant et qui, je vous le garantis, Mon- « seigneur, est un sujet bien précieux. Il y a, à l'évêché, « un ecclésiastique de trente-deux à trente-trois ans, secré- « taire depuis quelques années et dès lors parfaitement au « courant de l'administration, M. l'abbé Angebault. Il « appartient à une famille très honorable, considérée et « surtout très probe; son père est le premier avocat de « Nantes. »

« M. l'abbé Angebault, chanoine honoraine, est un « homme peu ordinaire, de grands moyens et d'une tenue « irréprochable. Il a beaucoup de facilité pour s'exprimer, « un tact sûr dans les affaires; il est pieux et zélé, d'une « aménité parfaite, plein de respect et d'amitié pour « l'excellent abbé Bodinier qu'il regarde comme son père. « J'ai l'honneur de vous assurer, Monseigneur, qu'avec « deux vicaires généraux comme ceux-là, un très bon « supérieur du Séminaire, M. Morel, le gouvernement du « diocèse marchera admirablement bien. » Cette lettre méritait de trouver place ici; elle est à l'éloge de tous et elle trace, d'une main sûre, le portrait du futur évêque d'Angers.

Mgr de Guérines put bientôt se convaincre par son expérience que les qualités du secrétaire n'avaient point été surfaites. Toutefois, M. Angebault ne fut pas de suite nommé grand vicaire ; il ne le fut même jamais en titre ; nous verrons pourquoi plus tard. Mais Mgr de Guérines avait su l'apprécier et il en donna la preuve en l'attachant définitivement à la cathédrale et à l'évêché. Il le nomma au premier canonicat vacant par la mort de M. l'abbé Petit des Rochettes. La prise de possession eut lieu à la cathédrale de Nantes, le 25 février 1825, avec le cérémonial d'usage. C'était un honneur bien mérité. M. Angebault s'était, en effet, dévoué entièrement à l'administration du diocèse. Il avait apporté au secrétariat cet amour du travail, cet esprit d'ordre et cette activité prodigieuse qu'il a conservés jusqu'à ses derniers jours. On sait combien la besogne d'un secrétaire d'évêché est absorbante et combien de vies se sont usées dans ces expéditions journalières et incessantes. M. Angebault n'y trouvait pas un aliment suffisant pour son activité. Non seulement il savait tenir toutes choses à jour, mais il trouvait encore le temps de revenir sur le passé, et c'est à lui qu'on doit la mise en ordre et le classement des pièces administratives conservées aux archives de l'évêché de Nantes depuis la réorganisation du culte.

En relisant toutes ces pièces, il prenait ses notes et rien d'important ne lui échappait. Il avait dès lors commencé sur un grand registre in-folio, à tranche jaune, ce précieux répertoire de toutes les questions de droit ecclésiastique administratif qu'il continua toute sa vie et qu'il montrait plus tard avec une joyeuse fierté. Il en avait le droit, car la promptitude de ses recherches, l'abondance de ses documents, l'exactitude de ses citations dues à son répertoire, lui valurent, outre de nombreux triomphes en faveur de la bonne cause, une réputation d'administrateur consommé. « Faites un répertoire, disait-il en souriant un jour à l'un

« de ses jeunes secrétaires, faites un répertoire. Le ministre « a écrit au préfet de ne point entrer en lutte avec moi « parce que j'étais plus fort qu'eux ; ce n'est pas étonnant, « ils n'ont pas fait de répertoire. » Voilà ce qu'il savait. Ce qu'il ne savait pas, c'est que MM. les Ministres profitaient eux-mêmes de son répertoire. Voici un fait qui le prouve, et qui nous a été rapporté par une personne digne de foi. Un ministre du second empire, dont nous tairons le nom, méditait nous ne savons quelle entreprise contre les fabriques. « Écrivez à l'évêque d'Angers, dit-il en subs« tance à son chef de bureau ; faites-lui part de notre pro« jet. Nous aurons, dans les 48 heures, en un mémoire « bien rédigé, tous les arguments qu'on peut apporter « contre nous et nous saurons jusqu'où nous pourrons « aller. Personne n'apportera rien de plus fort que l'évêque « d'Angers. »

Si nombreuses que fussent ses occupations, son activité ne se contenait pas à l'intérieur de l'évêché. Dès avant l'épiscopat de Mgr de Guérines, il avait eu, de concert avec MM. Bodinier et Bascher, l'idée de fonder une maison de retraite pour les prêtres âgés ou infirmes obligés de quitter le ministère actif. A cet effet, ces Messieurs avaient acheté, à frais communs, un hôtel avec un vaste jardin, situé près la rue du Bocage. M. Bascher y avait annexé une grande chapelle pour les pensionnaires de la maison et pour le public. Cet établissement, nous ne savons pour quelles raisons, ne réussit point. Les fondateurs établirent dans leur hôtel une société de missionnaires diocésains, sous la direction de M. l'abbé Bizet. Ce fut l'origine de la maison actuelle des missionnaires de l'Immaculée-Conception qui rendent aujourd'hui de si grands services au diocèses de Nantes et aux diocèses voisins.

Il fallait plus encore à M. Angebault. « Un vrai prêtre « éprouve l'impérieux besoin de se mettre en contact avec « les âmes ; besoin pour lui-même, parce que les soucis

« et les aridités d'un travail purement administratif dimi-
« nueraient en lui cette grande lumière du ciel qui doit y
« briller avec éclat, tariraient la piété qui doit y jaillir
« comme une source inépuisable ; besoin pour les autres
« parce que la *charité de Jésus-Christ le presse* et
« qu'il brûle du désir de faire connaître et aimer cet
« adorable Maître, ce qui est tout le but du sacerdoce[1]. »

M. Angebault connut bien vite cet « impérieux besoin. » Aussitôt qu'il eut cessé ses fonctions de vicaire de Saint-Donatien, il commença à voir de près les communautés religieuses. Il prêchait assez souvent et surtout chez les Sœurs de Saint-Vincent de Paul dont il était le confesseur. Il s'intéressait vivement au succès de leurs œuvres. Il les soutenait de ses conseils et de son argent. Enfin, il fit, en grande partie à ses frais, construire pour elles une petite chapelle au carrefour Saint-Jean.

En même temps qu'il acquérait, près de ces saintes filles, ce tact et cette sureté de direction qui ont été si justement admirées en lui, son étonnante activité lui permettait encore de donner ses soins aux hommes. Il avait fondé, près de la cathédrale, au couloir de la Psalette, une congrégation de jeunes gens auxquels, tous les quinze jours, il annonçait la parole de Dieu. A cette époque, une sorte d'inquiétude religieuse avait envahi les esprits ; on était épouvanté des excès de l'impiété, on sentait le vide des théories philosophiques du XVIIIe siècle. Cependant, la raison, enorgueillie et faussée par les sophistes, n'acceptait que difficilement les mystères de la religion. Longtemps les apologistes chrétiens se firent un devoir de prêcher l'accord de la raison et de la foi. M. Angebault ne se plaça pas sur ce terrain. D'instinct il avait compris que le temps était plutôt aux applications qu'on ferait de la science au commerce et à l'industrie qu'aux spéculations de la philo-

[1] *Or. funèbre*, par M. l'abbé Subileau.

sophie, et il prêcha résolument l'accord de la foi et de la science.

Il a raconté lui-même le charme qu'il trouvait à ces réunions et l'affection qu'il portait à ces bons jeunes gens. « Fatigué, dit-il, de l'aridité des fonctions administratives, « on a besoin de délasser son âme en l'attachant à des « détails qui puissent nourrir la piété. Tous les quinze « jours, je réunissais donc cent cinquante jeunes gens « appartenant à la classe élevée ou à diverses administra- « tions. Je leur adressais quelques paroles d'édification, « et jamais un mot de politique n'était mêlé à ces entre- « tiens. Ces bons jeunes gens m'édifiaient, m'humiliaient « par leur piété et leur ferveur. C'étaient eux-mêmes qui « préparaient la chapelle, qui voulaient avoir l'honneur de « répondre la sainte messe et de servir le prêtre à l'autel. « Pendant la petite retraite que je leur donnais pour les « préparer à la fête de l'Immaculée-Conception, de notre « bonne Mère, ils trouvaient moyen, sans nuire à leurs « devoirs, dans les places administratives que beaucoup « occupaient, de venir en grand nombre à ces pieux exer- « cices. Ils récitaient, à deux chœurs, l'office de Marie, « chantaient des cantiques avec un zèle admirable et se « pressaient à la table sainte avec une piété qui ranimait « ma tiédeur et m'attendrissait jusqu'aux larmes. J'avais « commencé ces réunions en 1820 ; elles furent continuées « jusqu'en 1830. Alors les événements politiques vinrent « dissoudre cette pieuse association. »

La défiance, surexcitée par des rapports calomnieux, avait renversé cette œuvre de bien. Cent cinquante jeunes gens, récitant l'office de la sainte Vierge, ne pouvaient que mettre l'État dans le plus extrême péril. Les gouvernants, toujours si portés à restreindre l'action et l'influence de l'Église, ne comprendront-ils jamais que la religion des peuples est leur meilleure sauvegarde? Quand donc les gouvernés, toujours si prompts à applaudir à ces restrictions, verront-ils enfin que le prêtre seul peut les défendre efficacement contre les entreprises de l'oppression et de la tyrannie?

Les œuvres de charité ne fleurissent bien qu'au pied de la croix. Aussi les épreuves ne manquaient pas à M. Angebault. Le jour de la Pentecôte, 22 mai 1825, il eut la douleur de perdre sa mère. Mme Angebault succombait à une maladie dont elle souffrait depuis plusieurs années. Elle avait hésité longtemps avant de sanctionner la vocation de son fils; elle fut heureuse et consolée de recevoir de lui les derniers sacrements.

L'année s'était à peine écoulée qu'une autre mort vint renouveler le deuil de la famille. La jeune femme du frère de M. Angebault (elle avait 22 ans) était malade de la poitrine. Elle allait être mère, et l'inquiétude était grande autour d'elle. Son état de faiblesse faisait redouter le jour si ardemment désiré d'ordinaire dans la famille. Ce jour vint prématurément le 1er janvier 1826. Après 3 heures de grandes souffrances, Mme Angebault eut la joie de presser sur son cœur son enfant vivant. L'oncle fit le baptême, et la famille fêta l'ange que Dieu lui envoyait. La fête dura 14 heures, et l'ange retourna dans les cieux. « C'est acheter en peu de temps la récompense, écrivait M. l'abbé « Angebault à sa cousine. Il doit être inhumé aujourd'hui; « on l'a déposé près de la table où je t'écris; un cierge « brûle devant lui comme devant les saintes reliques. Je « viens de faire mon oraison là-dessus. Heureux enfant, « il me semblait le voir comme un petit ange voltiger « autour de son berceau, et je l'ai bien prié. »

L'heureuse délivrance de la jeune mère rendit à son mari quelque espoir, mais pour peu de temps. La toux reprit bientôt avec opiniâtreté et les médecins « redevinrent effrayants ». Quelques jours après, toute illusion était impossible. « Hier, écrivait M. l'abbé Angebault, elle a « demandé et reçu le saint Viatique. Elle est placée dans

« l'appartement qu'occupait ma mère et, comme dit mon « père, on ne sort de cette chambre que pour aller au « ciel »; et, le 16, il ajoutait : « Demande des prières pour « ma pauvre Caroline; elle vient d'expirer comme une « petite sainte, conservant jusqu'à la fin sa foi et sa pré- « sence d'esprit. » Le père avait raison. Elle avait quitté la chambre pour le ciel.

La foi, sans doute, amortissait des coups si rudes, mais elle ne pouvait empêcher la douleur de se faire sentir. A la suite de ces épreuves, M. Angebault eut la poitrine si fatiguée qu'il craignit d'être obligé de s'arrêter. Heureusement, il se remit assez vite et put donner libre cours à son dévouement pour les âmes. Il eut, quelque temps après, une singulière occasion d'exercer son zèle et son talent de directeur.

Au commencement de l'année 1829, le père de M. Angebault conçut le projet de se retirer du monde et de se préparer à paraître devant Dieu, en lui consacrant, dans la vie religieuse, ses dernières années. Il songeait à se faire trappiste. Les instances de ses fils le firent renoncer à cette partie de son dessein; il fut seulement admis qu'il se retirerait au presbytère de Sucé, où il aurait toute facilité de se tracer et de suivre une règle religieuse. Une fois la décision prise, l'humble et fervent vieillard n'hésita plus; il se mit sous la direction de son enfant, il dit « mon père » à son fils. Il lui demanda d'écrire une règle de vie qu'il se proposait de suivre jusqu'à la fin de ses jours.

En relisant aujourd'hui ce règlement qui, avec les principes de direction qui l'accompagnent, ne tient pas moins de vingt pages in-4°, on ne sait qu'admirer le plus, ou l'humilité du père qui demande à son fils et reçoit de lui, avec un si grand respect, de telles leçons, ou la foi du fils ne voyant plus dans son père qu'un chrétien à conduire sur les sommets de la perfection et à qui il n'hésite pas à demander la pratique de tous les conseils évangéliques.

En écrivant à son père pour lui adresser cette règle, M. Angebault lui disait qu'il avait bien des fois mouillé son papier de ses larmes : nous le croyons facilement. Ce n'est pas sans une profonde émotion qu'un fils aussi affectueux pouvait diriger un père si vénéré. Et, cependant, l'émotion qui se fait sentir à chaque ligne de cette correspondance n'a pas fait trembler un seul instant la plume du directeur. Toutes ces règles sont tracées d'une main sûre et ferme. Et quelles règles! M. Angebault, ayant l'intention de se retirer du monde, devra se regarder, au presbytère de Sucé, comme un religieux dans son couvent. Il n'acceptera aucune invitation de l'extérieur, si ce n'est peut-être celles où M. le curé se rendrait avec lui; de cette manière, il n'aura aucune invitation à faire en retour. Il commencera par pratiquer, autant que cela est possible à un homme qui ne vit pas dans le cloître, les trois vœux de chasteté, de pauvreté et d'obéissance. Il partagera son temps entre l'étude et la prière. Quelques récréations, passées autant que possible dans l'exercice des œuvres de charité, distrairont suffisamment son esprit. Il fera, le matin, trois quarts d'heure d'oraison, assistera à la messe et récitera les petites heures du saint office. Le soir, il n'omettra pas la lecture spirituelle, la visite au Saint-Sacrement d'un quart d'heure ou d'une demi-heure, la récitation du chapelet, des vêpres et des matines. Ses études auront pour objet l'Écriture-Sainte et l'histoire ecclésiastique.

Cette vie ne serait pas encore assez sainte. Il faudra y mêler les exercices de la pénitence. Aux petites privations que peuvent imposer à un homme élevé délicatement dans le monde le séjour et la vie d'un presbytère de campagne M. Angebault devra ajouter le jeûne, non seulement pendant le carême, ce qui est de règle ecclésiastique, mais aussi pendant l'Avent et le vendredi de chaque semaine.

Tous ces exercices, d'ailleurs, ne sont pas proposés

comme un but, mais comme un moyen pour arriver à Dieu par le détachement des créatures.

A ces points, qui sont le fond même de la règle donnée à son père, M. Angebault ajoutait des conseils d'une sagese rare sur la conduite à tenir vis-à-vis de M. le curé, du vicaire, de la servante, etc.

Tout fut adopté avec docilité, humilité et confiance. En marge du manuscrit où sont tracées ces règles, on trouve seulement deux notes de la main du père de M. Angebault. La première a trait au conseil que lui adressait son fils de ne plus donner de consultations d'avocat, mais de tâcher d'arranger à l'amiable les différends survenus entre gens de campagne. M. Angebault avait écrit : « Ceci n'est guère possible; les paysans n'acceptent pas volontiers d'arbitrage et ne s'arrangent que par les décisions des tribunaux. » Un peu plus loin, à propos du soin qu'il devait avoir de ne se point immiscer dans les affaires paroissiales, il avait mis en marge : « Sur cet article, on peut être tranquille. »

Telle fut la règle donnée par M. l'abbé Angebault à son vénérable père. Avec quelle joie le pieux vieillard embrassa son nouveau genre de vie, c'est ce que nous montrent les premières lettres qu'il écrit à son « fils et père », comme il l'appelle. Elles sont datées, ces lettres, de *l'an premier de sa liberté*. Et cette belle ardeur ne s'éteignit jamais. Comme il avait commencé de vivre il vécut jusqu'au bout, à l'édification de tous ceux qui le connurent, dans sa solitude, pratiquant les œuvres de la pénitence et de l'amour; et, lorsqu'il se coucha pour la dernière fois, on trouva près de lui, sur sa petite table, l'Imitation de Jésus-Christ ouverte à ces mots : « Courage, mon très cher! De quel grand péril tu seras délivré, de quelle grande crainte tu seras arraché, si seulement tu n'abandonnes jamais la crainte salutaire de la mort. Applique-toi maintenant à vivre de telle façon que la mort t'apporte plus de joie que de frayeur! Mortifie maintenant ton corps par la pénitence, afin qu'alors tu puisses avoir une confiance certaine. » (*Im.*, I, XVIII, 6.)

Avant de s'enfermer dans la retraite où il devait terminer ses jours, M. Angebault avait du moins voulu assurer le bonheur de ses enfants. L'un d'eux, prêtre, tout entier à ses œuvres, pouvait se passer non de la tendresse, mais des soins paternels. L'autre, veuf depuis trois ans, resterait-il dans un isolement complet ? Son père ne pensait pas qu'il dût en être ainsi, et il l'engagea fortement à se remarier.

Cédant aux instances paternelles, M. Angebault épousa, en secondes noces, Mlle Levêque du Rostu, qui devait être, elle aussi, un modèle de vertu et de fidélité conjugale. M. Angebault en eut deux filles et un fils ; celui-ci mourut à l'âge de 7 ans. De ses deux filles, la plus jeune, mariée au capitaine Georges Levêque du Rostu, mourut subitement, quelque temps après avoir donné naissance à son premier enfant. Quant à l'aînée, elle est allée dans un couvent de Paris cacher son nom et consacrer à Dieu sa jeunesse, sa vertu et ses rares talents.

CHAPITRE II

Ses œuvres à Nantes, Saint-Gildas-des-Bois

Il fonde Saint-Stanislas. — Voyage à Rome. — Le choléra à Nantes. — M. Angebault refuse le titre de grand vicaire. — Il est nommé supérieur de Saint-Gildas. — Origine de la Communauté. — En quel état il la trouve. — Il pourvoit aux besoins matériels des religieuses. — Il pousse les Sœurs à l'étude. — Il leur donne des leçons. — Il compose des ouvrages pour elles. — Il écrit le Directoire. — Il les forme à la vie religieuse. — Il leur donne une chapelle et un aumônier. — Il leur procure de l'eau. — Il fonde les Sœurs de travail et les Frères. — Il rédige et publie la règle. — Il obtient la reconnaissance légale de l'État et un bref approbatif du Pape. — Il jette les fondements de la chapelle.

Au milieu de ces deuils, l'abbé Angebault continuait à se livrer aux travaux que son zèle lui inspirait.

Une des œuvres les plus néfastes de la Révolution avait été, incontestablement, la destruction de l'enseignement à tous ses degrés. Universités, collèges, écoles, tout avait disparu dans la tourmente. Les plus récentes études historiques tendent à prouver qu'il y avait, sous l'ancien régime, plus de foyers de science et plus d'écoles que la France n'en compte aujourd'hui. Au commencement du siècle, il n'y avait plus rien. Partout le besoin se faisait sentir de rétablir les écoles. L'empereur s'en était bien aperçu. Il avait cherché à remédier à cet état de choses par la création de l'Université de France. Mais l'Université ne suffisait pas à tout, il s'en fallait de beaucoup. D'ailleurs tous les esprits ne s'accommodaient pas également du moule universitaire. Nous avons vu comment avait commencé, à

Paris, le collège Stanislas. Dans presque toutes les villes il y eut des essais semblables. M. Angebault sentait trop bien le prix de l'éducation chrétienne pour ne pas désirer de voir s'élever à Nantes une maison où les jeunes gens pussent joindre à la culture des belles-lettres l'attachement aux principes de la foi, l'amour et la pratique de toutes les vertus chrétiennes.

Dans ce but, il fit, en 1829, l'acquisition d'une maison occupée alors par une filature. Un jardin qui en dépendait la rendait propre à recevoir des enfants et des jeunes gens. M. Angebault y ouvrit, au mois d'octobre 1830, sous le nom de Saint-Stanislas, un pensionnat dont la direction fut confiée à M. l'abbé Orillard. La confiance qu'inspirait ce digne ecclésiastique y attira les élèves en grand nombre et, de suite, l'établissement devint si florissant que Mgr de Guérines pouvait écrire à l'un de ses neveux, en Auvergne, ce qui suit :

« La maison va bien. C'est l'abbé Angebault qui est à la « tête de cette entreprise. Je lui ai cédé un excellent ecclé- « siastique, qui inspire toute confiance, pour être le supé- « rieur de la maison. Déjà la deuxième année a réuni plus « de cent élèves ; on ne les reçoit qu'après de bons ren- « seignements. D'ailleurs, une tenue parfaite dans le « pensionnat, des maîtres d'agrément et de gymnase, tout « ce qui peut développer l'esprit et fortifier le corps. « L'abbé Angebault, que vous connaissez, dirigeant tout « lui-même, je ne balancerais pas à vous conseiller d'y « envoyer votre fils. »

L'œuvre ayant pleinement réussi, le développement qu'elle prit obligea M. Angebault à y ajouter des constructions nouvelles importantes ; il acheta encore un jardin pour y établir une conciergerie. Enfin, plus tard, il compléta l'établissement par l'adjonction des servitudes et de la chapelle.

La maison de Saint-Stanislas n'appartint pas longtemps

à la famille Angebault. Au mois de novembre 1846, l'évêque d'Angers céda l'établissement, maison et mobilier, au diocèse de Nantes, pour une somme qui ne représentait qu'une faible partie de ses déboursés. Encore cette somme fut-elle affectée par lui à la maison des missionnaires de Saint-François qu'il avait contribué à fonder, avec les vicaires généraux, et qui venait d'être transférée à l'Immaculée-Conception. Le pensionnat Saint-Stanislas, considérablement augmenté par de vastes constructions, faites il y a une vingtaine d'années, est maintenant une des plus importantes maisons d'éducation religieuse du diocèse de Nantes.

L'année même où il devait ouvrir le pensionnat Saint-Stanislas, M. Angebault fit, en compagnie de M. le marquis et de Mme la marquise de la Bretesche, le voyage de Rome. Nous ignorons l'origine des relations de l'Évêque avec la noble famille ; nous savons seulement qu'il fut le directeur de Mme de la Bretesche, morte depuis religieuse au couvent de Torfou, qu'elle avait tant contribué à fonder par ses largesses. M. Angebault désirait depuis longtemps voir cette Italie si riche en souvenirs historiques et en monuments religieux et satisfaire sa piété en accroissant ses connaissances. Il partit le lundi 15 février 1830.

Pour mieux profiter de son voyage, M. Angebault consigna chaque soir, sur son journal, ce qui l'avait le plus frappé dans la journée. Ces notes, fidèlement recueillies, ont été par ses soins réunies en un cahier qu'il fit relier et dont il fit présent à la bibliothèque des religieuses de la Retraite. Elles forment un volume in-4° de plus de 300 pages. Narration du voyage, aspect des pays qu'il traverse, description des monuments, inventaire des richesses artistiques, histoire, souvenirs, émotions, mœurs et coutumes des habitants principalement, tout est décrit lestement, sans prétention, mais non sans verve et sans entrain. Avec quelle simplicité il raconte ses petites mésaventures.

« Désirant savoir si l'Évêque du lieu avait donné quelque « dispense d'abstinence pour certains jours de carême, « j'aperçus fort à point un chapeau à trois cornes, accom- « pagné d'un laïque bien mis. Me défiant de ma science « italienne, je préparai une phrase latine que je commençai « à débiter avec grâce au confrère, en tâchant d'imiter sa « prononciation. Il appela à son aide le laïque, qui s'était « éloigné pour ne pas troubler notre docte conversation; « tous les deux se mirent à m'écouter, bouche béante : ma « science fut emportée par les vents. Heureusement il « entendait le français et, après avoir satisfait à ma ques- « tion, il ajouta d'une voix très claire : « Si du moins vous « aviez parlé en latin ; mais vous mêlez des mots italiens, « latins et anglais, de manière à ce que je n'y comprenne « rien. » Je m'en allai, riant beaucoup en moi-même et « aussi étonné de savoir l'anglais que confus de n'avoir « pas appris le latin. »

A peine a-t-il mis le pied sur la terre italienne, qu'un usage pieux le frappe. Il le consigne en ces termes : « Je me « rappelle avec édification que, à Nice, je remarquai plu- « sieurs maisons dont le dôme était couronné par une « croix de fer ; à la porte d'entrée de plusieurs autres, je « voyais, en peinture ou en écussons en marbre, le mono- « gramme du Christ ou de l'*Ave Maria;* un très grand « nombre, surtout en se rapprochant de Gennes, étaient « ornées de fresques plus ou moins bien travaillées, repré- « sentant des images des Saints ou plus ordinairement de « la Vierge; enfin, sur quelques-unes, entre autres à « Gennes et à Savonne, je lus des inscriptions latines « tirées des psaumes, comme celles-ci : *A progenie in* « *progenies timentibus Dominum*, ou bien encore : « *Dominus œdificavit, Dominus conservet!* Dans une « grande quantité de boutiques, même bien ornées, de « Gennes, nous voyions, au fond, dans un endroit appa- « rent, une petite Madone devant laquelle, le soir, on allu-

« mait des cierges. Il y avait également au coin des rues « de petites madones en marbre blanc, dont quelques-unes « étaient sculptées avec un grand soin. »

Est-il besoin d'ajouter que ces sentiments pieux n'enlevaient rien à la gaieté des voyageurs et qu'ils profitaient largement des occasions de se distraire qui se rencontraient en route.

Ils arrivèrent à Rome le vendredi 26 mars. « Les ondu- « lations du terrain nous dérobèrent longtemps la vue de « la ville. Enfin, à quelque distance, nous découvrîmes « cette masse de maisons que domine une multitude de « dômes, au-dessus desquels s'élève majestueusement la « magnifique coupole de Saint-Pierre. Mille sentiments « confus s'élevèrent dans notre âme et nous demeurâmes « tout pensifs. Le premier objet qui arrêta nos regards fut « le tombeau de Néron. Il est à peu près intact, quoique « ravagé par le temps, et demeure sans honneur au bord « du chemin, tandis qu'on voit s'élever, un peu plus loin, « le temple de ceux qu'un ordre de sa bouche envoyait au « supplice. »

Dans ce voyage dont nous ne pouvons pas faire connaître toutes les péripéties, M. Angebault ne visita pas le Souverain Pontife. Il n'y songea même pas. Ceci peut paraître étonnant aujourd'hui. Alors ce n'était pas l'usage de demander une audience pontificale, et M. Angebault, s'il eût eu cette pensée, l'aurait rejetée comme téméraire et inconvenante. Depuis, la facilité des communications, les événements dont Rome a été le théâtre, les spoliations dont le Pape a été la victime, la persécution contre le chef de l'Église, ont excité dans les âmes fidèles le besoin de protester contre tous ces attentats et de porter au Père des chrétiens l'expression d'une plus religieuse vénération et d'un plus filial amour. Les papes, et spécialement Pie IX, ont ouvert plus largement les portes du Vatican, et nul ne va plus à Rome sans aller voir Pierre. Alors il n'en était pas ainsi; mais M. Angebault avait trop de vénération pour le vicaire de Jésus-Christ, il désirait trop la bénédiction du Pape pour quitter Rome sans aller s'agenouiller devant lui. Il se rendit donc, avec le public, à une cérémonie pontificale. « Le cortège des clercs, dit-il, qui précédaient le « Souverain Pontife, nous avertit qu'il allait paraître, « tous les assistants se prosternèrent; il était porté sur la « *Sedia Gestatoria*, espèce de palanquin, auprès duquel « étaient élevés deux éventails en plumes blanches de « grande dimension; il était orné de tous ses vêtements « pontificaux, la tiare en tête. Il donnait avec bienveillance « sa bénédiction dans la galerie. Il s'avança vers la tri- « bune. A ce moment, la musique militaire se fit entendre, « le canon du château Saint-Ange annonça la présence du « Saint Père; un silence profond régnant ensuite, il éleva « les mains et bénit à haute voix toute la multitude à « genoux, sur l'immense place qui est au devant de la « basilique. »

Après avoir reçu la bénédiction pontificale, M. Angebault se décida, quoique avec peine, à quitter Rome, pour aller visiter Naples et le midi de l'Italie. A son retour, il repassa à Rome et rentra en France par Lyon. Il visita la Grande-Chartreuse, dont la vue, même après les magnificences de l'Italie, fit sur lui la plus vive impression. Parti de Nantes le 15 février, il y revint le 20 juin 1830. On était à la veille d'une nouvelle révolution. La France, suivant la parole célèbre, dite alors et si souvent répétée depuis, dansait sur un volcan.

La Révolution de Juillet affligea son cœur de prêtre et de français et blessa ses sentiments de légitimiste, mais elle ne le détourna pas de ses œuvres charitables et n'entrava en rien l'activité de son ministère. Prêtre avant tout, il continua à se dévouer pour gagner les âmes à Jésus-Christ. Nous avons vu déjà, par la lettre de Mgr de Guérines, avec quel zèle il s'occupait de Saint-Stanislas. Pendant qu'il donnait ses soins à cette maison, il eut bien triste occasion de faire éclater son dévouement.

Vers la fin de 1832, le choléra fit son apparition à Nantes. Plusieurs ambulances s'ouvrirent pour les malades en dehors des hôpitaux devenus absolument insuffisants. Celle de la paroisse Saint-Pierre fut établie dans les bâtiments qui appartiennent aujourd'hui aux Dames de la Retraite, et qui étaient alors la propriété des Dames du Refuge. Cette ambulance était desservie par trois élèves internes de l'Hôtel-Dieu, trois ou quatre Sœurs de la Sagesse de Saint-Laurent et autant d'aumôniers. M. Angebault demanda et obtint la faveur d'aller rendre ses services aux pauvres cholériques.

A ce sujet, écrivant à une jeune personne qu'il dirigeait, il disait modestement : « Soyez sans crainte ; le choléra « n'est ici qu'un diminutif ; déjà son intensité est moins « grande, et avec ma fiole de vinaigre on affronterait « toutes les épidémies. Priez seulement que je tire quelque « profit pour mon âme de ces devoirs de charité. » Or, dans cette ambulance où M. Angebault portait ses secours au moins deux fois par jour et où le choléra n'était qu'un diminutif, il y eut, en quelques semaines, près de trois cents décès, et deux des internes, ainsi que trois religieuses, y succombèrent, victimes de leur dévouement. M. Angebault ne ressentit aucune atteinte du fléau ; du moins ne s'était-il pas épargné.

Une conduite si sacerdotale justifiait pleinement les honneurs qui lui étaient décernés. Déjà, au mois de juillet 1830, Mgr de Guérines l'avait nommé vicaire général honoraire. Au mois d'octobre 1832, il lui donna une nouvelle marque de faveur en l'appelant à succéder en titre, comme grand-vicaire, à M. l'abbé de Beauregard. M. Angebault crut devoir refuser. Des motifs d'une exquise délicatesse lui dictèrent ce refus. Un prêtre vénérable, M. l'abbé Dandé, curé de la paroisse et supérieur du petit collège de

Chauvé, venait d'être appelé à faire partie du Chapitre. Sa santé exigeait des soins particuliers et son traitement de chanoine était insuffisant. Profitant de la confiance dont Mgr de Guérines honorait ce digne ecclésiastique et de l'estime dont il jouissait dans le clergé, M. Angebault insista, par écrit, auprès de Monseigneur pour le faire nommer vicaire général. Mgr de Guérines se rendit aux motifs qui lui étaient allégués et M. Dandé obtint cette charge, qui paraissait au-dessus de ses forces et de sa santé dès lors délabrée. Il trouva alors un secours puissant dans la complaisance, le dévouement et l'activité du jeune collègue à qui il devait son poste d'honneur.

L'heure était venue où M. Angebault allait se donner à son œuvre capitale dans le diocèse de Nantes, à celle qui le met, sans conteste, au rang des fondateurs ou restaurateurs d'ordres religieux, à la création, c'est le mot propre, de la communauté de Saint-Gildas-des-Bois.

Vers 1820, un prêtre de vénérable mémoire, M. l'abbé Deshayes, avait jeté, presque sans y prendre garde, les fondements d'un établissement appelé à faire le plus grand bien. Il avait réuni à Beignon, sa paroisse natale, au diocèse de Vannes, quelques pauvres filles dont il se servait pour enseigner les éléments des sciences et de la religion aux enfants des campagnes. Il les employait aussi à visiter et à secourir les malades de la paroisse.

Il est difficile de se donner entièrement aux œuvres de charité sans arriver à la pratique des conseils évangéliques. Ces bonnes filles furent bientôt formées à la vie de communauté et en vinrent promptement aux vœux religieux. Leur dévouement pour les malades, leur succès auprès des enfants, leur vie édifiante firent des prosélytes et, la grâce de Dieu aidant, elles se multiplièrent à tel point qu'on dut fonder plusieurs établissements. Il fallut alors songer à donner à la maison-mère des bases solides.

Le siège de la communauté fut transféré de Beignon à

Saint-Gildas-des-Bois, au diocèse de Nantes. On y acheta une ancienne abbaye de Bénédictins comprenant de vastes bâtiments, un beau site, un terrain fertile et des bois superbes. C'était bien ce qui convenait à la nouvelle fondation. Mais M. l'abbé Deshayes, ayant été appelé à gouverner l'importante congrégation des Religieuses de Saint-Laurent-sur-Sèvre, se vit dans l'impossibilité de donner à l'œuvre les soins qu'elle réclamait.

Manquant du temps nécessaire à la formation des religieuses, privé des ressources matérielles indispensables pour ces sortes de créations, témoin attristé des privations auxquelles étaient soumises ses pauvres filles, il voyait dépérir ce petit troupeau qu'il avait formé avec tant de zèle. Il eut alors recours au seul moyen qui lui restât de sauver sa congrégation. Il alla trouver Mgr de Guérines, lui fit part de ses craintes et le supplia de choisir, dans son Chapitre même, un homme capable de soutenir et de diriger le nouvel institut.

L'Évêque de Nantes appréciait trop l'éducation chrétienne pour ne pas accueillir de telles ouvertures. D'ailleurs, il avait été heureux de voir les *Sœurs de l'Instruction chrétienne* se fixer dans son diocèse. Il avait déjà visité la petite communauté et lui avait témoigné le plus tendre intérêt. Il s'empressa donc d'accéder au désir de M. Deshayes et de lui choisir un successeur. Ce choix ne fut pas difficile. Il avait vu à l'œuvre M. Angebault et il le proposa à M. Deshayes qui accepta avec reconnaissance, croyant reconnaître, comme il le dit lui-même, dans ce choix heureux une marque sensible de la protection de Dieu sur sa petite congrégation.

M. Angebault fut immédiatement appelé et Mgr de Guérines lui demanda s'il voulait accepter cette nouvelle fonction. Il n'était, certes, pas difficile de trouver, dès le premier moment, un motif honnête et sérieux de refuser. Ajouter aux charges qui pesaient déjà sur sa vie celle d'une maison importante à gouverner, c'était assumer une lourde tâche, et M. Angebault, à cause de sa faible santé, eût pu la décliner. Il accepta cependant pour la gloire de Dieu et le bien des âmes. « C'est moi, écrivait-il dans les « jours même à la Sœur Charlotte, qu'on a chargé de la « supériorité. Vous comprenez tout ce qu'exigera de soins, « de courses, de visites, un établissement naissant dont il « faut à la fois diriger le personnel et monter le matériel... « Mais c'est une œuvre importante pour la gloire de Dieu, « et, par ce temps de désolations, il faut semer dans les « jeunes cœurs pour moissonner dans l'avenir. Quant au « pauvre supérieur, il lui faut faire vœu d'abnégation et « se soumettre à ces corvées sans diminuer le train ordi- « naire. » Et il ajoutait en riant : « Si je croyais à la « métempsycose, je serais assuré de devenir cheval de « poste ; j'en connais déjà l'allure. »

Si les difficultés qui se présentèrent immédiatement à sa pensée ne l'avaient pas arrêté, un motif bien autrement délicat faillit pourtant le retenir. S'il acceptait, il voulait se dévouer entièrement à son œuvre. « Mais, a dit l'un de « ses successeurs à Saint-Gildas, il était encore assez jeune « prêtre. La pensée de se fixer au milieu de religieuses, « de vierges consacrées à Dieu, de s'identifier de la manière « la plus intime à leur vie en partageant leurs exercices, « leurs études, effraya la modestie de son cœur si pur, « riche de toute la virginité de son sacerdoce. Fallait-il « passer par-dessus ces appréhensions d'une conscience « délicate[1] ? »

Il hésita, mais, donnant, comme l'a dit saint François de Sales, sa chasteté en garde à la charité, il accepta définitivement le titre et les fonctions de supérieur des Sœurs de l'Instruction chrétienne de Saint-Gildas. On était au mois de février 1833. Il partit aussitôt, avec M. Deshayes,

[1] Or. fun. p. M. de Lépertière.

pour aller visiter la communauté. Les Sœurs, qui n'avaient point été instruites de la nomination de leur nouveau supérieur, voyaient avec surprise ce prêtre inconnu qui allait et venait dans tous les lieux de réunion et se faisait rendre un compte détaillé de chacun des emplois de la maison; elles se demandaient quel pouvait être le motif de la venue de cet étranger. De son côté, le nouveau supérieur considérait tout avec la plus grande attention. Du premier coup d'œil il mesurait l'immensité de sa tâche, et il en eût été effrayé, peut-être, s'il n'avait été de suite rassuré par la piété et le bon esprit des religieuses et surtout par le courage et la persévérance qu'elles montraient alors qu'elles étaient réduites à la plus extrême détresse.

« Au point de vue matériel, a dit M. de Lépertière, sa « famille adoptive en était réduite aux dernières ressources. « Littéralement parlant, elle manquait de pain et ne pou- « vait qu'à grand'peine s'en procurer ; on faisait difficulté « de lui en fournir, attendu qu'elle était dans l'impossi- « bilité d'en solder le prix. Au point de vue de l'instruc- « tion, elle ne possédait ni méthodes, ni maîtresses capables « d'enseigner tout ce qu'il fallait apprendre aux enfants « pour se rendre utile dans les écoles. Au point de vue « religieux, elle n'avait pas de règle, c'est-à-dire pas de « direction fixe, pas de marche assurée. »

Le programme du nouveau supérieur était facile à tracer : empêcher ses filles de mourir de faim d'abord, puis les instruire et les former à la vie religieuse pour les rendre dignes de leur grande mission.

Le premier moyen de soulager une souffrance, c'est de la partager. M. Angebault le savait. « On le vit donc, dit « M. de Lépertière, lui qui au foyer domestique ne con- « naissait pas les privations, lui recherché avidement des « premières familles de Nantes et instamment prié de « vouloir bien s'asseoir à leur table, on le vit refuser,

« repousser le pain qu'on lui offrait à Saint-Gildas, parce « que ce n'était pas celui dont ses Filles se nourrissaient « et n'accepter que le pain de la communauté, mélange « grossièrement composé de blé et de pommes de terre, « gâté, moisi par suite de sa mauvaise composition et des « deux, trois ou quatre semaines écoulées depuis sa fabri- « cation ; ce sont là de ces délicatesses paternelles qui ne « sauraient jamais s'oublier. » Cela est vrai. Il y a pourtant encore quelque chose de mieux peut-être que de partager les privations, c'est de les rendre joyeuses. M. Angebault tournait agréablement le vers français. Il en profita pour célébrer, dans de spirituelles et agréables chansons, « l'élasticité de dortoirs où l'on est bercé par le vent, la « commodité de lits que l'on multiplie facilement avec un « peu de paille étendue sur le plancher, et le charme de « voyages dans des voitures non suspendues ». Les Sœurs chantaient gaiement ces refrains à leur récréation. Qui donc aurait pu se plaindre d'une pauvreté si charmante ?

Toutefois, M. Angebault savait bien que des chansons, si agréables qu'elles soient, ne suffisent pas à faire vivre le personnel d'un grand établissement. Pendant qu'il partageait les privations de ses Filles, il avisait au moyen de les faire cesser. Le plus pressé était de trouver de l'argent. Le généreux supérieur puisa dans sa bourse et fit passer aux créanciers tous les revenus de son patrimoine. Les bonnes Sœurs ne manquèrent plus de pain.

Mais alors il fallut travailler. Il avait fait face aux premiers besoins; ce n'était pas assez, il fallait créer des ressources pour l'avenir. Ces ressources, on ne pouvait évidemment les demander qu'à la communauté elle-même, on ne pouvait les trouver que dans des établissements nombreux et florissants. L'Institut n'était point en état de les fonder. Il possédait, sans doute, de très bons éléments, mais informes, sans direction, sans unité ni plan de conduite pour l'instruction. Au noviciat religieux il fallait adjoindre un noviciat littéraire pour les jeunes maîtresses. C'est par là qu'il commença. Grande était la difficulté des débuts. La plupart des religieuses étaient venues de la campagne où elles n'avaient pu qu'apprendre à peine les éléments de la lecture et du calcul. Comment arriver à répandre rapidement l'instruction chez elles? Où leur trouver des maîtres et des maîtresses dignes d'elles? M. Angebault ne voulut charger personne de ce soin et résolut d'être lui-même leur professeur.

Il s'efforça d'abord d'inspirer aux Sœurs le goût de l'étude. Il leur en montra la nécessité. Pour faire du bien il fallait avoir la confiance et l'estime des parents qu'elles ne pourraient acquérir que par un bon enseignement. Pour bien enseigner, il fallait bien savoir. Pour bien savoir, il fallait bien étudier. On devait donc se mettre à l'œuvre de tout cœur, sans craindre les aridités du début. Le succès dédommagerait de la peine qu'on aurait prise ; il ne fallait pas même craindre de dérober trop de temps à la prière, parce que le travail entrepris pour Dieu est aussi une prière. Et puis, le travail est la loi universelle et rien n'est plus propre à fortifier l'âme et à la sanctifier, par les contraintes même qu'il impose. On pouvait être sûr, d'ailleurs, que le supérieur ne dépasserait pas de sages limites et ne sacrifierait rien à une vaine curiosité. Peu mais bon ; les simples éléments de la science, mais bien connus, bien compris et bien enseignés, tel était son programme.

Pour le réaliser, il commença à donner lui-même des leçons aux Sœurs qui avaient été rappelées à la maison-mère pour se préparer à leurs vœux perpétuels. Il choisit les plus intelligentes et les plus instruites et en fit des maîtresses pour les autres. Quand les Sœurs d'écoles furent rentrées, pendant les vacances, il s'occupa lui-même d'organiser les classes. Il partagea les Sœurs en plusieurs divisions et plaça des maîtresses à la tête de chacune d'elles. Puis, malgré ses occupations accablantes, il se fit un devoir d'assister souvent aux leçons, d'y apporter ses conseils, ne craignant pas d'entrer dans le détail et de montrer comment il fallait s'y prendre pour faire d'une manière pratique et intéressante la classe aux enfants, ne se bornant pas, on le voit, à instruire les maîtresses des matières du programme scolaire, mais pratiquant d'avance ce qu'on appelle aujourd'hui les examens de pédagogie.

C'était merveille de voir ces bonnes Filles, sans cesse encouragées, conseillées, stimulées par leur dévoué supérieur, se livrer au travail avec une ardeur admirable. Bientôt elles eurent acquis, surtout en grammaire et en arithmétique, les connaissances qui avaient pu leur manquer, et elles méritèrent vraiment alors leur nom de Sœurs de l'Instruction chrétienne.

Après avoir formé les maîtresses, il recommença le même travail avec les novices. Il se fit un devoir d'assister le plus souvent possible à leurs classes pour s'assurer de leur capacité et de leurs progrès. Il composa pour elles un petit écrit qu'il intitula : *Notes pour les maîtresses de classe*. Dans ce traité, il expliquait, avec le plus de détails possible, la manière d'inculquer dans l'esprit des jeunes enfants les premiers principes de toutes les branches d'instruction. Il composa encore à leur usage une grammaire, une arithmétique et plusieurs autres livres d'enseignement. Enfin, il se mit à donner lui-même aux jeunes étudiantes le sujet de leurs travaux, à se faire remettre leurs compositions et, après les avoir lues attentivement, à les leur retourner corrigées et annotées de sa main.

Les progrès de ses élèves l'étonnèrent lui-même, et il fut si heureux des résultats qu'il résolut de rendre obligatoires les exercices qui les avaient produits ; il en fit un point de règle. Outre le succès qu'il avait recherché et atteint directement, il obtint encore de ces exercices un résultat bien précieux auquel il n'avait guère songé. Ces leçons communes avaient servi non seulement à fortifier les études, mais encore à mettre dans la communauté l'unité de vues et de méthodes dont M. Angebault sentait si vivement la nécessité. L'absence de l'unité de méthode, en effet, favorisait trop les prétentions personnelles des maîtresses de classe, portées tout naturellement à s'attribuer le bénéfice des succès particuliers qu'elles pouvaient avoir. Du moment que la méthode était la même pour toutes, aucune ne pouvait garder la prétention d'en avoir une meilleure que les autres.

Afin de rendre plus durable cet ordre de choses, il composa le *Directoire*. Ce livre indiquait la marche à suivre pour réussir dans l'enseignement et les obstacles à éviter; puis, il réglait d'une manière précise tout ce qui concernait la bonne tenue des classes.

M. Angebault, se défiant toujours de lui-même, ne voulut point publier le *Directoire* avant d'avoir reçu les leçons de l'expérience. A mesure qu'il rédigeait quelques pages, il les faisait passer sous les yeux de la Supérieure et des Sœurs du Conseil; il leur demandait de les examiner et de lui faire connaître, en toute simplicité et par écrit, leur avis motivé. Quand ce travail fut terminé, il en fit prendre des copies pour chacun des établissements, et ce n'est qu'après avoir fait partout l'essai de cette nouvelle méthode d'enseignement qu'il consentit à la livrer définitivement à l'impression. Les précieux manuscrits de Saint-Gildas affirment qu'elle produisit, dès le principe, les meilleurs fruits. « L'on doit dire, ajoutent-ils, en vérité, « que si notre chère congrégation a fait quelque bien, si « elle a obtenu quelque succès dans les classes, c'est aux « sages règlements de son second fondateur qu'elle en est « redevable. Il y a même plus; elle leur doit sa conserva- « tion et le droit de se livrer à l'éducation. L'eût-elle « jamais obtenu, ce droit, si, au moment où les inspec- « teurs d'Académie apparurent dans les classes, ils ne les

« avaient trouvées complètement réorganisées par ce zélé « Supérieur ? »

La composition du *Directoire* nous amène à signaler un des traits saillants du caractère de M. Angebault, l'énergie dans la souffrance. Ce fut, en effet, pendant la maladie qu'il composa ce livre.

Aux vacances de 1833, qui étaient les premières depuis sa nomination, il voulut venir voir ses Filles. Il avait à cœur d'écouter chacune d'elles, de leur prodiguer les conseils, les encouragements, les avis particuliers dont elles pouvaient avoir besoin. Il voulait aussi profiter de leur réunion pour leur donner des instructions sur l'esprit et les vertus de l'état religieux. Ce travail excessif le fatigua beaucoup et renouvela cette affection du larynx dont il avait plus d'une fois souffert. Il eut plusieurs extinctions de voix pendant son séjour à Saint-Gildas, et il revint à Nantes dans un état d'épuisement tel que les médecins lui prescrivirent un repos absolu. Garder la chambre, ne point prêcher, ne point parler, il y consentait encore. Mais ne pas travailler eût été au-dessus de ses forces : il écrivit le *Directoire*.

Si l'on demande maintenant comment il s'y prenait pour former ses Filles à la perfection de l'état religieux, nous dirons qu'il n'aimait pas les grands sermons. Il faisait à ses religieuses des instructions familières et pratiques dans lesquelles il leur inculquait les principes d'une spiritualité simple et franche, basée sur la soumission à la volonté de Dieu, le renoncement à soi-même, le support des défauts des autres et le dévouement au prochain. Point de haute mysticité ; la piété naturelle, naïve, si nous pouvons ainsi parler, voilà ce qu'il voulait pour sa communauté. Il s'efforçait par tous les moyens possibles d'y former toutes ses chères Filles, mais surtout les novices. Elles étaient, il ne cessait de le répéter à leur maîtresse, l'espoir de la communauté ; l'avenir dépendait, selon lui, de la maîtresse des novices. « Un grand bien, disait-il, doit sortir de notre « cher Saint-Gildas; oui, le Seigneur veut être glorifié par « cette petite congrégation; mais il faut que celles qui la « composent deviennent des saintes. » En faire des saintes, c'était l'objet de ses constantes préoccupations. Il y donnait tous ses soins.

Toutefois, il comprenait bien que la sanctification des âmes est encore bien plus l'œuvre de Dieu que le résultat des efforts humains; il fallait faciliter l'action de Dieu. La communauté de Saint-Gildas n'avait pas de chapelle et les religieuses étaient obligées, pour assister aux offices et faire leurs dévotions, de se rendre à l'église paroissiale, ce qui ne laissait pas que de gêner beaucoup leur piété. D'autre part, le curé de la paroisse, trop absorbé par les devoirs de sa charge pastorale, ne pouvait donner à l'institut naissant ni le temps, ni l'attention désirables. Il fallait remédier à cet état de choses. Dès la première année, M. Angebault s'occupa de préparer une chapelle provisoire et il pressa si vivement les ouvriers que les travaux furent achevés au commencement de septembre. Les Sœurs, à leurs premières vacances, purent, à la maison-mère, jouir de leur nouvelle chapelle. Peu de temps après, un aumônier attaché au service de la communauté put lui donner tous les secours spirituels dont elle avait été si longtemps trop privée.

Ainsi l'œuvre se transformait et prenait de jour en jour un accroissement plus rapide. A ne voir que les résultats acquis en si peu de temps, on eût pu croire que tout marchait comme par enchantement. Mais les œuvres de Dieu vont-elles quelquefois sans obstacle?

Les difficultés renaissaient sans cesse; chaque jour faisait sentir un nouveau besoin. Il fallait constamment entreprendre de nouveaux travaux, trouver de nouvelles ressources. Toute l'activité de l'infatigable Supérieur y suffisait à peine. Et les épreuves succédaient aux épreuves.

Un jour que M. Angebault était retenu à Nantes par la maladie, on vint lui annoncer une triste nouvelle. Dans un dortoir occupé par les novices, une poutre vermoulue par le temps s'était tout à coup brisée et le plancher qu'elle soutenait, n'ayant plus d'appui, s'était écroulé en pleine nuit, jetant les Sœurs les unes sur les autres, au milieu des décombres.

Cet accident, qui pouvait avoir les suites les plus funestes, émut le supérieur qui voulait partir pour Saint-Gildas. Un ordre formel du médecin le retint à Nantes, où on lui apprit bientôt qu'heureusement aucune Sœur n'était grièvement blessée. On en fut quitte pour faire relever le plancher, et un maître charpentier de Nantes profita de ces travaux pour visiter toute la maison et s'assurer qu'on n'avait pas à craindre le retour d'un pareil accident.

Une des grandes privations de Saint-Gildas était de n'avoir pas d'eau. Il fallait se rendre à plus d'un kilomètre pour en trouver la quantité nécessaire aux divers services de la maison. C'était pitié de voir, pendant l'hiver, les pauvres Sœurs s'en aller si loin laver leur lessive et s'en revenir avec leurs robes tantôt trempées par la pluie, tantôt congelées par le froid. M. Angebault s'était bien préoccupé, dès le principe, de tracer le plan d'un lavoir et d'un séchoir qu'on avait construit aussi tôt que possible. Mais le difficile était précisément d'avoir de l'eau pour remplir le lavoir. Comment avaient fait les bénédictins d'autrefois ? Ils n'avaient pas été embarrassés pour si peu. Au moyen d'un canal d'un kilomètre de long au moins, ils avaient fait venir l'eau des hauteurs voisines jusqu'au couvent. Seulement l'œuvre bénédictine n'existait plus, le canal avait été comblé et c'est à peine s'il en restait quelques traces. M. Angebault n'hésita pas à recommencer ; il fit rechercher les restes du canal, dressa de nouveaux plans et fit commencer les travaux. Il rencontra des difficultés de tout genre, mais, à force de patience, d'efforts et de persévérance, il put enfin mener à bon terme cette difficile entreprise. Il est impossible de dire avec quelle joie il en constata le succès et quelle satisfaction il éprouva quand il vit cette eau si rare et si précieuse couler à flots au milieu de la communauté, suffire à tous les besoins et monter d'elle-même aux plus hauts appartements, où elle put être désormais recueillie sans effort et sans fin.

Ce fut vers le même temps qu'il fit construire aussi les bâtiments de la porterie et qu'il y plaça des Sœurs pour recevoir les étrangers. Il obviait par là au double inconvénient de faire attendre les visiteurs et de les laisser pénétrer dans l'intérieur de la communauté.

Toutes ces améliorations contribuaient à la prospérité de la congrégation. Les anciens établissements se consolidaient, d'autres se fondaient chaque année. M. Angebault apportait les plus grands soins aux nouvelles fondations. Le plus souvent il conduisait lui-même les Sœurs dans les paroisses où elles avaient été demandées et présidait la cérémonie d'installation. Il ne les abandonnait pas ensuite, il les visitait et les faisait visiter par la supérieure générale. Il voulait être tenu au courant de tout ce qui les concernait. Si quelque difficulté surgissait, si quelque administration tracassière les embarrassait de ses vaines formalités ou de ses sourdes oppositions, il ne manquait jamais d'être là pour les couvrir et les protéger ; et il était à ce point vigilant que les coups étaient détournés parfois avant que les religieuses eussent connu qu'elles étaient menacées.

Cependant, à mesure que l'Institut prenait de l'extension, de nouveaux besoins se faisaient sentir. Les établissements qui s'élevaient de tous côtés occupaient toutes les Sœurs chargées de l'instruction, et elles ne pouvaient plus, sans nuire beaucoup à leurs devoirs, vaquer aux travaux des champs et aux emplois secondaires de la maison. M. Angebault résolut de leur porter secours en attirant à la vie religieuse celles qu'il appela les *Sœurs du travail.*

Il y a et il y aura toujours, dans les conditions les plus obscures, beaucoup d'âmes d'élite, sans prétention de savoir, mais animées de cet esprit de sagesse qui sait chercher et trouver le Seigneur. C'est à ces âmes qu'il s'adressa ; il les admit au noviciat, puis à la profession religieuse. Il s'efforça d'imprimer fortement dans leur cœur l'estime et l'amour de leur saint état et, relevant à leurs yeux le travail des mains, il leur apprit à le sanctifier par leur vertu. Il exigea qu'on leur fît souvent des instructions sur les dogmes de notre foi, sur les devoirs du chrétien et sur les obligations spéciales des religieuses. Enfin, il leur fit adresser par la Mère supérieure de fréquentes conférences spirituelles.

Il portait une affection toute spéciale à ces bonnes Filles, il aimait à se mêler à leurs récréations, leur parlant avec la plus grande simplicité, mais aussi avec la plus paternelle tendresse. « Vous êtes, leur répétait-il souvent, les « enfants bien-aimées de la congrégation ; mais tenez à « grand honneur de vous en regarder comme les servantes, « à l'exemple du divin Maître qui n'était pas venu pour « être servi, mais pour servir. »

« O mes bonnes et bien chères Flles, leur écrivait-il un « jour, soyez unies ! Jésus-Christ est le lien des cœurs. Il « sera dans les paroles des supérieurs, dans les réponses « des Sœurs, dans les sentiments de tous. C'est Lui qui « vivra en nous ; nous bénirons notre sort, nous serons « pénétrés de reconnaissance. Heureux troupeau ! Heureux « bergers ! et tous, brebis et pasteurs, nous bénirons le « Pasteur suprême qui les a réunis dans son bercail. »

Avant d'avoir fait appel aux Sœurs du travail, M. Angebault avait déjà commencé à exécuter un projet auquel il tenait beaucoup, malgré les difficultés qu'il pouvait présenter. Dans l'intérêt matériel de la communauté, il comprenait combien pèserait à la longue la présence presque continuelle d'étrangers gagés pour les travaux supérieurs aux forces d'une femme. D'autre part n'y aurait-il pas, pour l'intérêt spirituel, un danger bien redoutable, à laisser sans cesse des ouvriers plus ou moins sûrs circuler librement dans l'intérieur du couvent. Certes, il s'appuyait avant tout sur la grâce de Dieu, et il savait qu'elle suffit à tout; mais il savait aussi que la prudence est mère de la sûreté. C'est pourquoi, renouvelant les saintes audaces de Robert d'Arbrissel, il résolut d'établir, sous le gouvernement de la supérieure, une petite communauté de Frères. Destinés à remplir, à la maison-mère, les fonctions qui leur conviennent et à exercer les différents métiers propres aux hommes, ces Frères devaient être liés et consacrés par les vœux religieux et appartenir à la congrégation comme des enfants à la famille.

Lorsqu'il eut bien arrêté dans sa pensée le plan de cette nouvelle branche de l'Institut, M. Angebault écrivit à plusieurs curés du diocèse et les pria de lui adresser les jeunes gens qu'ils croiraient appelés à l'état religieux et propres à l'œuvre qu'il méditait. Dès le mois de mai 1835, deux postulants se présentèrent et furent admis au noviciat. D'autres vinrent bientôt se joindre aux premiers et, au bout de quelques années, la petite communauté comptait une douzaine de membres on ne peut plus fervents.

Il est impossible de dire avec quel zèle M. Angebault travailla à former ces bons Frères à la vie religieuse et aux emplois qu'il devait leur confier. Il ne craignit pas de descendre jusque dans les détails de leurs moindres travaux manuels. Pour eux, il se livra à des études spéciales et recueillit une foule d'observations pratiques sur l'art de construire, le labourage et même la tenue des étables et le soin des bestiaux. Rien n'échappait à sa vigilante activité, rien ne lui paraissait trop bas de tout ce qui pouvait être utile à ses religieux. Absent, il leur écrivait pour les encourager au travail et les diriger. Présent, il ne manquait pas de les visiter, il se plaisait en leur compagnie, il y était à l'aise ; c'étaient vraiment ses enfants de prédilection. Il n'avait garde de les oublier au commencement de chaque année. Il écrivait pour leur offrir ses vœux. On se figurerait difficilement quel accent spécial de paternelle tendresse il faisait entendre dans ses lettres de bonne année. En voici une, prise au hasard ; elle est du 5 janvier 1837.

« Je veux vous dire un mot, au commencement de cette « nouvelle année, à vous, mes chers et bien-aimés Frères, « que j'affectionne en Jésus-Christ du plus profond de « mon cœur. Quels vœux pourrais-je faire pour vous, « sinon de demander que vous soyez fidèles à vos règles ! « Quelle grâce le bon Dieu vous a faite en vous retirant du « monde où vous étiez si exposés, où vous l'aviez peut-être « tant offensé ! Maintenant, dans une maison sainte, res- « pirant un air pur, soutenus par des instructions fré- « quentes, par de bons exemples, par des moyens de salut « si multipliés, que vous seriez coupables si vous n'en « profitiez pas ! Venez donc offrir au saint Enfant-Jésus, « pour étrennes, la promesse sacrée de lui être toujours « fidèles et de demeurer simples, dociles et obéissants « comme Lui. »

Puis, s'adressant aux deux qui étaient entrés les premiers aux noviciats et qui étaient sur le point de revêtir l'habit religieux, il ajoute. « Et vous, François et Julien, « qui êtes venus les premiers, qui êtes les aînés, oh ! que « cette année qui s'ouvre sera belle pour vous. Vous « n'avez plus que peu d'instants pour vous préparer à une « auguste cérémonie ; n'en laissez donc perdre aucun, et « demandez au divin Maître qu'il renouvelle vos cœurs en « changeant votre extérieur. O mes bien bons amis, je « prie pour vous du plus profond de mon âme, je voudrais « être de feu pour vous embraser d'amour pour votre

« salut. Vous marcherez à la tête du petit troupeau, puis-
« siez-vous en être les modèles! Voilà les souhaits que
« forme pour vous votre père, votre ami, le meilleur de
« vos amis. »

Une autre fois, leur parlant de Jésus qui obéissait à Marie et à Joseph, dans la maison de Nazareth, il leur disait : « N'est-ce pas là votre histoire, mes bien chers
« Frères? Vous étiez tous d'âge à être, dans le monde,
« libres, indépendants, à commander dans vos familles.
« Et voilà qu'à l'exemple du divin Maître et pour son
« amour, vous vous êtes faits petits enfants et vous vous
« êtes placés sous le joug de l'obéissance. Un appui, un
« guide vous a été donné et vous obéissez à un pauvre
« prêtre qui n'a d'autre titre pour vous commander que
« ceux dont la religion l'a honoré.

« Ce n'est pas tout. Une mère vous a été donnée et vous
« courbez la tête sous les ordres d'une jeune femme.
« O puissance de la foi! Comme le divin Maître, vous êtes
« soumis à vos parents. Puisse donc notre cher Saint-
« Gildas être aussi une vraie maison de Nazareth! »

Des Conseils si affectueusement donnés ne pouvaient demeurer sans fruit. La petite communauté entra pleinement dans les vues de son pieux supérieur et l'élan donné alors ne s'est pas ralenti depuis. Aujourd'hui encore les Frères de Saint-Gildas font, par leur simplicité, leur obéissance et leur piété, l'édification et la joie de leurs Sœurs en religion.

L'œuvre étant ainsi achevée, il fallait la consolider et assurer son avenir par la publication définitive de la Règle. M. Angebault y pensait bien. Mais le moyen de se livrer à un travail si sérieux et si long! Au milieu de tant d'œuvres diverses qui se partageaient ses soins, parmi les infinis détails de l'administration diocésaine, le bon supérieur ne trouvait pas une minute. Il comptait, comme toujours, sur la Providence, et il attendait, non peut-être sans quelque impatience, qu'elle se déclarât en lui donnant quelques semaines de tranquillité. La Providence ne le fit pas trop attendre. Un accident lui avait permis d'écrire le Directoire, un autre accident allait lui donner le loisir de rédiger la Règle.

Au commencement de l'année 1836, M. Angebault était allé visiter un de ses confrères chez qui le feu avait pris. Pour éteindre l'incendie on avait monté beaucoup d'eau et, comme il faisait très froid, l'escalier se trouva glacé en plusieurs endroits. M. Angebault, ayant mis le pied sur un endroit gelé, glissa et tomba si malheureusement qu'il se fit une entorse. A la suite de cette chute, il dut garder la chambre plusieurs semaines. Ce lui fut un bon temps pour écrire la Règle. Il trouvait, dans ce repos forcé, le calme et le recueillement qui lui avaient fait défaut jusqu'alors. Il se mit à écrire.

Comme pour le Directoire, il tint à ne rien précipiter et voulut s'entourer de toutes les lumières que demandait un sujet si important et si délicat. Il étudia les Règles de diverses congrégations et particulièrement de celles qui se proposaient le même but que Saint-Gildas. Il y prit tout ce qu'il crut pouvoir approprier à sa communauté. Il adopta presque entièrement les statuts des Sœurs de la congrégation de Notre-Dame de Grâce, du diocèse d'Aix, et y ajouta ce qu'il avait reçu de l'expérience. Puis, il soumit la nouvelle Règle à l'examen des Sœurs du Conseil et demanda ensuite au temps de la consacrer. Trois ans plus tard seulement, après avoir mis la dernière main à son œuvre, il la fit étudier par des ecclésiastiques compétents, tels que MM. de Courson, Féret, Briand, etc. Enfin, pendant l'année scolaire 1840-1841, il demanda fréquemment aux religieuses le secours de leurs prières et leur annonça, pour les vacances prochaines, la promulgation définitive de la Règle « Je ne puis vous dire, écrivait-il à la Supérieure, « la Mère Marie-Thérèse, combien je suis content de voir

« se terminer le travail de notre sainte Règle. Puisse le
« bon Dieu la bénir, cette Règle chérie! Puissent nos
« Sœurs la recevoir avec reconnaissance et la pratiquer
« avec fidélité!

« Le Directoire, la sainte Règle, voilà les deux points
« d'appui de notre chère congrégation. Ce sera à nous,
« mes bien chères Filles, de donner l'exemple de la fidélité
« à cette Règle. J'en ferai de bon cœur le serment au pied
« du saint autel. Puissent ceux qui nous suivront y apporter
« la même exactitude! Et, non seulement soyons fidèles à
« la lettre, mais pénétrons-nous bien de son esprit, esprit
« de foi et de sainte liberté, et pour nous de charité et de
« mansuétude. »

Les Sœurs attendaient avec impatience les vacances de 1841, et ce fut grande fête pour elles, au jour de la promulgation définitive de la Règle, qui eut lieu le 8 septembre, en la fête de la Nativité de la Sainte Vierge. La communauté de Saint-Gildas prenait officiellement place parmi les congrégations religieuses. « Notre cher Père,
« disent les manuscrits de la communauté, nous fit d'abord
« une touchante allocution, où il nous montra clairement
« la grandeur du don que nous allions recevoir et combien
« nous serions heureuses d'avoir un guide sûr qui ferait
« toujours le bonheur de celles qui le suivraient fidèle-
« ment. » Il leur présenta ensuite ce livre, qu'elles reçurent pour ne plus le quitter qu'avec la vie. La journée tout entière fut employée à la prière, à l'action de grâce et aux joyeuses récréations.

Le soir, le bois qui entourait la maison prit feu tout à coup; les Sœurs crurent à un incendie. Ce n'était qu'une brillante illumination, préparée en cachette, pour ménager aux Sœurs une agréable surprise. Le chant du *Te Deum* termina pieusement cette joyeuse journée.

La Règle que les Sœurs venaient de recevoir était un véritable trésor. Voici ce qu'en dit M. l'abbé de Lépertière.

« Il composa la Règle, notre richesse incomparable, la
« Règle dans laquelle tous les principes sont si bien posés,
« toutes les conséquences si bien déduites, tous les devoirs
« si bien expliqués, toutes les difficultés si bien prévues.
« Je ne prétends pas ici me poser en juge, en appréciateur
« exact et, cependant, laissez-moi vous le dire : Invité, en
« une circonstance, par Monseigneur notre Évêque, d'étu-
« dier une Règle religieuse, afin de lui dire, dans un
« rapport, ce que j'en pensais, mon Dieu! quelle diffé-
« rence entre cette Règle et celle de M. Angebault, entre
« le vague de l'une et la précision de l'autre... Par cette
« Règle, le gouvernement est facile et aimé ; l'autorité est
« grande et elle se fait peu sentir, à cause de la sagesse
« même et de la force des règlements qui nous régissent.
« Et ce caractère de simplicité, cet esprit d'enfance chré-
« tienne qui fait notre cachet distinctif, cette simplicité
« qui produit la confiance dans un conseil donné, dans
« une décision prise et, par là même, engendre le repos,
« la paix du cœur, cette simplicité qui fait de nous des
« enfants jusqu'à l'âge le plus avancé de la vie, et qu'on
« ne trouve peut-être nulle part autant que chez nous,
« n'est-elle pas son œuvre, une création de sa part? »

Rien n'est plus vrai. Tout, dans cette Règle, est inspiré et comme dicté par le sentiment d'une piété simple qui va droit à l'union par la charité, au sacrifice et au dévouement par l'humilité.

Maintenant que tout était organisé et mis sur un bon pied, il fallait obtenir du Pouvoir civil la reconnaissance légale du nouvel institut. Sans elle, en effet, il pouvait, d'un seul coup, être frappé d'impuissance et périr. M. Angebault s'en préoccupait et ne négligeait rien pour atteindre son but et assurer la durée de sa congrégation. Mais ce n'était pas chose facile d'arracher cette reconnaissance légale au Pouvoir qui venait de surgir en France. « Il fallait, a-t-on dit, s'adresser à tant d'administrations!

« frapper à tant de portes ! remplir un dossier si considé-
« rable ! il s'agissait d'activer la poursuite de l'affaire. »
Deux voyages à Paris semblèrent ne pas suffire. Ennuis, fatigues, rebuts, procédés blessants, il fallut tout endurer. Et l'ardent supérieur eut plus d'une fois, comme le dit encore si aimablement M. de Lépertière, l'occasion de se convaincre que, « quand il se trouvait dans les bureaux
« des Ministères à Paris, il n'était pas en famille comme
« au milieu de ses filles spirituelles.

Il paraît qu'une des grandes difficultés à la reconnaissance de la congrégation était la présence des Frères au milieu des Sœurs. Oh ! le gouvernement ne se préoccupait pas de l'ordre intérieur du couvent, ou des inconvénients plus ou moins réels de cette union des Frères et des Sœurs. Mais le garde des sceaux avait une peur affreuse de reconnaître indirectement une congrégation d'hommes. Peut-être M. Angebault eût-il été forcé de modifier son institution si d'influents personnages n'avaient enfin fait comprendre au ministre que l'existence de la société n'était nullement menacée, parce que quelques braves gens voulaient bien s'engager au service des Sœurs en qualité d'agriculteurs et d'ouvriers. Le ministre, enfin convaincu, donna son approbation, et la congrégation eut son existence légale. L'ordonnance royale fut signée par Louis-Philippe, le 24 septembre 1836.

L'approbation du Souverain-Pontife n'était pas moins désirée à Saint-Gildas que la reconnaissance civile de l'État. M. Angebault sollicita donc les faveurs de la Cour de Rome et, par un bref en date du 22 juin 1836, le pape Grégoire XVI accorda à perpétuité une indulgence plénière aux membres de la congrégation, le jour de leur prise d'habit et le jour de leur profession. Ce n'était pas la reconnaissance officielle et canonique, c'était du moins une approbation officieuse et un encouragement à la persévérance, et c'est tout ce qu'on pouvait obtenir. Un autre que M. Angebault eût pu croire peut-être que la tâche était terminée. Lui, il ne le pensa pas et continua sans se ralentir son œuvre de dévouement.

Le nombre toujours plus grand des religieuses, et aussi des Frères dont la petite communauté suivait un progrès moins rapide mais constant, demandait encore de nouveaux accroissements. Il fit construire un bâtiment contenant la buanderie et la boulangerie, une maison pour les Sœurs de travail qui, commencée au mois de juillet 1837, était achevée aux vacances de 1838, une infirmerie et un noviciat. Enfin, sa piété n'eût pas été satisfaite, s'il n'avait couronné son œuvre par la construction d'une chapelle digne de Dieu et capable de contenir toute la communauté. Plusieurs fois il avait communiqué son projet à ses chères Filles. Mais elles, connaissant les lourds sacrifices qu'il s'était déjà imposés, craignant de le voir épuiser ses dernières ressources et n'osant lui laisser soupçonner des désirs qu'elles partageaient avec lui, l'engageaient à attendre quelques années. Il ne voulut pas différer, il se sentait pressé d'agir. De vagues pressentiments l'avertissaient qu'il quitterait bientôt Saint-Gildas; il avait peur d'être surpris par la mort et il voulait profiter du temps que lui laissait encore la Providence. En conséquence, il se mit à l'œuvre, s'occupa lui-même de l'achat des matériaux et sut si bien accélérer les travaux qu'aux vacances même il donna aux Sœurs la joie de voir la bénédiction de la première pierre. La cérémonie se fit solennellement, le 10 septembre 1841, et laissa dans tous les cœurs les plus doux souvenirs.

Nous n'avons pas encore fini d'énumérer ses œuvres à Saint-Gildas, et son activité et son dévouement furent tels que la plume se fatiguerait à les décrire.

Depuis un an, les Sœurs enseignantes avaient une Règle; les Sœurs du travail et les Frères n'en avaient pas, il fallait bien songer à en écrire une. M. Angebault reprit la plume.

Les nouvelles Règles furent conçues dans le même esprit de piété, de simplicité et de concorde que les anciennes; mais l'application n'en fut pas la même à raison de la nature des travaux auxquels devaient se livrer les Sœurs du travail et les Frères. « Si votre Règle est un peu diffé-
« rente de celle de nos Sœurs d'Instruction, écrivait
« M. Angebault, n'allez pas croire que nous mettions
« quelque différence dans nos sentiments. Oh! non. Nous
« aimons à vous confondre toutes, comme faisant partie
« de la même famille; mais seulement, vos obligations
« n'étant pas les mêmes, il fallait bien varier les instruc-
« tions ou les ordres. Puissiez-vous toutes n'avoir qu'un
« cœur et qu'une âme en travaillant au même but : la
« gloire de Dieu et le salut de vos âmes, comme on voit
« sur un même tronc s'élever deux tiges diverses, portant
« chacune leurs fruits, mais tirant la vie du même pied et
« nourries de la même sève. »

Tout marchait de front dans les travaux de M. Angebault. Pendant qu'il écrivait la Règle des Sœurs du travail, il composait aussi son dernier ouvrage classique, le *Dictionnaire des Étymologies et Synonymes de la langue française*. Le but de M. Angebault, dans cet ouvrage, n'était point de lancer les religieuses dans les hautes régions de la science. « Tant que notre voix, dit-il, dans
« la préface de cet ouvrage, se fera entendre à vous, elle
« vous rappellera que vous devez être heureuses et fières
« de consacrer votre ministère aux pauvres, d'être entou-
« rées de ces enfants de village que notre divin Maître se
« plaisait à bénir, et que votre couronne sera toujours
« assez riche quand elle sera parée des fleurs de la sim-
« plicité. Laissez à d'autres le soin de distribuer aux
« classes plus élevées les magnifiques trésors de la science.
« L'humble violette peut répandre des parfums à côté du
« lis majestueux, heureuses toutes de porter de tous côtés
« la bonne odeur de Jésus-Christ. » Son but était donc

seulement de faire mieux comprendre et mieux expliquer le programme scolaire. Après avoir cherché l'unité dans les méthodes par le Directoire, la simplicité et la clarté dans les autres ouvrages classiques, après avoir vu son œuvre subir avec succès l'épreuve du temps et recevoir les applaudissements même « des hommes du pouvoir et de la science », il voulait fortifier l'intelligence des maîtresses en habituant leur esprit à suivre le progrès des idées dans la transformation des mots, et les nuances de la pensée dans la variété des expressions qu'on appelle, si souvent à tort, synonymes.

Ce fut le dernier ouvrage pour Saint-Gildas. « C'est, « écrivait-il en le livrant, le fruit d'un long travail ; c'est « le legs de notre tendresse. »

Nous nous sommes étendu longuement, trop longuement peut-être, sur la communauté de Saint-Gildas. Nous espérons qu'on voudra bien nous le pardonner. C'était l'œuvre capitale de M. Angebault avant sa nomination à l'épiscopat. Il lui avait consacré son temps, son argent, son intelligence, son cœur. Il la voyait prospérer, il pouvait en être justement fier.

Il y avait à peine neuf ans qu'il avait pris la direction de la communauté, et tout ce qu'il y avait à faire était fait. Ces pauvres Filles, qu'il avait trouvées en petit nombre et mourant de faim, s'étaient multipliées et vivaient maintenant, toujours dans la simplicité, mais sans souci du lendemain. Deux branches nouvelles avaient poussé à ce bel arbre, dont les rameaux s'étendaient d'année en année. Le couvent était construit en entier et muni de toutes ses dépendances obligées. La chapelle se terminait. Les méthodes classiques et les livres élémentaires portaient de bons fruits. Le meilleur esprit religieux animait tous les membres de la communauté. Les règles qui devaient le maintenir étaient universellement appliquées, respectées et aimées. Il n'y avait plus, enfin, vraiment « qu'un seul

« esprit et qu'un seul cœur ». Cette belle transformation était due tout entière à M. Angebault. Nul ne s'étonnera si elle garda toujours ses meilleurs affections et s'il voulut, en mourant, lui léguer son cœur.

« Je me rappellerai toujours avec bonheur, écrivait-il plus tard, les années que j'ai consacrées à cette œuvre excellente. Ces bonnes Filles m'entouraient d'une confiance dont j'étais reconnaissant. La simplicité de nos novices me charmait; c'étaient de jeunes enfants naissant à la vie, à la grâce, à l'instruction, ouvrant leur cœur avec une candeur naïve, et elles étaient ordinairement très faciles à former. Les Sœurs de travail étaient également simples, franches et confiantes. Les bons Frères étaient actifs, ardents, ne s'épargnant point, supportant sans se plaindre la fatigue de leurs travaux et la gêne de leur position ; au milieu de cette communauté, ils étaient d'une réserve, d'une modestie édifiante et, dans toutes leurs habitudes, cependant, d'une franchise et d'un laisser aller qui excitaient mon admiration. J'éprouvais une véritable joie à leur expliquer à tous les règles saintes de la vie religieuse, de la perfection de leur état et à les entendre ensuite (surtout les Frères et les Sœurs de travail) me répéter avec leur langage informe les instructions qu'ils avaient comprises, méditées et qu'ils rendaient à leur manière. Les exemples de ferveur que j'avais sous les yeux étaient bien propres à me toucher et souvent, je dois l'avouer, ma lâcheté était confondue de tant de générosité.

Au milieu de ces utiles et saintes occupations, j'étais heureux de mon calme et de mon obscurité, lorsqu'une nouvelle inattendue vint bouleverser mes plans pour le présent et mes projets pour l'avenir. Dieu l'a voulu, que son saint nom soit béni !

CHAPITRE III

Débuts de l'Épiscopat

Nomination. — Ce qu'on en pense. — Résistance de M. Angebault. — Son acceptation. — Nomination de M. Régnier à l'Évêché d'Angoulême. — Le sacre. — État du diocèse. — Premières fatigues. — Mongazon et Combrée.

Cette nouvelle n'était autre que celle de son élévation à la dignité épiscopale. L'évêque d'Angers, Mgr Paysant, après dix-huit mois d'épiscopat, au milieu d'une tournée pastorale de confirmation, mourait subitement d'apoplexie, dans la petite paroisse de Bocé. Ce coup imprévu mettait en deuil le diocèse d'Angers, où le nouvel évêque s'était déjà fait une réputation de prélat pieux et de sage administrateur. L'abbé Angebault, écrivant à une dame de l'Anjou, lui disait : « Votre diocèse vient de faire une perte immense. Il y a un mois, j'étais, avec ce bon évêque, au sacre de l'évêque de Rennes. Mgr Paysant, sorti des derniers rangs, sans extérieur, sans prestige, portait sur son front le caractère du vrai prêtre de Jésus-Christ. Sa simplicité, son air réservé, un peu timide, me plaisaient singulièrement ; sans le connaître presque, je le vénérais et l'aimais. Les desseins du bon Dieu sont impénétrables. Priez, prions qu'Il daigne réparer cette affreuse perte ! On me dit que l'intrigue quelquefois maintenant s'empare des nominations. O malheur ! Prions, chère dame, pour les chefs du troupeau. »

Il n'intriguait pas, lui, et quand il écrivait ces lignes il était loin de penser que le choix de Dieu se porterait sur lui. Un jour il apprend, par une feuille publique, qu'il est question de l'abbé Angebault pour l'évêché d'Angers. Puis arrive la lettre du ministre qui l'informe officiellement que le Roi a fait choix de sa personne pour l'élever à l'épiscopat. Un coup de foudre ne l'eût pas frappé d'une manière plus imprévue.

Déjà, il est vrai, en 1836, M. Persil avait songé à faire de lui un évêque. Mais il s'était si bien et si énergiquement dérobé, qu'il croyait l'idée abandonnée pour toujours. Rien, d'ailleurs, à ce moment, ne semblait attirer d'une manière particulière l'attention sur lui. On a raconté que le P. Vaures, dont nous reparlerons plus tard, devait sa vocation à M. l'abbé Angebault, et qu'il avait usé de son crédit pour le faire élever à l'épiscopat ; mais cette version nous paraît invraisemblable. Nous inclinons plutôt à croire qu'il fut choisi par le ministre sur la recommandation de Mgr Mathieu, archevêque de Besançon. Ce prélat, que ses éminentes qualités devaient conduire à la pourpre cardinalice, était l'ami de l'internonce du pape à Paris, Mgr Garibaldi. Très en relation avec ses vénérés collègues, il avait, sur la demande du représentant du Souverain Pontife, dressé une liste des sujets qui, dans les différents diocèses, étaient dignes de l'épiscopat. D'un autre côté, bien qu'il fut loin de flatter le pouvoir, il avait usé, à l'occasion de la mort du duc d'Orléans, d'une délicatesse qui l'avait mis bien en cours, et le ministre des cultes, Martin du Nord, cherchait à lui faire plaisir en nommant ses candidats. Or, sur la liste qu'il avait dressée figuraient en bonne place MM. Angebault et Régnier, dont les nominations devaient se suivre de si près.

Quoi qu'il en soit, aussitôt que le nom de M. Angebault fut connu du public, ce fut un concert unanime de félicitations sur l'heureux choix du ministre. Une feuille religieuse de Nantes résumait dans les lignes suivantes l'opinion de tous ceux qui connaissaient le nouvel élu : « Quelque éminente que soit la dignité de l'Église à laquelle vient d'être appelé M. Angebault, on peut dire que ce choix honore autant ceux qui l'on fait que celui qui en est l'objet. Il était difficile, effectivement, que le gouvernement appelât à l'épiscopat un prêtre qui pût en mieux remplir les devoirs, en comprendre mieux les droits. Nous qui avons été initié quelquefois à la pensée de son noble cœur, nous pouvons dire que, loin de péricliter entre des mains si pures, l'épiscopat français recevra un nouvel éclat de l'élévation de M. l'abbé Angebault. Un esprit orné, une âme excellente, une piété douce, sincère, attractive, une urbanité de sentiments égale pour tous, une douceur, une bienveillance d'humeur toujours la même, des connaissances variées, une grande expérience de l'administration, un zèle ardent, infatigable pour l'instruction religieuse, une charité aussi persévérante dans ses sollicitudes qu'ingénieuse dans ses œuvres, tel est, en résumé, l'assemblage des vertus que M. l'abbé Angebault va faire asseoir sur le siège épiscopal d'Angers. »

Par cela même qu'il était si digne de l'épiscopat, M. Angebault en fut absolument effrayé. Jamais il n'avait éprouvé une douleur semblable à celle qu'il ressentit à la réception de la lettre ministérielle. « Oh ! quelle rude agonie ! a-t-il écrit. Je frémissais à la vue de la responsabilité d'une charge dont j'avais vu de trop près le fardeau et les ennuis. D'un autre côté, je ne voulais pas aller contre la volonté de Dieu. Cette cruelle perplexité me mettait dans un état affreux. » Son premier mouvement fut de refuser, mais la crainte d'agir seul en une circonstance si grave le porta à consulter d'éminents ecclésiastiques qui avaient toute sa confiance. M. de Courson, supérieur du Séminaire de Nantes, M. Litoust, grand vicaire, et M. Féret, du grand Séminaire, lui livrèrent de rudes assauts. Ils lui firent envisager comme un devoir rigoureux pour lui d'accepter une charge qu'il n'avait pas briguée et de répondre à l'appel de Dieu. Ils ne purent vaincre sa répugnance, et déjà sa lettre de refus était prête, quand, pour la sécurité de sa conscience, il voulut aller à Paris faire valoir les raisons de son refus. Il en avait une excellente, croyait-il : sa santé était mauvaise ; il était très faible et avait des crachements de sang qui, parfois, devenaient inquiétants pour sa vie. Cet état faisait craindre à sa famille qu'il ne pût supporter le poids d'un évêché, et elle lui conseillait la résistance. Son médecin de Nantes était perplexe.

Cependant, l'internonce, Mgr Garibaldi, ayant entendu parler des hésitations de M. Angebault, lui écrivit, à la date du 2 mars, une lettre fort touchante : « Quoique je n'aie pas le plaisir et l'honneur de vous connaître personnellement, j'ai toutefois, depuis bien des années, tant et de si honorables témoignages sur votre très digne personne, que j'ai éprouvé une véritable consolation en apprenant votre nomination à l'évêché d'Angers. J'ai cordialement et profondément félicité l'Église d'Angers et l'Église en général d'un si heureux événement... Maintenant on me fait croire que vous hésitez à accepter, et j'avoue que, s'il en était ainsi ou, pour mieux dire, si vous vous décidiez à refuser, j'en serais désolé dans l'intérêt de la religion. Nous sommes dans des temps où il importe d'une manière particulière que les évêchés soient dignement remplis. Celui d'Angers, permettez-moi de vous le dire (et je le dis sans vouloir vous faire un compliment) ne saurait être mieux rempli que par vous ; et si vous refusiez, je ne saurais pas sur qui tomberait le nouveau choix. Est-ce qu'il ne pourrait pas tomber sur quelque ecclésiastique dont les qualités n'inspireraient pas toute la confiance nécessaire ? Et, si cela arrivait, est-ce que vous n'auriez pas à vous en faire des reproches... Permettez-moi donc, Monsieur l'Abbé, de vous exhorter vivement, de vous conjurer, au nom de l'Église, d'accepter sans difficulté le siège d'Angers...

« Je sais bien que vous vous plaignez un peu de votre santé, et que c'est ce motif particulièrement qui vous fait hésiter. Si cela est, ayez confiance en Dieu, il vous donnera la force et la santé nécessaires à vos nouvelles fonctions...

« Faites-vous donc courage, Monsieur l'Abbé, et mettez-moi à même de pouvoir vous offrir de vive voix et sous peu les assurances de la haute estime et du respect avec lesquels, etc.... »

Cette lettre émut profondément l'abbé Angebault; elle ne le décida pas encore. Il partit pour Paris, muni d'une consultation fort pessimiste de son médecin, sur laquelle il comptait beaucoup pour entraîner quelques célèbres docteurs de la capitale.

A Paris il vit M. Carrière, le supérieur général de Saint-Sulpice, qui lui conseilla d'accepter. Il vit séparément le docteur Récamier et le docteur Cruvelhier, leur fit part de la consultation de Nantes et se plaignit beaucoup de sa santé.

Les deux médecins, sans avoir pu se concerter, s'accordèrent parfaitement l'un avec l'autre. Tous deux ils devinèrent, sans doute, sous cette apparence un peu frêle de l'abbé Angebault, une nature vigoureuse et pleine de ressources, et, sans la moindre hésitation, déclarèrent que la raison de santé ne valait rien et que l'Évêque d'Angers se porterait aussi bien sinon mieux que le grand vicaire de Nantes.

« J'avais conservé jusqu'à hier, écrivait M. Angebault, à la date du 9 mars 1842, une illusion d'espérance; les raisons exposées par moi étaient si fortes! Hier soir, tout espoir s'est évanoui. Je suis allé moi-même recevoir, de la main de M. le docteur Cruvelhier, l'arrêt de ma condamnation. Pauvre Monsieur, il avait l'air peiné en me le remettant. C'est un homme religieux; il a cru devoir en conscience se prononcer ainsi. Dieu soit béni! même et surtout en ce moment! Je courbe la tête et adore ses décrets. » Et il ajoutait en *post-scriptum* : « Quant à ma santé, si le bon Dieu le veut, il me donnera des forces ; si je succombe, il m'importe peu, si j'ai accompli mon devoir; mais dès maintenant je veux prendre des précautions pour ma santé qui ne m'appartient plus. »

« Tout est consommé, écrivait-il d'un autre côté, M. Cruvelhier, et aujourd'hui M. Récamier et M. Carrière, séparément et cependant d'accord, me condamnent ; je dois voir dans cette manifestation unanime l'expression de la volonté de Dieu et, malgré mon effroyable répugnance, je baisse la tête sous sa main adorable. Rendons à la famille de M. Angebault cette justice que, une fois la volonté de Dieu clairement manifestée, elle cessa toute opposition et donna elle-même le conseil d'accepter. »

« Ta dernière lettre, écrivit M. Angebault à son frère, ne nous laissait qu'un bien faible espoir, celui de te voir consulter M. Récamier. Hélas! je conçois bien que tu aies dû te résoudre après sa décision prise en dehors de toute influence. Que veux-tu, mon bon ami, nous ne pouvons nous empêcher d'y voir le dessein marqué de la Providence de t'appeler là, malgré tous tes efforts et les nôtres pour t'y soustraire. Espérons donc que le bon Dieu te donnera la force nécessaire à cette glorieuse et redoutable tâche et qu'il te dispensera les secours dont tu auras tant besoin. Non, certes, tu n'as pas cherché cette dignité ; jamais plus d'efforts n'ont été tentés pour s'y soustraire. Tout a été inutile, il faut se résigner et ne pas lutter davantage contre cette unanimité de suffrages que je ne peux m'expliquer.

« La pauvre Marie est désolée, ainsi que tous nos vrais amis. Aujourd'hui que tout est fini, nous devons reprendre courage et ne chercher qu'à prier Dieu... »

Toute prolongation de la lutte étant désormais inutile,

M. Angebault, comme il le dit, « courba la tête ». Puis il écrivit à l'Internonce :

« MONSEIGNEUR,

« Malgré mes terreurs à la vue de la dignité et du fardeau si redoutables que l'on veut imposer à mes faibles épaules, je ne voudrais jamais aller contre la volonté de Dieu clairement manifestée. Des médecins chrétiens et distingués que j'ai consultés séparément, des ecclésiastiques dignes de toute ma confiance tant à Nantes qu'à Paris qui me pressent d'accepter, votre opinion, Monseigneur, qui doit être pour moi l'expression de la volonté suprême de N. S. Père, tout semble me dire que je résisterais aux desseins de Dieu si, par une crainte excessive, je n'obéissais pas à sa voix. Je me soumets donc, Monseigneur, et j'accepte avec obéissance l'évêché d'Angers.

« Puissé-je ne me rendre jamais indigne du poste éminent auquel on veut m'élever ! Puisse mon attachement au Saint-Siège, ma confiance filiale, mon obéissance sans bornes, consoler le cœur de Notre Très Saint Père, aux pieds duquel je vous prie de déposer l'expression de mes sentiments de vénération et de dévouement ! Puisse le Seigneur bénir mon apostolat et ne pas permettre que je me perde moi-même en travaillant au salut des autres.

« Il me reste, etc.... »

« Il ne voulait pas être évêque, dira plus tard l'archevêque de Tours, depuis cardinal Guibert, et c'est pourquoi il fut un grand évêque. »

La préconisation de Mgr Angebault au siège épiscopal d'Angers eut lieu le 27 juin 1842. Aussitôt les vicaires capitulaires en firent part au diocèse. « Si nous ne vous avons pas plus tôt entretenus d'une nomination que nous savions devoir être accueillie avec tant de joie par votre piété, c'est que nous devions attendre qu'elle fût ratifiée par le chef de l'Église universelle et qu'elle eût reçu de sa sanction suprême un caractère surnaturel et sacré. »

« Cette mission, toute divine dans sa source, toute spirituelle dans son objet, qui seule pouvait conférer à notre nouveau pontife l'autorité sur nos âmes, Mgr Angebault vient de la recevoir du vicaire de Jésus-Christ. »

« Maintenant donc, et par le fait même de son institution canonique, il est notre évêque et à lui, désormais, il appartient de nous diriger, de nous instruire, tous tant que nous sommes, prêtres et simples fidèles, en tout ce qui tient aux choses de Dieu et de l'éternité. »

Après cette communication, M. Régnier, vicaire capitulaire, commença à tout disposer pour le sacre du nouvel Évêque d'Angers, Ce sacre devait avoir lieu le 10 août, dans la cathédrale d'Angers. Voici comment les vicaires capitulaires l'annonçaient au clergé et aux fidèles :

« C'est dans notre église même qu'il viendra recevoir cette consécration solennelle. Ce sera dans le sanctuaire de notre cathédrale où il a déjà contracté, par les premières ordinations qu'il a reçues, les engagements qui l'ont attaché irrévocablement à l'Église, que se formeront les liens qui doivent l'unir à nous. C'est au pied de notre autel que commencera pour lui cette vie toute de dévouement et d'abnégation qui n'aura plus d'autre objet que nos intérêts éternels, et se consumera sans réserve pour notre sanctification. »

Avant même de monter sur son siège pontifical, l'Évêque élu d'Angers dut s'imposer un premier et grand sacrifice. L'un des vicaires capitulaires et l'un des signataires de la Circulaire que nous venons de citer, prêtre d'une haute vertu, administrateur de premier ordre, doux et ferme, prudent et habile, M. l'abbé Régnier, était nommé Évêque d'Angoulême.

Avant de recevoir l'annonce officielle de cette nomination,

M. Régnier, qui avait cependant été prévenu officieusement, alla trouver le Père Chaignon, à la résidence des Pères Jésuites, à Angers. « Mon Père, lui dit-il, vous avez beaucoup voyagé et vous connaissez la plupart des diocèses de France; que pensez-vous de celui d'Angoulême? » — « Je pense, répondit le saint homme, qu'au point de vue spirituel, c'est un des plus pauvres et des plus nécessiteux. » — « Dans ce cas-là, répondit M. Régnier, puisqu'on me l'offre, j'accepterai. »

Toutefois ce départ était douloureux pour Mgr Angebault. Il le privait d'un aide puissant et en possession de l'estime universelle du diocèse d'Angers. De plus, cette coïncidence du départ de l'un avec l'arrivée de l'autre pouvait faire croire que Mgr Angebault était pour quelque chose dans l'éloignement de M. Régnier. Monseigneur fit donc tous ses efforts pour l'empêcher d'accepter l'évêché d'Angoulême. M. Régnier répondit en conséquence à la lettre de M. Martin du Nord : « Le digne prélat qui doit, dans quelques semaines, venir prendre possession du diocèse d'Angers, m'a donné des preuves d'affection et de confiance qui me font un devoir de me remettre entièrement à sa disposition. »

Après avoir vu Mgr Angebault, il écrivit, à la date du 24 juin : « Mgr Angebault, évêque élu d'Angers, a dû adresser à Son Excellence des observations relativement à la nomination de M. Régnier à l'évêché d'Angoulême. Celui-ci ne veut avoir, dans cette grave circonstance, d'autre volonté que celle de ce digne prélat, et il se trouverait très heureux que M. le Ministre daignât accueillir favorablement sa réclamation. »

L'Internonce, ayant reçu une communication de cette réponse dès le 25 juin, écrivit le jour même à M. Régnier pour le presser d'accepter. « Votre démarche est très digne et très honorable; mais j'écris aujourd'hui même à

Mgr l'Évêque élu d'Angers, qu'il *faut* qu'il fasse le sacrifice de votre personne et de votre appui... »

« Pour l'amour de Dieu, écrivait par ailleurs l'Internonce à l'Évêque élu d'Angers, pour l'amour de son Église, je vous en supplie, dites à M. Régnier d'accepter sans délai. On vous l'aurait laissé, je crois, encore pour quelque temps à Angers, si Angoulême n'était pas devenu si promptement vacant. Angoulême est un diocèse qui a de *grands besoins*, des besoins comme M. Régnier seul peut les satisfaire. Dans sa nomination il y a eu quelque chose de providentiel. Il me paraissait, à moi, l'homme fait pour remplir le siège d'Angoulême ; mais je n'en parlais pas même, parce que je prévoyais que cela vous aurait fait de la peine. Et voilà que plusieurs prélats des plus distingués par leur savoir, leur piété et leur expérience, indiquent à la fois au ministre, au roi, à la reine, par écrit et de vive voix, et de différents côtés de la France et, quelques-uns même, sans le connaître personnellement, M. Régnier comme le sujet qui convient éminemment au siège d'Angoulême ; et ces indications déterminent le roi et les ministres à nommer sur-le-champ M. Régnier évêque d'Angoulême. Tous les amis de l'Église remercient profondément la divine bonté de ce nouveau bienfait pour son église, pour le pauvre diocèse d'Angoulême. Et vous, mon digne et cher Seigneur, vous ne voudriez pas vous unir à nous dans ces actions de grâces, vous voudriez nous priver du bonheur dont nous jouissons ? Je sais bien que vous faites une perte sensible en perdant M. Régnier, et c'est pour cela, c'est pour vous consoler, pour vous encourager, que je vous ai écrit ma dernière lettre... Pour ce qui est de la disposition où était le ministre de vous laisser encore pour quelque temps M. Régnier, je vous ai dit qu'on vous l'aurait laissé probablement sans cette prompte vacance d'Angoulême. C'est un cas extraordinaire qui a fait prendre une mesure extraordinaire. C'est un choix si heureux que vraiment ce serait se rendre ingrat envers Dieu que de l'entraver. *Il faut*, Monseigneur, que vous entriez non seulement dans vos intérêts, dans les intérêts d'Angers, mais dans les intérêts généraux de l'Église. Un évêque de la force de M. Régnier est une chose trop importante dans les temps où nous sommes pour faire la moindre chose qui pourrait faire manquer son choix. Et qui sait si plus tard il serait nommé, laissant de côté qu'Angoulême aurait peut-être un évêque médiocre? En un mot, je vous assure, mon très vénéré Seigneur, que moi je ne serais *pas tranquille, en conscience*, en faisant quoi que ce soit qui pût empêcher que M. Régnier n'allât à Angoulême. Je ferais plutôt bien des sacrifices.

« Je conclus comme j'ai commencé : pour l'amour de Dieu, pour l'amour de l'Église, dites à M. Régnier d'accepter sur-le-champ et de venir ici sans retard pour ses informations...

« J'ai déjà écrit au Saint-Père nos joies, les joies de tous les amis de la religion pour la nomination de M. Régnier. Sa Sainteté partagera bien profondément ces joies. Il en a besoin, ce bon Père, au milieu de tant de peines et de tant d'afflictions dont les maux de l'Église l'accablent. Veuillez ne pas le priver de cette douce consolation.

« Je vous le dis encore une fois : ayez confiance dans le secours d'en haut qui vous manquera d'autant moins que vous ferez de bon cœur à Dieu le sacrifice de M. Régnier... »

Mgr Angebault ne se rendit pas encore ; il avait toujours quelques objections à faire. « Que dira le clergé de ce départ au début d'un nouvel épiscopat? Qui remédiera aux embarras du Petit-Séminaire? Qui mettra le calme dans les esprits agités par ces bruits partout répandus de l'éloignement prochain de l'homme dont la place marquée est à la droite de son évêque qui réclame son intelligent et zélé concours? »

Une dernière lettre triompha enfin de son opposition. Elle était de Mgr Guitton, qui venait de quitter le diocèse d'Angoulême où il était grand vicaire, pour s'asseoir sur le siège épiscopal de saint Hilaire. Elle était si bonne, si affectueuse, si pressante, que Mgr Angebault fut vaincu.

« Il est très vrai, mon digne et bien-aimé Seigneur, écrivait l'ancien vicaire général, à la même date du 25 juin, que j'ai sollicité, à mains jointes, la nomination de M. l'abbé Régnier. Le choix d'un évêque est, en ce moment, pour le siège d'Angoulême une question de vie ou de mort. Il fallait donc aller à coup sûr, et le bon Dieu, à qui j'ai dit autant de paroles qu'aux hommes, a daigné me tendre la main dans une affaire qui intéresse d'une manière peu commune non seulement un coin de terre, mais l'Église de France. Ne m'en veuillez pas, je vous en conjure, car j'ai agi même sans avoir oublié la demande que vous aviez faite au ministre. Je comprends le besoin que vous pouvez avoir d'un homme qui est au courant ; mais je suis sûr que si vous en faites généreusement le sacrifice, la Providence vous viendra en aide.

« Permettez-moi, mon bon Frère, de vous supplier de ne pas vous mettre à la traverse. Loin de là, encourager M. Régnier c'est l'œuvre la meilleure à laquelle vous puissiez aujourd'hui prendre part. Voyez à quels regrets vous vous exposeriez si, par suite de vos observations, il surgissait quelqu'un de ces choix qui, sans être mauvais, ne sont pas adaptés à la position des choses. M. l'abbé Régnier aura le temps de vous dire adieu, de mettre à jour la comptabilité de votre diocèse et de vous fixer sur le personnel du clergé. Somme toute, il est urgent de ne pas défaire ce que le bon Dieu a fait. Nous vivons à une époque où il faut accepter avec empressement le bien que la Providence offre à son Église. Êtes-vous assuré que, dans un an, les dispositions pour M. l'abbé Régnier seront les mêmes qu'aujourd'hui ? Avec le peu de consistance que l'on rencontre dans les hommes au milieu des oscillations qui compromettent à chaque instant les intérêts de toute espèce, ne devons-nous pas bénir le ciel de voir les sièges vacants occupés par des sujets capables et dignes de la confiance des bons catholiques? Pour moi, je vous avoue que cette considération me frappe au point de me faire passer par-dessus tout le reste, et je me sentirais la force de m'imposer en pareil cas tous les sacrifices possibles. Vous le ferez aussi, mon bien-aimé Frère et, au lieu de me gronder, vous me louerez d'avoir contribué, peut-être, à la réalisation d'une bonne pensée. »

Mgr Angebault, devant des instances si vives, ne résista plus; il offrit à Dieu, pour le bien de son diocèse, un sacrifice qui lui avait tant coûté.

Cependant, le temps était venu de s'occuper des dispositions à prendre pour la cérémonie du sacre.

Monseigneur partit de Sucé pour Paris, le 20 juillet au soir, arriva à Angers à quatre heures et demie du matin et se rendit à la Cathédrale au moment où l'on ouvrait les portes. Il assista à la messe au milieu de bonnes femmes qui ne se doutèrent de rien. Il resta là une heure et demie. Avant de partir, il laissa deux cartes de visite au sacristain, l'une pour M. Régnier et l'autre pour M. Gourdon, curé de la Cathédrale, avec ces simples mots : « Priez pour moi ! » Aussitôt on le fit chercher, mais il était déjà loin. Il alla à Saumur faire un pèlerinage à Notre-Dame des Ardilliers, pour mettre sa personne et « son nouveau troupeau, sans oublier l'ancien », sous la protection de la Sainte Vierge. Il s'arrêta aussi à Chartres pour y renouveler ses dévotions et, le 1er ou le 2 août, il rentrait au Séminaire d'Angers se préparer à sa consécration.

En prenant possession de son diocèse, il renouvela encore, dans son Mandement, l'expression de ses craintes en face des graves responsabilités dont il allait être chargé.

« Oui, nous avons vu tout cela, et notre cœur en a frémi;

timide, incertain, tremblant, frappé comme d'un coup de foudre, par une nomination inattendue, nous nous sommes effrayé et débattu de toutes nos forces. Vous dirons-nous notre résistance, nos prières, nos larmes? Vous dirons-nous nos supplications? Hélas! Vainement nous avons voulu faire changer l'arrêt porté contre nous. Nous avons été condamné à tous les tribunaux et l'amitié et l'autorité et les hommes de l'art, tous conspirés contre nous, se sont réunis pour nous imposer des liens et courber notre tête sous le poids effrayant de l'épiscopat. Enchaîné par l'obéissance nous venons donc nous livrer à vous. »

Se livrer, se dépenser, se donner sans compter, telle était sa résolution.

Angers put donc se réjouir en accueillant celui qui lui venait au nom du Seigneur, tandis que Nantes se désolait de le perdre. « Si je me suis réjoui dans le Seigneur, écrivait Mgr de Hercé, de voir élever à l'épiscopat un prêtre selon le cœur de Dieu, je me suis affligé de voir enlever à mon diocèse, dans la personne de M. Angebault, un administrateur distingué, dont les lumières nous étaient précieuses, dont les vertus et les qualités avaient acquis notre profonde estime et notre tendre attachement. »

Celui qui faisait ainsi l'éloge du nouvel élu devait en être le consécrateur. La cérémonie du sacre eut lieu le 10 août 1842, dans la cathédrale d'Angers. Mgr de Hercé fut assisté de Mgr Bouvier, évêque du Mans, et de Mgr Soyer, évêque de Luçon. Huit cents prêtres étaient accourus de tout le diocèse pour recevoir la première bénédiction de leur Évêque.

Quels furent ses sentiments pendant son sacre? Quelles lumières brillèrent dans son esprit? Quelles larmes coulèrent de ses yeux? Il est impossible de le dire. Nous savons seulement par lui qu'il sortit de la cathédrale le cœur réconforté et l'âme pleine d'une sainte ardeur. « Il me serait difficile de peindre l'émotion que j'éprouvai en me revêtant pour la première fois de ce costume qui m'annonçait que j'allais être élevé à une dignité qui faisait mon effroi. On me conduisit à l'église cathédrale ; je revis ce passé, ce lieu où j'étais demeuré prosterné, au jour où je recevais la prêtrise, de la main d'un prélat vénéré que j'étais appelé à remplacer. Je demandai, oh ! de tout mon cœur, au divin Pasteur, d'être un Évêque selon son cœur ; de conduire saintement le troupeau, pendant qu'on récitait les litanies des Saints et qu'on appelait sur moi les bénédictions du ciel.

« Je me relevai plus fort, je parcourus avec le nombreux clergé qui m'accompagnait, pendant la procession, les rues de cette ville, ma nouvelle patrie. Je bénissais ce peuple qui se pressait en foule sur mes pas et que la foi ou la curiosité avait appelé de toutes les parties du diocèse. J'aurais voulu pouvoir leur dire tout le dévouement que je leur apportais. »

Au sortir du temple où il venait d'être consacré, il adressa la parole à ses prêtres pour renouveler, en une certaine manière, les titres de leur mission sainte. « Allez, leur dit-il, annoncer à vos peuples ce que vous avez vu et entendu ; allez, nos chers collaborateurs, prêcher les peuples et enseigner les nations ; allez, portez partout la paix qui doit régner au fond des cœurs ; allez et passez partout en faisant le bien... » Puis venait un souvenir ému de la nomination de Mgr Régnier : « Vous prierez Dieu de soutenir nos pas chancelants. Au commencement de la carrière, nous espérions qu'une main amie conduirait nos pas dans ces sentiers difficiles et qui ne nous sont pas encore connus. Nous nous flattions de l'espoir de vous conserver celui que vous entouriez de votre confiance et qui est si digne de la nôtre. La Providence ne l'a pas permis ; nos trop justes réclamations n'ont pas été écoutées. Qu'il reçoive du moins ici l'expression de nos regrets et des vôtres ! »

Le jour du sacre passé, Monseigneur n'attendit pas pour se mettre à l'œuvre. Il commença immédiatement cette vie de dévouement à son église qu'il devait mener sans interruption pendant les vingt-sept années de son laborieux épiscopat.

Lorsque Mgr Angebault vint s'asseoir sur son siège épiscopal, le diocèse d'Angers était loin de montrer la belle ordonnance que nous y admirons maintenant. La Révolution l'avait, comme tous les autres diocèses, désorganisé. Les innombrables couvents qui faisaient sa gloire étaient détruits. Les moines et les religieuses qui les remplissaient ou bien avaient porté leurs têtes sur l'échafaud ou bien étaient dispersés et disparus. Quelques congrégations religieuses de femmes s'étaient reformées vers 1810, grâce à la tolérance de l'empereur; mais les religieux n'avaient point encore recouvré le droit de cité.

Sans doute, le peuple avait généralement gardé la foi antique; mais, la plupart du temps, privé de ses pasteurs pendant la Révolution, n'ayant pas d'églises ouvertes, il avait plus ou moins abandonné la pratique de ses devoirs religieux. Beaucoup de fidèles, baptisés par des parents, par des amis, s'étaient mariés entre eux, en dehors de la présence du prêtre, devenue impossible, sans dresser aucun acte qui pût constater la légitimité de leur situation. L'enseignement religieux se transmettait par la famille seulement et l'ignorance des dogmes chrétiens allait en s'augmentant. Les écoles, détruites par la Révolution, n'étaient pas encore rétablies. La ruine et la désolation étaient partout et, lorsque le Concordat vint rouvrir les églises et rappeler les pasteurs à leurs troupeaux, la tâche était immense de relever l'Église de France.

Le diocèse d'Angers eut la gloire de sortir l'un des premiers du chaos révolutionnaire. Guidé par un évêque de sainte et douce mémoire, Mgr Montault, il reprit vite ses allures chrétiennes. La glorieuse guerre de la Vendée avait retrempé les caractères et entretenu les sentiments chrétiens; les prêtres exilés rentraient, portant au front l'auréole des confesseurs de la foi. Les troupeaux vinrent bien vite se ranger sous la houlette des pasteurs. Mais le nombre de ces derniers avait diminué; pendant près de vingt ans ils ne s'étaient pas recrutés et ils ne pouvaient suffire au besoin des fidèles. Il fallait reprendre tout l'arriéré, reconstituer les registres des paroisses, créer les nouvelles fabriques, remettre un peu d'ordre dans la comptabilité, chercher des ressources nouvelles, réparer ou relever les édifices consacrés au culte, rétablir les écoles et pourvoir au recrutement du clergé.

Les prêtres déployèrent alors une merveilleuse activité. On vit les curés, après avoir vaqué aux soins de leur ministère et cherché à refaire leurs paroisses, se livrer à tous les métiers pour restaurer leurs églises ou leurs presbytères. Ils se firent menuisiers, charpentiers, maçons, maîtres d'école, professeurs et directeurs de Petits-Séminaires. On aurait pu écrire, et c'eût été une belle page des annales diocésaines, l'histoire de ces écoles ecclésiastiques qui fournirent au clergé paroissial et même à l'épiscopat tant de sujets distingués, parmi lesquels se montre, en première ligne, celui-là même que Mgr Angebault regrettait tant à ses débuts, Mgr Régnier, évêque d'Angoulême, puis archevêque de Cambrai et cardinal de la sainte Église romaine.

L'enseignement primaire n'existait plus. Ce furent les curés qui le rétablirent. Quelquefois ils firent eux-mêmes la classe à leurs enfants; plus souvent ils se servirent de quelques bonnes filles pieuses et dévouées qui recueillaient les écoliers et les écolières comme elles pouvaient, leur enseignant la lecture, l'écriture, les éléments du calcul et surtout le catéchisme et les vérités religieuses. On ne saura jamais assez quels services rendirent à la cause de l'enseignement et de l'Église ces bonnes et charitables personnes. Quelques-unes portèrent le dévouement jusqu'à se faire religieuses et s'unirent aux associations déjà existantes ou devinrent elles-mêmes des fondatrices. Aujourd'hui qu'elles ont rendu possibles les progrès et le développement de l'enseignement primaire, il est de mode, dans une certaine société, de tourner en ridicule leur petit bagage scientifique ; ce n'est pas la première fois que les bienfaits appellent l'ingratitude. Alors que l'État, si fier et si injuste maintenant, ne faisait rien pour instruire l'enfance, elles y dévouèrent leur vie et non sans succès.

Grâces à tous ces dévouements et à la douce influence de l'Évêque d'Angers, le diocèse put panser ses blessures et apporter le remède, du moins aux maux les plus pressants.

Mais, on le comprend, un épiscopat, même de près de quarante ans, ne pouvait suffire à tout et il restait beaucoup à faire. Mgr Paysant avait, de bonne heure, montré sa sagesse et son esprit d'organisation, mais il n'avait fait que passer. Il était réservé à Mgr Angebault d'achever l'œuvre commencée.

Il se mit au travail avec toute l'ardeur de sa nature, aiguillonnée par la crainte de ne pas faire assez et de ne pas remplir suffisamment les devoirs d'une charge qu'il trouvait si haute et si difficile. L'excès de son zèle faillit lui devenir funeste. Au bout de quelques mois il était à bout de forces. « Ma poitrine, mes nerfs, sont un peu fatigués, écrivait-il à la Supérieure de Saint-Gildas. Je me suis livré, dit-on, au travail avec excès ; vous connaissez mon extrême activité ; j'en porte un peu la peine. Enfin, je viens de prendre de bonnes résolutions, je tâcherai de les mettre à exécution avec l'aide de Dieu... Il faut bien s'arrêter ; si du moins je savais bien prendre cette épreuve ! mais, alors, je me laisse aller à une sensibilité trop naturelle, et mon âme n'y gagne rien. »

Non seulement son âme n'y gagnait rien, mais, à la

fatigue physique venait bientôt se joindre l'abattement moral. Une angoisse inexprimable s'empara de lui, un jour, après la sainte messe. Il rentra *comme un homme frappé de la foudre*, suivant son expression, il perdit l'appétit, le sommeil, le repos; la responsabilité de sa charge lui devint encore plus effrayante, la fatigue lui rendait ses occupations plus pénibles; une affreuse tristesse s'empara de lui et, quand il était seul, il ne pouvait plus retenir ses larmes. Les souvenirs du passé l'accablaient en lui faisant sentir plus vivement l'amertume du présent. Au milieu de ces luttes si pénibles une pensée le poursuivait sans cesse : celle de se soustraire à ce triste état en donnant sa démission. Puis, la foi reprenant le dessus, il se résignait en se plaignant à Dieu : « Est-ce que je n'ai pas fait tout ce que vous avez voulu? J'ai obéi, j'ai suivi les conseils que vous m'avez fait donner. Oh! pourquoi m'abandonnez-vous? »

C'est que sa tâche était rude, en effet. Quiconque entreprend de lutter pour la cause de Dieu doit s'attendre à de grandes contradictions. L'œuvre du Seigneur ne va jamais sans obstacle car elle heurte ce qu'il y a de moins bon dans les âmes et elle excite à la résistance l'éternel ennemi du bien. Quand Mgr Angebault arriva à Angers, bien des réformes étaient nécessaires. Mgr Montault, pendant les dernières années de son épiscopat, avait quelque peu faibli, à cause de son grand âge. Mgr Paysant avait reconnu la nécessité de ces réformes; mais, n'ayant pas eu le temps de les réaliser, il avait laissé des notes que son successeur n'avait fait que suivre.

De plus, il y avait à cette époque une sorte d'antagonisme entre Nantes et Angers et le clergé angevin était peu satisfait de voir un Nantais à sa tête. Certains membres influents du clergé angevin étaient loin d'être bienveillants. L'un d'eux, surtout, pétillant d'esprit, ne reculait pas devant un bon mot, devant une plaisanterie d'un goût quelquefois douteux, quand il s'agissait de critiquer une mesure administrative; on allait jusqu'à reprocher au nouvel Évêque cette élégance et cette distinction qui faisaient le charme de sa personne; des caricatures fort méchantes cherchaient à le ridiculiser. Tout cela nuisait à sa bonne volonté, paralysait ses efforts pour le bien et affectait péniblement sa santé. Ce fut M. Bernier qui le remonta. Il lui écrivit deux lettres si pleines de dévouement, de tact et d'encouragement, qu'il le fit enfin revenir sur son projet de démission. Nous n'avons plus ces lettres, mais le Petit-Séminaire d'Angers garde encore les réponses de l'Évêque, faites pour remercier avec effusion le vicaire général.

Enfin, un accident qui pouvait avoir des suites graves vint encore ajouter à ses souffrances. Au mois de décembre 1842, il fit une chute dans son escalier et se blessa à la jambe. Il en fut quitte pour garder le lit quelques jours. « C'est de mon lit que je vous écris, dit-il à la Supérieure de Saint-Gildas, ma blessure à la jambe me force à garder le lit depuis une dizaine de jours. Il y a ici des bonnes Sœurs qui me font faire tout ce qu'elles veulent. Je suis entre les mains de la Supérieure de Saint-Charles à qui je répète qu'elle prolonge mon mal pour avoir le plaisir de me soigner... Moi, je me résigne; on me permet de travailler, de lire et aussi d'écrire, voire à mon cher Saint-Gildas. » Pourvu qu'on lui permît de travailler, la maladie n'était plus rien pour lui. Nul ne saura jamais le nombre de pages qu'il a écrites dans le cours de ses différentes maladies. Il eut quelquefois des attaques de goutte assez sérieuses et assez prolongées, heureusement, il n'en eut jamais aux mains.

La fin de l'année 1842 fut employée à prendre connaissance de son diocèse. Il étudia tout particulièrement les écoles ecclésiastiques et l'état des communautés destinées à procurer aux enfants l'instruction primaire.

Deux écoles surtout donnaient l'enseignement secondaire aux jeunes gens des classes aisées ou qui se destinaient à embrasser plus tard la carrière ecclésiastique : Combrée et Mongazon.

Le collège de Combrée avait été fondé par M. Drouët, l'un des collaborateurs de M. Mongazon à Beaupréau. En prenant possession de la cure de Combrée, M. Drouët en trouva les bâtiments si vastes et si commodes qu'il songea de suite à établir un petit collège. Il avait vu à l'œuvre le véritable restaurateur des études ecclésiastiques en Anjou, M. Mongazon ; il crut pouvoir suivre ses traces et reproduire au presbytère de Combrée ce qu'il avait vu faire à celui de Beaupréau et à la maison des *Enfants de chœur.* Il avait réussi au-delà même de ses espérances, et il avait recueilli des élèves d'autant plus nombreux que, par une ordonnance royale de 1831, le gouvernement avait dissous le collège de Beaupréau et s'était emparé des bâtiments pour en faire une caserne. Une partie notable des élèves de M. Mongazon se présentèrent à M. Drouët et vinrent grossir le nombre de ses pensionnaires.

Mongazon était né de la dissolution de Beaupréau. L'évêché avait vainement réclamé auprès du ministère contre la confiscation du collège. Tout ce qu'il avait pu obtenir, c'était une indemnité de cent et quelques mille francs, avec la faculté d'établir ailleurs l'école ecclésiastique que l'on venait de supprimer. Mgr Montault fit appel au dévouement de M. Mongazon. Celui-ci vint jeter à Angers les fondements de la maison qui devait porter son nom.

Ces deux collèges auraient certainement prospéré sans une mesure inique prise par le gouvernement de Louis-Philippe. Il fut décidé que, pour obtenir les grades académiques, qui donnaient accès à différentes carrières, les élèves devraient passer au moins leurs années de rhétorique et de philosophie dans les écoles de l'État.

Cette mesure, qui priva Mongazon d'une partie des élèves

payant les meilleures rétributions, jointe aux dettes qui pesaient sur le nouveau collège, amena dans la caisse de l'économe un déficit inquiétant. Ce n'est pas que le digne M. Chapin, préposé à l'économat, ne tirât pas le meilleur parti de sa situation. Des comptes qu'il rendit à la Commission chargée par Monseigneur de vérifier l'état des finances de Mongazon, il résulte que la balance des recettes et dépenses ordinaires avait produit, pendant quatre ans, un boni *moyen* annuel de près de 10.000 fr. Pour opérer cette merveille, l'habile administrateur avait su nourrir élèves, maîtres et domestiques avec la somme de 0 fr. 51 centimes par personne et par jour. Et encore se trouvait-il des gens qui criaient au luxe de Mongazon. Ce qui causait le déficit, c'étaient donc les charges antérieurement contractées, la diminution inattendue du nombre des élèves causée par les mesures universitaires et aussi par la décision épiscopale qui envoyait au Grand-Séminaire les élèves ecclésiastiques, pour y faire leur philosophie, enfin les dépenses extraordinaires nécessaires chaque année à un établissement qui était loin d'être complètement achevé. Monseigneur tenait à se rendre un compte exact de l'état financier du Petit-Séminaire. Il nomma une Commission sous la présidence de M. Bernier, vicaire général. Cette Commission se réunit le 21 juin 1843.

Après avoir pris connaissance du déficit et des causes qui l'avaient amené, on délibéra sur les moyens de le faire disparaître. Aucune combinaison n'ayant paru atteindre ce but, six des commissaires sur huit proposèrent la suppression d'un des deux petits séminaires.

Ce n'était pourtant qu'une mesure extrême et qui répugnait évidemment à tout le monde. « Tous les membres de la Commission, dit le procès-verbal, désireraient ardemment la conservation des deux petits séminaires et ce ne serait qu'avec une profonde douleur qu'ils proposeraient à Votre Grandeur la suppression de l'un ou de l'autre. La

Commission ne s'arrête donc à ce moyen que dans la crainte de ne pouvoir, avec les autres, arrêter l'accroissement annuel des dettes du diocèse. »

En présence de ces difficultés, Monseigneur résolut de nommer une nouvelle Commission, qu'il présiderait lui-même. Cette Commission se réunit à l'évêché le 12 juillet 1843. Après avoir étudié les diverses mesures proposées pour arrêter le déficit, il fut décidé par tous les membres, à l'exception de deux, qu'on ne garderait que Combrée comme établissement de plein exercice. Mongazon perdait les trois classes supérieures. Cette suppression d'ailleurs ne devait être que temporaire, et il fut convenu que le Petit-Séminaire d'Angers reprendrait successivement les classes de troisième, seconde et rhétorique aussitôt qu'il aurait les ressources suffisantes.

Cette mesure rigoureuse dut coûter beaucoup au nouvel Évêque d'Angers, car il avait espéré n'en point venir à cette extrémité. « Nous avons visité nos établissements, disait-il dans sa circulaire du 2 décembre 1842, et nous avons porté partout des paroles d'espérance. Dans l'un, plus voisin de notre demeure, nous avons pris l'engagement de venir souvent soutenir les efforts des maîtres, animer l'ardeur des élèves, présider à leurs fêtes, sourire même à leurs jeux ; à ces paroles les cœurs se sont épanouis, et, entouré de notre jeune famille, nous avons pu reconnaître qu'elle conservait les pieuses traditions de son vertueux fondateur. » Ces espérances furent donc trompées, pour le moment du moins, et ce fut plus tard seulement que Monseignenr put jouir du plein succès de la dernière œuvre de M. Mongazon.

CHAPITRE IV

Premiers travaux

Les Frères des Écoles chrétiennes. — Saint-Charles. — La Pommeraye. — La Retraite. — Les Fabriques. — Visites pastorales. — Conférences diocésaines. — Relations avec Saint-Gildas. — Une conversion. — Les tapisseries de la Cathédrale.

En même temps qu'il s'occupait de régler, si douloureusement que ce fût, la situation des établissements d'enseignement secondaire, l'Évêque d'Angers voulut se rendre compte de l'enseignement primaire. Le 21 novembre 1842, il reçut un rapport sur les écoles des Frères, rédigé par l'Association royale et religieuse d'Angers. Cette association avait été fondée en 1816 par le célèbre M. de Rauzan, supérieur des missions de France, dans le but de soutenir et de développer les œuvres catholiques. Le gouvernement ayant refusé de la reconnaître comme association, elle prit, dans ses rapports avec l'autorité, le titre de Société d'encouragement des Écoles chrétiennes d'Angers, sans doute pour pouvoir continuer à exister, quoique non autorisée.

D'abord, elle avait donné ses soins aux pauvres, aux prisonniers, aux petits ramoneurs, aussi bien qu'aux écoles chrétiennes tenues par les Frères. Mais le gouvernement de Juillet n'était pas favorable à l'enseignement religieux. En 1831, l'allocation des Frères fut considérablement réduite par l'administration municipale qui réservait à l'enseignement mutuel et laïque ses faveurs et son appui. Dès lors, la Société d'encouragement s'attacha plus spécialement à soutenir la précieuse institution des écoles chrétiennes.

A cette époque la ville d'Angers ne possédait encore que huit Frères. Outre leur maison du Tertre Saint-Laurent, fondée dix ans plus tôt par l'active bienveillance de Mgr Montault, ils avaient dans la cité, rue Petite-Mule, deux classes incommodes et condamnées, comme insalubres, par les inspecteurs de l'Université.

La nécessité d'une troisième école se faisait vivement sentir. Pendant plusieurs années on tenta vainement d'en ouvrir une. Enfin, en 1835, l'autorité ayant menacé de fermer les deux petites classes de la cité, l'imminence du péril excita toute la sollicitude de l'Association. Persuadée que le premier intérêt de la religion et de la société, dans l'état actuel des choses, était l'éducation de l'enfance, elle renonça à l'œuvre des prisonniers et, sans abandonner les petits ramoneurs, elle se voua plus que jamais au soutien des écoles, si bien qu'à l'arrivée de Mgr Angebault, en 1842, l'Association avait fondé une nouvelle et vaste école, rue du Vollier, une autre encore dans la rue Saint-Jacques ; on avait ouvert une classe du soir pour les adultes, au Tertre Saint-Laurent. Le nombre des Frères s'élevait à dix-huit ; douze pour les classes du jour, trois pour les classes du soir ; un Frère directeur, un suppléant, un Frère chargé des détails matériels et des soins de la vie.

L'œuvre des Frères avait ainsi, dans trois quartiers de la ville, trois maisons contenant douze grandes et belles classes où chaque jour près de mille enfants, où, chaque soir, deux cents adultes venaient recevoir, avec les éléments des sciences, les douces et pures leçons de la morale et de la religion. L'Association avait dépensé, depuis 1835, près de 100.000 francs.

Il fallait environ 11.000 francs pour faire marcher les

écoles. La ville ne donnait qu'une subvention de 2.500 francs, l'Association devait fournir au reste.

Monseigneur ne put que remercier une association qui avait fait tant de bien dans sa ville épiscopale. Il lui témoigna, en effet, alors, et toujours depuis, une grande reconnaissance. Il la favorisa de tout son pouvoir, continua avec elle de soutenir les écoles des Frères, surtout lorsque, plus tard, il dut lutter contre le mauvais vouloir de l'administration municipale d'Angers.

Après les écoles de garçons vint le tour des écoles de filles. Le restaurateur de Saint-Gildas, devenu évêque d'Angers, ne pouvait manquer de donner tous ses soins aux communautés religieuses. Ce fut l'une de ses principales sollicitudes pendant tout le cours de son épiscopat. A ce moment la plupart des maisons religieuses de femmes cherchaient encore leur constitution définitive. Même celles qui avaient déjà reçu du gouvernement l'autorisation légale étaient loin d'avoir atteint leur dernière forme. Grâce au zèle, à l'habileté, aux soins et au dévouement de Mgr Angebault, elles achevèrent vite le travail sur elles-mêmes et prirent au dehors un essor rapide.

L'une de celles qui attirèrent le plus vite les regards du nouvel Évêque fut la très intéressante congrégation de Saint-Charles d'Angers. Elle remontait à près d'un siècle et demi et n'avait pas encore de constitution.

En 1714, une demoiselle Anne Jallot réunit autour d'elle quelques filles pieuses pour instruire les enfants de la classe ouvrière et donner des remèdes et des soins aux malades pauvres. Ces bonnes filles se livrèrent avec zèle à leur mission de charité. Mme Jallot, désireuse de perpétuer et de développer son œuvre, donna une maison, située rue Haute-du-Figuier, et y attacha quelques rentes, à la condition qu'on y formerait des sujets pour rendre les mêmes services aux jeunes filles et aux pauvres des petites villes et des campagnes.

Le 20 décembre 1723, Mgr Poncet de la Rivière approuva, signa et revêtit du sceau épiscopal le règlement qu'Anne Jallot avait fait adopter à ses associées. La communauté existait donc de par l'autorité épiscopale, et cette première approbation fut renouvelée plus tard par les actes de Mgr de Grasse, du 12 février 1764, et de Mgr Montault, du 14 avril 1804.

Toutefois, le règlement approuvé en 1723 ne fait aucune mention des vœux de religion et l'on n'y trouve rien qui règle les rapports de la maison d'Angers avec les sujets formés par elle et envoyés dans d'autres localités suivant les clauses mises à ses libéralités par Mlle Jallot. Il n'y a donc point, à proprement parler, ni congrégation religieuse, ni maison mère, ni supérieure générale.

Pendant quatre-vingts ans, c'est-à-dire depuis l'époque de la fondation jusqu'à la Révolution, la maison d'Angers n'avait formé dans le diocèse que quatre établissements. Toutefois, elle s'était rendue si utile et si populaire à Angers, qu'elle fut à peine troublée par la tourmente révolutionnaire. Il est vrai qu'un décret du 18 août 1792 supprima la congrégation des Sœurs de Saint-Charles ; mais, sous un autre nom et un autre costume, quelques Sœurs poursuivirent sans discontinuer leur œuvre charitable et, dès 1795, la communauté put se réorganiser entièrement et avec son ancien personnel.

Le 15 novembre 1810, un décret impérial la rétablit officiellement, lui donna l'existence légale et, en approuvant ses statuts, la reconnut implicitement comme congrégation à supérieure générale.

L'hospice de la rue Haute-du-Figuier, si connu à Angers sous le nom de Petite-Pension, ne cessa de rendre les plus grands services aux pauvres de la ville. Cependant, la congrégation prit peu d'accroissement. D'ailleurs, à cette époque, on songeait bien plus à faire une sorte d'association de charité que de congrégation religieuse. Les directrices recevaient les jeunes personnes qui se présentaient pour partager leurs travaux; elles les formaient de leur mieux puis les congédiaient sans les déclarer Sœurs de Saint-Charles ni les assujettir à porter leur costume.

Il paraît bien que la direction imprimée était bonne puisque plusieurs des jeunes personnes formées à l'école des Sœurs de la Petite Pension devinrent à leur tour fondatrices de communautés florissantes. Les Sœurs qui ont formé le premier noyau religieux à La Pommeraye, à la Salle de Vihiers, à Torfou, étaient allé prendre les leçons des Sœurs de l'hospice Saint-Charles qui devint ainsi le berceau de trois belles congrégations.

En 1842, à l'arrivée de Mgr Angebault, Saint-Charles ne comptait encore que quatre-vingts sujets répartis en divers lieux et en diverses maisons, sans vœux à garder ni statuts fondamentaux les rattachant à la maison-mère, n'ayant de commun que l'habit et aussi le zèle pour atteindre le même but : l'instruction des pauvres et le soulagement des malades.

L'Évêque comprit de suite qu'avec de si bons éléments on pouvait faire beaucoup mieux et donner de grands développements à une œuvre si utile. Il confia la charge de supérieur de la communauté à l'un de ses vicaires généraux, M. l'abbé Bernier, et lui demanda de travailler à la formation de la congrégation de Saint-Charles.

Déjà, sous Mgr Montault et Mgr Paysant, M. Bernier avait pris part à l'administration diocésaine avec M. l'abbé Régnier, et personne n'a jamais contesté au nouveau supérieur une haute valeur intellectuelle, une grande dignité de caractère et un dévouement sans bornes.

Il se mit sans retard à l'œuvre, rédigea, en trente-deux articles, un règlement qu'il soumit à l'approbation épiscopale et proposa ensuite aux membres de la congrégation de Saint-Charles. Ces statuts, à l'exception des vœux de religion qui ne furent demandés que deux ans plus tard, renfermaient implicitement toutes les conditions essentielles de l'état religieux. Ils furent acceptés par presque toutes celles qui faisaient partie de l'institut et, deux ans plus tard, trente-trois Sœurs prononcèrent très librement et sur une simple invitation, les trois vœux de pauvreté, de chasteté et d'obéissance. Quelques-unes cependant crurent pouvoir continuer leur œuvre charitable sans se lier par des règlements et des vœux auxquels elles ne se croyaient pas appelées. L'Évêque d'Angers ne pouvait évidemment les contraindre et il les laissa en paix. Elles ne cessèrent pas de se livrer aux bonnes œuvres qu'elles aimaient; de fait, elles ne firent pas partie de la nouvelle congrégation.

Il y eut d'autres défections, quand il fallut mettre le nouveau règlement à exécution. Deux religieuses possédaient, d'une manière toute spéciale, l'estime et la confiance de la communauté et y exerçaient une influence à peu près égale, la Sœur Céleste et la Sœur Modeste. Laquelle serait nommée supérieure ?

Avec une grande prudence, M. Bernier fit la première application des statuts. Ceux de 1810 attribuaient d'une manière absolue à l'Évêque la nomination de la supérieure. L'article 2 des nouveaux règlements lui confirmaient ce droit tout en le limitant. L'Évêque, d'après cet article, choisissait, mais il ne pouvait le faire que sur une liste de cinq noms de religieuses, liste formée par l'élection de toutes les vocales. M. Bernier fit élire les cinq qui devaient être proposées à l'Évêque. Monseigneur rendit alors, à la date du 12 août 1843, une ordonnance dans laquelle on lisait :

« Vu le rapport officiel à nous présenté par M. l'abbé Bernier, notre vicaire général, qui a présidé l'élection ordonnée par nous et d'où il résulte que la Sœur Modeste, non seulement se trouve au nombre des cinq sujets qui ont le plus de suffrages, mais encore a réuni quarante-et-une voix sur quarante-deux votantes ;

« Avons ordonné et ordonnons ce qui suit :

« ARTICLE PREMIER. — La Sœur Modeste est nommée supérieure de la congrégation de Saint-Charles d'Angers, etc.... »

La Sœur Céleste qui, en dix ans avait fondé jusqu'à trente-six établissements, qui, la première, avait réclamé la réforme et signé les statuts, qui avait été si ardente pour les faire accepter à ses compagnes, avait-elle espéré en retirer pour elle-même le profit et se faire nommer supérieure, ou bien craignit-elle de causer, par sa présence, quelque embarras à la nouvelle supérieure? Nous ne le savons. Ce qui rend probable cette dernière supposition, c'est que plus tard la Sœur Céleste demanda à rentrer à la communauté et qu'elle mourut religieuse de Saint-Charles. Toujours est-il qu'alors elle quitta la congrégation pour aller, avec sa nièce, dans le diocèse d'Angoulême. Si la communauté de Saint-Charles eut à regretter le départ de cette bonne Sœur, elle y gagna du moins l'unité de direction si précieuse pour toute communauté.

Les années qui suivirent furent employées par Monseigneur à rédiger, de concert avec M. Bernier, une règle complète et définitive qui n'était guère d'ailleurs que le développement des statuts de 1843. Chaque point de règle fut étudié, débattu contradictoirement et soumis à l'épreuve de l'expérience. Cela dura dix ans, pendant lesquels la congrégation ne cessa de s'accroître.

Nous avons dit que la Petite Pension avait été le berceau de la congrégation de La Pommeraye. Voici comment : une religieuse du Calvaire, chassée de son couvent par la Révolution, s'étant retirée à La Pommeraye, donna ses soins à l'éducation d'une petite fille, nommée Marie Moreau. Celle-ci profita des leçons qu'elle avait reçues. Après avoir fait son apprentissage, elle s'adjoignit à une pieuse fille, nommée Marie Marchand, qui, en l'absence de toute institutrice, s'était chargée d'élever les enfants. Hélas! elle ne savait pas elle-même écrire et lisait assez mal. Marie Moreau lui fut un aide précieuse ; mais, sentant elle-même tout ce qui lui manquait pour remplir dignement ses fonctions d'institutrice, elle demanda et obtint la permission de venir se former chez les Sœurs de Saint-Charles, à la *Petite Pension.*

De retour à La Pommeraye, elle adopta un costume à peu près semblable à celui des religieuses de Saint-Charles et l'on commença à l'appeler du nom de *Sœur Moreau.*

Mlle Marchand et la Sœur Moreau s'adjoignirent quelques vertueuses jeunes filles et l'on commença à former une communauté. Mgr Montault, en faisant sa tournée pastorale en 1816, vint à La Pommeraye, visita l'établissement Moreau, le bénit, et donna comme Règle à ces bonnes filles la Règle du Tiers-Ordre séculier du mont Carmel. Toutefois ce ne fut que plus tard que la communauté fut vraiment formée. Après avoir fait faire aux membres de la petite association un noviciat sous la direction de la supérieure du Tiers-Ordre de La Tessoualle, M. Grimault, curé de La Pommeraye, fit prendre l'habit, le 28 septembre 1825, à six aspirantes. Un mois après, M. Grimault ajouta à la Règle du Tiers-Ordre, un règlement spécial qui fut, depuis, approuvé par l'autorité diocésaine.

Toutefois, il paraît que ce règlement, peut-être trop hâtivement préparé, fut la cause du départ de quelques Sœurs. C'est pourquoi plus tard, M. Ruais, curé de La Pommeraye, résolut de travailler à la confection d'une règle définitive. Mais il y alla avec sagesse et prudence. Chaque année, aux retraites générales, il indiquait quelques points qui lui semblaient utiles; il les faisait pratiquer aux religieuses ; puis, lorsque l'expérience en avait montré le fort et le faible, il les soumettait à la discussion du Conseil, et ce ne fut qu'au bout de seize ans, qu'ayant recueilli et coordonné ces diverses prescriptions particulières, il en fit une Constitution et une Règle qui, approuvée par Mgr Angebault, fut promulguée pendant la retraite annuelle, le 17 août 1845, par M. l'abbé Joubert, vicaire général.

Toutefois, de nouvelles modifications furent encore apportées à cette Règle par le digne prélat, en 1855. En particulier, il statua que la Mère supérieure serait élue tous les six ans. L'expérience avait démontré, en effet, qu'en trois années une nouvelle supérieure n'avait guère que le temps de prendre connaissance du personnel et des différentes obédiences de la Communauté ; c'était donc au moment où elle pouvait, en connaissance de cause, apporter quelque amélioration, qu'elle devait passer sa charge à une autre. C'est pour remédier à cet inconvénient que la durée de la charge de supérieure fut fixée à six ans, et cette disposition fut maintenue dans la rédaction définitive des Constitutions qui eut lieu en 1865.

« L'organisation de la Congrégation, dit Dom Chamard, « y est décrite dans les plus minutieux détails et, en « général, avec une sagesse remarquable.

« Les Conseils relatifs à l'entretien des autels et de la « sacristie et, surtout, à la persévérance des jeunes filles « confiées aux soins des religieuses, sont spécialement « dignes d'éloges, d'autant plus qu'ils contrastent avec « certaines restrictions singulières d'autres Congrégations « analogues. On y encourage, avec raison, les réunions « des jeunes filles sorties de l'école, dans la maison même « où elles ont appris à aimer Dieu. Aucune œuvre n'est « plus nécessaire aujourd'hui, et c'est renoncer aux résul- « tats de l'éducation chrétienne que de fermer la porte du « cœur et de l'habitation des religieuses à des âmes qui ne « demanderaient qu'à être aimées véritablement selon « Dieu pour se maintenir dans la vertu.

« Les Constitutions des Sœurs de la Providence méritent « donc les plus grands éloges dans leur ensemble, et il « n'est pas douteux que le Saint-Siège leur donnât volon-

« tiers la sanction suprême de son autorité, si elles étaient
« présentées à son infaillible approbation.

« Peut-être cependant modifierait-il certaines expressions
« trop équivoques relatives aux pouvoirs de la Supérieure
« générale en certains cas sur lesquels la Sacrée Congré-
« gation des Évêques et Réguliers a été amenée à statuer
« dans ces derniers temps. »

Nous souscrivons pleinement à ce jugement du docte Bénédictin.

Ce n'était pas seulement aux Congrégations en voie de formation que Mgr donnait ses soins. Nulle ne fut plus affectionnée par lui et plus choyée, si nous pouvons ainsi parler, que la Congrégation de la Retraite.

L'œuvre des Retraites, destinée à fournir aux personnes du monde les moyens de passer, de temps à autre, quelques jours dans le recueillement, la prière, et la méditation des grandes vérités de la foi, était née en Bretagne, au dernier siècle. Elle avait cessé de vivre pendant la Révolution. Mais à peine des jours meilleurs étaient-ils revenus, que de pieuses femmes, appartenant pour la plupart à de nobles et riches familles, avaient repris l'œuvre interrompue et, dès 1806, plusieurs associations s'étaient formées dans le but de réunir ceux des fidèles qui voudraient prendre part à ces exercices pieux et toujours si salutaires. Nul vœu n'était imposé aux femmes qui faisaient partie du personnel de l'œuvre des Retraites et elles demeuraient libres de quitter l'association. « Dans
« ces conditions, on le comprend, il manquait à leur
« œuvre la meilleure garantie de stabilité. Quelques-unes
« se résolurent à enchaîner irrévocablement leur vie à de
« si saintes occupations. Fortes de l'approbation des
« évêques intéressés, Mgr de Mannay, évêque de Rennes,
« et Mgr de Crouisseilles, évêque de Quimper, et secondées
« par un saint prêtre, M. l'abbé Hattais, curé de Saint-
« Sauveur de Redon, elles quittèrent la maison de Quim-

« perlé, et vinrent se fixer dans l'antique cité de Saint-
« Couvoïon[1]. »

L'œuvre prospéra et, le 12 mars 1826, les nouvelles religieuses vinrent, sur la demande de Mgr Montault, prendre possession de la terre d'Anjou. Elles s'établirent d'abord provisoirement sur le Tertre Saint-Laurent, puis, le 3 mai de la même année, elles firent l'acquisition de la maison qu'elles occupent encore aujourd'hui. La propriété qu'elles achetèrent avait appartenu autrefois au Séminaire. A la suite de la Révolution, elle servit, dit-on, de refuge aux francs-maçons, qui y eurent leur loge et tinrent leurs assemblées dans l'ancienne chapelle. Mgr Montault, pour favoriser le mouvement qui poussait alors vers les missions, fonda une petite Société de prêtres missionnaires diocésains, chargés de confesser, pendant les Retraites, et de donner des missions dans l'intervalle. Tout alla si bien « qu'au « bout de deux ans et demi, douze Retraites avaient été « données et le nombre des hommes et des femmes qui « les avaient suivies s'élevait à deux mille sept cents.

L'œuvre des Missions ne vécut pas longtemps, celle des Retraites ne fut jamais interrompue.

Mais ce ne fut point seulement aux Retraites que les religieuses furent appelées à donner leurs soins. A peine étaient-elles établies à Angers qu'elles durent se charger de l'éducation des jeunes filles. Elles le firent avec beaucoup de répugnance, car jamais elles ne s'étaient proposé ce but. Mais Dieu leur montra à de tels signes sa volonté qu'elles durent se rendre, et le nouvel établissement prit un accroissement si rapide que bientôt le siège de la maison mère fut transféré, ainsi que le noviciat, de Redon à Angers. « Aujourd'hui plus de six cents enfants reçoivent, « dans les pensionnats de la Retraite, une éducation juste-

[1] M. l'abbé Subileau, supérieur de la Retraite. V. l'*Éloge funèbre de M. Tendron*, aumônier des Dames de la Retraite.

« ment appréciée, et, à ce nombre, il convient d'ajouter
« celui des enfants pauvres, pour lesquelles la Congréga-
« tion est si heureuse d'ouvrir des écoles gratuites, les
« regardant comme un gage de bénédiction et de prospé-
« rité. »

La Retraite devint ainsi une congrégation surtout enseignante, et c'est principalement à ce titre qu'elle reçut les soins multipliés du nouvel Évêque d'Angers.

Mgr Angebault ne voulut laisser à personne le gouvernement de la communauté; il s'en chargea et le fit jusqu'à ses dernières années avec un zèle et une affection admirables.

Il recommença pour elle, et sur un nouveau plan, tout ce qu'il avait fait à Saint-Gildas. Malgré ses occupations, il s'y rendait souvent. Là, comme au milieu de « ses Sœurs des bois », il voyait les maîtresses de classe et s'enquérait des progrès des élèves, il visitait lui-même les classes, questionnait les enfants, les instruisait en les récréant et leur témoignait le plus tendre intérêt. De temps en temps, il indiquait lui-même le travail à faire et, chaque année, une ou même plusieurs fois, il donnait à traiter aux élèves des premières classes un sujet historique ou littéraire. Il se faisait remettre les travaux, les lisait attentivement, les annotait de sa main et les rendait ensuite. Une récompense, toujours bien enviée des élèves, était réservée à celles qui présentaient un travail bien fait. Quand arrivait la belle saison, il y avait pour elles, au palais de l'Esvière, ce qu'on appelait un pèlerinage.

Les élues partaient de grand matin, assistaient à la messe et recevaient la sainte communion de la main de Monseigneur. Puis on prenait place à la table épiscopale, et, après un gai déjeuner dont toute gêne et toute contrainte étaient absentes, on se répandait dans les jardins et l'on jouait, comme des enfants dans la maison de leur père. C'était fête pour tout le monde et même pour les graves secrétaires qui laissaient quelquefois leurs dossiers sommeiller ce jour-là.

Les élèves n'étaient point pourtant l'objet principal de l'attention épiscopale. L'Évêque d'Angers s'occupait surtout de la congrégation elle-même. Il surveillait de près les études des novices. Il venait voir fréquemment ces jeunes sujets, les interrogeait, les pressait de questions, et semblait presque prendre plaisir à les embarrasser. Ainsi les poussait-il à l'étude. Son but était en cela d'éclairer leur esprit; mais il profitait de ces relations pour développer de plus en plus, dans leur cœur, la connaissance et l'amour des vertus de l'état religieux.

Quand les novices étaient devenues maîtresses, il ne les quittait pas encore. Il les réunissait de temps à autre, surtout à l'époque des vacances, et ne dédaignait pas de présider lui-même aux leçons qu'il avait établies pour les former aux méthodes d'enseignement en usage dans la congrégation. Pour mettre plus d'unité dans l'enseignement des différentes maisons de Retraite, il étendit à tous les pensionnats la direction de la Préfète générale des classes.

Enfin, pour résumer tous ses conseils, il donna pendant plusieurs années des conférences sur l'éducation de la jeunesse. Ces conférences, rédigées ensuite, sont conservées religieusement dans les archives de la maison.

Cette longue préparation qu'il voulait qu'on apportât au difficile métier de l'enseignement, il la demandait à plus forte raison pour la formation religieuse, et il statua que six ans de vœux temporaires précéderaient l'émission des engagements perpétuels. Un chapitre général, institué aussi par lui, devait décider, en dernier ressort, des intérêts communs de la communauté.

Des soins si nombreux et si intelligents ne pouvaient demeurer sans résultat. Non seulement les élèves vinrent

en grand nombre demander aux religieuses de la Retraite le bienfait d'une éducation aussi solide que chrétienne, mais la congrégation elle-même prit de nouveaux accroissements. Deux fondations importantes, celle de Saumur et celle de Cholet eurent lieu sous l'épiscopat de Mgr Angebault, et la Retraite s'adjoignit en outre, par l'agrégation, la maison des Ursulines de Thouars et celle des Oratoriennes, fondée à Angers par Mme Cécile Prévost de la Chauvellière, de vénérée mémoire.

Jusque sur son lit de mort, l'Évêque d'Angers donna à la Retraite des preuves de sa paternelle sollicitude. Une élection venait d'avoir lieu. Il appela près de lui la Révérende Mère Supérieure générale et ses conseillères et, après de sages et nombreux avis, il ajouta : « Chères filles, « bientôt je ne serai plus ; mes successeurs pourront porter « à votre institut autant d'intérêt que moi; mais plus « serait chose impossible.

« J'ai beaucoup aimé votre congrégation sur la terre, je « continuerai à l'aimer au ciel. »

Les notes que nous consultons ajoutent : « Le vœu de « notre vénéré père a été exaucé, et son successeur, « Mgr Freppel, a hérité de son affectueux intérêt pour les « congrégations enseignantes. Les preuves que déjà il a « données à la nôtre de sa bienveillance paternelle nous « sont un garant de ce qu'elle peut en attendre dans « l'avenir. »

Travailler à l'éducation de la jeunesse, c'était préparer l'avenir du diocèse; le présent avait aussi ses besoins. Remettre l'ordre dans les paroisses, dans la tenue des livres paroissiaux, dans la comptabilité des fabriques était une mesure urgente. Dès la première année, Monseigneur en écrivit à ses curés. Il leur rappela les statuts diocésains qui exigeaient la tenue exacte et régulière et en double des registres des actes de baptêmes, mariages et décès. Et, pour pouvoir établir l'ordre aux archives de l'Évêché, il exigea que ce double serait copié sur des registres d'un format uniforme pour toutes les églises du diocèse.

Il pria également ses curés de n'entreprendre ni reconstruction d'églises, ni restaurations importantes, sans en avoir préalablement informé l'Évêché, « attendu, disait-il, que le gouvernement a recommandé souvent ce point à la sollicitude des Évêques... et que les hommes de l'art ne connaissent pas toujours assez ce que réclament les besoins du service et les convenances religieuses ».

Enfin, en leur faisant connaître qu'ils trouveraient à l'évêché des formules de budgets pour les fabriques, il leur annonçait que tout ce qui concerne la partie si importante de l'administration des fabriques serait l'objet d'une circulaire particulière et prochaine.

L'habitude et la routine ne sauraient, malgré la bonne volonté, disparaître tout d'un coup, et Monseigneur, l'année suivante, au mois d'octobre, fit remarquer qu'on n'avait pas encore assez tenu compte de ses recommandations au sujet des registres de paroisse, et il insista sur la nécessité de s'y conformer. En même temps, il envoyait à ses curés la liste des années dont les actes faisaient défaut à l'Évêché, en les priant de faire prendre copie de ces actes et de les retourner au secrétariat. C'est ainsi qu'il put recueillir et classer aux archives la liste complète de tous les mariages, naissances et décès survenus dans le diocèse d'Angers.

Mais il s'attacha surtout à l'organisation et à la bonne administration des fabriques. Il savait bien que de là dépendait la décence du culte. Bien administrées, les fabriques devaient, dans un diocèse aussi chrétien que celui d'Angers, fournir de grandes ressources pour les reconstructions ou réparations d'églises, l'entretien d'ornements convenables, l'achat de vases précieux qui faisaient trop défaut, l'ornementation enfin des autels si nécessaire à la pompe des cérémonies religieuses.

Pour accomplir la promesse qu'il avait faite le 5 novembre,

il rédigea une circulaire, à la date du 17 mars 1843, dont l'objet unique était la réorganisation des fabriques. Après avoir indiqué que les règles nouvelles avaient leur principe dans le droit ancien et que le décret du 30 décembre 1809 reproduisait une partie des anciennes prescriptions, il indiquait les ouvrages où l'on pouvait étudier les applications du droit nouveau. Puis, il examinait lui-même trois points principaux de l'organisation des fabriques, savoir la composition et les fonctions des Conseils, la formation des budgets, les règles pour la location des bancs ou des chaises dans les églises.

Et, comme tout ce qui est nouveau est difficile à saisir et qu'il reste longtemps des points obscurs dans les explications les plus claires, il revenait encore l'année suivante sur cette importante question. Cette fois, c'est tout un traité sur la matière. Élections des membres du Conseil et du bureau, comptes, budgets, locations des places, rapport des fabriques et des communes, obligations de celles-ci vis-à-vis de celles-là, dépenses obligatoires ou facultatives des communes, cas où les fabriques ont le droit de solliciter des secours de l'administration municipale, formalités qu'elles doivent remplir alors, tout est étudié, éclairci, exposé avec netteté et précision, d'après la législation et la jurisprudence la plus récente. Et ce traité est encore suivi de quelques conseils pratiques sur les droits des fabriques dans certaines cérémonies, sur les oblations, sur les produits de la cire, etc.

Grâce à ces sages mesures, sans faire peser aucune charge grave sur les fidèles et par le seul effet de l'ordre et d'une bonne administration, les fabriques se relevèrent promptement, le culte reprit plus de décence et, bientôt l'on put songer à la reconstruction d'un grand nombre d'églises tombant en ruines et trop peu dignes de servir de temples au Dieu de l'Eucharistie.

Ces travaux plus importants n'empêchaient pas l'Évêque

d'Angers de se livrer aux œuvres du ministère épiscopal. Il ne reculait devant aucune fatigue. Il parlait fort souvent et le faisait toujours avec cette grâce et cet à-propos qui faisaient l'admiration de tous ceux qui l'entendaient. A la retraite ecclésiastique, aux distributions de prix, dans les réunions de piété, dans les pensionnats aux élèves, dans les couvents aux religieuses, il adressait des paroles d'encouragement ou d'éloges et mettait partout l'entrain et la vie. Il écrivait également aussitôt qu'il sentait une misère à soulager, une grâce à obtenir, une œuvre à secourir. C'est ainsi que, lors du tremblement de terre de la Guadeloupe, il adressait à ses curés une circulaire pressante pour demander une quête en faveur de nos infortunés colons : « Des malheureux sans asiles, sans pain, sans vêtements, tristes restes de leurs familles ensevelies sous les décombres, tendent les mains vers nous pour implorer notre pitié, et ces malheureux sont nos frères, Français comme nous, appartenant peut-être quelques-uns à des familles qui nous sont connues et chères. La France s'émeut pour leur porter des secours, et le clergé, dans cette circonstance, remplira, comme toujours, avec dévouement, la mission qui lui est si douce, d'alléger les peines et de secourir le malheur. »

Quelques semaines après, c'est pour ses diocésains qu'il élève la voix. Une série d'orages avait déchaîné les pluies du ciel, et les récoltes allaient être compromises par le mauvais temps, peut-être même par l'inondation. Aussitôt il ordonne des prières publiques : « Nous vous appelons tous au pied des autels... Nous aimons à espérer que la bonté de Dieu se laissera fléchir et que la ferveur de nos chers diocésains obtiendra une température plus favorable. Puissent-ils comprendre que Celui qui nous a permis de lui demander et qui veut bien nous accorder le pain de chaque jour veut aussi que nous cherchions par nos âmes la nourriture qui vivifie, c'est-à-dire la foi qui doit animer nos cœurs, l'espérance qui doit les soutenir, la charité surtout qui devrait les embraser et rendre méritoires nos prières et nos œuvres. »

Si Mgr Angebault trouvait parfois la charge pastorale si lourde, il était cependant un de ses devoirs qu'il ne cessait de remplir avec bonheur. C'était une joie pour lui de penser qu'il allait visiter ses diocésains, les instruire, les encourager, recueillir les témoignages de leur foi, leurs respects, et les combler de ses bénédictions. C'était une joie pour lui de voir, chez eux, dans leurs modestes presbytères, ses chers collaborateurs, de recevoir leur hospitalité, de parler avec eux des intérêts et des besoins de leurs paroisses, des difficultés et des consolations de leur ministère, d'examiner les ressources dont ils pouvaient disposer pour le bien comme aussi les obstacles qu'ils pouvaient rencontrer, enfin de visiter leurs églises et de constater les réparations ou ornementations qui pouvaient être à désirer.

Il se traça le programme de ses tournées épiscopales. Dans chacune des paroisses où il donnait la confirmation, il adressait la parole aux fidèles pour leur rappeler leurs devoirs, particulièrement ceux qui concernent l'éducation des enfants. Il se faisait ensuite publiquement rendre compte par le curé de l'état de la paroisse et, en répondant au discours du curé, il donnait les avis généraux qu'il croyait utiles. Après la cérémonie, il présidait le Conseil de fabrique, examinait les ressources, encourageait les fabriciens et leur donnait ses conseils. Dans l'après-midi il visitait les autorités locales et les notables de la paroisse, quelques malades ou quelques pauvres, auxquels il laissait ses consolations et ses aumônes, les œuvres paroissiales et surtout les écoles. Il établit l'usage de faire rédiger au livre des actes de la fabrique moins un procès-verbal qu'un compte-rendu de ce qui avait eu lieu à son passage; ce compte-rendu était lu d'abord, à la fin du dîner, à tous les invités, puis le curé devait en donner lecture en chaire, le dimanche suivant à toute la paroisse. Il recommandait à ses secrétaires de bien soigner la forme de ces comptes-rendus et les registres des paroisses s'enrichirent parfois de belles pages littéraires bien propres à encourager les fidèles et à perpétuer parmi eux le souvenir du passage du premier pasteur.

A vrai dire, ces visites pastorales au milieu des chrétiennes populations de l'Anjou, ressemblaient fort à des marches triomphales. Les rues, les chemins, les églises s'embellissaient et s'ornaient comme au passage d'un prince, et ce triomphe était rehaussé encore par la spontanéité et l'enthousiasme des habitants. Parfois aussi, à cette pompe extérieure venait s'ajouter quelque trait touchant de foi chrétienne. Un jour, par exemple, avant de faire son entrée solennelle dans une paroisse qu'il allait visiter, Monseigneur, que la poussière du chemin avait quelque peu fatigué, descend de voiture, entre dans une ferme et demande un peu d'eau pour se laver les mains. Une jeune femme, la fermière, lui présente un vase avec de l'eau, puis elle va à son armoire et en tire un linge pour essuyer les mains de l'Évêque. Mais celui-ci s'aperçoit que le linge est en fine batiste et orné de broderies; il se récrie et demande un simple essuie-mains. « Oh! Monseigneur, reprend la fermière, prenez celui-ci, c'est mon mouchoir de noces, il ne devait servir qu'une fois, mais combien je serai plus heureuse quand il aura touché vos mains qui répandent tant de bénédictions! » Une autre fois, à l'entrée d'une paroisse, pendant qu'arrêté sous un arc de triomphe, il reçoit les compliments de bienvenue des habitants, des femmes veulent lui offrir un bouquet avec ce qu'elles ont de plus précieux, et voilà que de l'arc de triomphe descend une magnifique corbeille de fleurs au milieu desquelles reposait le dernier né de la paroisse. Avec quelle effusion de tendresse l'Évêque donne au nouveau-né sa bénédiction, une de ces bénédictions qui portent bonheur ! Cet enfant, devenu l'un des curés du diocèse d'Angers, ne nous en voudra pas d'avoir raconté sa touchante histoire.

Monseigneur fut si heureux de sa première visite pastorale qu'il ne put s'en taire. « Au moment où nous venons de terminer la première partie de notre visite pastorale, écrivait-il à ses curés quelques jours plus tard, il nous est doux de pouvoir vous dire les consolations que nous y avons goûtées. »

« Nous quittions notre ville épiscopale, plein d'espoir sur l'accueil que nous feraient les paroisses si religieuses que nous allions parcourir : leur foi nous était connue et les renseignements qui nous étaient donnés de toutes parts ne nous laissaient aucun doute sur les dispositions avec lesquelles nous serions reçu ; mais, nous devons l'avouer, nos prévisions étaient en défaut, et l'accueil si touchant qui nous a été fait a dépassé nos espérances. »

Il est difficile que la foi des peuples demeure si vive s'ils ne sont dirigés par des prêtres studieux et qui sachent distribuer largement l'instruction religieuse. Pour entretenir le zèle et l'amour de l'étude dans le clergé, Monseigneur voulut donner ses soins aux conférences ecclésiastiques.

Les conférences d'Angers avaient eu, au siècle dernier, une grande réputation, et le recueil de leurs instructions et de leurs décisions fait encore autorité parmi les théologiens. La révolution avait dispersé les prêtres et le cours des conférences avait été fatalement interrompu. Mgr Montault les avait rétablies en 1822. Mgr Angebault les continua en cherchant à les améliorer. En conséquence, il publia un nouveau règlement destiné à combler quelques lacunes qui se trouvaient dans l'ordonnance de son prédécesseur. Il fixait les conférences au nombre de six, qui devaient avoir lieu dans les six plus beaux mois de l'année.

La première devait être présidée par le curé de canton; mais, à cette conférence, les membres présents étaient chargés d'élire un président, un vice-président et un secrétaire. Un programme des questions à traiter serait envoyé chaque année au commencement de l'hiver, à tous les ecclésiastiques pour qu'ils eussent le temps de l'étudier. Toutes les questions devaient être traitées par écrit. Le secrétaire, en son procès-verbal de chaque conférence, en faisait une analyse succincte et de tous ces travaux, envoyés à l'Évêché, un résumé général devait être publié sous l'approbation de l'Évêque. Dans les cas où quelque difficulté ou quelque divergence d'appréciation serait survenue, le secrétaire était chargé de donner l'analyse de la discussion, avec les arguments pour et contre. Ce règlement fut appliqué aussitôt et n'a pas cessé d'être en vigueur depuis lors dans le diocèse d'Angers.

Au milieu de ces travaux, Monseigneur n'oubliait pas ses chères Sœurs de Saint-Gildas; il correspondait fréquemment avec elles; il leur racontait ce qui pouvait les intéresser. Il est allé au Sacré-Cœur, il a dit pour la dernière fois la messe dans la petite rotonde de la rue Monsieur. Et, comme le noviciat allait partir pour Conflans, il a dit aux novices : « Jésus, le Bon Pasteur, quitte aujourd'hui ce bercail pour en établir un autre. Suivez-le où il ira! Soyez ses brebis fidèles! Ne vous écartez pas pour errer au gré de votre indépendance; la dent du loup vous saisirait. Union, docilité, fidélité, confiance, c'est la vie du troupeau, il n'y en a pas de meilleure pour vous. » Une autre fois, il raconte qu'il a reçu la visite d'une pauvre Sœur qu'il essaie de maintenir dans la bonne voie. Il en profite pour donner ses conseils : « J'ai essayé de faire entendre raison à notre sœur X.; je ne sais si je serai assez heureux pour la persuader : il y a un orage terrible. Soyez bonne pour cette pauvre fille : l'amour-propre est pour elle un cruel ennemi. Sans doute, les Supérieurs ne doivent pas caresser ce malheureux et si dangereux conseiller; mais, sans fléchir, l'autorité doit trouver au fond du cœur de ces bonnes paroles bien maternelles que la foi et la charité inspirent et qui soulagent ceux qui souffrent. Oh! combien je sens la vérité de ce mot du bon Maître : qu'il ne faut pas briser le roseau fracassé. » Il ne se contente pas de ces relations, il travaille pour elles, il établit à Angers une maison de Sœurs de Saint-Gildas et il fait tous ses efforts pour lever les obstacles qui s'opposent à l'établissement de Beaufort-en-Vallée, qui devait devenir plus tard si florissant. Enfin, le 4 septembre 1844, il arrivait à Saint-Gildas, pour faire la consécration de la chapelle.

La pose de la première pierre avait eu lieu en 1840; mais, les travaux ayant traîné en longueur, ce ne fut qu'en 1844 qu'elle se trouva finie. Le jour de la consécration si ardemment désiré par tous les membres de la Communauté arriva enfin. Mgr l'Évêque de Nantes ayant donné tout pouvoir à Mgr Angebault, le digne prélat fixa la cérémonie au 5 septembre. Il arriva la veille et fut reçu le plus solennellement possible. On lui fit un discours où on le félicitait de ce qu'il avait pu goûter les joies de David et de Salomon réunies, puisqu'il avait non seulement pu préparer les matériaux, mais encore faire élever le temple, en présider la consécration et en faire la dédicace.

Une cinquantaine d'ecclésiastiques assistèrent à la cérémonie qui ne se termina qu'à midi. M. Jubineau, alors supérieur du petit Séminaire de Nantes, y prononça une chaude et vibrante allocution, comme il savait si bien le faire.

L'après-midi se passa en fêtes joyeuses et se termina par le salut du Saint-Sacrement.

Le lendemain, on reçut solennellement dans la chapelle nouvellement consacrée un précieux souvenir de M. Deshayes, premier fondateur de la Congrégation de Saint-

Gildas, un de ses doigts, que les religieuses regardent comme une relique d'un père qu'elles ont en vénération.

Une si grande affection pour Saint-Gildas aurait pu faire craindre, peut-être, que l'Évêque d'Angers ne gardât pas la réserve commandée par l'autorité des Supérieurs, par la présence des aumôniers et par la liberté même de ses bonnes religieuses. Mais il était trop délicat pour dépasser la mesure, et il sut cesser d'être Supérieur sans cesser d'être père. C'est un témoignage que lui rendait Mgr de Nantes lui-même, quand il lui écrivait : « Je suis on ne peut plus touché et édifié de la réserve extrême que vous mettez dans vos rapports avec la pieuse Congrégation pour ne pas entraver le principe d'autorité. Je suis assuré qu'il ne souffrira pas et qu'il sera, au contraire, grandement confirmé si vous voulez bien écrire à la Maison-Mère de Saint-Gildas comme la bonne Supérieure nous en exprime le désir. Je joins de tout mon cœur ma prière à la sienne. »

Cette invitation à correspondre avec Saint-Gildas lui fut extrêmement agréable et le mit tout à son aise. Aussi aimait-il à faire part à sa chère Communauté de ses meilleures joies. Il en eut une grande au milieu de sa visite pastorale de 1844. Il avait été reçu par la famille de M. le comte de X... M. le comte avait toutes les vertus qui font aimer les gens du monde, et il s'était légitimement acquis la considération de tous les habitants de la paroisse. Malheureusement, et c'est la seule chose qui lui manquât, il ne pratiquait pas ses devoirs religieux. Monseigneur reçut l'hospitalité chez lui ; il y fut entouré d'honneurs et de respects, et il partit reconnaissant de l'accueil qu'on lui avait fait.

Deux ou trois jours après, au saint autel, priant pour cette digne famille, il eut l'idée d'adresser une lettre au comte pour l'engager à revenir à la pratique de ses devoirs.

Le cœur dictait la lettre, mais la prudence retenait l'Évêque. Il l'adressa à la comtesse, en la priant de la remettre au comte, si elle n'y voyait pas d'inconvénients. Plusieurs démarches de ce genre avaient été faites inutilement, et Monseigneur le savait. Sa lettre à Mme la comtesse arriva pendant qu'elle était avec son mari. Celui-ci reconnut le cachet épiscopal et demanda ce que voulait l'Évêque. Madame lui tendit la lettre. « En la lisant, c'est Monseigneur qui parle, M. le comte tremblait, la sueur perlait sur son visage ; il devint rêveur. La nuit, il ne dormit point et fut pris d'un accès de fièvre. Un deuxième eut lieu le lendemain. Le moment de la grâce était arrivé ; il dit à sa femme qu'il ne pouvait plus rester ainsi. En effet, il m'écrivit et il fut convenu qu'à la fin de la visite pastorale j'irais prendre deux jours de repos au château. » On devine ce qui arriva : le comte, gagné par Monseigneur et rassuré par lui, se confessa, se disposa, avec le plus grand soin, à faire la communion qu'il n'avait pas faite depuis quarante ans et, le jour venu, il y eut grande fête au château, car le comte voulut que tous les gens de sa maison fussent témoins de son retour.

L'Évêque partit joyeux ; il avait sauvé une âme.

De retour à Angers, il fut assez heureux pour empêcher un véritable malheur. L'administration des domaines mettait en vente, à l'encan, avec d'autres objets mobiliers hors d'usage, une série de vieilles tapisseries qui avaient longtemps séjourné dans les greniers de l'évêché. Ces tapisseries allaient, sans doute, subir le sort de tant d'autres et se perdre dans l'arrière-boutique de quelque revendeur. Sans hésiter, Monseigneur les acheta au prix de trois cents francs et, après les avoir payées, il les rendit généreusement à la fabrique de la cathédrale. Grâce à cette libéralité M. le chanoine Joubert, custode de la cathédrale, put remettre en état cette merveille de l'art, et c'est ainsi que la cathédrale doit à Mgr Angebault de posséder, entre autres, la belle tapisserie l'*Apocalypse*[1].

[1] Cet admirable chef-d'œuvre (le plus ancien, avec date certaine du XIVe siècle) a été fait en 1377-79, par Nicolas Bataille, de Paris, sur les cartons de Hennequin de Bruges, dit Jean de Bruges, peintre du Roi. D'après le calcul de M. Guiffray, qui a retrouvé les comptes il y a quelques années aux Archives nationales, chacun des quinze tableaux de cette tapisserie aurait coûté 70.000 francs de notre monnaie actuelle.

CHAPITRE V

Les collaborateurs de Mgr Angebault

Services rendus par Mgr Angebault à l'histoire et à l'archéologie diocésaines. — Le palais épiscopal. — Les collaborateurs de Mgr Angebault : Vicaires-généraux, Secrétaires, Supérieurs du grand et des petits séminaires, etc.

En achetant les tapisseries de la cathédrale, Mgr Angebault n'avait pas été poussé par l'amour de l'art. Il avait le goût littéraire très sûr et très développé; mais, soit que sa pensée ne se fût jamais bien portée du côté des arts, soit qu'aucune étude spéciale n'eût développé en lui le germe qu'il trouvait cependant dans sa riche nature, il n'était guère attiré par les jouissances purement artistiques. Il était beaucoup plus entraîné vers les recherches historiques. Homme de tradition, il aimait à lire dans le passé et à y retrouver les coutumes et les usages des ancêtres. Quand il visitait quelque monument, il se plaisait à y découvrir une inscription, un meuble, un tableau qui lui remissent en mémoire quelque chose du passé, quelque habitude pieuse, quelque image de l'époque écoulée. Inutile d'ajouter que de tous les souvenirs les plus chers pour lui étaient les souvenirs religieux. Il était trop habituellement tourné vers Dieu et vers la sainte Église pour qu'il en fût autrement. Toutefois, il n'aurait pas été de sa génération s'il n'eût aimé les réminiscences classiques et même, jusqu'à un certain point, les fables mythologiques dont il goûtait le symbolisme et à travers lesquelles il recherchait les vestiges des vérités traditionnelles, si affaiblies et si dénaturées qu'elles y fussent. C'était une joie pour lui de suivre dans le passé, même païen, les traces de la doctrine révélée de Dieu.

On comprend, par là, combien il devait aimer tout ce qui était propre à fixer un souvenir religieux. Aussi recommandait-il de ne rien laisser perdre de ces précieux témoignages du passé. Il avait ordonné à sa communauté de Saint-Gildas d'écrire des annales et de noter sur un registre spécial tous les faits qui pouvaient intéresser l'histoire de l'Institut, et même de ne pas craindre d'y insérer des détails, peu importants en apparence, mais qui plus tard pouvaient devenir utiles.

Évêque, il recommanda à ses curés de relever avec soin tous les faits, titres et documents pouvant servir à l'histoire de leurs paroisses. Il alla même plus loin ; il les pria de tenir note exacte de tous les événements de quelque intérêt qui se produiraient de leur temps et d'en laisser, quand la chose en vaudrait la peine, une marque publique, plaque de marbre, inscription ou récit au livre de la fabrique. Il demanda même d'écrire certaines notes au livre des actes de baptêmes, mariages ou sépultures, quand elles pourraient servir l'intérêt des familles.

Ces conseils étaient sages, mais leur mise en pratique ne pouvait guère être utile qu'à ceux qui les suivaient. Un certain nombre de curés et de vicaires rédigèrent des notes précieuses. Mais beaucoup de ces notes s'égarèrent ensuite. Ceux qui les avaient recueillies les regardaient, avec quelque droit, il faut en convenir, comme leur propriété personnelle. Ils les conservaient, les emportaient avec eux, dans leurs différents postes, et, après leur mort, les laissaient à des héritiers qui n'y prenaient pas grand intérêt et souvent les jetaient au panier ou au feu ; le travail était à recommencer.

Pour obvier à cet inconvénient, l'évêque d'Angers résolut de recueillir lui-même tous ces documents, d'en faire une collection et comme un musée diocésain. Le 7 novembre 1857, il chargea un prélat de grande érudition archéologique, Mgr Xavier Barbier de Montault, de l'inventaire ecclésiologique du diocèse. La collection de nombreux objets qui furent alors recueillis se fit d'abord dans un local étranger à l'évêché, à la maison de la Psalette. Monseigneur la visita au mois de janvier 1858 et, le 16 juillet suivant, il annonça à son clergé la constitution définitive de cette collection diocésaine. Il fit appel aux prêtres en sa faveur. Sa parole fut entendue et de nombreux documents lui furent envoyés. Monseigneur en fut heureux. Il écrivit pour remercier ses curés, aux dons et au concours desquels était dû ce résultat.

Une œuvre de ce genre, toutefois, n'est jamais complète, et ce n'est pas en quelques mois, ni même en quelques années, qu'on peut se flatter de recueillir la plupart des objets et documents anciens concernant l'art ou l'histoire ecclésiastique, dans un diocèse comme celui d'Angers. Monseigneur fit donc, au mois de décembre 1860, un nouvel appel à ses prêtres. Il leur demanda de multiplier leurs recherches et de lui en envoyer le résultat.

Il attira leur attention sur une « foule d'objets sans emploi, sans valeur, perdus dans une sacristie ou au presbytère, qui, joints à d'autres, peuvent servir à composer un ensemble plein d'intérêt et éclairer des points encore obscurs d'iconographie, de symbolisme, etc. ». Il pensait avec raison que les Conseils de Fabrique seraient heureux de se dessaisir de ceux de ces objets qui n'avaient pas d'intérêt pour eux et qui, réunis à l'évêché, seraient ainsi sauvés de la destruction et tirés de l'oubli auxquels ils étaient fatalement condamnés.

Mais il ne demandait pas seulement les objets plus ou moins artistiques qui gisaient dans les greniers ou les armoires des églises et presbytères. Il voulait surtout recueillir les documents et papiers intéressants les paroisses, et c'est sur ce point même qu'il insistait tout particulièrement. A la vérité, il ne réclamait pas les documents auxquels les fabriques pouvaient avoir des raisons sérieuses et respectables de tenir. Il priait seulement qu'on voulût bien lui en envoyer des copies ou du moins des extraits, qui en reproduiraient les parties intéressantes et pourraient, à l'occasion, si l'original disparaissait, en conserver la substance et les termes mêmes.

Et, pour que MM. les Curés ne fussent pas arrêtés par les difficultés de temps ou de transcription, il demandait seulement aux prêtres de paroisse de recueillir ces documents et de les communiquer au directeur de l'œuvre, qui était chargé de les copier lui-même et de les rendre ensuite intégralement. Pour faciliter le travail, il prenait la peine d'indiquer les sources où il fallait puiser ces documents. C'étaient :

1° Les registres des baptêmes, mariages et sépultures, où l'on trouve fréquemment la chronique de la paroisse : fléaux, mortalités, visites pastorales ou des archiprêtres et des doyens, bénédictions de cloches, translations de reliques, etc. ;

2° L'inventaire des titres, des meubles et des ornements d'église ;

3° Les comptes rendus des recettes et des dépenses de fabrique ;

4° Les testaments, fondations de messes, d'obits, de services, legs divers, etc. ;

5° Les authentiques des reliques conservées à l'église, lors même que les reliques avaient disparu ;

6° Les pouillés ou dénombrement des chapelles, prestimonies, bénéfices, etc. ;

7° Les lettres des évêques d'Angers... munies ou non de leurs sceaux ;

8° Les bulles ou brefs portant érection de confréries ou concession d'indulgences.

Ces pièces, qui avaient d'abord été réunies au local de la rue Saint-Aignan, furent dans la suite transportées à à l'évêché. Mgr Xavier Barbier de Montault fut chargé de les classer et demeura directeur de cette œuvre tant qu'il resta dans le diocèse d'Angers.

Après son départ pour Poitiers l'œuvre fut pendant quelque temps stationnaire ; mais, en 1867, Mgr Angebault pria un archéologue d'une grande distinction, M. de Farcy, de vouloir bien prendre la place toujours vacante de Mgr Barbier de Montault. Grâce au zèle, à l'habileté, à la science du nouveau directeur, la collection des précieux documents continua à s'enrichir, malgré le peu de ressources matérielles dont elle aurait eu besoin. Monseigneur ne cessa de lui porter de l'intérêt et, dans les trois dernières années de sa vie, il lui octroya généreusement de ses deniers une somme de 500 francs d'abord, puis de 400 francs pendant chacune des deux années suivantes.

Au moment de l'arrivée de Mgr Angebault, le palais épiscopal, magnifique monument du XIIe siècle, était dans un état pitoyable. Il avait, pour ainsi dire, disparu sous un vêtement de pierres et de plâtre qui lui avait enlevé tout son cachet artistique. Même ces travaux de date récente avaient été dégradés par le temps et l'évêché était devenu inhabitable. Dans la grande salle avait été établie la bibliothèque municipale. En 1804, la ville fit transporter la bibliothèque publique au logis Barrault et l'on dut songer à une réparation sérieuse des bâtiments.

Mgr Montault n'osait pas demander beaucoup au Gouvernement, et il avait fait dresser par un architecte un plan de restauration dont le devis montait à 20.000 francs. Le ministre refusa le plan, sous le prétexte qu'une réparation partielle ne signifierait rien, qu'il vaudrait mieux faire un travail d'ensemble et réparer le monument tout entier.

Était-ce de sa part une simple fin de non recevoir ou trouvait-il le plan mauvais? Nous ne le savons pas. Mais l'inertie ministérielle servit bien, cette fois, les intérêts de l'art. Le sentiment artistique de l'architecture faisait défaut au commencement de ce siècle. L'architecte qui avait projeté de réparer l'évêché n'avait rien trouvé de mieux à faire que de revêtir les murs de plâtre et de les peindre en couleurs de marbre, puis de dissimuler les riches solives sous un plafond en plâtre avec corniche. C'eût été de la barbarie. On en était de là, quand arriva la terrible catastrophe du 4 août 1831. La foudre, en frappant la cathédrale, l'avait incendiée et en avait ruiné la façade. Il fallut songer à l'église et lui consacrer toutes les ressources que l'État pouvait fournir au diocèse d'Angers.

A Mgr Angebault était réservée la lourde tâche de remettre en état le palais épiscopal. Ce n'était pas une petite entreprise. Un premier plan de restauration de la salle synodale fut envoyé au Ministre par l'Évêque d'Angers, au commencement de 1844. Ce plan ne fut pas agréé. Un autre fut dressé et expédié au ministère un an plus tard. Il était plus ridicule encore que le premier. Il comportait, toujours avec le fameux plafond en plâtre, une nouvelle boiserie, élevée au-dessus des restes de l'ancienne et dont les panneaux seraient garnis de soie moirée. Monseigneur, sans être archéologue, sentait vaguement que la soie ferait mauvais effet en pareil lieu. Le Ministre refusa en prétendant justement que le plafond en plâtre ne pouvait aucunement remplacer les solives. L'architecte proposa un plancher en bois avec caissons, pour remplacer le plâtre. Au nom de l'art, le ministre résista. « Le but d'une restauration intelligente, disait-il, doit être de maintenir les dispositions principales du monument. » Un nouveau projet du même architecte n'obtint pas plus grâce que les premiers.

M. Binet, l'architecte, laissa la place à M. Duvêtre, qui

se vit, à son tour, refuser trois projets différents par le Conseil des bâtiments civils.

Toutes ces lenteurs étaient pénibles à l'Évêque d'Angers qui s'en plaignait. « La salle est dans un tel état, écrivait-il, qu'il n'est pas un particulier, je dis le moins exigeant, qui consente à avoir dans sa maison une pièce aussi dégradée et aussi sale. »

Toutefois le conflit entre le Ministre et les architectes semblait devoir s'éterniser, quand heureusement le Président de la République, depuis Empereur Napoléon III, vint en Anjou, en 1849, pour inaugurer la nouvelle ligne du chemin de fer d'Orléans. Il était accompagné de M. Durieu, directeur général des cultes. Celui-ci voulut visiter la grande salle. Il soupçonna de suite que derrière les boiseries on devait trouver quelques vestiges précieux des anciennes constructions. Dès son retour à Paris, il donna à l'architecte l'ordre de fouiller les murs. Cet ordre fut exécuté au mois d'octobre 1849. Il donna immédiatement des résultats appréciables. On découvrit des fenêtres romanes. « A l'apparition de ces fenêtres, dit Mgr Angebault, nos archéologues ont fait éclater leur joie. » Il y avait de quoi. On comprit que les ouvriers du XVIIe siècle avaient tout enfoui sous le plâtre ou la chaux, laissant, d'ailleurs sans les attaquer, colonnes, archivoltes, chapiteaux. On n'avait brisé que les moulures ou sculptures qui auraient fait saillie sur la ligne droite des murailles nouvelles. Ces découvertes mirent enfin sur la voie d'une véritable et intelligente restauration.

M. Duvêtre fit un nouveau plan, arrêté d'après les découvertes précieuses qui avaient été faites.

Hélas! ce nouveau projet ne trouva pas plus grâce que les autres devant la Commission des édifices religieux, qui déclara que l'on devait faire concorder la restauration de la grande salle avec celle de la Cathédrale.

Cette fois, c'était une fin de non recevoir. Mais il paraît

qu'elle avait pour but de substituer à M. Duvêtre, l'architecte attitré de la Cathédrale, M. Joly-Leterme. C'est du moins ce que comprit Mgr Angebault. « Depuis sept ans, écrivit-il au Directeur général des Cultes, à la date du 18 février 1850, je demande qu'on restaure d'une manière au moins convenable une salle synodale, qui sert aux réunions du clergé pour les cérémonies pontificales, qui donne entrée dans tous les appartements et qui est dans un état de dégradation indécent.

« Sept fois cette demande a été mise à l'étude : sept projets ont été présentés, soit par M. Binet, soit par M. Duvêtre ; toutes ces demandes ont été rejetées et, à cette dernière fois, tout est remis à néant. Faut-il vous en faire l'aveu, M. le Directeur général ? je vous prie de ne pas en être blessé : j'ai dû croire, et je crois que la Commission veut surtout que les travaux soient confiés à M. Joly. » Quatre jours auparavant, le Ministre avait donné raison à l'Évêque, car, à la date du 14 février, il avait chargé M. Joly de présenter un travail détaillé sur la salle synodale, considérée principalement dans ses rapports avec la Cathédrale.

Le choix de M. Joly n'était assurément pas mauvais. M. Joly était un artiste et nul plus que lui n'était apte à la restauration de l'antique édifice. Mais ce choix n'agréait pas à l'Évêque d'Angers. Il savait que M. Joly, en sa qualité d'artiste, ne travaillait qu'à ses heures, quand il était en veine. Remettre à un tel homme un travail aussi important que l'était celui de la restauration de la salle synodale, n'était-ce pas l'ajourner indéfiniment ? De fait, M. Joly ne fit rien pendant près de deux ans. C'était à perdre patience et l'Évêque d'Angers se plaignait à bon droit. Il demandait du moins qu'on enlevât de la grande salle les boiseries qui avaient été détachées de la muraille. Aucun ordre ne fut donné et Monseigneur finit, comme il l'avait annoncé, par faire enlever ces boiseries de la salle synodale pour les déposer dans la cour, où elles pourriront tout à leur aise. Enfin, le neuvième projet, établi par M. Joly, reçut l'autorisation du gouvernement; l'on se mit à l'ouvrage et le gros œuvre était achevé dans les premiers mois de 1855. Mais les archéologues, ils sont quelquefois terribles, ne s'entendirent pas sur la forme des vitraux et, malgré les objurgations de Mgr Angebault, leur querelle dura vingt ans et ce n'est qu'en 1874 que furent achevés les lambris, les banquettes et les vitraux.

Mgr Angebault ne se contenta pas de faire restaurer la grande salle de l'Évêché; il voulut aussi rendre plus habitable le second étage, où se trouvait le logement des étrangers. Ce logement se réduisait, en somme, à l'ancienne chambre des hostes, devenue inhabitable par la proximité des maisons élevées le long de l'Évêché.

Là encore, l'Évêque d'Angers trouva de grandes difficultés. M. Duvêtre ne fut pas plus heureux qu'il ne l'avait été pour la grande salle. Ses plans et devis furent rejetés par le Ministre, sous prétexte qu'ils visaient à faire établir deux chambres quand, toujours d'après le Ministre, « une seule chambre d'honneur semblait très suffisante ». Qu'était-ce que cette chambre d'honneur? Mgr Angebault le dit dans une lettre au Préfet de Maine-et-Loire: « Je vous prie instamment de visiter les lieux et de voir ce qu'est, en réalité, la pièce qu'on décore du nom d'appartement d'honneur et surtout quels en sont les abords. Aussi lorsque, plusieurs fois déjà, j'ai reçu deux personnes de distinction et, dernièrement encore, NN. SS. du Mans et d'Angoulême, le premier était placé dans une espèce de chambre obscure, car elle n'a qu'une fenêtre, au-devant de laquelle s'élève le mur d'une maison voisine, à la distance, mesurée par moi, de 2m45. Si l'on trouve que cet appartement, dans lequel le jour pénètre à peine, est un appartement convenable pour des personnes de distinction, je n'ai plus rien à dire et je ne ferai aucune observation. » Ces plaintes étaient trop justes pour n'être pas écoutées;

mais ce ne fut que quatre ans plus tard, en 1850-1851, qu'on y fit droit.

Enfin, Mgr Angebault fit encore restaurer la crypte, qu'il transforma en chapelle pour les Évêques et où s'assemblèrent, tour à tour, les membres de l'Association de l'Adoration nocturne et les jeunes filles de la Congrégation des Enfants de Marie.

Ainsi, c'est aux efforts persévérants de Mgr Angebault que l'on doit l'initiative et la majeure partie de l'exécution des travaux qui ont fait du palais épiscopal le plus riche et le plus imposant des monuments de la ville d'Angers.

Avant de reprendre, par ordre de dates, le cours des travaux de l'Évêque d'Angers, il ne sera peut-être pas inutile de dire quelques mots des principaux collaborateurs de Mgr Angebault. Nul n'imaginera, en effet, qu'il fut le seul auteur de tout ce qui se fit de bien sous son épiscopat. Dans l'administration d'un vaste diocèse comme celui d'Angers, il est de toute nécessité pour l'Évêque de se faire aider. Mgr Angebault fut bien secondé et, si nous le disons à la louange de ceux qui lui consacrèrent leur dévouement, nous ne diminuons en rien la sienne. Au contraire, car ce fut justement l'un de ses mérites d'avoir su grouper autour de lui les hommes qui, par leurs vertus, leurs talents et leur dévouement, pouvaient le plus contribuer à la réalisation de ses projets et de ses espérances.

Il avait amené avec lui, du diocèse de Nantes, un prêtre d'un désintéressement à toute épreuve, M. l'abbé Chesnet.

L'abbé François Chesnet, né à Sucé, paroisse du diocèse de Nantes, où était située la maison de campagne des Angebault, était le protégé du père de notre Évêque. C'est grâce aux libéralités de M. Angebault qu'il put entreprendre et poursuivre le cours de ses études ecclésiastiques. La reconnaissance qu'il témoigna à son bienfaiteur le fit regarder ensuite comme l'enfant de la maison. Ordonné en 1833, il fut, sur la demande de M. l'abbé Angebault, nommé économe du collège Saint-Stanislas. Il y remplit ses modestes et laborieuses fonctions à la satisfaction générale et au grand profit des finances de l'établissement. Il fit dès lors éclater son désintéressement, car il ne voulut jamais accepter la moindre rétribution de ses services.

Quand le grand-vicaire de Nantes fut nommé Évêque d'Angers, il amena l'abbé Chesnet avec lui, comme un ami fidèle. Il en fit son majordome, et l'Évêché s'en trouva bien. On riait quelquefois — quel est l'économe dont on ne rit jamais ! — quand on voyait l'abbé Chesnet aller, venir, s'agiter, s'empresser pour des questions de ménage dont on ne voulait pas même soupçonner l'importance, parce qu'on n'en avait pas la responsabilité. A voir cet économe maladif, d'une maigreur extrême, on eût dit presque qu'il devait faire jeûner ses commensaux. Il n'en était rien. Ceux qui ont vécu à l'Évêché savent quel ordre régnait dans la maison épiscopale. Tout y était sans luxe, mais convenable, abondant et digne. L'habile économe croyait de son devoir, il est vrai, de veiller à tout, et Mgr Angebault se reposa toujours sur lui de tous les soins matériels dont il n'eut jamais le souci. Pour n'être pas de l'ordre le plus élevé, ces soins n'en ont pas moins leur importance, et le mérite n'en est que plus grand de s'y dévouer dans l'obscurité.

Du reste, l'abbé Chesnet avait trop de cœur et de foi pour s'absorber entièrement dans cette besogne de chaque jour. Il consacrait le temps que lui laissaient de modestes fonctions aux œuvres charitables. C'est lui qui fit venir à Angers les Sœurs garde-malades. C'est avec son concours dévoué que Monseigneur établit la Congrégation des

Enfants de Marie. Il en fut le directeur tant que ses forces le lui permirent, et celles qui survivent aujourd'hui n'ont pas encore perdu le souvenir de sa générosité et de son dévouement. Il prêcha plusieurs fois, et avec grand succès, les Dames chrétiennes de la ville. Quand il leur faisait appel, sa parole, sans art, mais toujours chaude et vibrante de foi et de charité, les attirait en grand nombre et produisait toujours des impressions profondes. Enfin, c'est à son initiative qu'est due la construction de la chapelle funéraire du grand cimetière, où des messes sont célébrées presque chaque jour pour les défunts qui dorment, à l'ombre de ses murs, leur dernier sommeil.

C'est là que lui-même, après avoir, malgré la faiblesse de sa complexion, vécu jusqu'à 83 ans, voulut reposer jusqu'à l'éternité. Il fut inhumé, et c'était justice, dans cette chapelle, le 5 avril 1889. La confiance que Monseigneur avait placée en lui ne fut point trompée. Il demeura attaché jusqu'à son dernier jour non seulement au vénérable prélat, mais à ceux de sa famille qui lui survécurent.

Tranquille du côté de sa maison, Monseigneur put se livrer tout entier à l'administration de son vaste et beau diocèse. Là encore, il fut admirablement secondé par ses grands-vicaires.

Le plus célèbre de tous ne resta pas avec lui, malgré les instances qu'il fit pour le conserver. M. l'abbé Régnier fut nommé évêque d'Angoulême et il devait plus tard faire la gloire du siège illustré déjà par Fénelon.

Il conserva M. l'abbé Bernier. M. Bernier, dont le nom n'est pas sans célébrité, était d'origine choletaise. Mais son père, pendant la grande révolution, avait émigré vers la Normandie, et ce fut à Alençon que naquit, le 29 avril 1795, celui qui devait être le grand-vicaire de l'Évêque d'Angers. Dès ses plus jeunes années, Henri Bernier montra de l'esprit et de grandes dispositions à la piété. Il étudia d'abord au Collège de Cholet, puis passa brièvement par celui de Châteaugontier qui, malgré la formation nouvelle des départements, passait encore pour une ville angevine. Mais ce fut à Beaupréau, sous M. Mongazon, qu'il fit ses classes. Il venait d'y faire sa seconde en 1811-1812, quand M. Mongazon reçut l'injonction de congédier les élèves de rhétorique. De par ordre du gouvernement les deux dernières classes devaient se faire dans les établissements de l'État. Henri resta néanmoins à Beaupréau, où M. Mongazon, tout en lui faisant faire sa rhétorique, le chargea du cours de septième.

Il entra au Séminaire en 1815 et en sortit après trois ans. Il retourna à Beaupréau où il fut nommé maître-répétiteur de philosophie. Au mois de septembre 1821, il quitta Beaupréau pour aller à Doué prendre la direction du collège municipal de cette petite ville. Il y resta dix ans. En 1831, il fut nommé curé de Saint-Pierre de Saumur, puis Supérieur du petit-séminaire Mongazon. Mgr Montault l'avait pris pour grand-vicaire; c'était un prêtre d'une grande distinction, très intelligent, très dévoué : âme droite, esprit élevé, caractère ferme, il poussa peut-être trop loin l'attachement à son propre jugement. On l'accusa de gallicanisme, de jansénisme, et les polémiques qu'il soutint, avec éclat d'ailleurs, contre le célèbre Dom Guéranger et la condamnation d'un de ses opuscules l'obligèrent à se démettre de ses fonctions. Il montra du moins alors avec quelle docilité et avec quelle humilité il était capable d'agir. A la première annonce de la condamnation d'une de ses brochures, il la condamna lui-même publiquement, sans aucune réticence, dans le sens et avec toute l'étendue de la condamnation prononcée par l'index. Il demanda et obtint une petite cure de campagne, où il s'en alla avec joie travailler dans l'obscurité, au salut de ses paroissiens.

Quoi qu'on puisse penser de sa personne et de ses écrits,

nul n'a jamais contesté sa valeur intellectuelle, son énergie et la dignité de sa vie sacerdotale.

Ce fut un bonheur pour Mgr Angebault de trouver un tel homme au début de son épiscopat. Lorsque, accablé de fatigue, pliant sous la lourde responsabilité de sa charge et rebuté par les nombreuses difficultés qu'il rencontrait, l'Évêque d'Angers voulut donner sa démission, M. Bernier le soutint avec tant de courage, le consola avec tant de force et le remonta avec tant de zèle, qu'il le fit enfin revenir sur sa détermination, et c'est à lui que nous devons vingt-cinq années d'un épiscopat qui fut l'un des plus féconds dont parle l'histoire du diocèse d'Angers.

M. l'abbé Régnier, après sa nomination à l'évêché d'Angoulême, eut pour successeur, comme grand-vicaire, M. l'abbé Joubert.

M. Joubert était né à Doué, le 25 décembre 1794. Entré au Séminaire d'Angers en 1811, il fut ordonné en 1819 et nommé aussitôt vicaire de la cathédrale d'Angers. Trois ans après, le 1er juin 1822, il était placé à la tête de l'importante cure de Beaufort-en-Vallée. C'est dans cette paroisse que Mgr Angebault l'avait connu.

A l'occasion de la fondation d'une école que devaient diriger ses religieuses, le Supérieur de Saint-Gildas était venu passer quelques jours à Beaufort, pour arrêter les conditions de cet établissement. Il reconnut de suite l'esprit conciliant du curé, sa modestie, sa bonté et sa charité. Devenu évêque d'Angers, il jeta les yeux sur celui qui l'avait si bien secondé dans les difficiles négociations de l'épineuse affaire de Beaufort.

Les regrets de la ville que le départ du Curé « avait jetée dans la consternation » prouvèrent à Monseigneur combien son choix avait été heureux.

Sous une apparence un peu froide et réservée. M. Joubert cachait un cœur d'une exquise sensibilité. Un peu timide peut-être, mais bon et affectueux, il s'attachait facilement et fortement. D'un jugement sage, d'un caractère ferme sans raideur, d'une grande modération dans les idées, il convenait merveilleusement au poste d'honneur qui lui était confié. Ses relations avec le clergé ne pouvaient être que bienveillantes et cordiales. Monseigneur trouva toujours en lui un aide dévoué et sur lequel il pût se reposer. Il lui confia l'administration de plusieurs communautés religieuses importantes, telles que celle des Filles de la Charité de Sainte-Marie et l'importante congrégation des Religieuses du Bon-Pasteur. Dans ces différents postes, M. Joubert s'acquitta toujours de ses fonctions avec la plus paternelle autorité. Il fut aimé et respecté tout à la fois.

A la fin de 1850, au moment de la retraite de M. Bernier, Monseigneur appela à l'Évêché, comme grand vicaire, M. l'abbé Bompois, alors supérieur du Petit-Séminaire Mongazon.

M. Bompois était né à Gennes en 1808. A quinze ans, il entra à Beaupréau où il fit ses études. Il fut ordonné à la Trinité de l'année 1833. Les postes qu'il remplit furent peu nombreux. Nommé, au sortir du Séminaire, vicaire à Cholet, il devint principal du collège de cette ville, puis supérieur de Mongazon et, à l'âge de quarante-deux ans, vicaire général de l'Évêque d'Angers. Il continua ses fonctions sous Mgr Freppel et mourut le 4 juillet 1876.

C'était une riche nature. D'une taille élevée, il portait dans un corps robuste une âme ferme et généreuse. Il avait l'esprit vigoureux, le sens droit, une mémoire excellente et tenace. Il gardait tout et, longtemps après avoir quitté Mongazon, il n'avait pas oublié les différents cours qu'il avait connus au collège; il se rappelait le nom et presque l'odyssée complète des jeunes gens qui avaient étudié sous lui. Les rapports avec lui étaient extrêmement faciles ; il y apportait une bonhomie qui n'était pas exempte de finesse. Il était fidèle à soutenir ceux qui avaient mis en lui leur confiance. Mais on savait qu'il ne fallait pas le tromper et que, si l'on perdait une fois son estime, c'était pour toujours. Tel était l'homme dont Mgr Freppel a dit : « Jamais collaborateur n'aura été à la fois plus modeste et plus utile. Esprit solide, Mgr Bompois (il était, en effet, prélat de la Maison de Sa Sainteté) portait dans les affaires une rectitude de jugement et une droiture de caractère qu'on ne se lassait pas d'apprécier. Aucune difficulté ne parvenait à le déconcerter, habitué qu'il était à conserver ce calme et ce sang-froid qui faisaient le fonds de sa nature. »

A la mort de M. l'abbé Joubert, Monseigneur lui donna pour successeur M. Chesneau.

M. Ferdinand Chesneau, naquit à Angers, le 4 décembre 1820. Il était le fils d'un commissaire de police, d'un commissaire modèle qui savait son Angers par cœur et mettait toute sa science et toute son habileté à prévenir le mal plus qu'à le faire punir, à maintenir l'union dans les familles et l'honneur chez ceux qui allaient le compromettre. M. Chesneau étudia d'abord à la Psallette, puis à Combrée. Après avoir fait son Grand-Séminaire, il fut nommé professeur de septième à Mongazon. C'était un piocheur et il le fut toute sa vie. Les modestes fonctions qu'il remplissait au Petit-Séminaire lui laissaient quelques loisirs. Il les employa aux études théologiques et ce fut alors qu'il commença ce gigantesque travail qu'il ne devait achever que plus tard, dans sa cure du Plessis-Grammoire : l'analyse et le commentaire, article par article, de toute la somme théologique de saint Thomas d'Aquin. Au sortir de Mongazon, il devint successivement aumônier de l'école normale, vicaire de Saint-Joseph, professeur à Doué, curé de Torfou, supérieur de la communauté de Torfou, et enfin grand vicaire, à l'âge de trente-huit ans.

Les études ecclésiastiques qu'il avait faites et qu'il n'abandonna jamais, sa science du droit canon que l'on ne faisait que commencer à étudier, les pures doctrines romaines qu'il professait le mirent à même de rendre de grands services au diocèse d'Angers. Il travailla beaucoup à une nouvelle édition du catéchisme diocésain et fut d'un grand secours à l'Évêque d'Angers lors de la préparation des synodes.

Il avait l'esprit orné, des connaissances variées, beaucoup de science acquise. Peut-être n'avait-il pas mis assez d'ordre dans toutes ces richesses, son style s'en ressentait; il tenait plus de l'érudit que de l'écrivain. Les qualités du cœur l'emportaient de beaucoup sur celles de l'esprit; il serait difficile d'être plus humble et d'avoir plus de bonté.

Tels furent les hommes qui secondèrent si heureusement l'Évêque d'Angers dans les travaux de l'administration diocésaine.

Au-dessous de ces dignitaires plus en vue, il y a, dans tout évêché, un homme remplissant des fonctions plus modestes mais d'une incontestable utilité, c'est le secrétaire. Le monde, qui juge généralement de la grandeur du service par l'éclat de la position, ne se rend pas toujours un compte exact de la valeur de ces prêtres humbles et dévoués qui consentent à ensevelir et à user leur vie dans un secrétariat d'évêché. Se condamner à être tous les jours, à la même heure, assis à la même table pour refaire les mêmes écritures, recevoir les mêmes gens, traiter les mêmes affaires, quelle tâche et quel labeur! Cela finit par obséder. Mgr Angebault avait connu l'un de ces vénérables serviteurs dont il aimait à raconter l'histoire. Ce bon chanoine avait été tellement fatigué par la vue de ses paperasses que, devenu vieux, il avait quelque peu perdu l'intelligence. Un jour d'hiver qu'il se chauffait près de sa cheminée, sa gouvernante, survenant subitement, le surprit au moment où il jetait dans le feu son linge le plus précieux. « Que faites-vous, Monsieur ? lui dit-elle alarmée, vous brûlez votre linge. » — « Ils voulaient, lui répondit-il, ils voulaient en faire encore du papier. »

Mgr Angebault trouva deux hommes qui remplirent jusqu'à la fin ces dures fonctions : M. Raveneau et M. Tardif.

M. Raveneau était né à Angers le 19 mars 1808. Il fut, dans son enfance, attaché au service de la Cathédrale en qualité de choriste. Il fit ses études dans les greniers de l'évêché, où avait été installée l'une de ces petites écoles de latin qui, au commencement du siècle, ont donné tant de prêtres à l'Église. Mgr Montault l'avait distingué et se l'était attaché de très bonne heure, avant même qu'il fût ordonné, et en avait fait son secrétaire. M. Raveneau fit sa théologie sans quitter l'Évêché. Chaque jour il se rendait, au moment du cours, au Grand-Séminaire, d'où il revenait ensuite mener de front et ses études et les travaux du secrétariat. Il fut ordonné le 16 juin 1832 et resta secrétaire de l'Évêché jusqu'en 1860. Une maladie grave, dont il ne releva jamais complètement, le força alors à donner sa démission ; mais il resta le commensal de Mgr Angebault, jusqu'à sa mort, qui arriva le mercredi 29 juillet 1868.

C'était un cœur d'or sous une enveloppe parfois un peu rude. Il était impétueux et, comme il avait une forte voix, sa parole était quelquefois brusque et faisait peur, mais pas longtemps. Le cœur reparaissait aussitôt et réparait par un aimable sourire ou par un procédé obligeant ce que son premier abord avait eu de déconcertant. Il avait une âme d'enfant candide et ne pouvait croire au mal. Le trait distinctif de son caractère fut l'exactitude et l'assiduité au travail. Chaque jour, au premier coup de l'horloge sonnant l'heure de l'ouverture du bureau, il mettait la clef dans la serrure de la porte. Il faut dire qu'avec une même exactitude il poussait le verrou intérieur quand venait l'heure de la fermeture. Seul alors, il rebattait les comptes de la journée et mettait en ordre les écritures ; et ce travail consciencieusement fait le retenait souvent jusqu'à une heure fort avancée de la soirée.

C'est cette application au travail et cette fidélité à se mettre chaque jour en règle qui a fait trouver, pour la caractériser, ce vers qui le peint bien :

Usque Ravenæus scribit, re totus in illa [1].

Tout autre était M. Tardif qui lui succéda.

Il naquit aussi à Angers, le vendredi saint, 20 avril 1810. Il fut baptisé et confirmé le 21. Au baptême, il reçut le nom de Jérôme et l'on peut dire qu'il ressembla à son saint patron et par les traits du visage, et par les dispositions intellectuelles, et par l'austérité de sa vie. Sa mère s'appelait Coutouly et était la fille de Coutouly qui fonda la *Quotidienne* en 1792 et mourut sur l'échafaud. Il était le neveu du chanoine Jean-Marie-René Tardif, confesseur de la foi, mort en 1815. Il étudia au Petit-Séminaire de Nantes, où il fit la connaissance de M. Chesnet qu'il devait plus tard retrouver à l'Évêché d'Angers. Il fut au collège ce qu'il a été toute sa vie, abstrait. Ses devoirs n'étaient pas souvent finis, ce qui ne l'empêchait pas d'être le premier de son cours. Il dut venir faire sa philosophie au Lycée d'Angers, qui avait alors pour proviseur M. Régnier. C'est là qu'il fit la connaissance d'un homme de valeur mais de grande originalité, M. Legeard de la Diriays, qui mourut curé de la Trinité et dont il fut l'ami jusqu'à la fin. En 1830, il prit la résolution d'embrasser la carrière sacerdotale. Il entra au Séminaire et en sortit prêtre en 1834.

Nommé régent à Combrée, il y enseigna à peu près tout : les mathématiques, la musique, le dessin, l'histoire naturelle, etc. Il avait, en effet, une aptitude égale pour toutes

[1] M. Raveneau toujours écrit, tout entier à son affaire.

les branches du savoir. Il lui suffisait de s'appliquer à une étude pour la pousser rapidement jusqu'au bout et, quand il jetait les yeux sur une question, il ne s'arrêtait plus qu'il ne l'eût épuisée. C'était sa force et aussi sa faiblesse comme professeur, parce que, maître de ses matières, il ne savait ni les doser à la portée de son jeune auditoire, ni s'arrêter à temps pour laisser de côté ce qu'il n'était pas utile d'enseigner. Au sortir de Combrée, il fut nommé vicaire à Mazé, où il n'alla pas, parce qu'il fut réclamé pour la Trinité par son ami M. Legeard de la Diriays, avec qui il resta sept ans. Il passa ensuite à la Maîtrise de la cathédrale, où il demeura jusqu'au mois d'août 1860, époque à laquelle il fut appelé à remplacer M. Raveneau.

Il fut un puits d'érudition, il savait tout. En administration, il resta l'homme savant à ne pas oublier un détail, l'homme un peu distrait aussi, faisant attendre quelquefois un peu longtemps la solution des questions qui lui étaient soumises.

A l'occasion du rétablissement de la liturgie romaine, il fut chargé de la partie du chant religieux. Il fit alors une méthode de plain-chant qui mérita de grands éloges de la part des maîtres. « Vous avez traité ce sujet, lui écrivait Ambroise Thomas, avec autant de clarté que d'érudition. » Niedermeyer est aussi élogieux, et Van Elewyck disait au sujet de cette méthode : « Elle a une très grande valeur. Elle augmente la juste renommée que notre savant et modeste confrère s'est acquise non seulement en France, mais hors des frontières de sa patrie. »

Parler des secrétaires particuliers de Mgr Angebault nous entraînerait trop loin. Nous ne dirons rien de M. Bodaire, le prédicateur si goûté à Angers, ni de Mgr Pessard, encore vivant, dont nous blesserions la modestie si nous rappellions qu'il fut le plus sage, le plus modeste et le plus juste juge dans les questions litigieuses de l'administration épiscopale. Nous n'osons qu'à peine nommer M. l'abbé Gillet, mais nous sommes heureux de terminer cette liste par le nom de M. Grimault le dernier, dans l'ordre du temps, mais non le moins distingué et le moins aimable des secrétaires de Mgr Angebault.

Nous ne pouvons pourtant passer sous silence celui de tous qui est parvenu aux plus hautes destinées, Mgr Grolleau, mort évêque d'Évreux.

François Grolleau naquit au village du Perray, dépendant de la paroisse de Chavagnes, le 1er novembre 1828. Il eut le bonheur de faire ses premières études sous un instituteur plein de foi et qui, en développant le sens chrétien dans le cœur des enfants qui lui étaient confiés, prépara, de loin sans doute, l'âme du jeune enfant à la belle carrière qui l'attendait. Au sortir de l'école et après quelques leçons de latin reçues au presbytère, M. Grolleau entra au petit Séminaire Mongazon. Il y fit de brillantes études. A 20 ans, il se dirigea vers le Séminaire, où, sans préjudice pour ses études cléricales, il prépara ses examens de baccalauréat et de licence ès lettres. Il fut ordonné le 17 décembre 1853, et, le 31 du même mois, il était appelé à l'Évêché comme secrétaire particulier. Mgr Angebault apprécia bien vite les qualités qui le distinguaient : la rectitude de son jugement, son aptitude à apprécier les hommes, sa bonté et son joyeux caractère. Il rendit au diocèse de grands services, dont le principal, peut-être, est le moins connu. Il s'entendait à merveille au rôle de conciliateur. Sa prudence, son tact, sa bonne volonté gagnaient les hommes les plus rebelles. Monseigneur, qui le connaissait bien, le chargea plusieurs fois de missions délicates près des ministres. Toujours il les remplit à la satisfaction des deux parties. L'Évêque d'Angers le conserva jusqu'en 1868 et lui confia alors l'importante cure de Saint-Pierre de Saumur.

M. Louvet, maire de Saumur, conçut vite une grande estime pour lui et profita de son passage au ministère du 2 janvier 1870 pour le faire nommer Évêque d'Évreux. Mgr Grolleau y demeura vingt ans et continua toujours à montrer, sur ce nouveau théâtre, les qualités que nous lui connaissions et qui lui gagnèrent de suite la confiance et l'amour filial de ses prêtres et de ses diocésains.

L'un des plus grands soucis d'un Évêque, c'est incontestablement d'assurer le recrutement du clergé et de peupler son diocèse de prêtres selon le cœur de Dieu. Mgr Angebault avait en trop haute estime la dignité sacerdotale pour ne pas veiller à la formation des jeunes lévites. Mais c'est ici surtout que la bonne volonté épiscopale ne peut suffire. Le diocèse d'Angers avait, grâce à Dieu, le bonheur d'être dirigé depuis deux siècles par les fils de M. Olier. C'était une grande sécurité pour l'Évêque d'Angers. Pendant son long épiscopat, Monseigneur eut affaire à deux Supérieurs du Grand-Séminaire, tous les deux, quoique de nature et de caractère différents, également dignes de leur haute mission : M. Helly et M. Houbart.

M. Helly était né au diocèse de Viviers. Il avait enseigné le dogme, puis la morale au Grand-Séminaire d'Avignon, dont il devint le Supérieur en 1832. A la suite de grands travaux et d'exceptionnelles fatigues, sa santé s'était affaiblie et il avait dû prendre du repos. Il alla le chercher où le cœur du prêtre peut le trouver le plus facilement, à Rome. Il ne revint à Saint-Sulpice qu'en 1846. C'est de là qu'il fut envoyé Supérieur à Angers.

En le cédant à Monseigneur, M. de Courson, le Supérieur général, écrivait : « C'est un homme sage et prudent, plein d'expérience et de charité, qui maintiendra, avec la règle, le calme et l'union dans la maison. »

C'est ce qui arriva, en effet. Homme de grande vertu, de

mortification parfaite, il avait reçu de la nature une grande fermeté, une haute valeur intellectuelle et une grande facilité de parole. Il rétablit, avec beaucoup de prudence, la régularité et la discipline qui s'étaient relâchées pendant les dernières années du paternel gouvernement de M. des Garets, son prédécesseur. Peut-être son excessive réserve gênait-elle un peu l'exubérance angevine. C'est, du moins, ce que laisse supposer une lettre de l'Évêque d'Angers, d'ailleurs tout à son éloge. « Je ne sais, écrivait-il à M. Carrière le 27 juillet 1856, sur qui vous jetterez les yeux pour remplacer M. Helly. Je m'en rapporte à la divine Providence et à vous. M. Helly a fait ici beaucoup de bien; il a rappelé mon Séminaire à l'ordre, à la maturité des études, et celui qui prendra les rênes trouvera les choses en bon état. C'était un saint prêtre, plein d'abnégation, de dévouement et d'esprit ecclésiastique. Comme personne ne peut être complet, je vous dirai confidentiellement ce que sans doute vous savez déjà : il n'attirait pas à lui et, pour le clergé, le Séminaire n'était pas un centre pour la direction ecclésiastique. C'est pourtant ce que je désirerais. Le Séminaire est la maison diocésaine, la maison de l'Évêque. C'est là que la direction diocésaine doit être donnée. »

M. Carrière répondit à cette lettre par l'envoi de M. Houbart. « Mon choix, disait M. le Supérieur général de Saint-Sulpice, s'est porté sur M. Houbart, du diocèse d'Amiens, âgé de 41 ans et directeur depuis longtemps au Séminaire de Toulouse. Sa piété, son bon esprit, sa capacité, toutes les qualités qui sont en lui me font espérer qu'il remplira vos vues et les miennes. Vous pouvez compter qu'il aura à cœur de seconder de tous ses pouvoirs vos désirs et vos desseins pour la sanctification de votre clergé et que vous le trouverez toujours disposé à vous satisfaire dans l'exercice de ses fonctions. »

M. Houbart réalisa pleinement les espérances de son supérieur. Très doux, très affectueux, quoique d'une volonté ferme, il attirait à lui. Il avait une manière de dire « mon ami » qui séduisait de suite et on lui donnait sa confiance et sans ménager. Il vous conduisait alors vers la perfection chrétienne, comme il est dit de Dieu même, avec force et suavité.

Homme de foi profonde, de piété tendre et de dévouement complet, il était un modèle que l'on cherchait volontiers à imiter. Son enseignement, sans être très profond, était net, clair, précis et vivant. Nous étions suspendus à ses lèvres quand il nous faisait la lecture spirituelle. Sa voix, qui était voilée, donnait à sa parole je ne sais quoi de mystérieux qui allongeait, pour ainsi dire, son enseignement. Une de ses lectures spirituelles pouvait être analysée en quelques mots, mais une reproduction fidèle et littérale n'eût jamais pu rendre la vie et le mouvement qu'il y avait mis, ni exciter aucune des émotions qu'il avait fait naître dans les cœurs. Avec un tel supérieur, le Séminaire devait être sans cesse en progrès. Mgr Angebault vit se réaliser ses espérances.

Nous voudrions dire un mot ici de l'économe. Nous sommes bien un peu embarrassé, puisque le vénérable M. Ruchaud vit encore. Comment pourtant ne pas consacrer quelques lignes à celui qui fut l'heureux et habile restaurateur de ce magnifique monument du Séminaire d'Angers?

M. Prosper-Étienne Ruchaud était né à Saint-Léonard (Haute-Vienne), au mois de décembre 1821. Il fut nommé, en 1848, professeur d'Écriture sainte des philosophes et devint économe en 1850. Il resta à ce poste jusqu'en 1892. Il fut toute sa vie l'homme de la volonté de Dieu. Avec quelle émotion profonde et quelle ferme conviction, il nous disait : « Messieurs, si vous remuez une paille pour faire la volonté de Dieu, c'est une grande chose; si vous gagnez un monde quand Dieu ne vous le demande pas, ce n'est rien. » Aussi, quand il connaissait la volonté divine, rien ne l'arrêtait plus. Sa grande œuvre fut la splendide réparation de l'ancienne abbaye de Saint-Serge, devenue le Grand-Séminaire. Certes, il est juste de le reconnaître, il fut admirablement secondé par M. Hamille, alors Directeur au Ministère des Cultes. Mais qui dira la persévérance, le courage qu'il déploya lui-même. Ce petit homme rondelet, dont l'embonpoint semblait gêner la marche, dont la voix quelque peu grêle et mêlée d'un petit accent limousin paraissait peu faite pour séduire, sut cependant s'insinuer partout, ouvrir toutes les portes, forcer tous les ministères. Au prix de quelle persévérance, Dieu le sait; Dieu qui l'a vu plusieurs fois attendre de longues heures dans les antichambres ministérielles, où parfois il grignotait quelques croûtes de pain pour remplacer le dîner que l'attente lui rendait impossible. Mais laissons plutôt la parole à de plus autorisés. « En ce temps-là, dit Mgr de Belley, on vous voyait, contrairement à toutes les habitudes sulpiciennes, quitter le Séminaire durant le cours de l'année, courir les chemins de fer et les rues de la capitale, assiéger les ministères de l'État, mettre en jeu toutes les influences... Vous remportiez dans les bureaux, où tous les cœurs s'étaient cuirassés, mais en vain, contre vos arguments, des victoires auxquelles les vaincus ne comprenaient rien, mais dont vous étiez sûr d'avance. »

« Cette chapelle, disait dans la même circonstance Mgr Mathieu, alors évêque d'Angers, a été construite grâce à votre générosité et à toutes les largesses qu'a su provoquer le prêtre vénérable à qui revient tout d'abord l'honneur de cette journée. Je tiens à le saluer comme un de ces anciens de Juda dont l'auteur sacré loue, en accumulant les verbes, l'activité infatigable et couronnée de succès. Les anciens bâtissaient et ils réussissaient; ils bâtirent et ils construisirent, *jubente Deo et juvante Cyro*, par la volonté de Dieu et l'appui de Cyrus, dont le plus habile des économes avait charmé l'un des trésoriers que vous connaissez bien. » Tout autre éloge serait superflu. Le Séminaire d'Angers, grâce à ses supérieurs et à son digne économe, connut donc la prospérité et put donner asile à ces légions de prêtres qui, aujourd'hui, font la consolation de l'Église et la couronne de leur premier pasteur.

Mais, pour remplir le séminaire, il fallait une jeunesse élevée dans les saines et fortes traditions chrétiennes. Mgr Angebault fut heureux de trouver à la tête de ses maisons d'éducation trois hommes vraiment remarquables : M. Louis Levoyer, supérieur de Combrée, M. Pouplard, supérieur de Beaupréau, et M. Subileau, supérieur de Mongazon.

M. Levoyer était né à Saumur, le 18 février 1806. Il étudia d'abord sous M. Forest, curé de Saint-Pierre, M. Forest, frère d'un général vendéen, était un confesseur de la foi et avait été exilé en Espagne. Après la Révolution, devenu curé de Saint-Pierre de Saumur, il avait établi une école cléricale pour le recrutement du clergé. C'est à cette école qu'avait fait ses premières études Mgr Maupoint, mort depuis évêque de la Réunion. M. Levoyer y fit ses débuts, puis il alla au collège de Saumur, mais il ne fit qu'y passer; un professeur impie y ayant tenu des propos irréligieux, la mère de M. Levoyer retira son fils et le plaça au collège de Doué. Il y fit de brillantes études, car après sa sortie il put correspondre en grec avec son ancien principal, fait d'autant plus remarquable qu'à cette époque on ne faisait que reprendre l'étude du grec et que, même dans les écoles de l'État, peu de professeurs connaissaient cette langue. En 1821, M. Levoyer, qui n'avait pas encore seize ans, entra à Issy, où il demeura deux ans, et ensuite fit sa théologie à Saint-Sulpice. Il en sortit en 1825 et fut nommé professeur de seconde à Combrée, avec M. Drouet pour supérieur. Quelque temps après, M. A. Peltier, le professeur de philosophie, ayant adopté les doctrines de La Mennais, dut quitter sa chaire, M. Levoyer s'en empara et la garda jusqu'en 1837, époque à laquelle il fut nommé, avec l'agrément du Gouvernement, supérieur de la maison de Combrée.

Prêtre plein de foi, d'une piété angélique, il joignait à ces dons surnaturels de brillantes qualités d'esprit et de cœur. Très instruit, très versé en littérature, ayant un goût sûr, une horreur naturelle pour la nouveauté, il ne pouvait que maintenir à Combrée les plus saines traditions littéraires. La douceur et la bonté faisaient le fonds de sa nature. Il était appliqué à ses devoirs au point de ne croire jamais les avoir suffisamment remplis. Une fois, ayant lu le remarquable ouvrage de Mgr Dupanloup sur l'éducation, il lui écrivit pour lui faire part de ses craintes. Il ne pouvait, disait-il, trouver matériellement le temps pour accomplir tout ce que demandait l'évêque d'Orléans d'un bon supérieur. L'évêque, qui le connaissait bien, lui répondit qu'il pouvait être tranquille et qu'il était bon supérieur. Seulement il avouait que dans son livre il avait tracé un idéal, que l'idéal n'était pas toujours réalisable, que ce n'était qu'un modèle à avoir sous les yeux pour lui emprunter quelques traits, suivant les aptitudes diverses ou les différentes circonstances. Le bon M. Levoyer se le tint pour dit.

A cette aménité, à cette dignité qu'il portait en toute sa personne et qui charmaient ceux qui l'entouraient, il ajoutait le goût des arts. Il aimait la musique et la cultivait avec succès. Il en faisait même pour ses élèves un moyen d'émulation. C'était une grande joie et une grande récompense d'être admis; le dimanche, dans sa chambre, à ce qu'on appelait « les quatuor de M. le Supérieur ».

Un tel supérieur ne pouvait que laisser de chers souvenirs, et la reconnaissance que les élèves de Combrée ont toujours gardée pour leur collège était due, sans doute, pour une bonne part, à leur aimable et sympathique supérieur.

Le supérieur de Beaupréau, M. Pouplard, était né à Beaupréau même. Son père et sa mère eurent douze enfants, dont six furent donnés à Dieu. Il vint au monde le 25 avril 1827. Quelques années après, le collège de Beaupréau ayant été fermé par ordre du Gouvernement, il dut faire ses études au lycée, comme externe. Il fut ordonné en 1854 et devint supérieur en 1856. Un instant il avait eu l'intention de se faire jésuite ; Dieu le réservait à une autre œuvre. A peine fut-il devenu supérieur qu'il songea à racheter l'ancien collège. Nul ne dira jamais combien ce collège de Beaupréau était cher aux habitants. Remontant au XVIIe siècle, il avait eu ses jours de gloire avant la Révolution, ses épreuves pendant cette lamentable époque. Il s'était relevé de ses ruines à la restauration du culte, mais il avait été confisqué par l'État en 1831. Un enfant de Beaupréau ne pouvait renoncer à l'idée de le recouvrer. M. Pouplard ouvrit une souscription qui, en trois semaines, atteignit le chiffre de 60.000 francs. Quelques années plus tard, en 1863-64, le collège redevenait de plein exercice par l'adjonction de la philosophie et, malgré les craintes de l'évêque d'Angers, ni le collège de Combrée, ni le petit séminaire Mongazon n'eurent à souffrir de cette concurrence.

Le digne supérieur qui avait eu la joie de présider à cette double restauration était un homme fort aimable, très affectueux, très enjoué ; malgré cela, très ferme et même sévère à l'occasion. Deux choses surtout firent sa fortune : l'aisance de ses relations et le soin qu'il prit de s'identifier avec son collège. Avec les élèves, c'était un père bon, facile à aborder, ne demandant pas mieux que de leur être agréable, pourvu que la discipline ou les études n'eussent rien à en souffrir. Avec les maîtres, ses collaborateurs, c'était plutôt un frère aîné qu'un supérieur. Nul ne porta plus loin avec eux la condescendance, nul ne prit plus plaisir à partager leurs travaux et leurs jeux. Il s'attachait surtout à mener une vie de famille, et c'est ce qui frappait tout d'abord le regard de l'étranger, dès qu'il avait franchi le seuil du collège de Beaupréau.

Le collège de Beaupréau, c'était tout pour lui. Il l'aimait, il en était fier, il accueillait avec joie tout ce qui était à son avantage ; il n'avait de repos que quand il avait surmonté tous les obstacles qui s'opposaient à ses desseins sur le collège ; il incarnait en lui tous les sentiments des Vendéens sur Beaupréau ; il était, en un mot, l'âme de son collège, et par là même un peu l'âme de toute la contrée. Voilà pourquoi il le mena si bien et le laissa en si grande prospérité, quand la maladie l'obligea, en 1890, à céder la place à l'un de ses plus chers enfants.

Le petit-séminaire Mongazon n'eut d'ailleurs rien à envier à Combrée, ni à Beaupréau. Il eut pour supérieur, de 1856 à 1885, M. l'abbé Subileau.

M. Subileau naquit à Bouzillé, paroisse du canton de Drain, le 4 décembre 1825.

Sa vie fut peu mouvementée. Il entra à Mongazon, à l'âge de douze ans, en 1837, et quitta, en 1843, au moment où le collège allait être décapité. Il passa au Grand-Séminaire, pour y faire ses études de philosophie et de théologie. Au sortir du Séminaire, il fut appelé à l'Évêché, en qualité de secrétaire particulier de Mgr Angebault. C'était déjà rendre hommage à ses qualités. Mais, quand il le vit à l'œuvre, l'Évêque d'Angers l'estima plus encore. Il conçut pour lui une affection qui ne s'est jamais démentie. En 1856, il le nomma supérieur du petit-séminaire Mongazon. L'abbé Subileau n'avait alors que trente-deux ans. Les débuts ne furent pas exempts de quelque difficulté. Les luttes politiques et religieuses étaient alors bien vives, le supérieur bien jeune et certains professeurs bien vieux. Il fallait beaucoup de prudence et de tact pour se rendre maître de la position. Elle fut bien vite conquise. Les qualités naturelles de M. Subileau et les années qu'il avait passées près de l'Évêque d'Angers l'avaient mûri de bonne heure et personne ne put lui refuser son estime et sa confiance.

Il avait l'esprit orné, un goût littéraire très pur, une intelligence élevée, plus que profonde, peut-être. Grammairien sans reproche, écrivain de marque, orateur disert, il prononçait, à chaque distribution de prix, des harangues louées par les plus habiles maîtres et qui sont restées des modèles du genre.

Il portait la bonté presque trop loin, et plus d'une fois ses professeurs lui reprochèrent de ne pas user assez de son autorité vis-à-vis d'élèves indisciplinés ou paresseux. Mais eux-mêmes étaient heureux de cette direction large et qui n'avait rien de tracassier. On peut le dire, jamais supérieur ne laissa plus de liberté à ses collaborateurs. Il est vrai de dire aussi que ces derniers n'auraient pas voulu lui faire de peine volontairement. Il eut cependant à se plaindre de quelques-uns; il s'en plaignit à eux-mêmes; mais jamais il ne chercha à leur faire éprouver son ressentiment, et même, quand il dut les remercier de leurs services, il le fit avec tant de ménagement et en plaidant si bien leur cause au conseil épiscopal, qu'ils paraissaient recevoir une récompense plutôt que subir une disgrâce.

C'est qu'il était prêtre dans toute l'acception du mot. Il fallait le connaître intimement pour le bien apprécier. Au dehors, son grand air, la dignité de sa tenue, la distinction de ses manières prévenaient sans doute en sa faveur, mais voilaient ses qualités les plus intimes. Il était admirablement pieux, et la conversation la plus enjouée, la récréation la plus distrayante, finissait rarement sans qu'il ramenât le cœur et l'esprit à Dieu. Son langage très soigné dans ses sermons paraissait un peu trop académique, mais dans la méditation qu'il faisait le matin à ses élèves, parfois dans les entretiens pieux avec les domestiques, il laissait déborder les trésors de sa piété et arrivait sans effort à l'éloquence. Un peu froid de prime abord, il montrait bien vite dans l'intimité la tendresse de son cœur. Ce supérieur de grande maison, aux appointements de huit cents francs, trouvait le moyen de tout dépenser en bonnes œuvres et de se priver de beaucoup de satisfactions bien légitimes pourtant.

Il ne faisait pas de voyages d'agrément afin d'économiser davantage pour les pauvres. Bien plus, sur la fin de sa vie, fatigué, malade, il refusa de faire le voyage de Vichy que lui ordonnaient les médecins, sous prétexte qu'il n'avait pas le moyen de dépenser tant d'argent. Et, comme quelqu'un lui disait que l'Évêché ne lui refuserait pas un secours si nécessaire et l'engageait à le solliciter. « Non, répondit-il, il n'y a que les riches qui puissent faire un tel voyage. Je suis pauvre et je dois faire comme les pauvres à qui l'on ne conseille pas ce voyage. »

Tel était l'humble prêtre qui pendant près de trente ans dirigea le petit séminaire Mongazon. Il ne cherchait pas les honneurs. Ils vinrent le trouver. En 1874, un ministre d'Angers qui le connaissait bien, M. de Cumont, profita de son passage au ministère pour récompenser une vertu si modeste ; il le fit nommer chevalier de la légion d'honneur, et le grand évêque, Mgr Freppel, ne dédaigna pas de faire son éloge funèbre et de lui décerner le titre de second fondateur de Mongazon.

Il est temps d'arrêter cette liste déjà longue des prêtres vénérables qui ont si admirablement secondé les desseins de Mgr Angebault. Il en est un cependant que nous nous reprocherions de laisser tout à fait dans l'oubli, à cause de la grande part qu'il prit à la restauration de la liturgie romaine dans le diocèse.

Ceux qui vivaient à l'ombre des murs de la vieille cathédrale d'Angers, vers 1860, voyaient tous les jours passer un vénérable chanoine, jeune encore, qui, à l'heure dite, se rendait exactement à l'office. Il était petit, mais il ne perdait rien de sa taille. Sa tenue était irréprochable, soignée même. Sa chevelure, toujours bien lissée, croissait par intervalles, puis, à l'époque de la taille des cheveux, elle redevenait courte subitement. Ce n'était pas que le ciseau y eût passé ; seulement le bon chanoine en donnait l'illusion au moyen, dit-on, de plusieurs perruques de différentes longueurs, graduées et échelonnées avec art. S'il s'arrêtait pour parler avec quelqu'un l'on voyait ses lèvres s'ouvrir et se fermer avec une précision qui annonçait que les consonnes étaient bien prononcées. Il joignait toujours le geste à la voix, le geste du professeur qui démontre. On l'appelait Mgr Lamoureux. Sous ces dehors auxquels ne manquait pas une petite pointe de recherche, il y avait une belle âme, bien généreuse.

M. Louis-Charles Lamoureux était né à Saumur, le 13 février 1815. Il était le petit-neveu du fameux général Lemoine, la terreur des Vendéens. Le grand-oncle, dont l'héritage était convoité, voulait faire un soldat de son petit-neveu et il l'obligea à étudier à La Flèche, où il fut le condisciple du général Lecomte, assassiné par la Commune.

Le jeune écolier ne prit pas goût au métier militaire, mais développa sa piété au contact des bonnes sœurs de Saint-Vincent-de-Paul qui desservaient l'établissement. En sortant de La Flèche, il fut admis à Saint-Cyr avec l'un des premiers numéros. Mais son parti était pris : il voulait être prêtre. Il crut pouvoir faire part de son dessein à son grand-oncle qui le chassa de chez lui. Le jeune homme renonça bravement à l'oncle et à l'héritage pour suivre l'appel de Dieu. Il fut ordonné par Mgr Bouvier et d'abord nommé professeur au petit collège de Tessé. Mais Mgr Angebault, ayant cédé à l'évêque du Mans un prêtre qui lui avait été demandé, rappela M. Lamoureux et le nomma, en 1839, vicaire à Saint-Joseph. Il devint ensuite successivement aumônier de l'École des Arts en 1842 et des Augustines en 1850. C'est là qu'il se fit remarquer par son goût pour la liturgie et les cérémonies. Cela le mit dans sa vraie vocation.

Lorsque, le 4 juillet 1852, Mgr Angebault parla au Chapitre du rétablissement de la liturgie romaine, il fut nommé rapporteur de la Commission chargée d'examiner le projet. Il s'acquitta si bien de sa tâche, qu'on lui confia le soin de préparer et de négocier à Rome ce grand changement. Il y mit tous ses soins et tout son zèle. Nous dirons ailleurs comment il réussit. Qu'il nous suffise de rappeler ici que le Chapitre lui vota, à l'unanimité, « des remerciements pour les peines qu'il s'est données, et des félicitations pour l'issue, aussi prompte qu'heureuse, de ses négociations ». Entre temps, il s'était occupé avec succès de la Confrérie des Mères chrétiennes. Plus tard, à une époque où les *Semaines religieuses* n'existaient presque nulle part encore, il fonda celle d'Angers, qui est devenue le journal officiel de l'Évêché. La récompense lui vint bien légitime. Le Souverain-Pontife le nomma Prélat de sa Maison. L'Évêque d'Angers le fit chanoine titulaire, en 1859, et maître des cérémonies à la cathédrale d'Angers.

Avec de tels hommes pour travailler à la formation du clergé, faut-il s'étonner que le diocèse d'Angers soit devenu alors comme une pépinière d'évêques. Après Son Éminence le cardinal Régnier vinrent successivement NN. SS. Fruchaud, Dénécheau, Grolleau pour la France, NN. SS. Perché, Maupoint, Gasnier, Charbonneau, etc., pour l'étranger et les colonies.

Nous nous sommes arrêté, avec trop de complaisance peut-être, sur ce brillant et vénérable entourage de Mgr Angebault. Il nous a paru que l'action de l'Évêque d'Angers ressortirait mieux dans son cadre naturel, et nous avons cru que nous serions agréables aux survivants de cette époque en remettant sous leurs yeux, pendant quelques instants, ces prêtres qu'ils ont connus, aimés et vénérés.

Nous allons reprendre maintenant la suite des événements. L'ordre chronologique demanderait de retracer ici l'histoire des relations de Mgr Angebault avec le Bon-Pasteur. Tout le monde sait que ces relations laissèrent beaucoup à désirer. Mais la cause de la vénérable Mère Euphrasie Pelletier ayant été introduite à Rome, nous devons laisser de côté ce chapitre. Il n'y a pas à nous en préoccuper. Les saints eux-mêmes, avec les meilleures intentions, ne se sont pas toujours mis d'accord et, parfois, se sont mutuellement causé de grandes peines. C'est une des conséquences inévitables de l'imperfection humaine. Du moins nous permettra-t-on de dire qu'en étudiant avec soin les rapports de Mgr l'Évêque d'Angers avec le Bon-Pasteur nous n'avons rien trouvé qui pût infirmer en quoi que ce soit le dévouement, la piété, la sagesse, la patience et la bonté de Mgr Angebault.

CHAPITRE VI

Frères de Saint-Vincent-de-Paul

Inauguration du monument de M. Mongazon. — De l'union dans le clergé. — Un testament. — L'Esvière. — Frères de Saint-Vincent-de-Paul. — M. Myionnet. — Maison de famille. — M. Le Prévost. — Les Angevins romantiques. — Mariage de M. Le Prévost. — La réunion intime. — Rencontre de M. Myionnet et de M. Le Prévost. — Les débuts de la communauté. — Monseigneur l'établit à Paris.

Nous avons vu plus haut comment M. Mongazon avait peu à peu ressuscité l'ancien collège de Beaupréau. Après avoir d'abord réuni quelques élèves dans son presbytère, puis un plus grand nombre dans la *maison des enfants de chœur*, l'œuvre devenant de plus en plus prospère, il put enfin rentrer dans les bâtiments de l'ancien collège. Il y était depuis longtemps, quand le Gouvernement de juillet confisqua le collège pour y établir une caserne. Le prétexte fut la tentative d'insurrection vendéenne. La vraie raison fut la peur qu'éprouvait le gouvernement mal assis de Louis-Philippe. Beaupréau avait gagné la confiance publique, mais non celle du gouvernement. Le roi nouveau ne vit pas sans ombrage cette maison où venaient s'instruire des jeunes gens qui appartenaient presque tous aux familles légitimistes de l'Anjou et de la Bretagne. De là, la dissolution.

Nous avons vu aussi que M. Mongazon avait été appelé à Angers par Mgr Montault et chargé de fonder le collège qui devait garder son nom.

Le saint homme ne jouit pas longtemps de sa dernière œuvre. La mort, en 1839, l'enleva à l'affection de ses élèves et à la vénération du diocèse. Le jour de sa sépulture fut un triomphe. De tous côtés, des hommes des conditions les plus diverses, prêtres, magistrats, industriels, chefs de famille vinrent lui rendre les derniers devoirs et, dans une commune pensée, ouvrirent une souscription pour lui élever, dans la chapelle du Petit-Séminaire, un monument destiné à garder son cœur. Le grand David d'Angers se chargea de l'exécution. Sur un socle, orné d'un magnifique bas-relief, se détacha le buste en marbre blanc de M. Mongazon et, dans le bas-relief, l'artiste fit resplendir le cœur du vénérable prêtre en retraçant une distribution de prix ; idée heureuse entre toutes, puisque c'est surtout en déposant des couronnes sur le front de ses enfants qu'un père laisse déborder sa joie et son amour.

La cérémonie d'inauguration eut lieu le mardi 19 novembre 1844, sous la présidence de Mgr Angebault et au milieu d'un concours immense des anciens élèves de Beaupréau et de Mongazon.

« Au milieu de la nef s'élevait un trône richement décoré, surmonté d'un élégant baldaquin ; c'est là qu'on avait déposé le cœur de M. Mongazon dans une urne de marbre noir[1]. » Un discours magistral fut prononcé par M. l'abbé Bernier, vicaire général, sur l'éducation. L'orateur y montrait que le fondateur de Beaupréau et de Mongazon avait trouvé dans son cœur si chrétien, si éminemment sacerdotal, le dévouement généreux et toutes les conditions, tous les caractères de l'instituteur digne de sa mission.

Après le discours, quatre petits enfants couronnés de fleurs, symbole de la foi, de l'innocence, de la douceur et

[1] Compte rendu du journal l'*Hermine*, 26 et 27 novembre 1844.

de l'ineffable simplicité de M. Mongazon, reçurent l'urne précieuse et la remirent à l'Évêque qui la déposa dans le tombeau. Puis, se levant au milieu de l'assistance, Monseigneur voulut payer à son tour son tribut d'éloges au saint prêtre. Ses paroles, empreintes d'une grande sensibilité et d'une exquise délicatesse, produisirent sur l'assistance une très vive impression. « Ah! si vous l'aviez connu, s'écriait-il en s'adressant aux plus jeunes!... Le digne interprète de nos sentiments, celui qui partagea longtemps ses travaux et mérita son affection, n'a pu qu'imparfaitement vous en faire le portrait. Le ciseau de notre grand statuaire a voulu le faire revivre sur le marbre, mais le génie lui-même peut-il rendre sa bonté, son aimable simplicité, sa candeur, la constante égalité de son heureux caractère? On peut encore peindre ses traits; qui peindra ce cœur brûlant d'affection et de zèle? »

Puis en terminant, il ajoutait : « Un regret nous échappe, et où ne trouve-t-on pas des regrets? Pourquoi cette solennité n'est-elle pas présidée par l'excellent prélat qui fut toujours l'ami, le protecteur, le compagnon d'infortune de notre vénérable M. Mongazon? Dignes l'un de l'autre et réunis par la divine Providence qui se plaisait à donner à cet heureux diocèse tant de marques de sa protection, ils passèrent en faisant le bien et tous deux exhalèrent ce parfum de la vertu qui laisse encore après lui de si suaves souvenirs. Nous aimons en ce jour à réunir leurs noms comme leurs cœurs le furent autrefois et il appartenait peut-être au successeur de Mgr Montault et au fils de M. Mongazon de confondre dans un même éloge ceux que nous confondons dans notre commune reconnaissance. »

En faisant l'éloge de M. Mongazon, Mgr Angebault faisait l'éloge des bonnes et fortes traditions de l'éducation chrétienne. Par nature, il était en garde contre toute nouveauté. La hardiesse de certains écrivains l'inquiétait. Aussi n'avait-il jamais goûté Lamennais. « Vous êtes du pays, écrivait-il, qu'a voulu éclairer M. de Lamennais. Je ne sais quel progrès y font ses systèmes ; ici, on demeure plus que froid ; ce genre est un don bien funeste quand il n'est pas appuyé sur la docilité et la défiance de soi-même. » « Pour moi, j'augure bien mal de ces écarts d'esprit ; c'était ainsi que commençaient les sectaires. » Or, on remuait beaucoup les idées de 1830 à 1840. Les doctrines mennaisiennes, la Charte, la liberté de l'enseignement suscitaient des luttes ardentes, passionnaient les esprits et poussaient à la division. Ce n'était point encore tout à fait le grand mouvement que nous aurons à étudier plus tard ; toutefois c'en était l'annonce et comme l'origine. Monseigneur se préoccupait surtout de sauvegarder la hiérarchie et de conserver l'union dans son clergé. Ce fut le sujet d'une allocution qu'il prononça à la retraite ecclésiastique de 1845. Après avoir rappelé la prière de Notre Seigneur : « Qu'ils soient un comme nous sommes un », il l'adressait lui-même à ses prêtres. « Soyez un avec Jésus, notre chef et notre maître ; un avec Pierre, son vicaire et notre guide ; un avec le pasteur chargé de la mission apostolique. »

Oui, les circonstances étaient graves ; on avait cherché à semer la division dans le clergé, des doctrines funestes avaient été prêchées, des insinuations perfides répandues, des distinctions dangereuses inventées ; il fallait éviter les questions téméraires et fuir ceux qui engendrent des querelles. Le moyen c'est de conserver l'unité de doctrine. « Union à la chaire de Saint-Pierre. Là est la lumière ; là est la vie ; là est le phare qui doit nous éclairer dans cette route tortueuse et ténébreuse ; mais union par vos premiers pasteurs ; union par les anneaux qui vous attachent à cette immense chaîne dont Jésus-Christ tient dans ses mains le premier anneau ; union par vos premiers pasteurs qui ont mission pour vous instruire, vous guider, vous redresser, dont la voix amie et connue doit vous inspirer confiance; *posuit episcopos regere ecclesiam Dei.* »

Le clergé angevin était digne de recevoir de tels conseils, et c'est en les suivant qu'il eut la gloire de se montrer toujours aussi fidèle à ses Évêques qu'attaché au Saint-Siège.

Ce n'est pas à dire qu'il n'y eut jamais d'écarts d'aucune sorte. L'humanité se retrouve partout. Au moment même où il recommandait l'unité, il avait de grands ennuis au sujet d'une affaire très délicate dans laquelle plusieurs de ses prêtres se trouvaient engagés malgré lui.

Une vieille demoiselle avait fait un testament par lequel elle léguait toute sa fortune à un M. X... Un curé de la ville d'Angers avait cru pouvoir se faire le dépositaire d'un codicille qui modifiait ce testament. Après la mort de la testatrice, quand le légataire eut été envoyé en possession de l'héritage, le curé voulut faire valoir le codicille et cela avec d'autant plus de force que plusieurs fabriques y avaient intérêt. Le légataire ne crut pas devoir accomplir les conditions d'un codicille qui se présentait d'une façon anormale et était sujet à contestation. Chacun, croyant avoir le bon droit pour soi, était dans la disposition de le soutenir énergiquement. Monseigneur, dans le désir d'éviter un débat public et peut-être d'arrêter un scandale, se prêta à une entrevue qui n'eut aucun succès. Le prélat, malgré l'intérêt qu'il portait aux fabriques, chercha, avec une grande abnégation, à se mettre en dehors de l'affaire. Ce n'était pas chose facile.

On le faisait parler malgré lui. Pour comble d'ennui, une longue discussion s'engageait au Conseil municipal de la ville d'Angers qui se croyait lésé par la non exécution du codicille. Le maire prenait parti pour le curé, le Conseil se prononçait contre lui. Monseigneur avait cherché à prendre position par la lettre suivante adressée à un avocat d'Angers :

« MONSIEUR,

« Je ne vous suivrai point sur le terrain où l'indiscrétion veut me placer. Assez de scandales avaient occasionné déjà de si tristes débats sans qu'on y ajoutât celui de vouloir jeter mon nom, comme un appât, à la curiosité publique ; vous me permettrez donc de ne point discuter votre nom et de ne pas répondre à votre appel. »

Cette conduite si pleine de réserve ne put apaiser des hommes qui ne voulaient pas être apaisés ; le nom de l'Évêque continua à figurer dans ces violentes discussions qui durèrent de longues années. Monseigneur écrivait, à la date du 31 mars 1849 :

« Je croyais terminée cette malheureuse affaire de testament qui, depuis cinq ans, porte ici la perturbation, et la voilà qui recommence avec plus de violence que jamais. On vient de lancer un mémoire indigne où, sous de vains éloges, on me calomnie parce que, depuis cinq ans, je garde le silence et ne veux pas me mêler dans ces débats. Enfin en voilà un qui voudrait prouver que moi-même j'ai convoité une portion de la succession de cette dame que je n'ai jamais vue et dont je ne savais pas seulement le nom. Je vais être obligé de faire une lettre publique pour réparer cette calomnie. Mon frère me le conseille fort... »

Cette lettre dont Monseigneur parle ici, il en avait soumis le projet à son frère, qui était l'un des premiers avocats de Nantes. Celui-ci la trouva bien, y fit seulement quelques changements de peu d'importance et il en demanda la publicité. Monseigneur, malgré sa résolution première et après plus amples réflexions, se décida à ne pas la publier. Il en donna les raisons dans une lettre à son vicaire général :

« MON CHER ABBÉ,

« J'ai préparé une réponse aux trois chefs principaux des allégations renfermées dans le mémoire de M. X.....

Cette réponse est précise et calme. Je l'ai communiquée à mon frère qui l'a approuvée.

« Croyant qu'il était nécessaire de venger ma personne et l'autorité épiscopale des insinuations mauvaises renfermées dans ce mémoire, j'étais dans l'intention de rendre ma réponse publique. Mais, après y avoir bien réfléchi et surtout devant Dieu, je ne la publierai point. Je vois du danger et je croirais compromettre l'autorité en descendant dans l'arène pour me mesurer avec des hommes passionnés qui, à mes raisons, répondraient avec malice et sans bonne foi.

« J'ai d'ailleurs fortement conseillé de ne pas engager de lutte publique par la voie de la presse, je l'ai même défendu à mon clergé; je lui dois donner moi-même l'exemple de la modération et du calme...

« Voilà seulement ce que je ferai : je vais convoquer MM. les Chanoines et MM. les Curés pour lundi soir et, à ces Messieurs réunis à l'Évêché, je donnerai lecture de la réponse que j'avais préparée; puis je leur dirai qu'après leur avoir donné des leçons, des conseils de modération, je dois leur donner l'exemple et je leur annoncerai que je ne ferai aucune réponse à M. X... Je crois que voilà le plus sage pour moi. »

En effet, ceux qui avaient besoin d'être éclairés et de qui seuls l'approbation importait, c'étaient les membres du chapitre et les curés. En suivant cette voie, Monseigneur vengeait donc suffisamment sa personne des indignes soupçons qu'on voulait faire peser sur elle, et il échappait à la malignité des paroles d'avocats trop heureux de trouver l'occasion de nuire à la considération du clergé et à la dignité épiscopale.

Monseigneur fit ce qu'il avait dit et se trouva enfin, à force de sagesse, hors de ces tristes débats, qui eurent du moins l'avantage de prouver son parfait désintéressement.

Heureusement que les saintes joies venaient de temps à

autre réconforter le prélat. Il fut très heureux, en particulier, le jour où il put offrir au diocèse la maison de l'Esvière.

La ville d'Angers se termine au sud par un petit plateau d'où la vue domine la Maine. Rien n'est plus charmant que ce point de vue. A droite le regard se repose délicieusement sur les collines aux contours mollement arrondis qui courent sur la rive droite de la rivière ; à gauche c'est le rocher de la Baumette avec les restes de son vieux couvent qui semble bénir les flots ; entre les deux, les eaux tranquilles et bleues qui paraissent fuir à regret. En été d'immenses prairies s'animent des nombreux troupeaux qui les remplissent. En hiver le spectacle change, les eaux, souvent, couvrent les prairies, c'est une petite mer rétrécie tout à coup par le rocher de la Baumette, et qui, par sa forme, au dire des voyageurs revenus de Constantinople, rappelle la Corne d'or ; spectacle ravissant dont l'œil ne se lasse jamais et qui, comme toutes les belles choses, paraît plus beau à mesure qu'on le regarde davantage. Mgr Montault avait été si frappé du charme de ces lieux qu'il y avait acheté un jardin. C'est là qu'il venait méditer et prier pour se reposer des fatigues de l'épiscopat. Parfois même, il jardinait, dit-on, lui-même, et ce lui était grande joie d'obtenir des primeurs qu'il envoyait d'ordinaire, avec quelque fierté, à ses curés.

Mgr Angebault y vint aussi, et il fut si heureux de trouver, à la porte de la ville, ce délicieux jardin, qu'il résolut de compléter l'œuvre de son vénéré prédécesseur, en bâtissant une maison capable de recevoir tout le personnel de l'Évêché. Il y employa l'année 1844, et poussa les travaux avec tant d'ardeur que la maison était prête au commencement de l'année suivante. Ce n'était point ce qu'on appelle d'ordinaire un palais ; mais une simple maison, assez spacieuse, très bien distribuée, et fort coquettement assise sur le plateau ravissant dont nous avons parlé. Monseigneur en fit la bénédiction solennelle, le 9 avril, en présence de MM. les Vicaires généraux, des secrétaires de l'Évêché, de plusieurs chanoines, des curés de la ville et de quelques autres ecclésiastiques. Il fit part de la cérémonie et du don qu'il faisait au diocèse à tous ses curés, dans une lettre touchante par laquelle il les invitait à venir le visiter dans sa nouvelle demeure. Plus tard, il acheva son œuvre en bâtissant une fort jolie chapelle gothique qu'il consacra le 10 mai 1848. C'est là qu'il aimait à passer la belle saison ; et, quand le moment était arrivé de s'y rendre, il se montrait tout joyeux et se faisait comme une fête d'abandonner les splendeurs de son monumental mais quelque peu triste palais d'hiver. Ses successeurs l'ont imité et ont trouvé si belle et si douce leur maison de campagne que parfois, dit-on, ils s'y attardent et ne la quittent plus qu'à regret.

Pendant que Mgr Angebault travaillait ouvertement à la construction de la maison de l'Esvière, il agissait en secret pour une fondation autrement importante, celle des Frères de Saint-Vincent-de-Paul. Cette œuvre qui, longtemps ignorée, eut des commencements fort obscurs, fut conçue à Angers et à Paris. On peut dire que Mgr Angebault en fut le père et vrai fondateur [1].

Vers l'époque de l'arrivée de Monseigneur, il y avait à Angers une Conférence de Saint-Vincent-de-Paul, dont faisaient partie l'abbé Maupoint, alors vicaire de Notre-Dame d'Angers, qui fut plus tard curé de la Trinité et mourut évêque de la Réunion, Victor Pavie, le docteur Renier, Clément Myionnet, etc... Un soir, l'abbé Maupoint proposa à la Conférence la fondation d'une maison

[1] On nous pardonnera de reproduire, en ce chapitre, une histoire déjà racontée dans la très intéressante *Vie de M. Le Prévost*. Nous nous efforcerons de ne dire que ce qui est nécessaire pour montrer la part considérable qu'eut l'Évêque d'Angers à l'établissement des Frères de Saint-Vincent-de-Paul.

de famille, destinée à recevoir les jeunes ouvriers de campagne qui viennent dans nos villes sous le prétexte de se perfectionner dans leur métier, mais qui, souvent, hélas! s'ils gagnent quelque chose au point de vue professionnel perdent presque tout au point de vue chrétien en renonçant à leurs pratiques religieuses, en s'abandonnant au désordre moral et en laissant leur foi s'amoindrir ou même s'éteindre tout à fait. Cette proposition, si utile qu'elle fût, ne rentrait guère dans les attributions d'une Conférence de Saint-Vincent-de-Paul dont le but est le soulagement des pauvres à domicile. De plus, elle exigeait des frais que le maigre budget de la Conférence ne pouvait faire.

L'établissement de la maison de famille fut cependant décidé grâce à l'habileté de l'abbé Maupoint et à la bonté de Clément Myionnet, qui prêta trois mille francs qu'il ne devait jamais revoir. MM. Pavie et Renier se chargèrent de la partie religieuse; Clément Myionnet de la partie financière.

L'œuvre alla pendant un an. Au bout de l'année, on découvrit que, faute de surveillance, il y avait d'assez graves désordres et l'on reconnut qu'une communauté religieuse pouvait seule exercer une vigilance assez active pour entretenir le bon ordre et la bonne tenue dans la maison.

On fit donc des démarches près de plusieurs communautés, mais sans succès. Celles auxquelles on s'adressa, refusèrent. Elles avaient toutes un autre but.

Les fondateurs étaient désolés, mais tout particulièrement M. Myionnet. « Mon ami, disait-il, un soir, au « docteur Renier, il n'est pas possible que le bon Dieu ne « veuille pas une œuvre comme celle-là. Si j'avais un « compagnon, je crois que j'aurais le courage de m'y « livrer tout entier. » Et le docteur répondait : « Si je « n'étais pas marié, je serais votre homme. »

Mais M. Renier était marié et M. Myionnet restait seul avec ses bons désirs. Toutefois, ce n'était pas rien.

Clément Myionnet était un homme comme il en faut à Dieu pour ses œuvres. Il était né à Angers, le 5 septembre 1812, d'une ancienne et très chrétienne famille. De bonne heure, il sentit en lui un vif attrait pour la piété et le silence. Il n'en était pas de même pour l'étude. Il a raconté lui-même, avec une trop grande humilité, qu'ayant été pendant quatre ans à l'école, il n'y avait appris ni à lire, ni à écrire, et qu'ayant fait ses études de latinité au collège de Beaupréau, il était presque toujours le dernier, et qu'il n'avait jamais su ni le grec, ni le latin, ni même le français dont il ne put jamais écrire l'orthographe. On rendait seulement de lui ce témoignage qu'il était bon garçon et qu'en récréation il aimait bien à jouer. Au fond, s'il avait l'esprit peu littéraire, il avait une âme admirable. Impossible de trouver un cœur meilleur, une plus grande simplicité, une plus angélique pureté, une plus profonde humilité et une plus entière confiance dans la Providence. C'était, dans toute la force et le meilleur sens de l'expression, une bonne âme. On en jugera par la suite de ce récit.

Il avait alors une trentaine d'années et il n'avait pas encore trouvé sa voie. De bonne heure et spécialement aux époques les plus importantes de sa vie, il avait ressenti des désirs de vie religieuse, mais si vagues, si indécis surtout sur le genre de vie qui pouvait lui convenir, qu'il n'avait jamais pu leur donner suite. Quand il entra dans la Conférence de Saint-Vincent-de-Paul d'Angers, ce fut un événement pour lui ; il comprit de suite que son œuvre, à lui, c'était de consacrer son temps, son argent et sa personne aux pauvres. Aussi se chargea-t-il sans hésitation de la maison de famille, à Angers. Le peu de succès de cette entreprise ne le découragea point. Sa logique de confiance en Dieu lui fit dire : L'œuvre est nécessaire, donc il est impossible que Dieu ne la fasse pas. Le refus que les communautés opposèrent à sa demande lui fit concêvoir l'idée d'un nouvel institut « qui serait, parmi les hommes, « ce que sont les Sœurs de Charité parmi les femmes », entièrement consacré au service des ouvriers et des pauvres ; cet institut devait être un ordre religieux, car, sans les vœux de religion, qui pourrait dévouer ainsi toute sa vie ? mais un ordre religieux d'un nouveau genre, conservant l'extérieur du monde, l'habit laïque, afin de pouvoir pénétrer même dans les lieux où la soutane du prêtre et la robe du religieux ne pouvaient se montrer. Il avait cela en tête, et il l'eût exécuté, nous l'avons vu, s'il avait trouvé un compagnon.

Il eut un instant d'espoir. « Bonne nouvelle, lui dit un jour le docteur Renier, bonne nouvelle à vous apprendre. Nous avons ici un jeune homme qui s'est occupé des bonnes œuvres à Orléans. Il est accompagné de cinq jeunes gens, prêts comme lui à se dévouer entièrement aux pauvres et aux ouvriers. Voilà votre affaire. » M. Myionnet se défiait bien un peu de l'enthousiasme du bon docteur. Mais il avait si grand désir de servir les pauvres, qu'il consentit à s'aboucher avec ces jeunes gens. Il eut avec eux plusieurs entretiens dont il fut fort satisfait. Il leur confia alors une maison de famille. Tout alla si bien que le moment semblait venu de se réunir et d'ébaucher ensemble le plan de l'institut rêvé. M. Myionnet, qui redoutait les responsabilités, hésitait. Le docteur Rénier, qui n'avait rien à craindre pour lui-même, le pressait d'autant plus fort. Enfin, M. Myionnet dit à son ami qu'avant de prendre une décision définitive il voulait consulter une personne grave et compétente. Le docteur lui offrit l'Évêque d'Angers. A ce nom, M. Myionnet éprouva cette émotion profonde que l'on ressent toujours en face d'une résolution d'où dépend la vie entière. « Ce ne sont pas des enfan- « tillages, dit-il au docteur ; une fois entre les mains de « Monseigneur, il faudra marcher. » — « Certainement », répondit M. Renier.

M. Myionnet avait peine à se décider. Toutefois, craignant de résister à l'appel de Dieu, il en prit son parti et accepta. Dès le lendemain, M. Renier était chez Monseigneur et lui racontait tout. Monseigneur l'écouta avec le plus grand intérêt, mais, trop prudent pour prendre de suite un parti, il conseilla au docteur de lui envoyer M. Myionnet.

L'appel de Monseigneur était un ordre. Il ne fut pas de suite obéi. M. Myionnet, on l'a vu, savait qu'il allait être obligé de marcher. Il voulut, avant d'entrer dans cette voie, où il ne lui serait plus permis de regarder en arrière, se donner une dernière satisfaction « une jouissance du monde », comme il le dit, celle d'aller au cirque ; grand crime qu'il ne pouvait, plus tard, se pardonner. « Combien « de fois, a-t-il écrit depuis, ai-je demandé pardon à Dieu, « de cette faute ! Combien de fois l'ai-je remercié de sa « grande miséricorde et de sa patience à attendre sa misé- « rable créature pendant trois jours. »

Au bout de trois jours pourtant, il alla trouver Mgr Angebault. Le prélat le reçut avec sa bonté accoutumée, le questionna longuement, lui demanda la permission de consulter Mgr Régnier, alors présent à Angers et le père Chaignon, saint religieux Jésuite d'une grande expérience.

Huit jours après, M. Myionnet retourna voir Monseigneur. « Mon cher enfant, lui dit l'Évêque, j'ai prié pour « vous, j'ai vu Mgr Régnier, le P. Chaignon ; tous trois « nous sommes du même avis : c'est une pensée de Dieu, « il ne faut pas l'abandonner. En me quittant, je vous « conseille d'aller voir Mgr Régnier. Pour M. X., d'Orléans, « les renseignements que j'ai reçus sont très mauvais ; « les jeunes gens qu'il a avec lui sont bons, mais dupes « de son hypocrisie. »

Ainsi, encore une fois tombait la maison de famille et M. Myionnet était obligé de renoncer à essayer, avec ces jeunes gens, l'œuvre qu'il méditait. Un jour, Monseigneur lui conseilla de chercher si quelques jeunes gens ne voudraient pas s'adjoindre à lui. A cette proposition, l'humble Myionnet se récria. « Monseigneur, vous ne connaissez pas « toute mon incapacité pour conduire une pareille œuvre. « Le bon Dieu ne m'a rien donné de ce qui est nécessaire « pour cette fin. Je pourrais peut-être aider quelqu'un, « mais conduire moi-même, impossible. » — « Les œuvres « de Dieu, répliqua Monseigneur, ne sont pas comme celles « des hommes. Quant un architecte veut construire une « maison, il fait ses plans à l'avance ; il se rend compte de « tout avant de rien commencer ; il fait bien, la prudence « le demande. Mais dans les œuvres de Dieu, il n'en est « pas de même ; c'est Lui qui est l'Architecte, nous ne « sommes que ses instruments. Soyez comme la pierre que « le voyageur rencontre sur sa route. »

Ces paroles firent une vive impression sur M. Myionnet; à partir de ce jour, il ne douta plus de l'existence future de la Communauté qu'il rêvait et, d'instinct, il comprit qu'il serait la pierre que Dieu mettrait au fondement.

Pour l'y préparer, Monseigneur Angebault l'obligeait à progresser dans la vie spirituelle. Il lui demandait le lever à quatre heures et demie, l'assistance à la messe de cinq heures, la communion fréquente, la récitation du petit office de la Sainte Vierge, la mortification. M. Myionnet acceptait tout, et continuait, mais en vain, ses recherches, il ne trouvait personne. Il ne manquait pas de vocations religieuses ; on voulait bien se faire trappiste, frère de Saint-Jean de Dieu, bénédictin ; mais faire quelque chose de nouveau, s'engager dans une Communauté qui n'existait pas encore, dévouer sa vie à une œuvre encore indéfinie, aucun ne voulait s'en charger. On chercha vainement pendant six mois. Alors, M. Myionnet dit à Monseigneur. « Toutes mes recherches sont infructueuses ; permettez-« moi d'aller à Paris ; je dois trouver dans cette grande « ville quelqu'un qui a la même pensée que moi ; j'en ai

« l'intime conviction. » L'Évêque d'Angers ne se pressait pas. On peut croire qu'il eût été heureux d'enrichir son diocèse d'une communauté nouvelle qui semblait si bien répondre aux besoins de la Société actuelle. Et puis, sans doute, quelqu'un pouvait avoir, à Paris, la même pensée que M. Myionnet; mais comment le découvrir dans l'immense multitude des habitants de la capitale? Toutefois il permit le voyage. Or, pendant que M. Myionnet tournait ses regards vers Paris, Dieu lui préparait, en secret, la voie.

Au mois de mai 1833, dans un petit restaurant situé rue des Canettes, près de Saint-Sulpice, se réunissaient quelques étudiants. Leur société était parfois un peu bruyante, mais ils semblaient de si bonne humeur et ils avaient tant d'entrain, de simplicité et de cordialité qu'on ne pouvait les juger que très favorablement. Près d'eux, un autre jeune homme, un peu frêle d'apparence, d'une nature très discrète, avec des formes exquises, les considérait attentivement. Ils les avait déjà rencontrés à l'une des conférences du P. Lacordaire, au collège Stanislas. A l'issue de cette conférence, un des professeurs l'avait pris à part et lui avait dit en les lui montrant : « Vous voyez ces jeunes gens, « ils sont la merveille de notre temps. Au lieu de se livrer « au plaisir comme leurs condisciples, ils se réunissent « pendant les instants de loisir que leur laissent leurs « études pour s'occuper d'œuvres de charité et ils vont « visiter les pauvres. » Ces jeunes gens étaient Ozanam et les premiers fondateurs de la Société de Saint-Vincent-de-Paul ; ce jeune homme, c'était M. Le Prévost.

M. Jean-Léon Le Prévost naquit le 10 août 1803, à Caudebec, en Normandie. De bonne heure il connut la souffrance. Il perdit sa mère presque en naissant. A deux ans, il fit une chute qui le rendit boîteux pour toute sa vie. Heureusement qu'il eut une belle-mère admirable et qui l'aima en raison même de ses infirmités. Il alla d'abord à l'école chez un prêtre défroqué pendant la Révolution ; il n'apprit rien avec lui. Sa mère le confia alors à de bonnes demoiselles, ses cousines, qui faisaient la classe aux petites filles. « Prenez-le, leur dit-elle, vous pouvez bien le « garder avec sa sœur, car celui-ci est aussi une petite « fille. » A quinze ans, il suivait les cours du collège de Rouen, lorsque son père fit faillite. Il quitta les études pour se faire clerc d'avoué. Tout ce qu'il gagnait était employé à soutenir sa famille. A vingt ans, il était entré dans la carrière de l'enseignement. Pendant qu'il était professeur au collège de Lisieux, il prenait pension chez de vertueux ecclésiastiques dont les exemples excitèrent sa ferveur, et il résolut de se faire prêtre. Les instances de sa belle-mère et de sa sœur le firent renoncer à son projet. Il quitta l'enseignement, vint se fixer à Paris, fut admis dans les bureaux de l'administration des cultes et attaché au cabinet de Mgr Frayssinous.

A Paris, il oublia quelque temps ses pratiques religieuses, sans toutefois laisser s'éteindre en lui les lumières de la foi. Heureusement qu'il fit la connaissance d'une colonie de jeunes étudiants angevins, bons catholiques.

C'était alors le temps où florissait la jeune école romantique. Les étudiants angevins en étaient les fervents disciples. On se réunissait chez l'auteur des odes et des ballades, et l'on allait à ces mêlées historiques si connues sous le nom de : la première d'Hernani, la première de Marion Delorme.

M. Le Prévost était entraîné par cette brillante phalange. Celui de tous, cependant, qui le séduisait le plus, c'était Victor Pavie, celui dont Victor Hugo disait : « Je ne sais « lequel des deux me plaît le plus en lui, de l'ami ou du « poète » ; Victor Pavie, de qui on pourrait écrire qu'il avait deux amours : Dieu et Victor Hugo, et que l'on pourrait peindre par ces deux vers :

> Fidèle à chaque grain du chapelet chrétien,
> Bien qu'ami des jeunes extases.

M. Le Prévost fut conquis du premier coup par ce vaillant chrétien, par cet ardent ami de la poésie. Il se forma entre ces deux âmes élevées une de ces amitiés qui ne finissent plus. Le premier fruit de cette amitié fut le retour à Dieu de M. Le Prévost. Revenu à la grâce, M. Le Prévost se trouva complètement transformé. Ses progrès dans la piété furent rapides, et il revint à la pensée du sacerdoce. Dieu voulait l'éprouver encore. Ses relations dans le monde de la littérature et des arts où il fréquentait le mirent en rapport avec une femme artiste, de vingt ans plus âgée que lui, d'un esprit supérieur et d'une haute éducation. Atteint du choléra, en 1833, il reçut les soins dévoués de cette femme, qui l'arrachèrent à la mort. Son amitié devint de la reconnaissance. Il n'avait jamais pensé que des liens plus étroits pussent se former entre eux. Une circonstance fortuite lui révéla qu'il n'en était pas de même de cette femme. Un projet de mariage s'étant présenté à lui, il alla, sans aucune arrière-pensée, en faire part à son amie et lui demander conseil. A l'impression que produisit cette ouverture, il comprit qu'il venait de briser un espoir dans le cœur de celle à qui il devait tant. Sa perplexité fut grande à cette découverte. Que devait-il faire ? Il consulta. Un savant et pieux ecclésiastique conclut en faveur du mariage. M. Le Prévost se maria. Hélas, Dieu semble ne l'avoir permis que pour exercer la patience de son serviteur et perfectionner son âme par la souffrance. La douce harmonie qui régnait depuis si longtemps entre ces deux cœurs ne survécut pas à leur union et M. Le Prévost, brisé par la douleur, n'eut plus qu'à se retourner vers les pauvres, avec plus d'ardeur que jamais.

Tel était l'homme qu'avaient rencontré les habitués du restaurant de la rue des Canettes. Ozanam l'eut bientôt distingué ; il proposa à ses amis de l'admettre à la Conférence de charité. M. Le Prévost y entra et devint ainsi le huitième. Il y prit bien vite un grand ascendant, et ce fut lui qui, quelques mois plus tard, décida les fondateurs de la Conférence de charité à échanger leur nom pour celui de Conférence de Saint-Vincent-de-Paul, aujourd'hui si connu et si populaire.

Toutefois, les œuvres de la Société de Saint-Vincent-de-Paul ne pouvaient suffire à M. Le Prévost et il se mit à chercher d'autres aliments à son activité. Il s'occupa d'abord des jeunes détenus, à la maison de correction située rue des Grès. Cette maison ayant été, quelque temps après, transférée dans un quartier plus éloigné, M. Le Prévost dut cesser de lui donner ses soins. Il se donna à l'instruction de jeunes orphelins que la Conférence de Saint-Vincent-de-Paul avait adoptés. En 1836, cette œuvre avait pris un grand développement, par l'adjonction d'apprentis externes, et quand M. de Kerguelen, qui en était chargé, ayant fini ses études, dut quitter Paris, M. Le Prévost le remplaça. Il allait chaque soir, malgré son infirmité et sa faiblesse, au local de la rue Copeau, faire la prière avec ses enfants et donner la bénédiction traditionnelle du chef de famille. Le dimanche, il venait, le matin, voir ses orphelins, leur lisait et leur appliquait l'Évangile. Cette œuvre, en 1841, se fondit dans une autre créée sous les auspices de l'Archevêque de Paris et sous la direction des Frères des écoles chrétiennes, rue Neuve-Saint-Étienne-du-Mont. Ce fut avec peine que M. Le Prévost vit cette fusion s'opérer et il garda toute sa vie un cher souvenir de son patronage d'apprentis externes de la rue Copeau.

L'instruction religieuse des apprentis n'absorbait pas tous ses loisirs ; il visitait encore les hôpitaux et les prisons ; il faisait les fonctions de commissaire du bureau de bienfaisance. Avec une délicatesse rare, il aimait à aller voir les prêtres vieux et malades, vénérables serviteurs de Dieu et de l'Église et qui, sans famille, restent souvent, alors que viennent les années et les infirmités, dans un isolement et une solitude si pénibles. Mais surtout son œuvre de prédilection, celle qu'il n'abandonna jamais, ce fut la visite des pauvres. Aller chez le pauvre, le consoler, l'encourager, le relever à ses propres yeux, par tous les moyens possibles, telle fut la passion de toute sa vie. C'est pour arriver à ce but qu'il établit l'œuvre de la Sainte Famille, celle du don des layettes, de la caisse des loyers, de la bibliothèque de la Sainte Famille, etc.

Dans toutes ces œuvres, M. Le Prévost s'apercevait de deux choses : d'abord, que des efforts isolés étaient toujours plus ou moins infructueux ; ensuite, que des réunions d'hommes du monde, si chrétiens qu'ils fussent, ne sauraient jamais suffire à tant de besoins. Les liens qui les retenaient, leurs occupations au dehors ne leur permettraient jamais de se donner tout entiers. C'était le raisonnement que se faisait M. Myionnet à Angers. Au pied de la châsse de saint Vincent de Paul, dans cette chapelle des Lazaristes où M. Le Prévost venait prier chaque jour, il mûrissait son projet. Un jour, il y eut, paraît-il, une sorte de révélation qu'il recevrait de Dieu la mission d'établir un nouvel Institut.

Il se mit à en chercher les éléments. Il réunit un certain nombre de jeunes gens qui se faisaient remarquer par leur ardeur dans la pratique des œuvres de charité. Les réunions avaient lieu chez M. Ferrand de Missol, alors encore laïque. Le premier qui fut admis à ce qu'on était convenu d'appeler la *Réunion intime* fut M. Olivaint qui, plus tard, devait se faire Jésuite et mourir sous les balles de la Commune. On s'adjoignit trois autres Associés de la conférence de Saint-Vincent-de-Paul, ce qui, dans la pensée de M. Le Prévost, portait à six le nombre des premiers membres de la future Congrégation.

La ferveur de ces jeunes hommes était si admirable, on goûtait de si grandes joies dans les œuvres de charité, et l'on s'aimait si cordialement dans la *Réunion intime*, que M. Le Prévost crut pouvoir dire, un soir, à ses jeunes compagnons : « Eh bien, ne vous semble-t-il pas que les « choses soient assez avancées pour que nous nous donnions « désormais le nom de frères ? »

Personne ne répondit. « Hum ! se dit tout bas M. Ferrand, « c'est peut-être un peu prématuré. L'affaire n'est pas « encore mûre dans les esprits et encore moins dans les « cœurs. » M. Le Prévost, pas plus que M. Myionnet, ne devait avoir le choix de ses premiers compagnons. Dieu allait les lui envoyer.

« Vers l'automne de 1844, raconte l'un de ceux qui « devaient le suivre plus tard, nous marchions ensemble « (je suis à peu près certain que c'était dans les bois de « Chaville) en une sorte de clairière de bruyères et de « genêts, entourée par de grands bois. Au milieu de cette « agreste campagne, nos esprits préoccupés de nos œuvres, « s'entretenaient de leur développement, de la charge « croissante qui en résultait pour nous, de leur organi- « sation encore incomplète et de l'incertitude de leur « avenir. Pour moi, j'y voyais toujours les germes d'une « rénovation populaire par la religion.

« Les germes, oui, me disait M. Le Prévost, mais bien « petits quoique au-dessus de notre faiblesse, si humbles « qu'ils soient. Sans doute, il s'y trouve, dans le dévoue- « ment des laïques unis au clergé pour l'apostolat popu- « laire, les meilleures conditions du retour de l'ouvrier à « la foi. Le prêtre est impuissant tout seul à le ramener. « S'il essaie d'aller à lui, il excite sa défiance. Par le « moyen de l'initiative laïque dans les œuvres, nous voyons « qu'il nous est facile d'amener à ses pieds ce pauvre « peuple par troupeaux. Mais que pouvons-nous, mon cher « enfant, pour cette grande œuvre, retenus tous deux par « nos obligations dans le monde ? Il faudrait que Dieu fît « surgir dans son Église, pour le salut des pauvres et des « ouvriers, une société nouvelle de religieux, entièrement « consacrés à ces œuvres, dont nous voyons la puissance

« et que Dieu a manifestement bénies. Ils garderaient le « dehors des gens du monde et rempliraient néanmoins « toutes les obligations de la vie religieuse. Ce serait là, « ami, les moines du XIXe siècle.

« Je me sentis frappé au cœur par cette idée, toute nou- « velle pour moi, d'un ordre religieux consacré aux œuvres « de charité sous l'habit laïque.

« Ah! m'écriai-je, s'il se trouvait jamais quelques « hommes décidés à embrasser une vie pareille, je quit- « terais tout pour les suivre.

« Ils existent, me répondit M. Le Prévost...

« Alors, M. Le Prévost me raconta sommairement com- « ment, un matin, en sortant de la chapelle des Lazaristes, « il avait été accosté par un membre de la Conférence de « Saint-Vincent-de-Paul d'Angers, venu tout exprès à « Paris, avec l'autorisation de son Évêque, pour converser « avec M. Le Prévost au sujet d'une pensée qu'il savait le « préoccuper également, c'est-à-dire la création d'une « Société religieuse consacrée au soutien des œuvres de « charité qui périclitaient, faute d'agents entièrement « libres et dévoués. Il était reparti pour Angers, mais « décidé à revenir vers le mois de février.

« Prions Dieu, mon cher enfant, me dit M. Le Prévost, « pour qu'il bénisse le dévouement de ce confrère et qu'il « lui envoie des compagnons, animés des mêmes senti- « ments de foi et de charité. »

Ce confrère d'Angers n'était autre que M. Myionnet. Comment avait-il connu le projet de M. Le Prévost? Comment l'Évêque d'Angers était-il au courant de ses pensées intimes? Comment, à quatre-vingts lieues les uns des autres, ne se connaissant aucunement, avaient-ils pu se rencontrer? Les œuvres voulues par Dieu arrivent à leur fin par des moyens aussi simples qu'ils sont imprévus.

Nous avons vu comment Dieu inspirait au même moment la même pensée à M. Myionnet et à M. Le Prévost et comment tous les deux, cherchant des associés, n'en trouvaient pas. Nous avons vu également que M. Myionnet se sentait pressé d'aller à Paris. Or, pendant qu'il formait ce projet et le faisait approuver à l'Évêque d'Angers, son ami le docteur Renier était à Paris à se faire soigner. Un soir, il assista à une réunion de tous les directeurs de la Conférence de Saint-Vincent-de-Paul de Paris. M. Le Prévost, par extraordinaire, s'y trouvait. A la fin de la séance, M. Gossin, président général, demanda à M. Renier si, comme membre des Conférences de province, il n'aurait pas quelque communication intéressante à faire. M. Renier parla alors du projet Myionnet, qui était un peu aussi le sien, et demanda qu'on en dît un mot dans le bulletin de la Société. Les présidents ne voulurent pas admettre cette proposition comme étant en dehors du cercle habituel des œuvres de la Société. M. Renier pensait avoir perdu son temps, quand il fut abordé par M. Le Prévost, qui lui dit : « Vous venez d'émettre une pensée qui me préoccupe « depuis longtemps et que je souhaite ardemment voir se « réaliser. » M. Renier écrivit de suite à M. Myionnet. Sa lettre trouva celui-ci prêt à faire ses préparatifs de voyage. Il alla annoncer la bonne nouvelle à Monseigneur.

M. Myionnet ne pensait pas rester plus de trois ou quatre jours à Paris. Il fut donc surpris de voir Monseigneur lui tracer un plan de voyage qui supposait une longue absence.

« Ne vous laissez pas trop distraire dans votre route, lui « dit l'Évêque, et surtout ne vous arrêtez pas pour suivre « votre curiosité ; ne négligez aucunement vos exercices « de piété : la méditation, la sainte messe, la visite au « Saint-Sacrement. Vous emporterez avec vous la *Vie de* « *saint Vincent-de-Paul*, de *saint Ignace*, les *Consti-* « *tutions des Sœurs de Saint-Gildas*, celles des *Frères* « *des écoles chrétiennes*. Vous prendrez des notes sur « tous ces ouvrages, que vous me remettrez à votre retour,

« et, de plus, vous me ferez le journal de votre itiné-
« raire.

« Je vais vous remettre des lettres de recommandation
« pour MM. les abbés Caron et Véron, ainsi que pour
« M. Levasseur, supérieur des prêtres de la Miséricorde.
« Vous ferez bien d'aller voir le curé de Notre-Dame-des-
« Victoires et le Frère Philippe, supérieur général des
« Frères des écoles chrétiennes. Vous leur parlerez du
« motif qui vous amène à Paris et leur demanderez leur
« avis. Ne vous livrez pas à tout le monde ; vous trouverez
« des hommes qui parlent beaucoup, font des projets
« superbes, et puis, quand le moment de l'exécution
« arrive, il n'y a plus personne. »

Muni de ces instructions, M. Myionnet partit d'Angers vers le 7 août 1844. Il ne se rendit pas directement. Il devait s'arrêter à Brest. En route, à Quimper, il fit une retraite chez les Pères Jésuites. Enfin, il arriva à Paris le 24, juste au moment où le docteur Renier, parfaitement guéri, allait retourner à Angers. Il n'eut que le temps de recueillir de sa bouche les renseignements dont il avait besoin et les deux amis se séparèrent. Le lendemain, M. Myionnet fit la rencontre de trois ecclésiastiques angevins qui l'entraînèrent pendant deux jours. Le troisième, il alla frapper à la porte de M. Le Prévost, rue du Cherche-Midi, 93. Il ne le trouva point ; il apprit qu'il était parti en vacances pour quinze jours ou trois semaines. Il résolut de l'attendre. C'est alors qu'il reconnut la sagesse des conseils de Mgr Angebault. S'il n'avait eu avec lui les ouvrages que lui avait recommandés son zélé directeur, il serait retourné à Angers. C'est ce que lui conseillèrent d'ailleurs les abbés Caron et Véron. Ceux-ci n'avaient entendu parler que vaguement du projet de M. Le Prévost, et ils n'y attachaient aucune importance. Troublé par leurs conseils, M. Myionnet alla, à Notre-Dame-des-Victoires, voir le vénérable M. Desgenettes. La première parole de celui-ci fut brusque : « Ne soyez pas long. » Le bon M. Myionnet, intimidé par cette réception inattendue, se troubla, exposa mal son affaire et ne reçut aucun encouragement.

En sortant de Notre-Dame-des-Victoires, il se dirigea chez le frère Philippe. Le frère Philippe le reçut froidement et laissa voir qu'on le dérangeait d'occupations sérieuses. Aux questions que lui adressa M. Myionnet, d'après les conseils de Monseigneur Angebault, il répondit que la vocation de ses frères était spécialement l'instruction des enfants du peuple et qu'ils ne pouvaient pas penser à autre chose.

Ainsi écarté par tous, déconcerté, M. Myionnet se dit à lui-même « Tu n'es qu'un maladroit, tu ne sais pas t'exprimer, et tu ferais bien mieux d'entrer dans une Communauté déjà formée que de vouloir en faire une nouvelle. « Tu ferais bien mieux de partir. » La lecture de ses ouvrages de piété et les notes qu'il prenait le retinrent encore quelques jours ; mais enfin le découragement allait l'emporter et lui faire quitter Paris, lorsque, avant de partir, il eut la pensée d'aller une cinquième fois frapper à la porte de M. Le Prévost. « Nous l'attendons aujourd'hui « même, lui répondit-on, demain, vous pourrez le voir. » Il resta. Le lendemain matin, il était à la chapelle des Lazaristes, où il savait que M. Le Prévost entendait tous les jours la messe de 7 heures, à laquelle il communiait.

Il le reconnut facilement. On lui avait dit que M. Le Prévost était petit, maigre et boîteux. Il assista, non loin de lui, à la messe de 7 heures, le vit faire la sainte Communion, et attendit, pendant la messe de 7 heures et demie, qu'il eût fait son action de grâce. Quand il sortit, il l'aborda en lui demandant de l'entretenir d'une affaire importante. M. Le Prévost l'emmena chez lui, le reçut avec sa bonté et son amabilité ordinaires et le questionna beaucoup. Bientôt ils se trouvèrent parfaitement d'accord ; leurs idées étaient bien les mêmes, leurs vues semblables, leur ardeur égale : Dieu les avait inspirés l'un et l'autre. Il fut convenu que l'on se mettrait à l'œuvre aussitôt que les circonstances le permettraient.

M. Myionnet se retira le cœur satisfait. Il reprit la route d'Angers et vint annoncer à Monseigneur la bonne nouvelle.

Trois mois plus tard, M. Le Prévost écrivit à M. Myionnet de se rendre à Paris. Une occasion se présentait de commencer l'œuvre. Les frères des écoles chrétiennes dirigeaient depuis un certain temps le patronage de la rue Neuve-Saint-Étienne du Mont. Mais ils demandaient à se retirer. L'œuvre du patronage ne pouvait être véritablement utile qu'à la condition qu'on pût suivre les apprentis hors de la maison. Or, les frères, avec leur habit religieux, ne pouvaient pas facilement visiter les ateliers. Ils allaient donc laisser un établissement dans lequel M. Le Prévost et M. Myionnet pourraient essayer leurs forces et commencer l'exécution de leur plan.

M. Myionnet partit pour Paris. Sa première visite fut à la chapelle des Lazaristes. Il se rendit à la messe de sept heures où il trouva M. Le Prévost. « En sortant de la messe, « écrit-il, nous entrâmes dans un petit parloir où, après « nous être embrassés avec effusion, je dis à M. Le Pré- « vost que le grand sacrifice était fait, que j'étais tout à lui « et pour toujours. De là, il me conduisit à la bibliothèque « de la Sainte-Famille, rue de Bagneux, où il me mit de « suite à l'ouvrage. Je fis la connaissance de plusieurs « jeunes gens qui, comme lui, consacraient toute leur vie « aux œuvres de charité. Il s'en trouvait parmi eux qui « devaient avec moi offrir à Dieu leur vie tout entière. »

M. Le Prévost comptait toujours sur quelques-uns des jeunes gens de la *Réunion intime*. Il leur fit appel. Écoutons le récit de M. Myionnet « Le 1er mars fut fixé pour « notre entrée en fonctions comme directeurs du patro-

« nage et, en même temps, pour commencer véritable-
« ment la vie de Communauté.

« Nous convînmes que les derniers jours du mois de
« février seraient plus particulièrement consacrés à la
« prière et, à cet effet, nous devions nous rassembler pen-
« dant quatre jours, tous les soirs, pour prier, faire une
« lecture de piété et écouter une exhortation de M. Le
« Prévost.

« Le premier jour de cette petite retraite, nous nous
« trouvâmes quatre seulement ; le deuxième jour, trois ;
« le troisième et le quatrième, deux. Le 1er mars, qui
« était un samedi, fut consacré à nous installer et à pré-
« parer la journée du lendemain, premier jour du patro-
« nage, jour que je redoutais plus que je ne le désirais,
« n'aimant ni les enfants, ni leur tapage ; mais j'étais en
« Communauté et je n'y étais pas venu pour faire les
« choses de mon goût, mais ce que Dieu me donnerait à
« faire.

« La journée se passa péniblement, mais enfin se passa.
« Quelle journée ! quel désordre ! quels *gamins* que ces
« petits Parisiens ! »

Pour leur premier jour, les gamins de M. Myionnet se contentèrent de lui démolir une cabane en briques qui était au fond de leur jardin. Cela ne dut guère contribuer à encourager le nouveau directeur.

Ce n'est pas tout : son collaborateur, le dernier des quatre, vint déclarer qu'il ne rentrerait pas pour coucher. Il avait consulté son confesseur et, d'après son avis, il se retirait. Son départ réduisait la Communauté à un. « Sans
« être découragé (on l'eût été cependant à moins) je ne
« pus, dit M. Myionnet, m'empêcher d'être triste. M. Le
« Prévost s'en aperçut. Je lui racontai comment la jour-
« née s'était passée et particulièrement le départ de
« M. X... « Faisons, me dit M. Le Prévost, notre lecture
« spirituelle dans l'*Imitation*, nous allons y trouver la

« consolation dont nous avons besoin. » « Je ne me rappelle « plus quel était le chapitre que nous avons lu ; ce qu'il y « a de certain, c'est que nous y trouvâmes le réconfort « qui, dans le moment, nous était nécessaire. M. Le Pré- « vost chercha ensuite à relever mon courage ; mais je lui « dis : Ne craignez pas ; je suis triste, mais non décou- « ragé. Je ne battrai pas en retraite comme les autres. Je « ne suis pas venu ici de moi-même, vous m'y avez placé ; « je ne quitterai pas le poste que vous m'avez confié. Je « le crois au-dessus de mes forces, mais qu'importe ? J'y « suis venu par votre volonté, je ne me retirerai de même « que par votre volonté. Si je fais mal, vous voudrez bien « m'en avertir. Je resterai, jusqu'à ce que vous me disiez « de me retirer. »

Qui n'admirerait ici le courage surhumain de cet homme de Dieu ! Depuis des années, il rêve de faire le bien, de se dévouer ; il ne cesse de chercher et de demander à Dieu des compagnons de dévouement. Enfin il en a trouvé, il est heureux, il sort de son isolement, il entre en Communauté, il est placé à la tête d'une œuvre importante. Et, dès le premier jour, ceux à qui il dévoue sa vie lui démolissent sa maison, et le dernier de ses collaborateurs l'abandonne. Et cette épreuve, si douloureuse et si propre à décourager la meilleure bonne volonté, loin de l'abattre, ne fait que l'affermir dans sa résolution de se dévouer jusqu'au bout et de rester là où il croit que la Providence l'a placé. Sainte confiance en Dieu, comment ne seriez-vous pas récompensée ?

« Eh bien, mon cher ami, lui dit tout à coup M. Le « Prévost, si le bon Dieu vous a soumis aujourd'hui à une « rude épreuve, dans sa bonté il vous a aussi ménagé une « grande faveur. Mgr Angebault est ici, il viendra demain « nous dire la messe, à la chapelle des Lazaristes ; il « bénira notre petite Communauté ; il viendra bénir son « berceau, notre maison. Avertissez M. X... »

Quelle joie ce fut pour l'humble directeur du patronage! Au moment où il souffrait le plus, il retrouvait son sage et ferme directeur ; il reprenait toute sa force et sa confiance en Dieu et dans son œuvre lui revenait tout entière. Le lendemain, à sept heures, il était à la chapelle des Lazaristes, avec M. Le Prévost. M. X... n'y était pas, mais il était remplacé par un jeune homme qui, dix-huit mois plus tard, devait le premier entrer dans la petite Communauté.

Par une faveur insigne, la châsse de saint Vincent de Paul fut ouverte exprès pour eux. Mgr Angebault dit la messe. Après la messe, il fit venir ces trois hommes, leur adressa quelques paroles pleines de bonté et les bénit. Puis il ajouta : « Non seulement je vous bénis, mais je veux « aussi bénir votre maison. » « Nous le conduisîmes, c'est « M. Myionnet qui parle, rue du Regard, où, après quelques « paroles chaleureuses et aimables, qui partaient de « l'abondance de son cœur, nous comparant au petit grain « de senevé, il nous laissa, pour bouquet spirituel, ces « deux mots : courage et persévérance !

« Monseigneur se retira, nous laissant tout embaumés « de ses saintes paroles, pleins de confiance dans l'avenir, « attendant dans la petitesse et dans l'ombre que le bon « Dieu donnât l'accroissement au petit grain de sévené. « C'est à partir de ce jour que notre petite Communauté, « bénie par Mgr Angebault, évêque d'Angers, date le « commencement de sa fondation, le trois mars mil huit « cent quarante-cinq. »

CHAPITRE VII

1848

Enfants de Marie. — Discours divers. — Inondations. — Disette en France et en Irlande. — La Révolution de février. — Les élections. — L'arbre de la liberté. — Les journées de juin.

L'Évêque d'Angers ne bornait pas son zèle aux seules Communautés. Partout il cherchait à recueillir, à grouper, à unir tous les éléments de bien qu'il rencontrait. Cette parole du Maître : qu'ils soient un ! semblait retentir sans cesse à son oreille. Il voulait l'unité dans le clergé par la soumission au Pape et aux pasteurs légitimes ; il voulait l'unité chez les religieux par l'accomplissement de la règle et l'obéissance aux supérieurs et, dans le monde même, il cherchait l'union en rapprochant les âmes et en les soumettant à un règlement conforme à leurs besoins. De là les nombreuses Associations qu'il établit de tous côtés dans son diocèse.

Le jour de l'Assomption de l'année 1847, il fut témoin d'un spectacle qui le charma et l'édifia tout à la fois. A la procession traditionnelle, la statue de la Sainte Vierge était portée par vingt-quatre jeunes filles, divisées en escouades. Deux cents autres les escortaient, c'étaient des ouvrières chrétiennes de la ville d'Angers. Toutes tenaient à la main des palmes et des lis et chantaient des cantiques, et c'était, dit-il, « un spectacle ravissant ». Et, tout en pensant à ces jeunes ouvrières, le pieux prélat songeait aux difficultés et aux périls du lendemain. Oui, sans doute, l'ouvrière chrétienne est l'un des plus beaux chefs-d'œuvre de la religion. Mais comment pourraient-elles rester chrétiennes, ces jeunes filles, au milieu d'une société si pervertie, au sein de leurs familles parfois indifférentes ou même irréligieuses, forcées, pour gagner leur vie, de passer en tant de maisons si peu sûres, en proie, si souvent, à la pauvreté, à la misère? Quelle redoutable épreuve, quand elles verraient défiler devant elles un monde étalant sa pompe et ses plaisirs! Pauvres filles, forcées, pour demeurer honnêtes, de vivre de privations et de ne compter que sur l'humble salaire de leur journée! Que deviendraient-elles, isolées au milieu de tant de périls et si exposées à toutes les séductions?

Touché de ces réflexions, l'Évêque convoqua pour le lendemain, dans sa chapelle, les jeunes filles qui avaient assisté à la procession. Il les loua, les encouragea et, pour les récompenser, il leur promit une petite retraite. Il en ouvrit lui-même les exercices, qui furent continués par un Père Jésuite. Soir et matin, deux cents jeunes filles vinrent à cette retraire avec un zèle admirable. Voyant qu'il pouvait compter sur elles, il résolut de les réunir en une Association pieuse sous le patronage de la Vierge Marie. Le plus difficile était de trouver une tête à ce corps. Il fallait une personne assez intelligente et assez bien posée pour dominer tout ce petit monde, assez simple pour ne pas l'effaroucher, assez dévouée pour lui donner son temps et sa vie. Il trouva cette personne en Mlle Boguais de la Boissière.

« Ame riche de tous les dons de la vertu, de l'esprit, de la beauté, de la naissance, de la fortune, faite pour l'affection et les hommages, et qui ne voulut goûter d'autre joie au milieu du monde que celle d'essuyer les larmes », Mlle Boguais de la Boissière accepta la charge de présidente des Enfants de Marie, qu'elle remplit pendant quatorze ans. Elle prit son rôle au sérieux.

« La Providence ayant permis que je fusse mise (quoique indigne) présidente des Filles de Marie, je promets à mon Dieu d'être une mère tendre et compatissante et toute dévouée des Enfants de Marie ; de les écouter, de les consoler dans leurs peines ; de les encourager, de les conduire dans le chemin de la vie ; d'avoir une charité sans bornes pour ces bonnes filles. Daignez, mon Dieu, me donner les grâces nécessaires pour accomplir une si belle mission. » Telle fut la résolution qu'elle prit et à laquelle elle fut fidèle jusqu'à la fin de sa vie.

Celles des premières congréganistes qui vivent encore en rendent témoignage. Elles sont pénétrées de reconnaissance et d'admiration pour leur première présidente. Mlle Boguais était partout, savait tout, avait l'œil à tout. Elle visitait les malades, les consolait, les assistait ; elle soutenait les faibles, donnait à toutes les plus sages conseils, recevait de toutes et gardait, avec la plus extrême discrétion, les confidences les plus intimes. Nul ne saura combien elle a guéri de malades et sauvé d'âmes du vice et de la corruption. Sa mort fut un deuil publique, et les Enfants de Marie voulurent lui témoigner leur reconnaissance en escortant à plusieurs lieues de distance la dépouille mortelle de celle qu'elles vénéraient comme une seconde mère.

Quel que fût le mérite personnel de Mlle Boguais de la Boissière, Monseigneur était trop sage pour faire reposer sur une seule tête une œuvre qui devait toujours exister pour le bien de la jeunesse sans cesse renouvelée. Aussi avait-il placé près de la présidente un Conseil pour régler les affaires de l'œuvre. Il avait établi des infirmières pour visiter les malades, des dizainières qui devaient avoir soin de celles qui leur étaient plus spécialement confiées, des portières, des sacristines, des chanteuses, etc. Enfin, il avait établi un directeur spirituel, M. l'abbé Chesnet. Ce digne ecclésiastique était venu à Angers avec Mgr Angebault. Prêtre d'une grande piété et d'un dévouement inaltérable, il donna tous ses soins à l'œuvre nouvelle, qui devint si prospère sous sa conduite que, plus tard, chaque curé de la ville voulut en établir une dans sa paroisse. L'œuvre première subsista cependant et, ajourd'hui encore, elle continue à porter les meilleurs fruits.

La facilité avec laquelle l'Évêque d'Angers pouvait s'appliquer aux différentes œuvres chrétiennes se retrouvait quand il s'agissait de faire entendre quelques bonnes paroles à toutes les classes de la société.

C'est une grande science de savoir parler à propos, varier le choix de ses sujets et la forme de ses discours, en les appropriant à divers auditoires. Sans être ce que l'on appelle un savant ou un penseur, l'Évêque d'Angers avait du moins quelque teinture des sciences, une imagination riche, une grande facilité de conception et une aisance de parole admirable qui le mettaient à même de parler souvent avec fruit sur des matières fort différentes et dans des assemblées fort mélangées. Quand l'occasion lui était offerte de se faire entendre, il n'avait garde de la rejeter. Les distributions de prix et les cérémonies de confirmation lui permettaient tous les ans de prononcer quelques discours. Au Collège royal, il se plaisait à repousser les objections contre la religion, à montrer l'accord qui devait régner entre la science et la foi. Il était toujours écouté avec attention, parfois avec admiration. En 1846, un poète angevin de quelque renom, Julien Dallière, alors professeur au Collège royal, lui envoyait un volume de ses poésies, en lui écrivant les lignes suivantes : « C'est sous l'impression profonde de l'admirable « discours que j'ai eu le bonheur d'entendre, ce matin, « dans la chapelle du collège, que je vous prie de vouloir « bien agréer l'hommage de cette œuvre angevine, échap- « pée, il y a déjà quelques années, à une plume fort « inexpérimentée. »

Dans ses collèges ecclésiastiques, au Petit-Séminaire

Mongazon, il laissait son cœur parler avec effusion de l'éducation chrétienne, de l'union, de l'amitié, de l'esprit de famille qui régnaient dans ces établissements religieux. Partisan décidé des études classiques, il les voulait fortes, moins pour soutenir dignement la concurrence avec l'enseignement universitaire que pour former des esprits droits et conserver à notre littérature ce bon sens qui, au XVIIe siècle, l'avaient élevée si haut parmi les littératures européennes. Il mettait bien au-dessus de la formation du littérateur celle de l'homme et du chrétien, et il n'avait pas attendu la fin du XIXe siècle pour prophétiser la banqueroute de la science. « Ce siècle, disait-il à une distri-
« bution de prix à Mongazon, ce siècle s'est imaginé qu'on
« arrivait au bonheur par la science, et la science, à son
« appel, est descendue de rang en rang, faisant à tous des
« promesses, offrant des honneurs, excitant toutes les
« rivalités. Puisse ce progrès ne pas devenir funeste! »

Ces discours étaient toujours applaudis, mais sa voix n'était jamais plus puissante que quand il l'élevait en faveur des malheureux et les occasions, hélas! ne lui faisaient guère défaut. Les calamités publiques ne manquaient point alors. Les inondations, en 1846, ravagèrent la France et anéantirent une partie des moissons, apportant ainsi la ruine dans un grand nombre de familles. Aux premiers cris des inondés, Monseigneur fit appel à la charité publique. « Je le sais, de lourdes charges pèsent
« sur nous; des œuvres importantes et nécessaires appellent
« impérieusement notre concours; un hiver rude se pré-
« pare; mais nos frères inondés sont malheureux et, quand
« la misère est sans bornes, la charité nous commande de
« n'en pas mettre aux sacrifices. »

Il n'entendait pas d'ailleurs la charité comme on le fait trop souvent dans le monde. Parfois, les souffrances des malheureux ne sont qu'un prétexte aux amusements des riches; on dépense en plaisirs et en fêtes de bienfaisance des milliers de francs qui ne rapportent aux pauvres qu'un soulagement dérisoire. « Nous nous imposerons des privations, nous retrancherons des jouissances frivoles et « coûteuses, etc. » Sa voix fut entendue et de larges aumônes vinrent adoucir bien des maux et réparer, en partie, le désastre des inondations.

Hélas! un autre fléau plus terrible suivit de près. Ce « rude hiver », dont avait parlé Monseigneur, se fit violemment sentir. Les récoltes ayant manqué, ce fut la disette. On ne connaissait pas encore alors cette rapidité et cette facilité de transports qui permettent aujourd'hui de faire parvenir en quelques jours les produits d'un pays jusqu'aux extrémités opposées du monde; le blé fit défaut. Pour comble de malheur, le bruit se répandit tout à coup qu'il se faisait d'immenses accaparements destinés à affamer le peuple. Peut-être l'esprit de spéculation fit-il faire quelque faute; mais comme toujours la rumeur publique grossit et dénatura tous les faits; les choses les plus invraisemblables, les plus absurdes furent acceptées d'emblée par un peuple affolé et la misère n'en devint que plus grande. Il était difficile d'apporter le remède à ce mal d'un nouveau genre. Monseigneur l'essaya. Il écrivit confidentiellement à ses curés pour les prier de profiter, avec prudence et réserve, sans doute, mais avec charité, de toutes les occasions d'éclairer les fidèles, de les rassurer et surtout de leur montrer le danger de ces terribles exagérations qui, en effrayant le public, empêchaient les marchés de s'approvisionner.

Malgré tout, le mal fut grand et la cherté des vivres, en 1847, dépassa toute mesure. La France ne fut pas, d'ailleurs, seule atteinte. Un peuple ami, demeuré invinciblement catholique au milieu de la persécution protestante, l'Irlande, fut encore plus éprouvée. La disette alla jusqu'à la famine, et la misère entraîna les maladies qui décimèrent cette malheureuse nation. Pie IX éleva la voix en sa faveur. La France répondit à son appel. L'Évêque d'Angers poussa un cri d'alarme : « Les cœurs se sont « sentis profondément émus au récit des maux inouïs qui « pèsent sur la catholique Irlande. Les nations, malgré « leurs propres souffrances, se sont vivement préoccupées « des calamités d'un peuple privé de pain et de vêtements, « dévoré par la maladie quand la faim l'épargne... Nos « frères, sans ressource aucune, demeurent entassés dans « de misérables et étroites chaumières, ou bien, poursuivis « par la famine, ils errent comme des spectres, pâles et « livides, dans les campagnes et les villes, implorant la « pitié publique.

« Livrés aux angoisses du désespoir, ils appellent la « mort comme un bienfait. Hélas ! elle ne répond que trop « à leurs désirs ! »

Pendant qu'il faisait cet éloquent appel à la charité publique en faveur de l'Irlande mourant de faim et que la France elle-même avait peine à pourvoir à sa subsistance, d'autres s'apprêtaient à banqueter. Le gouvernement de Louis-Philippe, mal protégé par son origine révolutionnaire, trop étroit dans sa conception de la société actuelle, trop parcimonieux dans l'octroi des libertés réclamées par l'opinion publique, donnait à ses adversaires l'occasion de le battre en brèche. On sait comment la campagne commencée par les banquets réformistes aboutit, peut-être un peu contre le gré des réformateurs eux-mêmes, à la Révolution de février et à la chute du trône.

Bien des circonstances fort naturelles peuvent expliquer cette catastrophe. Mais les circonstances elles-mêmes sont prévues et disposées par la Providence pour arriver à ses fins. L'Évêque d'Angers avait trop de foi pour ne pas voir dans la déchéance et la fuite du roi une intervention providentielle. « Que de leçons ! Quels sujets de méditation ! « L'expulsion de ce pauvre roi calquée, dans toutes ces « circonstances, sur celle de Charles X. Victoire du peuple

« en trois jours, abdication, demande du sceptre pour son
« petit-fils, régence de la duchesse d'Orléans refusée
« comme celle de la duchesse de Berry, refusée avec ces
« mêmes mots : Il est trop tard ; fuite en Normandie, puis
« en Angleterre. Enfin, pour ce pauvre Louis-Philippe,
« une circonstance remarquable : en quittant son palais,
« à pied, traversant les jardins, il est venu, avec la reine,
« monter dans une petite voiture attelée d'un seul cheval,
« sur la place, au lieu même où avait été dressé l'écha-
« faud pour Louis XVI. C'est comme une expiation. Le
« doigt de Dieu est là. »

Quoi qu'il en soit, il fallait s'orienter et prendre position au milieu des incertitudes créées par la nouvelle Révolution. Ce n'était point chose facile. En Anjou, des familles opulentes, généralement attachées au parti royaliste, effaçaient la magistrature et l'administration dévouées au dernier gouvernement ; le peuple était épris de liberté et séduit par les idées généreuses qui se mêlaient alors aux pensées révolutionnaires ; toutes les opinions rivales étaient en présence dans un pays sillonné par la guerre civile. Il était difficile de vivre en bonne intelligence avec tous, et dangereux de froisser les uns ou les autres. Mgr Angebault le comprenait si bien qu'il écrivait à M. Micolon de Guérines, le neveu de l'ancien Évêque de Nantes : « Ma position est ici tout à fait difficile. Sur cette terre volcanique, les partis sont tous tranchés, et il faut me maintenir, pour faire le bien, dans un difficile équilibre. La susceptibilité est ombrageuse ici où nous n'avons pas, comme à Nantes, l'agitation du commerce qui absorbe toutes les pensées. Dans une ville d'intérieur où tout le monde se connaît, l'oisiveté ramène sur le champ de bataille et ravive les querelles. »

Par tradition de famille, par éducation, par nature même et aussi par les amers souvenirs que lui avaient laissés les exécutions capitales de la première République, Monseigneur était légitimiste. Il croyait qu'un pouvoir traditionnel et fort pouvait seul contenir l'ardeur française et maintenir la fortune et le renom de la France. Sans oublier les fautes des Bourbons, il croyait à leur avenir et il se berçait de l'espérance que la patrie leur devrait encore de beaux jours.

Sans compromettre jamais son ministère pour un parti politique, il avait rendu avec joie, aux partisans du régime déchu, autant de services que les circonstances le lui avaient permis. C'est ainsi qu'il avait baptisé le général baron de Charette.

Au temps que Mme la duchesse de Berry était cachée dans cette maison de la rue Haute-du-Château, à Nantes, où elle fut si traitreusement saisie, la baronne de Charette était près de Madame. Elle allait être bientôt mère et, craignant de compromettre la duchesse, elle se retirait dans une maison située en face de celle de Mlle du Guigny. Un soir, on vint mystérieusement avertir l'abbé Angebault, sur qui l'on savait pouvoir compter. Il se rendit à cette maison, qu'on avait soigneusement calfeutrée et dont toutes les fenêtres avaient été garnies de matelas, pour empêcher les cris d'être entendus du dehors. Il y trouva l'enfant qui venait de naître et, avec joie, lui administra le sacrement du baptême qui en fit le grand chrétien que tous admirent aujourd'hui dans le grand soldat que tous connaissent.

Une autre fois, vers la même époque, il rendit au même parti un service plus signalé encore. Un homme qui portait un grand nom s'était compromis dans la tentative d'insurrection de 1832. Les preuves existaient, et le gouvernement de Louis-Philippe, obligé de poursuivre, allait peut-être renouveler la grande faute de la Restauration fusillant le maréchal Ney. M. Angebault fut assez habile et assez dévoué pour faire tout rentrer dans un silence et dans un oubli dont il fut impossible de sortir.

L'Évêque d'Angers courait donc le risque d'être discuté, et ses opinions politiques pouvaient facilement nuire à ses fonctions épiscopales. Il n'en fut rien. A force de sagesse, en se tenant rigoureusement dans les limites de son ministère, il sut commander à tous l'estime et la confiance dont il avait besoin pour continuer le bien qu'il avait commencé dans son diocèse.

Il s'attacha surtout à se tenir et à tenir son clergé en dehors et au-dessus de tous les partis politiques. « On « devrait comprendre, écrivait-il au Frère Jean de la « Mennais, que le clergé ne peut ni ne veut être d'aucun « parti. C'est cette accusation, vraie ou fausse, qui l'a « compromis en 1830 ; la leçon a été assez forte pour qu'on « ne l'oublie pas... A Nantes, j'étais trop blanc, ici d'au- « cuns ont trouvé que j'étais trop bleu ; moi je réponds : « regardez donc mieux, je ne suis ni blanc ni bleu, je suis « violet. »

Dans cette disposition d'âme, il lui fut facile de pratiquer cette politique large de l'Église qui, sans s'arrêter à discuter longuement les titres des pouvoirs nouveaux, regarde surtout aux gouvernements qui existent de fait, cherche à vivre en bonne intelligence avec tous et demande seulement à tous de l'aider ou tout au moins de ne pas l'entraver dans sa mission de sanctification des âmes. Et ce lui fut d'autant plus aisé que le nouveau gouvernement sollicita de suite les prières des chrétiens pour le peuple. Il écrivit une circulaire à ses prêtres à la date du 1er mars pour leur prescrire de chanter à la messe solennelle du dimanche l'invocation *Domine, salvum fac populum*, etc... Dans cette lettre, il leur recommande la plus grande prudence. Placés dans une région plus élevée, ils doivent planer au-dessus des événements humains comme ces voyageurs qui, sur la cime des montagnes, voient au-dessous d'eux les nuages et les orages qu'ils portent dans leurs flancs. Il leur rappelle que les représentants du pouvoir doivent reconnaître qu'ils ne le tiennent que de Dieu, et qu'ils ne peuvent l'exercer qu'en son nom, et qu'à ce compte l'Église appellera toujours les grâces du Ciel sur les peuples et sur ceux qui sont chargés de les conduire.

Ces mêmes principes devaient le guider au milieu des difficultés qu'allait présenter la question des élections.

Le droit électoral introduit en France par la révolution de février, en établissant le suffrage universel, mettait le Clergé dans une situation nouvelle. Il était appelé à prendre part à l'élection des membres qui devaient composer l'assemblée des représentants du pays. Que ferait le Clergé ? Telle fut la première question que Mgr Angebault se posa avec la plupart de ses collègues. Par nature, l'Évêque d'Angers se sentait porté à ne point engager ses prêtres dans la lutte. Il craignait les écarts du zèle, les compromissions des imprudents, peut-être aussi l'inhabileté des novices. Il redoutait surtout de donner à penser que le Clergé était inféodé à un parti politique quelconque. C'était la première fois qu'on allait user du droit de vote, au milieu de la foule des électeurs, dans des circonstances extrêmement délicates. Il *avait peur*, et non peut-être sans quelque raison, que le Clergé ne perdît, au milieu de l'agitation électorale, quelque chose de sa dignité, de cette tenue réservée qui lui faisait tant d'honneur et lui conciliait tant de sympathies. D'un autre côté, le Ministre des cultes venait de déclarer très explicitement que « les droits « et les intérêts de la religion seraient respectés par les « institutions nouvelles ; que ce ne serait pas cet appui « vacillant et incertain que les princes ont souvent prêté « à la religion, dans l'espoir de l'associer aux mauvais « desseins de leur politique. » Fallait-il refuser ces avances, au risque de passer pour hostile au gouvernement qui annonçait de si bonnes intentions ? Fallait-il priver la prochaine assemblée, qui devait avoir une si grande influence sur l'avenir religieux de la France, des lumières que pourraient lui apporter un certain nombre d'évêques ou de prêtres distingués, susceptibles de devenir membres de la nouvelle Chambre? Fallait-il même retirer aux hommes religieux ou dévoués à la cause de l'ordre et de la religion le concours qu'ils étaient en droit d'attendre du Clergé qu'ils voulaient défendre?

Dans son incertitude, Monseigneur eut recours à son moyen ordinaire; il consulta les archevêques et les évêques de France. Toutes les réponses portaient la trace des mêmes préoccupations et cependant la note générale qui s'en dégageait était en faveur de l'action du Clergé. Pour plus de sécurité encore, Monseigneur consulta les curés de canton de son diocèse. Il n'eut pas lieu de s'en repentir. Tous protestèrent d'abord de leur dévouement au premier pasteur, se déclarant prêts à suivre la ligne de conduite qu'il leur tracerait. Puis, cette réserve faite, avec la plus grande simplicité et la plus grande confiance, ils exposèrent leurs vues. Plusieurs le firent avec une grande élévation de pensées et avec un sens pratique remarquable.

Le curé de Segré, M. l'abbé Nicolas, commence ainsi sa lettre. « C'est pour vous obéir que je viens vous dire naïvement ce que je pense. Ce que nous avons le plus à craindre, pour le moment, c'est de voir le Gouvernement provisoire débordé par l'anarchie. Nous devons donc lui prêter le concours de toute notre influence pour éviter ce malheur, qui me semble le plus grand de tous les maux; car je ne suis point du nombre de ceux qui, égarés par je ne sais quel mysticisme, se figurent que l'anarchie pourrait nous ramener à la légitimité. D'ailleurs, très certainement, je n'en voudrais pas à ce prix. Une autre considération non moins grave m'inclinerait à penser que le Clergé doit prêter un concours loyal au gouvernement, c'est qu'il doit avoir à cœur de dissiper toutes les préventions qu'on a contre lui et de montrer, par les faits, qu'il désire aussi vivement que toute autre classe de la société, le règne d'une liberté sage et complète. »

L'homme qui traçait si fermement la ligne de conduite à suivre avait vu la Révolution de 1830, et il n'était pas de ceux qui n'avaient rien appris.

Un autre prêtre très distingué et de grand talent, M. l'abbé Baranger, écrivait ce qui suit : « Je pense que nous devons nous présenter aux élections... Si, dans ce chaos, nous laissons le peuple sans direction, que deviendra-t-il ? Abandonné par ceux qu'il regarde comme ses amis et ses guides, n'est-il pas à craindre qu'il ne se laisse entraîner par des passions ennemies et factieuses... Quels regrets si nous voyions nos défenseurs découragés et peut-être écartés de la représentation par notre inertie ! » Et il faisait cette judicieuse réflexion : « Le clergé n'aura de valeur aux yeux de nos gouvernants qu'à proportion de l'influence qu'il exercera sur les masses ; il ne sera *ménagé* qu'autant qu'il paraîtra une puissance avec laquelle il faut compter. »

Ces seuls extraits d'une aussi vaste correspondance suffisent à montrer quels secours l'Évêque d'Angers pouvait trouver dans un clergé si compétent et si dévoué. Il n'hésita plus et pensa qu'il fallait mettre à profit des avis si sages. L'opinion publique, d'ailleurs, se dessinait de plus en plus dans le même sens. Il résolut d'agir.

Restait la difficulté pratique de s'entendre pour une action commune et de ne pas s'amoindrir en se divisant. On peut dire que le plus grand nombre des Français acceptaient le nouvel ordre de choses, sinon de cœur au moins de raison, et qu'ils voulaient rétablir l'ordre et sauver la société si fortement ébranlée. Mais ils étaient loin de s'entendre sur les moyens à employer pour arriver à ce but. Les partis politiques qui divisaient la France avaient des vues *différentes* et cherchaient à les faire prévaloir. Une préoccupation cependant dominait toutes les autres, la crainte de l'anarchie et du communisme. La bourgeoisie était littéralement dominée par la peur et

« les fils de Voltaire », encore nombreux alors dans cette classe de la société, n'étaient pas les derniers à appeler la religion à leur secours. Mais, comme toujours, si l'on voulait se servir de la religion, on craignait néanmoins de trop augmenter son influence ; on lui demandait de défendre la société en péril, mais sans lui en donner les moyens ou du moins en ne les lui livrant qu'avec parcimonie et comme à regret. De cet état des esprits naissait la difficulté de composer les listes de candidats. Des concessions réciproques entre les honnêtes gens de tous les partis pouvaient seules donner des chances de succès à l'élection. Le difficile était de faire figurer sur la même liste les noms d'hommes fort honorables, sans doute, mais d'opinions politiques absolument opposées. En Anjou, on y réussit jusqu'à un certain point, mais non pas sans froissement, et Mgr Angebault n'eut pas toujours lieu de se féliciter des procédés employés pour arriver à composer et à imposer la liste des candidats dévoués à l'ordre et à la religion.

Un comité s'était formé à Angers sous le nom de Comité réuni de l'*Union de l'Ouest* et du *Journal de Maine-et-Loire.* Les membres de ce comité s'étaient déjà rassemblés et avaient discuté les noms et les titres des candidats qu'ils désiraient recommander aux électeurs. L'un des membres et le plus célèbre de tous, M. le comte de Falloux, se présenta à l'Évêché le samedi 25 mars. Il mit l'Évêque au cours des négociations qui avaient eu lieu et lui indiqua les noms qui avaient chance de figurer sur la liste du comité. Monseigneur fit observer qu'on mettait à conclure une précipitation qu'il trouvait trop hâtive, et il annonça l'intention où il était de porter à la députation Mgr Régnier, ancien grand vicaire d'Angers et maintenant évêque d'Angoulême; il dit qu'il lui avait écrit, qu'il attendait sa réponse et demanda qu'on l'attendît avec lui. Or, le lundi 27, la liste du comité était complètement arrêtée et publiée le 28 par le journal. Le nom de Mgr Régnier n'avait pas même été prononcé. Que s'était-il donc passé ?

Dans son entrevue avec Monseigneur, le comte de Falloux, qui savait que l'Évêque d'Angoulême avait nettement refusé jusqu'à ce jour toute candidature, avait déclaré que, trouvant des pourparlers engagés avant lui et sans lui pour la combinaison d'une liste, il serait très fier d'y présenter le nom de Mgr d'Angoulême, mais qu'il ne dépendrait plus de lui de l'y faire inscrire une fois cette liste complétée ; que, deux journaux devant prêter leur publicité à cette combinaison, on ne pourrait plus revenir sur des choix aussi hautement mis en avant ; en conséquence, il demandait qu'on voulût bien l'avertir avant le lundi soir 27, de la réponse survenue. Le lundi, dans l'après-midi, il reçut de l'Évêché ces simples mots : « Pas de réponse de Mgr d'Angoulême. » Ignorant que la lettre de Mgr d'Angers à Mgr Régnier n'était que du 25 mars, il crut au refus définitif du prélat et se rendit à la dernière réunion du comité. La liste fut arrêtée dans cette réunion et, dès le lendemain, avant de partir pour le Bourg-d'Iré, il écrivit ce billet à l'Évêque d'Angers :

« MONSEIGNEUR,

« Je pars avec un bien vif regret de n'avoir pu prendre congé de vous et avoir l'honneur de vous communiquer moi-même les motifs urgents qui nous ont empêché d'attendre la réponse de Mgr d'Angoulême. La grande probabilité de son refus n'eût pas suffi à nous faire passer outre si nous n'avions eu la main forcée par mille circonstances que je me permettrai d'exposer plus tard à Votre Grandeur et sur lesquelles j'ose réclamer, en attendant, son indulgente confiance. Veuillez agréer, etc.... »

Monseigneur trouva qu'on s'était bien pressé et il fut mécontent de voir qu'on semblait tenir si peu compte du clergé tout en réclamant son actif concours. Il s'arrêta d'autant plus à cette pensée qu'il entendit dire et répéter que M. de Falloux avait promis l'acquiescement du clergé à la liste de l'*Union de l'Ouest*. Plus tard, il fut reconnu que M. de Falloux avait dit seulement : « Je me trompe « fort si le clergé n'est pas disposé à recommander plutôt « la liste qui sera adoptée par l'*Union de l'Ouest* » ; mais il n'avait rien promis et rien affirmé. Sur l'heure, cependant, Monseigneur résolut de se dégager et de dégager le clergé de toute compromission et de présenter une liste, à lui, en tête de laquelle figurerait le nom de Mgr d'Angoulême, s'il acceptait de se laisser porter à la députation.

Justement, le 28 mars, Mgr Régnier écrivait à l'Évêque d'Angers : « Mon premier mouvement, après avoir reçu votre lettre, a été de décliner d'une manière absolue l'honneur que vous vouliez bien me proposer. J'avais écrit ma réponse dans ce sens.

« La crainte de manquer à ce que je dois à l'Église et d'aller contre des vues que la Providence semble manifester a modifié ma résolution et me détermine à vous dire que je vous laisse libre de prendre, en ce qui concerne ma candidature, le parti que devant Dieu vous croirez le meilleur. J'accepterai votre décision et ses conséquences.

« Tout mon désir est de rester exclusivement occupé des devoirs déjà trop pesants de mon ministère pastoral, mais, par conscience et pour déférer à des conseils éclairés et religieux, je ne reculerais pas devant des sollicitudes plus pénibles encore. Agréez, etc... »

Mais déjà la liste de *l'Union de l'Ouest* était partout répandue et, les membres du Comité étant dispersés, aucune réclamation n'était possible. Monseigneur écrivit à MM. les Curés, à la date du 31 mars : « Je crois devoir vous dire que je suis demeuré étranger à la confection des diverses listes qui figurent soit dans des lettres particulières, soit dans les journaux. Je ne penserais pas que le clergé dût les admettre dans leur entier, et je crois qu'il conviendrait d'y faire des modifications. Que mes biens chers Coopérateurs me permettent de ne pas m'expliquer davantage. Seulement je puis vous dire que Mgr d'Angoulême, répondant à ma demande, veut bien accepter la candidature pour notre département... »

Cette acceptation, malheureusement trop tardive, vint mettre tout le monde dans un grand embarras : le Comité, qui ne pouvait plus modifier sa liste sans la remettre tout entière en question ; l'Évêque d'Angers, qui se trouvait, par là, dans l'obligation de présenter une liste qui n'aurait plus guère de chances de succès ; le clergé du diocèse, qui eût désiré élire Mgr d'Angoulême et craignait cependant la division des voix ; enfin Mgr Régnier lui-même qui, soutenu seulement par le clergé, n'aurait pas le nombre suffisant de votes pour entrer à la Chambre et courait le risque de sortir amoindri de la lutte électorale. C'est ce que sentit très bien M. de Falloux. Ayant eu connaissance de la lettre du 31 mars, il écrivit à Mgr Angebault : « J'ai l'honneur d'écrire directement et par le même courrier à Mgr d'Angoulême. Je lui expose l'état des choses, depuis la formation de votre Comité jusqu'aux négociations avec différents partis et les propriétaires du *Maine-et-Loire* ; ma visite à Votre Grandeur, le samedi 25 mars, pour lui communiquer les bases de la négociation, les noms propres qui y figuraient, l'approbation de Votre Grandeur, sauf réserve de la réponse de Mgr d'Angoulême, ma visite à M. l'abbé Bernier, le dimanche 26, même communication, même accueil, le billet de Votre Grandeur, le 27, m'avertissant qu'avant l'heure de la conférence connue d'elle avec les propriétaires du *Maine-et-Loire*, nulle réponse n'était arrivée et ne *demandant aucun sursis*, le bruit très affirmativement accrédité à Angers que Mgr d'Angoulême avait refusé la candidature dans son propre diocèse, en vertu de quoi d'ailleurs, pressés par mille motifs graves et des embarras, des prétentions, des contradictions qui se multipliaient de jour en jour ; en vertu, enfin, du désir nettement formulé par Votre Grandeur qu'aucun ecclésiastique de son propre diocèse ne figurât parmi les candidats, M. de Chauvigné, M. Bougler, M. de Quatrebarbes et moi, nous considérâmes comme libres d'échanger nos paroles avec celles de nos contractants et le fîmes, en effet, en toute loyauté, convaincus de votre assentiment moral et ne doutant pas d'avoir été de nous-mêmes au devant de toutes les objections que Votre Grandeur avait la première, et plus que personne, le droit de faire entendre. »

A la suite de cette récapitulation vient une analyse de la lettre à Mgr d'Angoulême, où M. de Falloux parle de l'impossibilité soit de laisser circuler le nom de Mgr d'Angoulême sur une liste secrète, soit de rayer un des noms de la liste du Comité pour lui substituer d'autorité celui du prélat. Un seul moyen lui semble possible : c'est qu'un des candidats du Comité de l'Union se désiste spontanément en sa faveur, et il ajoute :

« Une seule voie est donc ouverte, Monseigneur, c'est « qu'un des candidats offre de lui-même sa place et que « vous daigniez l'accepter *officiellement*. De cette façon, « il n'y a rien à remettre en question, il n'y a aucun « manque de parole, et toutes les mesures si laborieuse- « ment menées à bonne fin jusqu'à ce jour conservent leur « harmonie et leur activité.

« Je suis, Monseigneur, avec *empressement* et *sincérité*, « ce candidat. Veuillez me répondre sans perdre de temps, « veuillez m'autoriser à parler officiellement *en votre nom*, « *dans nos deux journaux*, et je me mettrai aussitôt en « mesure de faire accepter cette résolution à mes amis que « votre Grandeur connaît trop bien pour douter de leur « acquiescement. »

Enfin M. de Falloux, après avoir ainsi reproduit sa lettre à Mgr d'Angoulême, terminait en disant à Mgr Angebault :

« Ce que je demande à Mgr d'Angoulême, j'ai l'honneur

« aussi de vous le demander... Que Votre Grandeur ait la « bonté de croire à la sincérité de mon dévouement pour « les intérêts de l'Église et d'accepter la seule place dont « il soit, à cette heure-ci, en mon pouvoir de disposer sur « la liste... »

Cette proposition de M. de Falloux de se désister en faveur de Mgr Régnier, quelle que fût, d'ailleurs, sa sincérité, était inacceptable.

Mgr l'Évêque d'Angoulême refusa de se laisser porter sur aucune liste. « Je viens d'écrire, dit-il, à M. de Falloux. Il me fait une proposition que je regarderais comme un *véritable péché* d'accepter : celle de me céder sa place sur la liste adoptée par *l'Union de l'Ouest* et le *Journal de Maine-et-Loire.*

« Je désire vivement que la presse périodique ne s'occupe point de moi du tout. Recevez, etc. »

Une lettre, qu'il avait écrite dans le même sens à un ecclésiastique d'Angers, avait été communiquée au *Journal de Maine-et-Loire*; à la suite de cette lettre, le journal insérait, le 17 avril, la note suivante : « Nous apprenons, de source certaine, que M. l'Évêque d'Angoulême, auquel plusieurs personnes avaient songé pour la candidature de l'Assemblée nationale, a déclaré de la manière la plus positive qu'il n'acceptait pas cette candidature. Nous ne pouvons que féliciter l'éminent prélat d'une résolution qui préviendra de regrettables divisions. »

L'Évêque d'Angers n'insista plus. Seulement il écrivit une lettre à MM. les Curés, dans laquelle il retraçait les différentes phases de la lutte et terminait par ces mots qui reproduisaient une pensée déjà exprimée à Mgr d'Angoulême : « De ces faits ressortira du moins un principe, « c'est que le clergé veut se tenir en dehors de tous les « partis; c'est qu'il veut être libre et indépendant pour « discuter consciencieusement ses choix, ses votes, les « intérêts de la religion ou ses intérêts propres. »

Ce fut, de fait, le côté avantageux de ces longs pourparlers qui, grâce à la sagesse de tous, n'amenèrent aucune division entre les partis, cherchant de bonne foi le bien de la France.

Ce n'est pas cependant qu'il n'y eût eu quelques froissements. Les membres du comité électoral trouvaient que Monseigneur arrivait trop tard et que son intervention ne pouvait que rendre inutiles les longues et difficiles négociations qu'ils avaient si péniblement fait aboutir, et, n'étant pas placés au même point de vue, ils avaient peine à ne pas montrer quelque mauvaise humeur. Monseigneur, de son côté, trouvait qu'ils étaient partis trop vite et, ne se rendant peut-être pas tout à fait compte des nombreuses et graves difficultés où se trouvaient ces Messieurs, il les croyait peu favorablement disposés pour le clergé dont il soutenait si vaillamment l'indépendance et la liberté. De là quelques récriminations trop amères d'une part, peut-être une trop grande appréhension de l'autre. Rendons justice à Mgr Angebault : quels qu'aient pu être ses griefs et que ses craintes aient été plus ou moins fondées, toujours est-il qu'il sut garder une plus grande modération dans leur expression. L'*Union de l'Ouest* ne se contint pas aussi bien. Elle inséra, à la date du 26 avril, un article injurieux, où il était question de lettre adressée aux autorités du département et où l'on semblait condamner même les intentions de l'Évêque, en parlant non seulement de regret, mais de *remords*. L'article, à bon droit, affecta péniblement un prélat qui, même au milieu des dissentiments amenés par la polémique électorale, n'avait jamais employé d'autres expressions que celle-ci : ces Messieurs qui sont tous excellents... ce bon M. de Falloux. Il s'en plaignit. Le comité qui, effectivement, était composé de vrais chrétiens, comprit sa faute. Il demanda une audience à Monseigneur. On s'expliqua et le résultat de l'entrevue est trop à l'honneur de ces Messieurs pour que nous résistions à la tentation de le consigner, d'après l'*Union de l'Ouest* elle-même.

« A la suite de débats récents et qui ont eu un douloureux retentissement, lisait-on dans l'*Union de l'Ouest* du samedi 29 avril, le comité de l'*Union de l'Ouest* a cru devoir demander une audience à Monseigneur et nous sommes heureux d'annoncer que cette conférence a eu le résultat que devaient souhaiter le clergé et tous les catholiques du diocèse. L'*Union de l'Ouest* doit déclarer d'ailleurs et déclare qu'elle a été mal informée en annonçant que Monseigneur avait envoyé sa circulaire aux autorités. L'*Union de l'Ouest* a surtout à cœur de désavouer toutes rumeurs malveillantes qu'elle ignorait du reste et qui auraient semblé confirmées dans l'un de ses articles par l'annonce en majuscules du mot *autorités*.

« Le mot remords aussi, prononcé dans cet article, avait profondément blessé le prélat qui avait cru lire l'incrimination amère et très certainement injuste de ses intentions même. Rien n'était plus loin de la pensée de l'auteur de l'article. Le mot *involontaire* était seul l'interprète réel de sa pensée.

« Puisqu'il s'est trompé et qu'on a pu se méprendre sur la portée de ce mot, il se hâte de le retirer, de le rétracter, de le désavouer, ainsi que toute autre phrase ou partie de l'article qui, sans avoir été signalée dans cette audience, pourrait altérer, en quoi que ce soit, le profond respect que les rédacteurs de l'*Union* et les membres du comité n'ont jamais cessé de professer pour l'auguste chef de ce diocèse, pour ce prélat si tendrement vénéré de tous et si digne de l'être. »

Le lendemain de l'entrevue, Monseigneur écrivait à M. de Falloux une longue lettre très confidentielle, où il cherchait à éloigner toute mauvaise trace de la discussion, et soufflait, comme il le dit, sur le dernier nuage. La lettre se terminait par ces mots : « Il me reste à vous dire

« combien j'ai été touché de la manière loyale avec laquelle « s'est terminée la conférence, de la noblesse du désaveu « tombé de votre plume... Je vous ai tendu la main, « aujourd'hui, je vous offre mon cœur. »

Grâce à l'abnégation commune, la bonne liste enleva les suffrages des électeurs de Maine-et-Loire et les élus allèrent à l'Assemblée grossir le nombre des honnêtes gens qui voulaient sérieusement mettre fin à la Révolution de février.

Le mouvement populaire n'avait d'ailleurs rien eu de proprement antireligieux. On avait remarqué même avec quel respect la croix avait été traitée par les ouvriers de Paris. La nouvelle République pouvait donc appeler sur elle les bénédictions de la religion.

Elle n'y manqua point. Non seulement elle demanda des prières à l'Église, mais elle sollicita la présence du clergé à ses fêtes publiques. De tous côtés l'on plantait les « arbres de la liberté » et partout on les faisait bénir.

Angers eut son tour. Le dimanche 16 avril, après avoir chanté à l'église le *Te Deum*, l'Évêque d'Angers, précédé du clergé de toutes les paroisses de la ville, se rendit processionnellement au Champ-de-Mars. Là, en présence des autorités du département, de l'armée, de la garde nationale en grande tenue, de tous les corps de travailleurs signalés par leurs drapeaux et d'une foule innombrable, il bénit solennellement l'arbre de la liberté. Mais, tout en prêtant le secours de son ministère à cette cérémonie, il sut faire entendre à tous de grandes leçons. Dans un magnifique discours, après avoir rappelé l'arbre planté dix-huit siècles plus tôt sur le calvaire et qui avait rompu les chaînes de l'esclavage antique et apporté au monde la liberté des enfants de Dieu, il considérait le nouvel arbre de la liberté comme un symbole d'union et de fraternité dont les rameaux pourraient être un jour les branches de l'olivier de la paix. Puis, venant aux principes mêmes, il montrait dans la liberté la sœur de la religion. Ce discours fut accueilli avec faveur et couvert par les acclamations de la foule. Les cœurs étaient bien disposés et l'on espérait de bonne foi que les deux sœurs ne seraient plus jamais désunies.

L'Évêque d'Angers s'était prêté de bon cœur, mais sans enthousiasme, à cette cérémonie. « Savez-vous, écrivait-il « le lendemain à l'abbé J. de la Mennais, ou plutôt vous ne « savez pas qu'on nous fait faire ici des choses merveil- « leuses. Nous avons planté, nous aussi, notre arbre de « la liberté, avec escorte de 20 à 25.000 hommes, « dimanche dernier. Votre pauvre ami avait été cité à « comparaître, comme on disait autrefois, et il lui a fallu « faire un discours que le facteur aura l'honneur de vous « remettre avec cette lettre... J'aime peu, par goût, « toutes ces représentations et n'ai jamais eu de vocation « pour poser sur un piédestal. Mais dans ces temps, quand « mon ministère sera réclamé, je ne me refuserai à rien « de ce que ma conscience me permettra... »

Les belles espérances du mois d'avril devaient avoir un cruel lendemain. Tout n'était pas pur, il s'en faut, dans la Révolution de 1848, et, si le gouvernement provisoire suivait une ligne de conduite généralement digne d'éloges, il se débattait péniblement au milieu des difffcultés innombrables. La plus grande, sans contredit, était son alliance avec le radicalisme, qui ne désarme jamais. On sait les luttes terribles que livra Lamartine en faveur de l'ordre. Son éloquence et son courage vinrent à bout de contenir la multitude ; mais les vrais chefs de l'émeute prirent leur revanche, et les journées de juin ensanglantèrent les rues de la capitale et rougirent les barricades du sang même de l'Archevêque de Paris. L'émeute fut vaincue enfin, mais combien de nobles et grandes victimes tombèrent sur ce cruel champ de bataille !

Ce triste spectacle arracha des larmes à l'Évêque d'Angers. Il fit célébrer, dans toutes les paroisses de son diocèse, un service funèbre pour les victimes de juin, et en particulier pour l'Archevêque de Paris. Ce mandement était accompagné d'une lettre pastorale où il laissait déborder son cœur et sa foi.

« Notre malheureuse patrie ne quittera-t-elle donc pas « ses vêtements de deuil et doit-elle demeurer toujours « enveloppée dans sa douleur? Les derniers sons du glas « funèbre de février retentissaient encore à nos oreilles, et « voilà que nous sommes obligé de vous rappeler aux « pieds des autels pour pleurer d'autres victimes. Jusqu'ici, « la lutte était engagée entre des systèmes politiques, dans « ces jours néfastes, elle est établie entre l'ordre et l'anar- « chie, entre la civilisation et la barbarie. » Puis il retraçait à grands traits les événements de ces jours inoubliables, la multitude égarée se ruant à l'assaut de la société, le courage et l'élan de la garde nationale se levant sur tous les points de la France pour voler à la défense de Paris, la bravoure des généraux payant de leur vie la triste victoire, le dévouement de l'Archevêque, renouvelant le sacrifice du Pasteur qui donne sa vie pour ses brebis. Les leçons étaient faciles à recueillir de ce sombre récit. C'était d'abord l'esprit de sacrifice qui devait grandir dans le cœur du prêtre. C'était aussi, pour la nation, la confiance dans la religion, seule capable de mettre un frein à la fureur des passions populaires; mais, ajoutait-il en des termes qui n'ont malheureusement rien perdu de leur actualité, « on « craint les influences religieuses, on entoure trop souvent « de soupçons et d'entraves le modeste frère qui, sorti des « rangs du peuple, en connaît les instincts et en est le « le meilleur instituteur ».

Enfin, faisant allusion à la querelle suscitée au gouvernement de Juillet, à propos de la liberté d'enseignement, il disait encore : « Le père de famille chrétien vient inutile- « ment demander la liberté à cette autorité puissante et

« jusqu'ici tyrannique qui impose, malgré lui, à son fils
« une instruction qu'il repousse. Eh! laissez à la liberté
« proclamée par toutes les bouches, réclamée par tous les
« cœurs, laissez-lui le droit d'être suivie au moins de loin
« par la foi, sa compagne et sa sœur. Laissez à l'homme
« religieux le droit de suivre ses pensées généreuses, ses
« volontés pour guider les pas de ses enfants. La foi ne
« demande pas de protection, elle ne réclame que la liberté,
« et bientôt elle répandra peu à peu ses douces influences ;
« et, en s'infiltrant dans les esprits et dans les cœurs, elle
« fera succéder le calme à cette agitation fébrile, elle
« resserrera les liens de la dépendance, parce que seule
« elle peut expliquer l'inégalité des conditions, parce que
« seule elle peut anoblir le respect de l'ordre et l'obéis-
« sance à la loi ; alors, à l'abri des agitations et des tem-
« pêtes, la société recouvrera la tranquillité et la paix. »

C'étaient là de sages paroles auxquelles, rendons-lui cette justice, le gouvernement de 1848 devait, en partie du moins, faire droit par la loi sur l'enseignement de 1850, que M. le comte de Falloux n'eût peut-être jamais fait voter après la chute de la République.

CHAPITRE VIII

1849

Refus de l'Évêché de Nantes. — Nomination de Mgr Jacquemet. — M. Bernier et la brochure l'*État et les Cultes*. — Le marquis de Régnon. — Souscription pour le Pape. — Élections municipales. — Pie IX à Gaëte. — Le choléra. — Bénédiction de la gare d'Angers. — Pose de la première pierre de l'hospice général. — Concile général de Rennes.

Grâce à l'heureuse entente des différents partis politiques en Anjou, la paix ne fut point troublée à Angers. Il n'est que juste d'en reporter, en partie, le mérite à l'attitude du préfet d'alors, M. Bordillon, républicain ardent, mais droit et honnête. Angevin lui-même, il connaissait la population et en était connu et aimé. Il sut mettre à profit sa légitime influence pour calmer l'effervescence populaire. Il eut même la gloire de défendre avec intrépidité et de sauver la communauté du Bon-Pasteur que menaçait un commencement d'émeute. Il aimait l'Évêque d'Angers et, loin de combattre son influence, il s'efforça toujours loyalement de la seconder. Peu s'en fallut cependant qu'il ne contribuât à l'éloigner d'Angers, et voici comment :

Au mois d'août 1848, le vénérable Évêque de Nantes, Mgr de Hercé, tomba malade de fatigue et de vieillesse. Hors d'état de continuer son ministère pastoral, il dut songer à donner sa démission et porta ses regards vers l'Évêque d'Angers. Il avait su, depuis longtemps, reconnaître la sagesse et la piété de Mgr Angebault et il le désira pour successeur. « Je vous demande, mon cher Seigneur, lui écrivait-il, de vouloir bien accepter mon héritage. Vous avez laissé à Nantes de si bons souvenirs que prêtres et fidèles vous accueilleront avec bonheur et, quant à moi, je m'endormirai consolé à la pensée que je laisse mon cher diocèse entre les mains d'un pontife aussi pieux, aussi sage, aussi expérimenté. »

L'ambition, nous l'avons vu déjà, n'avait aucune prise sur Mgr Angebault ; mais il faut avouer qu'une telle offre était bien séduisante pour lui. Il avait, à Nantes, tous ses souvenirs et toutes ses affections, une famille qu'il aimait tendrement, de bons amis sur lesquels il pouvait compter, les œuvres qu'il avait dirigées, la chère communauté de Saint-Gildas, tandis qu'à Angers il avait été bien éprouvé, n'était pas encore complètement compris et demeurait dans la conviction qu'il y ferait peu de bien. On comprend l'émotion qui s'empara de lui à la réception de la lettre de Mgr de Hercé. Il descendit à sa chapelle de l'Esvière et, pendant plus d'une demi-heure, il resta prosterné aux pieds du tabernacle versant d'abondantes larmes.

Quand il se releva sa détermination était prise. Il s'était dit que, malgré sa répugnance pour accepter l'épiscopat, il s'y était résigné pour obéir à la volonté de Dieu, que Dieu l'avait appelé à Angers, que, s'il allait à Nantes ce serait pour satisfaire ses inclinations naturelles, qu'il ferait mieux, par conséquent, de rester là où Dieu l'avait voulu. Il refusa. « Ce sacrifice, a-t-il dit depuis, fut-il agréable à « Dieu, le clergé et les fidèles furent-ils touchés en appre- « nant que j'avais refusé de les quitter pour aller à Nantes, « toujours est-il qu'à partir de ce jour, je n'ai plus eu, à « Angers, que les difficultés que les Évêques rencontrent « partout et qui sont ihhérentes à leur charge. »

Tout n'était pas dit cependant. Il fallait trouver un successeur à Mgr de Hercé. M. Vrignault, vicaire général de Nantes, se rendit à Paris pour le demander au gouvernement. Voyant ses efforts sans succès, il en écrivit à

Mgr Angebault dont il était l'ami. Celui-ci partit aussitôt, résolu de mettre à profit ses relations avec le ministre, M. Freslon, qui était d'Angers. Il alla le trouver. Il en fut très bien reçu et prit occasion de ce bienveillant accueil pour solliciter la nomination à l'Évêché de Nantes de M. l'abbé Jacquemet, ancien vicaire général de Mgr Affre, lequel accompagnait son archevêque sur la barricade où il fut tué. Le Ministre fit beaucoup de difficultés. L'Évêque d'Angers insista. Enfin, le troisième jour, le Ministre, regardant affectueusement l'Évêque d'Angers, lui exprima l'embarras du gouvernement : « La ville de Nantes, disait-il, est très importante; on veut un homme connu, déjà mûr, d'un esprit conciliant, etc. »; finalement il ajouta : « Nous comptons sur vous et je suis chargé de vous proposer le siège de Nantes ». Cette proposition subite embarrassa l'Évêque d'Angers ; il déclina la question avec des paroles très polies et se retira. Deux jours après, il revint et, sans parler de l'incident, il fit de nouvelles instances pour obtenir M. Jacquemet. Le Ministre, qui avait reçu des témoignages très favorables du Préfet et du Maire d'Angers, renouvela ses offres. Cela devenait très sérieux. Mais Monseigneur avait pris son parti ; il répondit avec gravité que ses réflexions étaient faites, qu'il avait eu une peine extrême à accepter l'épiscopat, que des conseils auxquels il avait dû déférer lui avaient dit que la Providence le voulait à Angers et que, maintenant, des motifs, peut-être humains, n'étaient pas pour lui l'organe de la volonté du ciel; qu'il priait donc M. le Ministre d'agréer son refus. Le Ministre voulut bien tenir compte de motifs si purs et, quatre jours après, M. l'abbé Jacquemet était nommé à l'Évêché de Nantes.

Cette conduite de Mgr Angebault nous fait aisément comprendre pourquoi, quelques années après, il refusa l'Archevêché de Tours, lorsque Mgr Morlot fut élevé au siège archiépiscopal de Paris.

Le Ministre qui faisait à Monseigneur de telles avances se préoccupait alors d'une grande question sur laquelle l'Assemblée devait avoir à délibérer, celle des rapports entre l'Église et l'État. La Révolution de février, faite au nom de la liberté, ne pouvait manquer de trouver devant elle le problème de la liberté religieuse. D'ailleurs, sous le règne de Louis-Philippe, la question s'était déjà posée et de nombreux combats avaient été livrés, notamment pour la liberté de l'enseignement. M. Freslon, peu versé dans ces matières, avait demandé à l'abbé Bernier quelques renseignements sur ce difficile problème. M. Bernier avait répondu à cette demande par un cahier de notes qui plut fort au ministre. Celui-ci le fit imprimer sans le consentement de l'auteur et le distribua aux représentants du peuple. Écrite surtout en vue de l'heure actuelle et laissant de côté, à dessein, la thèse, pour ne s'occuper que de l'hypothèse, cette brochure demandait la liberté pour tous les cultes reconnus par l'État, le maintien du concordat et la révision des articles organiques négociée avec Rome par l'épiscopat français. La brochure *L'État et les Cultes*, comme tout ce qui sortait de la plume de l'abbé Bernier, était d'une grande clarté, d'une logique rigoureuse et contenait des aperçus certainement fort utiles. Mais elle faisait trop abstraction de la thèse pour ne pas donner lieu aux contradictions. Elle fut condamnée par Rome en 1850 et l'auteur se soumit de la manière la plus édifiante.

Ce fut au presbytère des Rosiers, qu'en revenant d'un voyage à Saumur, M. Bernier apprit, par un journal d'Angers, la condamnation de sa brochure. Aussitôt il prit la plume et écrivit à ce journal pour faire savoir qu'il acceptait entièrement et absolument le jugement de Rome, qu'il n'entendait pas qu'on discutât quoi que ce soit, qu'il regardait comme bien condamnée et condamnait lui-même tout ce qui était désapprouvé par Rome, dans le sens et comme l'avait condamné Rome. Il ne se contenta pas de cette parfaite soumission. Pour éviter toute difficulté à Monseigneur, il lui offrit sa démission de vicaire général et lui demanda de le nommer curé d'une petite paroisse de la banlieue de Saumur.

Une telle démarche n'étonna point ceux qui connaissaient M. Bernier. Esprit fin et délié mais vigoureux, travailleur intrépide, d'une foi admirable et d'une piété sinon tendre du moins profonde, vrai caractère vendéen, ne reculant pas devant la lutte et convaincu qu'il fallait procéder avec une extrême prudence dans les circonstances où l'on se trouvait, il avait rompu des lances avec le célèbre D. Guéranger et n'était pas sorti du combat sans gloire. Sa retraite devait être digne, et elle le fut. Certes, quand il faisait la guerre, il entendait bien servir la cause de Dieu et de la Sainte Église. Il pouvait se tromper, et il le savait, mais il n'était pas homme à se rétracter avant d'avoir vu clair et d'avoir été vaincu par les arguments de son adversaire ; et les contemporains de ses luttes n'étaient pas tous persuadés qu'il eût été mis en défaut par la logique de l'abbé de Solesmes. Mais, s'il luttait ardemment contre une autorité plus en vue que la sienne, il était trop véritablement prêtre pour avoir un seul instant la pensée de combattre contre l'Église et, quand l'Église se prononça, sans réflexions, sans hésitation, à l'instant même où il apprit le jugement de l'Église, encore qu'il lui fût défavorable, il l'accepta ; et, pour éviter tout sujet de discussion à son égard, lui, le soutien fidèle de l'Évêque d'Angers, le collaborateur et l'émule de l'Archevêque de Cambrai, il demanda à se retirer dans la solitude pour s'y livrer en paix aux œuvres obscures mais fécondes du ministère paroissial à la campagne.

Mgr Angebault, que l'on tendait trop, d'ailleurs, à rendre solidaire des doctrines de M. Bernier, accepta, on le comprend, la démission du vicaire général. Il est plus difficile d'expliquer, peut-être, comment il consentit à le nommer curé d'une petite paroisse. M. Bernier n'obtint pas la cure de Bagneux, qu'il avait sollicitée ; il fut nommé à celle de Juigné-sur-Loire. Il avait été question, pour lui, de la cure de Saint-Laud d'Angers, et, en apparence, c'eût été un choix plus acceptable. Nous ne savons quelle cause empêcha de donner suite à ce projet. Ce fut probablement M. Bernier lui-même. D'une lettre de Mlle Leguay, la fidèle amie de M. Bernier, lettre datée du 2 novembre 1850, il ressort que Monseigneur aurait fait tout son possible pour retenir M. Bernier à Angers. « Il ne l'aurait pas abandonné, dit-il. » Quoi qu'il en soit, M. Bernier prit possession de la cure de Juigné, au mois de novembre 1850, et ne s'appliqua plus qu'à une chose, devenir un curé de campagne modèle. Le 7 novembre, il date sa première lettre de Juigné à Mlle Leguay. Un seul sentiment se fait jour dans cette lettre, celui d'une paix profonde et d'une joie sans mélange. Cette situation, toutefois, ne devait ni ne pouvait durer longtemps. Il fallait rappeler à Angers M. Bernier, et c'est pourquoi, juste un an plus tard, Monseigneur profita d'une place vacante dans le chapitre pour le nommer chanoine, au mois de novembre 1851.

Parmi les opinions émises dans la brochure *L'État et les Cultes*, il en était plus d'une dont le temps a justifié la sagesse. Il avait affirmé la nécessité pour le gouvernement de la République de maintenir le Concordat et le budget des Cultes. Il était bon d'y engager les législateurs, à cette époque où l'on se grisait au seul nom de liberté, où l'on avait tant d'espoir dans l'avenir qu'il y avait danger sérieux de tomber dans l'illusion et de se laisser entraîner à des utopies funestes.

Monseigneur était de cet avis. A la date du 2 juin, il écrivait une longue lettre à M. de Falloux pour lui exprimer sa pensée au sujet de la suppression du budget des Cultes. Il en voulait le maintien parce qu'il ne voyait pas le moyen de le remplacer. De toute nécessité, il fallait bien pourvoir aux besoins du culte et de ses ministres. Mais comment y arriver, si l'on supprimait le budget des cultes ? Mettrait-on un impôt sur les communes ? Mais c'était seulement changer le mode de perfection avec beaucoup d'inconvénients en plus. Ferait-on voter un impôt spécial général ? Mais alors les non-catholiques paieront pour les catholiques, ce qui est injuste. Si les impôts sont perçus d'une manière générale pour les services publics, on comprend que personne ne puisse s'y soustraire, car tous profitent de quelques services publics ; mais si l'on perçoit un impôt en faveur d'un seul intérêt, comment ceux qu'il ne touche pas seront-ils contraints de le favoriser de leurs deniers ? Comment donc pourra-t-on asseoir un tel impôt ? Il y a, il est vrai, un autre moyen, qui est de recourir aux dons volontaires. Mais les dons volontaires suffiront-ils à entretenir un service si important ? Dureront-ils toujours ? Seront-ils répartis avec quelque égalité ? Ne seront-ils pas surabondants en certaines paroisses, à peu près nuls dans d'autres ? Ne seront-ils jamais accordés en vue de la personne ? Le prêtre qui saura mieux se faire venir, se rendre agréable, n'aura-t-il pas plus qu'un autre ? Le vicaire ne sera-t-il pas, parfois, favorisé au détriment du curé ? Les dons ne seront-ils pas faits de temps à autre pour avoir tel curé, à condition qu'on éloignera tel autre ? Que devient, en pareille cas, l'Administration épiscopale ?

Pour ces raisons et d'autres encore, Monseigneur concluait au maintien du budget des Cultes.

A vrai dire, tous les Évêques s'accordaient sur ce point. Mais il n'en était pas de même en plusieurs autres non moins importants.

On se ferait difficilement, aujourd'hui, l'idée du mouvement intellectuel et religieux de 1848.

On ne saurait croire avec quelle facilité et quelle confiance on se lançait, vers un avenir inconnu. On pensait, et l'on était de bonne foi, qu'avec un peu de liberté on allait ramener l'âge d'or, et les Évêques les plus marquants ne reculaient pas, en France, devant la séparation de l'Église et de l'État.

Le 15 mars, l'Archevêque de Paris, l'Évêque d'Orléans, l'Évêque de Versailles et l'Évêque de Meaux adressèrent à leurs vénérables collègues une lettre pour leur soumettre un projet de vœux du clergé à exprimer à l'Assemblée nationale. Ils leur demandaient de s'entendre sur ces vœux qu'on pourrait faire appuyer par des pétitions publiques avant de les adresser à la future Assemblée.

Or, ces vœux se réduisaient à ceci :

1° Demander au gouvernement de proclamer la séparation de l'Église et de l'État ;

2° De continuer à faire les frais du culte ;

3° De garder les lois qui ont un intérêt social autant que religieux, par exemple la cessation du travail le dimanche, l'indissolubilité du mariage et l'exemption du service militaire pour les ministres du culte.

Ne jugeons pas ce projet avec les préoccupations actuelles, et n'oublions pas que ce qui nous paraît aujourd'hui absolument irréalisable semblait alors désirable et facile.

Il faut bien le dire, toutefois, les inconvénients d'un tel projet sautaient aux yeux. Que voulait-on demander à l'État? De tout donner et de ne rien recevoir. Il abandonnait l'Église à elle-même, cédait son droit de présentation aux Évêchés, renonçait à toute surveillance et à toute ingérence, même dans les questions mixtes; mais il gardait toutes les charges, continuait à lever des impôts pour subvenir aux besoins d'une Église qui se soustrayait à son influence et qui lui demandait néanmoins de lui garantir tous les privilèges dont elle avait joui. Et l'on prenait l'initiative d'une telle démarche sans en avoir référé au Souverain Pontife, sans lequel, évidemment, le Concordat ne pouvait être revisé. Et l'on voulait soumettre ces projets à une Assemblée qui était encore à nommer et dont on ignorait absolument la future composition.

Nous ne savons quelle fut la réponse générale de l'Épiscopat; du moins plusieurs Évêques blâmèrent ouvertement ce projet. L'Évêque d'Évreux se prononça nettement et presque durement, l'Évêque de Blois fit un mémoire pour répondre point par point, avec une grande force de logique et un bon sens admirable, aux propositions venues de Paris et, quant à l'Évêque d'Angers, voici quelle fut sa réponse :

« MONSEIGNEUR,

« J'ai lu avec intérêt le projet que vous m'avez fait l'honneur de m'adresser, le 15 de ce mois, et voici mes observations.

« Il serait fort à désirer, sans doute, que l'Église de France fût affranchie des entraves que lui a imposées l'esprit parlementaire ; il serait à désirer que les Évêques pussent se réunir en assemblées, en Conciles provinciaux. Mais, pour obtenir ce résultat, faut-il présenter pour type la liberté des Églises d'Amérique ? Permettez-moi de dire, Monseigneur, que je ne le penserais pas. Et la raison, c'est que, si l'on provoque la séparation de l'Église et de l'État, la conséquence presque infaillible sera que l'État livrera l'Église de France à elle-même, à ses propres forces et, supprimant les traitements, laissera aux catholiques le soin d'alimenter leurs prêtres ; or, à mon avis, ce serait aller à la perte de la religion en France.

« Vous pensez, Monseigneur, qu'on pourrait recourir au droit de pétition. Je vous avoue franchement que ce moyen me paraît peu digne pour l'Épiscopat et que très probablement il serait infructueux. Qu'on le fasse aux États-Unis, je le comprends. Le gouvernement, la nation se sont appuyés, en naissant, sur ce droit et se sont identifiés avec ces formes. En France, il n'en est pas ainsi.....

« Vous pensez que la liberté d'enseignement est maintenant pour nous acquise et assurée. Puisse ce vœu être réalisé ? Je le désire vivement, je ne le crois pas si fermement.....

« Je suis triste, Monseigneur, d'avoir l'air de ne pas partager votre confiance et vos espérances. Peut-être suis-je dans l'erreur ; mais, livré à ces pensées, j'attendrais avant d'exprimer des vœux.

« Veuillez agréer, etc..... »

Monseigneur était d'autant moins décidé à aller de l'avant qu'il était fort inquiet de la marche des esprits. Dès le principe il s'était défié du jugement de La Mennais; il était loin de suivre ses disciples.

Parmi ceux que le mouvement Mennaisien avait jetés dans la polémique, se trouvait un homme fort estimable d'ailleurs, le marquis de Réguon, du diocèse de Nantes. Admirateur et disciple de La Mennais, fort zélé, mais non moins imprudent, il ferraillait dur et ferme contre tout ce qui paraissait entaché de gallicanisme. Une polémique aussi envenimée ne pouvait que nuire au succès de la cause qu'il prétendait servir. Il avait débuté en 1831. M. Angebault, qui connaissait M. de Réguon, crut devoir lui écrire et lui faire part des réflexions que lui suggérait l'exagération de ses doctrines. Ces notes, dans la pensée du vicaire général de Nantes, étaient confidentielles et destinées seulement à éclairer celui à qui elles devaient être remises. La discrétion ne fut pas gardée. L'*Union bretonne* les reproduisit et s'efforça d'en tirer parti pour accuser les tendances et les doctrines de M. l'abbé Angebault. Celui-ci écrivit une longue lettre au cousin de M. de Réguon pour se plaindre d'un tel procédé. Il dénonçait en même temps une polémique où l'on comparait ceux qu'on appelait gallicans aux assermentés et à la tourbe des prêtres apostats de la Révolution, en même temps qu'on n'avait pas assez d'éloges pour le génie

(La Mennais) qui avait terrassé, de nos jours, en France, le monstre du Gallicanisme. Enfin il déclarait rompre tout lien avec l'auteur d'une telle polémique.

Le marquis de Réguon ne tint nul compte de ces avertissements et il continua, sous diverses formes, mais toujours avec le même emportement, la guerre qu'il avait déclarée à ceux qui ne pensaient pas comme lui. Or, en 1848, ayant adressé au Pape un écrit intitulé *Les catholiques de France*, il avait reçu un bref de Pie IX par lequel le Saint-Père, sans entrer dans l'examen du livre, encourageait l'auteur à continuer de défendre la Religion.

La tentation de se servir de ce bref pour justifier sa conduite tout entière était trop forte. M. de Réguon n'y résista point. En publiant cette pièce, le journal l'*Hermine*, du 14 septembre 1848, la commentait de manière à justifier toutes les violences de langage du marquis. Les commentaires allèrent jusqu'à dire que « les membres de « l'épiscopat français... qui persisteraient... à corres« pondre avec un ministre des cultes ou de l'enseignement, « se prêteraient à l'État comme moyen passif pour opprimer « odieusement les catholiques et les pères de famille ». Ces attaques ne pouvaient laisser l'Évêque d'Angers indifférent. Témoin du mal que causaient de semblables polémiques, connaissant d'une manière toute spéciale le marquis de Réguon, il crut pouvoir informer Rome des tristes conséquences qu'on tirait du bref du Souverain Pontife. Il écrivit au cardinal Patrizi pour lui faire connaître l'homme et le danger qu'il y avait à le patronner. Après lui avoir rappelé les injures adressées à plusieurs Évêques et particulièrement à son Évêque de Nantes, Mgr de Hercé, il terminait en disant : « Je ne puis donc « pas dissimiler à Votre Éminence la peine, la tristesse « que nous éprouvons en voyant le témoignage de faveur « accordé à un tel écrivain, et surtout les conséquences « qu'il en tire... J'ai donc cru qu'il convenait de faire

« parvenir toute la vérité à la Béatitude du Très Saint-
« Père, et je vous prie, Éminence, de lui faire connaître
« nos sentiments en mettant en même temps à ses pieds
« l'expression de notre profond respect et de notre filial
« dévouement. »

Quelques mois plus tard l'Éminent Cardinal répondait à l'Évêque d'Angers : « Je me suis empressé de faire con-
« naître au Saint-Père l'article de l'*Hermine* que vous
« m'aviez envoyé. »

« Le Saint-Père a vu avec surprise comment dans cet article on a prétendu donner aux expressions les plus simples une extension et une portée qu'elles n'avaient pas, supposant que Sa Sainteté, en remerciant l'auteur pour l'ouvrage envoyé et en l'encourageant à défendre la religion, ait approuvé les principes exagérés qu'il a manifestés dans ses différentes œuvres, et surtout la conduite irrespectueuse tenue par lui à l'égard de son digne Évêque de Nantes et de l'Épiscopat en général.

« Non, certainement, cela n'a pas été l'intention de Sa Sainteté qui, au contraire, m'a chargé d'assurer Votre Grandeur qu'elle ne sera jamais pour approuver que, sous prétexte de soutenir la cause de la religion et de l'Église, on ose blâmer la conduite des Évêques et leur donner des leçons dans l'exercice de leur saint ministère. »

Mais le marquis de Régnon voulait à tout prix l'approbation de Rome. Il publia et fit parvenir au Pape une brochure dans laquelle il faisait entendre de nouvelles plaintes contre les Évêques de France. Dans un de ses numéros du mois de novembre, l'*Ami de la Religion* blâmait justement les termes inconvenants, pour ne rien dire de plus, avec lesquels M. de Régnon parlait des Évêques. Mgr Angebault se décida à publier le bref du cardinal Patrizi. Ce fut un coup de foudre pour le marquis, qui alla immédiatement faire ses excuses à Mgr l'Évêque de Nantes.

Toutefois, la correspondance de Rome continua, tout en

publiant les pièces officielles de Rome, à faire la guerre à l'épiscopat français.

Plus l'Évêque d'Angers se sentait dévoué au Souverain Pontife, plus une semblable conduite lui causait d'inquiétude. Son dévouement n'allait pas sans prudence et il ne croyait pas devoir, sans réflexion, suivre en tout les appels qui paraissaient faits en faveur du Pape. C'est ainsi qu'en 1847 quelques esprits se laissèrent emporter trop loin par un sentiment de sympathie trop irréfléchi. Ils songèrent, alors que Pie IX n'en avait exprimé aucun désir et qu'il était loin, nous le verrons, de favoriser une pareille démarche, à créer, avec les offrandes des catholiques, quelques ressources au Saint-Siège. Un double moyen se présentait de réaliser cette pensée généreuse mais inopportune : ou bien ouvrir une souscription temporaire dont le but principal était de faire une manifestation de dévouement à Pie IX, ou établir une sorte de liste civile permanente qui devait chaque année grossir le trésor pontifical.

Monseigneur d'Angers ne crut pas devoir se prêter à cette manifestation. Il ne pensait pas qu'elle fût bien convenable ni que le Souverain Pontife la désirât ; enfin, il doutait du succès et ne voulait pas voir avorter misérablement une entreprise qui devenait humiliante pour le Pape et pour la France catholique si elle ne réussissait pleinement.

Toutefois, dans la crainte de se tromper, il en référa à ses vénérables collègues. Les réponses ne se firent pas attendre. Elles confirmaient toutes son opinion. Quelques-unes laissaient entrevoir des préoccupations au sujet du journalisme dans l'Église. Déjà commençait cette lutte contre l'épiscopat qui devait, quelques années plus tard, créer de si fatales divisions et amener la prostestation d'un si grand nombre des Évêques de France.

L'Évêque de Viviers, Mgr Guibert, depuis archevêque de Paris et cardinal, entretenait avec l'Évêque d'Angers d'excellents rapports. Ils ne s'étaient jamais vus; ils devaient se rencontrer pour la première fois au baptême du prince impérial; mais, dès lors, ils échangeaient une correspondance active et se consultaient fréquemment. Mgr Guibert répondit donc des premiers. « Le projet dont vous me faites l'honneur de m'entretenir ne me paraît pas avoir d'inconvénient si on le limite à une simple souscription transitoire et qui n'a d'autre portée que celle d'une manifestation d'intérêt pour le chef de l'Église dont le gouvernement rencontre de graves obstacles et une injuste opposition; mais une liste civile comme celle que l'on payait à un consul! Je ne puis goûter un tel dessein quoique je sois comme vous, Monseigneur, disposé à tout sacrifier, ma vie même, pour le Souverain Pontife. Si la charité n'a pas de bornes dans son ardeur pour le bien, ses moyens sont limités... Si d'ailleurs ce tribut devenait permanent, ne renouvellerait-on pas les vieilles récriminations contre l'avidité prétendue de la cour de Rome, ne croirait-on pas au retour des annates et de ces divers droits temporels qui avaient suscité tant de haines contre l'Église romaine? »

L'Archevêque de Besançon, sans entrer dans la discussion des avantages ou des inconvénients, se base sur ce que le Souverain Pontife ne paraît pas favorable à ce projet. « L'Archevêque de Cambrai, revenant de Rome, écrit-il, soutient que le Pape est très éloigné de tout cela et la preuve forte qu'il en donne, c'est qu'un de ses diocésains l'ayant chargé de présenter au Pape une somme de deux mille francs, en or, le Pape lui a dit : « Que voulez-vous que j'en fasse? Je n'en ai pas besoin; je le donnerai donc aux pauvres? » Il a fallu insister, en représentant au Pape la peine qu'éprouverait ce pieux fidèle de son refus; ce n'est qu'avec répugnance que le Pape a accepté et pour quelque œuvre pie au grand monument de Rome...

De plus, le cardinal dit que l'un et l'autre projet sont

inexécutables ou, tout au moins, n'amèneront que de faibles résultats, ignominieux pour le Pape et pour l'Église de France, qui, dans une cause grande et pour une fin aussi élevée, n'offrirait qu'une somme misérable.

L'Archevêque de Tours craint une sorte de pression, sans grand résultat d'ailleurs. « J'ai toujours pensé de mon côté que ces tentatives étaient irréfléchies et téméraires, compromettantes pour beaucoup de monde. On est obligé de donner pour n'être pas signalé, on est exposé à un contrôle sur le chiffre de l'offrande, etc., etc. Au fait, quand un chef de parti, un porte-étendard tel que M. de Montalembert donne 100 francs, cela paraît mesquin et misérable, quoique réellement il ne puisse guère faire plus.

« Il semblerait donc que nous ferions bien de nous tenir sur nos gardes et de ne pas entrer dans une voie ouverte par des gens peu dignes de confiance. »

L'Archevêque de Bordeaux trouve qu'on n'est pas assez riche pour envoyer de l'argent à qui n'en a pas besoin et déplore l'ingérence des journalistes dans ces questions. « Qui nous ordonne d'envoyer de l'argent au Pape ? Des journaux. Qui réclame à grands cris des changements qui peuvent devenir des bouleversements dans nos diocèses ? Des journaux. Eh bien, Monseigneur, il est douloureux, il est humiliant pour l'épiscopat de se laisser aujourd'hui guider, régenter par le journalisme... Quoi ! nous sortons de l'année la plus calamiteuse, nous fatiguons le monde de nos doléances, nous proclamons que les Évêques ne peuvent suffire avec un traitement aussi réduit à toutes les exigences de leur position ; nos grands vicaires, nos chanoines ont juste ce qu'il faut pour ne pas trop faire pitié, la plupart des desservants sans casuel, sans rétributions de messes, en sont réduits à leurs 800 francs ; et voilà qu'évêques, grands vicaires, chanoines et desservants viennent fastueusement annoncer qu'ils envoient de l'argent à qui ne leur en demande pas, et à qui déclare n'en avoir pas besoin, car je sais, de source certaine, etc.... »

Monseigneur d'Amiens trouve dangereuse et abusive l'initiative des journaux dans de pareilles matières. « Je trouve l'appel de l'*Univers* et les souscriptions de prêtres qu'il enregistre dans ses colonnes d'une souveraine inconvenance pour la forme et pour le fonds. De plus, cela est maladroit, imprudent et ouvre la porte à des dangers et à des inconvénients de toute sorte... Je ne peux approuver cette initiative que prennent les journaux dans plus d'une démarche, et qui ne convient qu'aux premiers pasteurs : liturgie, souscriptions, pétitions pour l'abolition de l'esclavage. De quel droit viennent-ils nous poursuivre de leurs instances, pousser dans leurs voies ceux de qui ils ont à recevoir la direction spirituelle? Qu'ils discutent, qu'ils combattent les mauvaises doctrines, qu'ils défendent les bonnes, à la bonne heure. Mais qu'ils laissent les pasteurs gouverner l'Église de Dieu puisqu'ils en ont reçu la charge! »

Enfin, de Paris, on écrit que Mgr l'Archevêque a réuni ses suffragants pour le règlement de diverses affaires ecclésiastiques. En dehors des conférences il a été question de la souscription pour le Pape. « On a été d'avis unanime que cette souscription serait presque nulle, quant au résultat, par conséquent, peu digne ; qu'on ne souscrirait pas... qu'il n'était pas convenable qu'un évêque fît une légère offrande, tandis qu'ils avaient tous, dans leurs diocèses, de lourdes charges qui ne leur permettraient pas de faire la chose aussi dignement qu'il le faudrait... »

Mgr Angebault était donc d'accord avec tous ceux qu'il consultait et il n'y a aucune témérité à penser que l'immense majorité des évêques de France était du même avis. Plus tard, quand le Pape, dépouillé d'une partie de ses États eut à craindre de ne pouvoir faire face aux besoins généraux de l'Église, les évêques de France, et en particulier celui d'Angers, lui donnèrent sans hésiter, par l'établissement du Denier de Saint-Pierre, le secours si justifié dans des circonstances nouvelles.

La prudence que Monseigneur avait apportée dans cette affaire se retrouvait en tous ses autres actes épiscopaux. C'est elle qui lui dicta la lettre aux sujets des élections municipales de 1848. Quand il avait fallu élire les députés à la Constituante, il avait conseillé, sans doute, une grande réserve, mais il avait recommandé le vote. Les députés étaient loin, les intérêts généraux communs à tout le monde et la lutte n'était ni locale ni à proprement parler personnelle. Il en allait autrement quand il s'agissait de nommer des conseillers municipaux. En pareil cas les intérêts locaux, les questions personnelles occupent tout d'abord les esprits et prennent la part principale dans les préoccupations des électeurs. Il est difficile d'embrasser un parti sans froisser l'autre, et, quand c'est le prêtre, le pasteur, l'homme de tous qui se déclare, il n'est que trop facile, en blessant les intérêts de plusieurs, de s'aliéner un certain nombre de fidèles et de les éloigner par là même de la religion. Aussi, Monseigneur hésitait. « Nous n'osons pas vous dire de ne pas aller déposer votre vote dans l'urne électorale... mais nous vous dirons de mettre une extrême circonspection dans vos paroles et dans vos démarches ; de ne point prendre une coopération, une direction active, mais de vous rappeler qu'étant père de tous, vous êtes le débiteur de tous et que le plus grand de tous les malheurs serait, par des imprudences, de paralyser votre ministère et de le rendre inefficace et inutile pour ceux qui peut-être en ont le plus besoin. »

Cette réserve n'existera plus pour l'élection présidentielle. « A tous, dira-t-il, la Constitution laisse la liberté du choix, à aucun elle ne laisse le droit de l'indifférence et de l'apathie, tous devront donc venir déposer dans l'urne ce vote auquel sont attachées les destinées de le France. »

Pendant que la république française continuait à s'assagir, la révolution menaçait les trônes en Italie, et elle s'attaquait surtout à celui qui est comme la clef de voûte de tous les autres, au trône pontifical. Pie IX, naguère élu aux acclamations de toute l'Italie, Pie IX, le libéral souverain, qui allait au devant même des vœux de ses sujets, se voyait poursuivi par les révolutionnaires italiens. Sur les marches de son trône et jusqu'à ses côtés, le premier ministre, le comte Rossi, était assassiné, le souverain lui-même, obligé de fuir, se réfugiait à Gaëte. La France tout entière tressaillit à la nouvelle de ces événements. Mais nul n'en fut plus ému que l'Évêque d'Angers.

Au premier bruit de l'insurrection italienne, il en informa les fidèles de son diocèse. Il fit plus, ayant entendu parler d'un voyage possible du saint Père en France, il lui écrivit en son nom et au nom de son clergé, une lettre touchante pour l'assurer des sentiments de dévouement, de vénération et d'amour que Sa Sainteté trouverait dans les cœurs français. Mais, le Saint-Père s'étant rendu à Gaëte, Monseigneur qui n'avait pas voulu un peu plus tôt d'une démonstration inutile, ni d'un secours dérisoire, comprit que le moment était venu de se porter au secours de l'infortune du Souverain-Pontife, et il fit faire une quête en sa faveur.

« Nos bien chers Frères, vous connaissez le sort de notre père : lui aussi, emporté par la tempête, il est errant sur la route de l'exil, obligé de fuir sous un déguisement emprunté ; il a même été obligé depuis de réclamer les ornements du Pontife, quand il voulut monter à l'autel pour offrir la victime de laquelle il apprend à souffrir et à pardonner. N'attendons pas qu'il sollicite ; ce serait un opprobre à des enfants de ne pas comprendre les besoins du père, de ne pas prévenir ses demandes ; nous serons assez honorés s'il veut bien accueillir nos offrandes. »

Puis, rappelant le zèle des femmes israélites offrant leurs

bijoux pour la fabrication de l'arche, avec tant de zèle qu'il fallut immédiatement faire arrêter les dons, il priait les fidèles de se dépouiller pour le Père commun : « Bien des misères nous oppressent, notre pain peut être mouillé de nos larmes ; il nous sera moins amer quand nous l'aurons partagé avec celui qui, comme nous, qui, plus que nous, connaît les rigueurs de l'infortune. »

Avec quelle joie, ayant pris tant de part aux afflictions de Pie IX, ne devait-il pas plus tard accueillir le retour du saint Pontife à Rome! Avec quelle fierté ne devait-il pas rappeler que l'expédition de Rome avait été décidée sur les instances d'un Angevin, le comte de Falloux, et commandée par un député de Maine-et-Loire, Oudinot, duc de Reggio!

Pour le moment, il était plongé dans la tristesse. Aux épreuves de l'Église et du Saint-Père, aux préoccupations de la politique, venait se joindre pour lui la douleur de voir son diocèse et surtout sa ville épiscopale en proie au plus terrible des fléaux. Le choléra sévissait avec une épouvantable intensité, des rues entières étaient plus que décimées. Les médecins, malgré leur dévouement, ne suffisaient pas à répondre à tous les appels, l'art se montrait impuissant et les chars funéraires ne parvenaient qu'à grand'peine à conduire à leur dernière demeure les trop nombreuses victimes de l'affreuse maladie. Le Clergé se montrait admirable de dévouement. Monseigneur écrivit à ses prêtres : « Votre zèle n'a pas besoin de nos encouragements, votre dévouement et votre abnégation nous sont bien connus, et il n'est pas un membre de notre digne Clergé qui ne fût tout prêt à se sacrifier pour ses frères. » Toutefois, cette succession inouïe de malheurs finissait par ébranler le moral des plus courageux. Il fallait raffermir les cœurs troublés, inspirer la noble résignation aux maux présents, l'attente calme et paisible de l'avenir, la douce confiance et le courage inébranlable dont la foi chrétienne est le principe. C'est à cette mission qu'il convie ses curés. Il les charge de réveiller dans le cœur des fidèles les pensées de la foi et les sentiments de l'humilité, de la confiance en Dieu, de la dévotion au Saint-Sacrement et à la Sainte Vierge, espérant par ce moyen relever les âmes abattues, attirer la miséricorde de Dieu et hâter la cessation du fléau. Une neuvaine de prière était indiquée comme l'un des meilleurs moyens d'apaiser la colère divine. Le fléau cessa enfin d'exercer ses ravages, et cette terrible année 1849 put reprendre avec plus de calme le cours de ses destinées.

Elle devait réserver d'ailleurs au milieu de tant de tristesses quelques consolations au cœur éprouvé du Pasteur.

Déjà, au mois de février, il avait reçu du Saint-Père une encyclique qui l'avait comblé de joie. De Gaëte, où il était exilé, Pie IX songeait à préparer le décret concernant l'Immaculée-Conception de la Sainte Vierge. En montant sur le trône pontifical, il avait trouvé de nombreuses demandes faites par d'illustres prélats, de vénérables chapitres, de grandes congrégations religieuses, à l'effet d'obtenir qu'il fût permis d'honorer publiquement, dans les prières liturgiques, l'Immaculée-Conception. Un pareil vœu répondait trop aux sentiments de tendre dévotion envers Marie qu'il avait ressentis dès son enfance, pour qu'il n'y donnât pas de suite. Aussi, avait-il chargé un certain nombre de théologiens et de cardinaux d'étudier à fond la question et de lui faire un rapport sur ce sujet.

Mais, afin de procéder avec plus de maturité à cet examen, il priait les Évêques de lui faire connaître, le plus promptement possible, de quelle dévotion leur clergé et leurs fidèles étaient animés en faveur de la Conception de Marie et quels étaient leurs vœux et les sentiments de leur « Éminente Sagesse ».

Monseigneur s'empressa de répondre qu'un décret, émanant du Siège Apostolique en faveur de l'Immaculée-

Conception de la bienheureuse Vierge, serait accueilli aux applaudissements de tous les fidèles, dans ce beau diocèse d'Angers si connu par sa piété pour Marie, et que c'était le vœu le plus ardent de son cœur.

Il ne se borna pas à répondre au Souverain Pontife ; il en prit encore occasion de ranimer la dévotion des fidèles en publiant un mandement sur le mois de Marie et en ordonnant des prières à l'intention de Pie IX.

Il y laissait déborder son cœur. « Depuis le premier âge, nous appartenons à Marie ; notre enfance lui a été consacrée ; nous fûmes élevé à l'ombre de ses autels, habitué à entendre répéter son nom par l'homme de Dieu, par l'apôtre de la jeunesse dans ces contrées, celui dont la mémoire vit encore dans tous les cœurs. Tout jeune, nous fûmes décoré de ses livrées ; plus tard nous entrâmes dans le sanctuaire ; prêtre, nous guidions dans les sentiers du monde des associations pieuses formées en son honneur ; Évêque, nous voulûmes, sous ses auspices, entrer dans notre nouvelle et difficile carrière. C'était à la veille du jour de son triomphe, de la fête de sa glorieuse Assomption, que nous nous présentâmes sur le seuil de votre vieille basilique ; nous venions, en présence de tout ce que la cité avait réuni de plus grand, nous donner solennellement à vous, vous jurer fidélité et amour, en prenant Marie pour patronne, pour protectrice ; nous venions, comme autrefois l'un de nos rois, lui dévouer le pasteur et le troupeau, la conjurer de bénir notre mission, de nous aider à faire un peu de bien à cette Église chérie devenue notre épouse, à ces enfants bien-aimés auxquels nous allions consacrer notre cœur, nos forces, notre vie. »

Le diocèse entendit cette voix, et le mois de Marie fut célébré avec un redoublement de ferveur. Pie IX répondit à cet élan quelques mois après par un bref qui accordait au diocèse d'Angers le droit de chanter, à la préface de la messe, *et te in conceptione immaculata* et d'ajouter aux litanies l'invocation *Regina sine labe originali Concepta.*

Au mois de juillet suivant, le Prince Louis-Napoléon, Président de la République, vint à Angers inaugurer la ligne nouvelle du chemin de fer d'Angers à Paris par Orléans. La Religion fut de la fête et la gare d'Angers reçut la bénédiction solennelle de l'Évêque. Dans le discours de circonstance qu'il prononça à cette occasion, Monseigneur parlait avec admiration des conquêtes de l'homme sur la nature, conquêtes inutiles sans la chute originelle, dures mais nobles conquêtes quand l'homme ressaisit, à force d'efforts, les secrets qu'il avait perdus en perdant l'innocence. Puis passant délicatement des luttes contre la nature aux luttes contre l'homme dénaturé, il faisait au Président un éloge de ses efforts en faveur de l'ordre et de l'expédition de Rome rendant Pie IX à l'amour de ses enfants.

Le soir il allait, toujours avec le Président de la République, bénir la première pierre du grand hôpital d'Angers. Cette journée le remplit de joie ; il était heureux de voir la Religion appelée aux solennités publiques et il en concevait, pour l'avenir, des espérances qui, hélas ! ne devaient pas se réaliser.

Un autre sujet de joie pour lui fut la tenue du Concile provincial de Rennes. La France, depuis longtemps, ne voyait plus se tenir ces assemblées d'où étaient sorties tant de sages institutions. Il y avait cinq cent soixante-seize ans que la ville de Rennes avait tenu son dernier Concile. C'est dire que, depuis le treizième siècle et depuis l'avènement du règne des légistes, la peur de l'Église avait pris les gouvernements. Chose incroyable ! aucune institution n'a jamais favorisé davantage le pouvoir. L'Église catholique est la plus grande, pour ne pas dire la seule école de respect; nulle ne prêche l'obéissance avec plus d'autorité ; nulle n'interdit la révolte avec plus de force, et c'est toujours à l'Église que s'attaque l'autorité. Depuis donc cinq cents ans les gouvernements plus ou moins parlementaires ou autoritaires avaient mis des obstacles à la réunion des Évêques. Il fallait pourtant sortir de cette situation servile et rendre à l'Église, avec la liberté de ses assemblées provinciales, la dignité qu'elle mérite. C'est ce que comprit, mieux que tous les gouvernements monarchiques, la République de 1848.

Pleine d'espérance, d'illusions même, elle avait confiance dans la liberté, et, il faut le dire à sa louange, elle voulait la liberté pour l'Église comme pour elle-même. L'Église de France profita de ses bonnes dispositions. On avait songé d'abord à la tenue d'un Concile national. On espérait par là créer un accord plus général entre les différents diocèses et régler plus facilement les différentes questions posées par le nouvel état des choses. Le Souverain Pontife ne crut pas opportun de donner suite à ce projet. L'avenir paraissait trop incertain et les idées nouvelles trop en fermentation. On en vint donc à la pensée des conciles provinciaux. Dès le mois d'octobre, les provinces ecclésiastiques de Paris et de Reims avaient arrêté leur programme. Il était décidé que celui de la province de Tours se tiendrait à Rennes.

Le 9 octobre, Mgr Morlot, archevêque de Tours, convoquait ses suffragants pour le 11 novembre suivant.

Ce fut avec un véritable élan de joie que Mgr Angebault porta cette nouvelle à la connaissance de ses diocésains. Dans son mandement, il rappelait comment les Conciles provinciaux avaient été malheureusement entravés, il combattait les objections qu'on y faisait encore et, après avoir indiqué le bien qui en devait sortir, il demandait aux prêtres et aux fidèles de prier pour la vénérable assemblée.

Le Concile s'ouvrit, le 11 novembre, sous la présidence du métropolitain, Mgr Morlot, archevêque de Tours. Mgr Angebault y prit part avec les Évêques de Vannes, du Mans, de Quimper, de Saint-Brieuc, de Rennes et de Nantes. Dom Guéranger et M. Carrières, Supérieur général de Saint-Sulpice, s'y trouvaient. Monseigneur avait conduit avec lui M. Bernier, vicaire général, et le chapitre avait délégué les chanoines Menard et Delaunay. M. Bernier fut nommé promoteur, avec M. Hippolyte Chevreau, vicaire général de l'Évêque du Mans.

Le Concile aborda d'abord la question de la hiérarchie ecclésiastique. Dans son second décret, il retraça les droits et les prérogatives du Souverain Pontife avec une ampleur et une netteté admirables. Il n'y était pas question de l'infaillibilité pontificale qui n'était pas encore définie; mais on peut dire qu'elle ressort comme une conclusion claire et logique des prémisses posées dans ce décret.

Par le décret X, les pères du Concile désapprouvaient les écrivains qui déclaraient l'amovibilité des desservants comme subversive du droit commun et contraire aux saints canons, car, disaient-ils, cette discipline a été introduite en France après le Concordat, avec l'assentiment du Souverain Pontife, etc..... Le Concile condamne les erreurs connues sous le nom de Rationalisme, d'Indifférentisme, d'Eclectisme, de Panthéisme et de Socialisme.

Le décret XXIII s'occupait des choses à éviter par les écrivains catholiques dans les temps actuels. En faisant allusion à ce décret, les Pères du Concile, dans la lettre synodale du 8 décembre 1850, portant promulgation des actes du Concile approuvés à Rome, s'exprimaient en ces termes : « Le Concile n'a pas épargné ses avertissements paternels aux défensurs les plus zélés de la foi, aux écrivains catholiques qui consacrent leurs efforts, leur temps, souvent leur fortune et leur vie à combattre pour la religion, à venger ses dogmes et sa morale des attaques audacieuses et perfides de l'impiété. Nous avons dit à ces amis fidèles, avec une liberté presque sévère, qu'il leur arrivait, dans leur ardeur bouillante, de déplacer le pouvoir, de s'emparer, à un certain degré du commandement, de la direction, qui, dans les choses de Dieu, appartiennent aux Évêques; de violer ainsi, dans la chaleur du combat, l'ordre de la hiérarchie, les règles de la discipline; d'oublier que, dans l'Église militante, il y a aussi des soldats et des capitaines; que l'autorité n'y appartient pas de droit au zèle et au génie, mais à la mission divine, etc. »

Ces paroles nous montrent la pensée générale de l'épiscopat au sujet du journalisme et de l'invasion des laïques dans la direction de l'Église; elles nous expliquent les plaintes de tant d'Évêques à cette époque, et en particulier la conduite de Mgr Angebault en plusieurs circonstances, et c'est ce qui nous les a fait rapporter ici.

Le décret de clôture fut porté par l'Archevêque de Tours, le 28 novembre. Les Évêques, après le Concile, en transmirent immédiatement les décrets à Rome, pour les soumettre à la sanction pontificale, et, quand ils les reçurent avec l'approbation de Pie IX, ils rédigèrent de concert une lettre synodale, pour faire connaître à toute la province ecclésiastique de Tours les travaux des Pères et les décisions qui pouvaient et devaient être transmises aux fidèles.

CHAPITRE IX

Les Écoles, les Œuvres

Visite des écoles. — Adoration nocturne. — Association des domestiques. — Caisse ecclésiastique. — Nomination de Mgr Régnier à l'Archevêché de Cambrai. — Le Carmel. — La loi de 1850. — Maladie de Monseigneur, — ubilé de 1850-51. — Société de secours mutuels. — Notre-Dame des Champs. — Petites Sœurs des pauvres. — Propagation de la Foi. — — Sainte Enfance. — Examens des Religieuses.

On peut dire, en toute vérité, que personne ne mérita mieux le nom d'Évêque, *surveillant*, que Mgr Angebault. Ayant l'œil partout à la fois, il prodiguait de tous côtés les conseils, les encouragements, les consolations, les secours, quelquefois les avertissements. Toutes les œuvres étaient l'objet de sa sollicitude : églises, écoles, paroisses, communautés, confréries, associations, il visitait tout et portait partout le mouvement et la vie. Il faisait plus encore, il s'ingéniait à chercher ce qui manquait, pour le créer. Enfin il surveillait aussi, certes avec bienveillance et sans parti pris, mais avec une extrême attention, l'administration civile, afin d'empêcher, autant qu'il était en lui, les empiètements trop fréquents des pouvoirs publics sur l'Église.

C'est ainsi qu'au commencement de l'année 1850, il écrivit au Ministre à propos de la visite des écoles et pensionnats de jeunes filles. La loi sur l'instruction primaire de 1833 avait établi un Comité chargé de surveiller l'enseignement. Dans ce Comité devaient entrer les ministres des cultes reconnus par l'État. Bien qu'à Angers il n'y eût point ou presque point de protestants, un ministre avait été nommé membre du Comité d'inspection des écoles. Sans tenir compte des convenances, ce ministre allait surveiller les écoles catholiques et inspecter les religieuses qui les dirigeaient. Dépassant même son droit, il étendait l'inspection des écoles jusqu'aux pensionnats de jeunes filles. Mgr Angebault envoya au Ministre de l'Instruction publique un rapport, dans lequel il soutenait que le Comité local n'avait pas le droit d'inspecter les pensionnats d'enseignement secondaire et que le ministre protestant ne devait pas visiter les écoles catholiques; et, comme les abus s'introduisent souvent parce qu'on n'y prend pas garde, il publia son rapport et l'adressa à tous ses vénérables collègues dans l'épiscopat, afin d'attirer leur attention sur ce point et de les mettre en mesure de protester à leur tour si l'occasion leur en était présentée.

Un mois plus tard, il présidait à l'établissement de l'Adoration perpétuelle du Saint Sacrement en établissant l'Adoration nocturne dans sa ville épiscopale. Ce fut l'exemple de M. Dupont, le *saint homme de Tours*, qui lui en donna l'idée. Cette Association se composait d'un certain nombre de membres recrutés dans toutes les classes de la société. Ils étaient divisés en séries de dix formant une décurie, à la tête de laquelle se trouvait un chef ou décurion; dix séries formaient une centurie présidée par un centurion. Le but était d'adorer le Saint Sacrement pendant la nuit. L'adoration avait lieu dans une petite chapelle privée. Le temps de la nuit était de sept heures en hiver et de six heures en été, c'est-à-dire de dix heures du soir à cinq heures ou à quatre heures du matin, suivant la saison. Un ecclésiastique venait le soir exposer le Saint Sacrement; on faisait ensuite la prière en commun et, d'heure en heure deux confrères se tenaient en adoration. Les autres se retiraient en silence dans un petit appartement où étaient disposés quelques lits de camp, un matelas sur une planche, où ils pouvaient se reposer. Le lendemain on célébrait la sainte messe, et chacun se retirait pour vaquer à ses occupations.

Les premiers exercices s'ouvrirent le 10 février 1850 au soir. Le lendemain, Monseigneur tint à célébrer la première messe. A cinq heures, il était à la petite chapelle. Il adressa une allocution aux adorateurs qui tous communièrent de sa main. Comme il se rendait à la chapelle, il comprit le bien que son œuvre devait faire ; il fut croisé par une voiture qui revenait du bal. Ainsi, pendant que tant d'autres couraient au plaisir, lui, il appelait les âmes à la veille et à la prière. Le général de Sonis devait l'imiter plus tard, en ouvrant, lui aussi, les exercices de l'adoration nocturne, la nuit du mardi gras 1853.

De la même époque date une autre association excellente, celle des domestiques. Personne n'ignore les périls de la domesticité. Une foule de jeunes filles sont jetées sans cesse au milieu d'un monde que très souvent elles ne connaissent pas, n'ayant presque aucune liberté, et vivant sans cesse en contact avec des maîtres dont elles dépendent et en face desquels elles se sentent faibles par là même. Le moindre inconvénient, d'ailleurs, pour ces pauvres filles, c'est de ne pouvoir parfois remplir que très difficilement leurs devoirs religieux. Les grouper en association, établir entre elles des relations et une sorte de solidarité dans le bien, leur procurer, à des heures convenables, les moyens de vaquer à leurs exercices de dévotion, c'était leur rendre le plus signalé service.

Monseigneur l'entreprit, avec l'aide des Pères Jésuites. L'un d'eux fut nommé directeur de l'œuvre qui eut son conseil et son administration. Une messe était dite pour les domestiques, le dimanche, de grand matin, et tous les mois elles eurent, dans une chapelle réservée, une réunion et une instruction spéciales. L'esprit de corps se développa parmi elles, leur zèle fut excité par l'exemple, et cette œuvre produisit un grand bien.

Une autre classe de bons et fidèles serviteurs était aussi l'objet de la sollicitude épiscopale, celle des ecclésiastiques que l'âge ou les infirmités avaient mis dans l'impossibilité de continuer les fonctions de leur saint ministère et qui se voyaient ainsi privés de leurs modestes ressources.

Dans le but de pourvoir à leurs besoins, Mgr Montault, avant de mourir, avait fondé une caisse ecclésiastique et Mgr Angebault avait, dans plusieurs circonstances, recommandé cette œuvre au zèle de ses curés. Mais, fondée uniquement sur les contributions volontaires d'un clergé si peu rétribué, cette caisse voyait d'année en année diminuer le chiffre de ses recettes tandis que celui des dépenses augmentait dans la même proportion. Monseigneur se préoccupait de cet état de choses et, dès 1847, il avait songé à y remédier au moyen d'une contribution levée sur les recettes des fabriques. C'était d'ailleurs la mesure indiquée par la Commission administrative de la caisse des retraites. Trois manières, en effet, se présentaient de venir en aide à la caisse, ou diminuer les secours accordés aux ecclésiastiques, ce qui n'était pas possible, puisque ces secours étaient déjà reconnus insuffisants, ou augmenter la contribution personnelle déjà assez lourde pour la plupart des ecclésiastiques, ou enfin profiter des dispositions du décret du 1er août 1805 qui permettrait de prélever sur les revenus des chaises et bancs des églises le sixième de leurs recettes. Avant, toutefois, de s'arrêter à ce dernier mode, Monseigneur voulut avoir l'avis de son Clergé Il le demanda par une circulaire en date du 27 juin 1847. En faisant part à ses prêtres des délibérations de la Commission, Monseigneur priait MM. les Curés de vouloir bien lui donner leur avis avant la réunion de la retraite ecclésiastique.

Les négociations prirent beaucoup de temps et ce fut

seulement le 22 mars 1850 que le Président de la République signa le décret autorisant, à titre d'établissement public, la fondation, dans le diocèse d'Angers, d'une Caisse de Retraite pour les prêtres âgés ou infirmes.

Ce décret fut porté à la connaissance du Clergé par une circulaire épiscopale en date du 24 avril. A cette circulaire étaient jointes la copie du décret et l'ordonnance de Monseigneur établissant la nouvelle Caisse.

Cette Caisse devait être administrée par une Commission composée d'un vicaire-général, d'un chanoine, d'un curé, d'un desservant et d'un vicaire. L'Évêque en était de droit président ; le vicaire-général, vice-président. En outre des ressources extraordinaires, dons, legs, etc., qui pouvaient lui échoir, la Caisse s'alimentait principalement avec les souscriptions volontaires des ecclésiastiques et avec les revenus des fabriques. Mais, loin de prélever le sixième des revenus des places d'églises, l'Évêque ne demandait que le vingtième qui semblait devoir suffire à tous les besoins. Les membres souscripteurs avaient droit à douze cents francs de retraite; les autres à six cents seulement. Les ressources personnelles étaient précomptées, c'est-à-dire que, lors de la mise à la retraite, un ecclésiastique ayant une rente personnelle ne touchait de la caisse que la somme nécessaire pour arriver au chiffre de 1.200 francs. Quelques cantons, en petit nombre, avaient demandé que les ressources personnelles ne fussent pas précomptées et que le chiffre total de la pension fût alloué à tous. La majorité, d'accord avec l'Évêque, ne voulut pas accueillir cette demande et à bon droit. C'eût été aller contre l'idée qui avait présidé à la fondation de la Caisse. On n'avait pas eu pour but de procurer des ressources à qui n'en avait pas besoin ; assez d'autres Caisses offraient cet avantage, et l'on n'avait voulu, en aucune façon, faire une spéculation. On désirait tout simplement mettre à l'abri du besoin des prêtres que l'âge ou l'infirmité rendait incapables de continuer leur ministère. C'était une œuvre de charité à laquelle tous contribuaient, mais dont ceux-là seulement qui en avaient besoin devaient recueillir le bénéfice.

Et c'était le seul point de vue auquel on pût se placer. Comprendrait-on, en effet, qu'on prélevât sur les revenus des fabriques une somme destinée à enrichir des prêtres ayant déjà de la fortune. Que les fabriques s'imposent quelques sacrifices pour des prêtres qui se sont usés au service des paroisses, rien de plus juste, assurément, mais que leurs ressources aillent grossir le trésor des riches, non, en vérité, cela n'était pas possible.

D'ailleurs, il fallait bien s'arrêter devant une impossibilité matérielle absolue. Ce n'est pas avec une contribution annuelle de quinze francs que l'on peut arriver à se faire une rente, même viagère, de douze cents francs. Il eût fallu augmenter considérablement le chiffre de la contribution personnelle et imposer ainsi aux membres du clergé paroissial une charge véritablement trop onéreuse.

Enfin, il y avait encore à ce projet un inconvénient grave, celui de gêner la liberté du prêtre pendant toute sa vie. Le chiffre de douze cents francs ne représentant que très modestement le nécessaire, beaucoup eussent été tentés d'épargner quelque chose pour ajouter à ce trop minime secours ; et, comme d'ailleurs le traitement des ecclésiastiques est si peu élevé, il eût fallu se priver de ce qui est l'une des plus grandes consolations du prêtre, le plaisir de faire l'aumône. Le système adopté remédiait à tous ces inconvénients. Il permettait au prêtre fatigué ou malade de chercher un peu de repos, à celui qui était valide de vivre sans souci du lendemain, sûr de trouver toujours plus tard, s'il en avait besoin, le secours nécessaire à sa vieillesse.

Il paraît bien que cet établissement était fondé sur des bases solides, car il a toujours prospéré, tout en se montrant très large pour la répartition des secours. Nous avons été à même de comparer les comptes rendus de caisses semblables dans les autres diocèses, nous croyons pouvoir affirmer qu'aucune n'a jamais donné plus largement et en exigeant moins de sacrifices des prêtres et des fabriques.

Les travaux de l'Évêque d'Angers dans son diocèse, la conduite si sage qu'il avait tenue dans les temps troublés de la révolution de 1848, le passage au ministère de M. Freslon et de M. de Falloux avaient fait connaître et apprécier Mgr Angebault dans les sphères gouvernementales. Nous avons vu la part qu'il avait prise à la nomination du nouvel Évêque de Nantes ; son action ne fut pas inutile à une autre nomination extrêmement importante. L'Archevêque de Cambrai, le cardinal Giraud, venait de mourir. Le Ministre, M. de Parieu, engagé, d'ailleurs, par l'Évêque d'Angers et par plusieurs autres membres de l'épiscopat, conçut le projet de remplacer le cardinal par Mgr Régnier, évêque d'Angoulême. Les vues les plus pures et le plus bienveillant intérêt pour l'Église avaient seuls dicté ce choix. Mais le Ministre avait compté sans le désintéressement et l'humilité de l'Évêque d'Angoulême. Lorsque celui-ci reçut la lettre qui lui annonçait sa nomination, il se promenait dans son jardin avec ses deux grands vicaires. A la lecture de la lettre ministérielle, une légère émotion parut dans ses traits. Il continua néanmoins sa promenade, mais plus distrait ou plus soucieux. Puis, tout à coup, s'adressant à ses grands vicaires, il leur dit : « Depuis que je suis à Angoulême, ai-je fait quelque bien ? Reste-t-il encore du bien à faire ? Ce bien, suis-je toujours à même de le faire ? A ces questions ainsi posées, il n'y avait qu'une réponse possible : « Oui, certainement. » Sur cette réponse affirmative, le prélat rentra dans ses appartements et écrivit immédiatement au Ministre qu'il refusait l'archevêché de Cambrai.

Cette lettre, en contrariant les vues de M. de Parieu, ne fit que de le confirmer dans la pensée qu'il avait fait un bon choix, et il résolut de le maintenir. Pour arriver à vaincre une si belle résistance, il eut recours à l'Évêque d'Angers. Il lui écrivit : « Je viens, Monseigneur, réclamer votre concours dans une circonstance où il me sera particulièrement précieux de l'obtenir. Selon le *vœu que vous avez bien voulu m'exprimer* et auquel plusieurs membres de l'épiscopat s'étaient associés, M. le Président de la République avait désigné, sur ma proposition, Mgr l'Évêque d'Angoulême pour le siège de Cambrai. Mais une lettre que je reçois de Mgr l'Évêque d'Angoulême m'apprend qu'il préfère ne pas quitter son diocèse. Vous comprenez, Monseigneur, combien cette détermination m'affligerait si elle devait être irrévocable. Aussi, je vous prie de vouloir bien user de toute votre influence afin que Mgr d'Angoulême n'y persiste pas. J'aime à espérer qu'éclairé par les conseils de votre haute prudence et de votre amitié, il ne refusera pas de se rendre à nos vœux communs. J'avoue que les renseignements que je reçois de tous côtés me font attacher beaucoup de prix à son acceptation. Je vous prie de vouloir bien lui écrire sans retard. »

Mgr Angebault n'avait pas attendu cette lettre du Ministre. Ayant eu vent de la nomination qu'il avait lui-même conseillée et connaissant bien l'Évêque d'Angoulême, il avait prévu le refus de ce prélat. Aussi lui avait-il écrit de suite : « Mon bon et bien cher Seigneur, je viens vous conjurer de ne pas refuser l'offre qui vous est faite. Je sais tout le bien que vous faites à Angoulême, mais la Providence vous appelle à la tête d'un troupeau plus considérable encore. Voyez dans cette nomination le doigt de Dieu. Ne craignez pas pour votre cher diocèse. M. de Parieu est animé d'excellentes intentions et fera un bon choix. Aucun motif d'intérêt ne me dicte ces lignes, mais bien celui de la plus grande gloire de Dieu. »

Ayant reçu la lettre de M. de Parieu qui ne confirmait que trop ses prévisions, il comprit la nécessité d'insister auprès de Mgr Régnier. Il reprit la plume et il écrivit : « Je reçois de M. de Parieu une lettre si bonne et respirant tant l'intérêt qu'il porte à l'Église ! Permettez-moi de venir aujourd'hui pour vous presser, pour vous supplier d'accepter. Vous voyez bien que le choix est de Dieu. Aucun motif humain ne l'a dicté. Tous les collègues qui ont le bonheur de vous connaître se réunissent dans un concert unanime pour vous désigner, et M. le Ministre, avec un sentiment de foi que vous apprécierez, fait instance pour vous prier d'accepter. Je vous en conjure, ne refusez pas. Dans les temps où nous sommes, il faut sacrifier ses goûts et se laisser conduire par la Providence. »

En même temps que cette lettre, deux autres arrivaient à l'Évêché d'Angoulême. L'une était de M. de Parieu, l'autre M. de Falloux. Le ministre et l'homme d'État faisaient le plus éloquent appel à l'esprit de dévouement de Mgr Régnier et laissaient entrevoir la possibilité d'un mauvais choix pour le siège de Cambrai, si l'Évêque d'Angoulême n'acceptait pas.

Ces trois lettres si pressantes, si émues, eurent difficilement raison de l'humble résistance du prélat. Pourtant, après cinq jours de lutte contre lui-même, il ne se défendit plus et laissa la Providence agir. « Je bénis le bon Dieu, mon très cher, lui écrivit alors Mgr Angebault, qu'il vous ait inspiré la pensée de vous abandonner avec résignation à ce que je crois être sa sainte volonté. Le fardeau, en effet, est énorme, mais votre expérience et votre grande facilité pour le travail vous le rendront plus léger. Je vais prier et faire prier pour vous. »

Telle fut la part prise par Mgr Angebault à une nomination qui devait être si avantageuse au diocèse de Cambrai, si profitable au Saint-Siège, si glorieuse pour l'Église de France et, en particulier, pour le diocèse d'Angers.

L'heureuse influence que l'Évêque d'Angers exerçait de plus en plus au dehors, l'activité qu'il déployait dans l'organisation de son diocèse, n'étaient point pour lui les meilleurs moyens de faire le bien. Celui qu'il regardait comme le plus efficace, c'était la prière. Aussi, quelque ardeur qu'il mît à seconder les communautés enseignantes et hospitalières, n'oubliait-il pas que les ordres contemplatifs ou pénitents sont les premiers en dignité comme les plus nécessaires. Cette vérité, si oubliée dans le monde où l'on ne voit que l'action extérieure de la charité et où l'on ignore la puissance de la demande, ne pouvait être méconnue d'un prélat si pieux. C'est pourquoi, comme le disent les *Annales du Carmel d'Angers*, profondément convaincu qu'un des plus sûrs moyens de soutenir la ferveur et l'action du clergé, comme de maintenir la piété même des fidèles, était de développer la vie religieuse dans son florissant diocèse, il cherchait à faire revivre les anciens monastères d'Angers et songeait en même temps au Carmel et à la Visitation. Et c'était justice. Des anciennes maisons de ces deux ordres, tant de grâces s'étaient épanchées sur son diocèse, qu'il paraissait urgent, puisque les circonstances le permettaient, de renouer la chaîne de leurs saintes traditions.

Il commença par le Carmel. Depuis le temps de saint Martin et saint Maurille de nombreux liens n'ont cessé de rattacher Angers à sa métropole. Le Carmel de Tours avait autrefois peuplé le Carmel d'Angers et, quand la Révolution chassa les Carmélites angevines, c'est à Tours qu'elles trouvèrent leur dernier asile. Mgr Angebault tourna tout naturellement ses regards de ce côté. Plusieurs religieuses vinrent à Angers pour négocier avec l'Évêque le rétablissement des carmélites dans sa ville épiscopale.

La négociation n'aboutit pas, mais elle servit du moins à exciter encore les pieux désirs du prélat et à déterminer les Carmélites de Tours à le mettre en rapport avec celles de Cahors qui devaient fonder le Carmel d'Angers.

Le couvent de Cahors, à cette époque, grâce au zèle et à

la puissante initiative d'une Carmélite des anciens jours, avait assez prospéré pour fonder déjà deux autres maisons. Un troisième essaim de religieuses était prêt. La Providence le destinait à Angers.

Par l'entremise des Carmélites de Tours, des relations s'établirent entre Mgr Angebault et la Mère Séraphine. prieure du Carmel de Cahors, sainte religieuse, éminemment pourvue des qualités et des vertus propres à l'œuvre qu'elle allait entreprendre. Elle vint à Angers et, en peu de jours, elle traita l'affaire, soit avec Monseigneur, soit avec l'autorité municipale dont il était nécessaire alors de se ménager les bonnes grâces, si l'on voulait éviter bien des difficultés et la conclut rapidement. Toutefois, l'horizon politique était chargé, des complications étaient à craindre. Monseigneur demanda et obtint un délai.

Bientôt cependant le projet fut repris et mis à exécution. C'est une page touchante que celle qui raconte les débuts du nouvel établissement. Laissons la parole à une digne fille de sainte Thérèse dont nous tenons ces détails :
« Mgr Angebault reçut ses Carmélites avec toute la bien-
« veillance qu'elles devaient attendre de lui et il les assura
« de nouveau de sa paternelle protection, dont les marques
« n'ont jamais cessé depuis. Mais c'était tout ce que pou-
« vait faire le digne Évêque chargé de toutes sortes
« d'œuvres plus nécessiteuses les unes que les autres. Et,
« à la vérité, dans l'ordre providentiel, c'était beaucoup
« que l'amour, les prières et la haute direction de ce véné-
« rable dépositaire de l'autorité de Notre Seigneur.

« La maison, située impasse Saint-Julien, que devaient
« occuper pour un temps nos Carmélites était, sinon prête,
« du moins ouverte. Les six religieuses venues à Angers
« avaient d'abord séjourné chez les Dames Augustines, qui
« les avaient reçues avec une bienveillance et une charité
« inoubliables. Elles durent se séparer pour entrer dans
« leur pauvre couvent. Ce n'était pas trop du souvenir de

« Bethléem, de son étable et de sa crèche pour adoucir le
« premier aspect de cette demeure triste et froide et dé-
« nuée des choses les plus nécessaires à la plus pauvre
« installation. Un fait en donnera l'idée exacte.

« La vénérée Mère Sainte-Victoire, supérieure des Augus-
« tines, avait voulu se donner la satisfaction d'accompa-
« gner la petite communauté et, comme dernier gage de
« la bonté de son cœur, en prenant congé, elle avait laissé
« quelques provisions de bouche. Quand il s'agit de prendre
« la première réfection on ne trouva ni table, ni banc ou
« objet analogue sur lequel on pût déposer les humbles
« provisions du repas. Une sœur avise quelques pierres
« dans la cour, trouve à force de recherches, dans un coin
« de grenier, un volet hors d'usage. Elle le dépose sur les
« pierres et la table est ainsi dressée. Les sœurs mangèrent
« de bon appétit, en bénissant la Sainte Mère de Jésus de
« ce qu'elle daignait ainsi les associer à sa royale pau-
« vreté. »

Cependant le repas fut court, les sœurs ayant bien d'autres soucis. Il fallait préparer un sanctuaire ou plutôt un nouveau berceau à Notre Seigneur. Une salle fut modestement appropriée et ornée pour devenir la chapelle et le chœur du monastère : Monseigneur ne voulut laisser à personne le soin de présider la très simple, mais auguste cérémonie de l'installation. Il bénit la chapelle, le chœur et la maison, célébra la sainte messe et, ayant déposé le Saint-Sacrement dans le tabernacle, il prononça une de ces allocutions si pieuses et si touchantes qu'il savait toujours faire en pareille circonstance. Il parla avec émotion de la pauvreté de l'étable de Bethléem et ravit l'assistance nombreuse qui était là. La meilleure partie de la société noble d'Angers était venue à cette cérémonie témoigner hautement de sa sympathie pour l'œuvre nouvelle qui devait attirer les bénédictions divines sur la cité.

C'était le 23 décembre, surveille de Noël. Mgr Angebault était si heureux qu'il voulut rédiger de sa main le procès-verbal d'inauguration et de prise de possession du Carmel.

Impossible de peindre la joie des chères sœurs, qui n'était égalée que par la satisfaction de l'Évêque. Deux jours après, le jour même de Noël, Monseigneur eut besoin de revoir sa chère petite communauté. Il revint à l'issue des vêpres de la cathédrale et trouva les sœurs occupées du mystère de Bethléem. Oh ! la nouvelle crèche n'était pas riche, elle ne contenait qu'une image, celle du missel ouvert à la page qui représente la nativité du Sauveur. Mais les chères fondatrices paraissaient si joyeuses, si pleines d'amour pour le divin Enfant pauvre et humilié, pour la Très Sainte Vierge et pour saint Joseph, que le pieux prélat fut ému jusqu'aux larmes. Il adressa de nouveau la parole à ses chères Filles et leur donna la bénédiction du Très Saint-Sacrement. Puis, pour assurer l'avenir de l'œuvre naissante, il nomma M. l'abbé Bompois, son vicaire général, supérieur de la communauté. M. l'abbé Crépon, attaché à Saint-Julien, fut d'abord nommé chapelain, puis, un an après, confesseur des religieuses.

Le Carmel ne demeura pas longtemps dans l'impasse Saint-Julien. La maison qu'il y occupait fut vendue. Les sœurs se retirèrent dans une maison qu'elles avaient louée au faubourg de la Madeleine ; elles purent à peine s'y installer. Des héritiers, voulant jouir de cette maison, obligèrent les Carmélites à déloger une seconde fois. C'est alors que la mère fondatrice, s'appuyant sur la divine Providence, acheta une propriété au fond de la cour Saint-Laud où elle pensait établir définitivement sa communauté. L'habitation était un ancien prieuré, commode en elle-même et très apte à recevoir les dispositions et transformations exigées par les règles des sœurs de Sainte-Thérèse. Mais Dieu ne voulait pas donner aux Carmélites de repos qu'elles ne fussent rentrées chez elles-mêmes. Elles habitaient depuis quelque temps la maison de la cour Saint-Laud quand elles apprirent que les Incurables de la Ville allaient être transférés à l'Hospice général qui s'achevait, que l'ancien Carmel allait être vacant et que les bâtiments seraient mis en vente l'année suivante. Cette nouvelle ne pouvait être reçue avec indifférence. La Mère Séraphine y songea devant Dieu. Avec l'autorisation de son digne Supérieur, elle se rendit sur les lieux, accompagnée de l'une de ses sœurs. Elle fut frappée de la beauté du site et de la bonne exposition des jardins, etc... Elle fut surtout vivement impressionnée en foulant le sol des cloîtres où reposaient tant de reliques vénérables. (Quatre-vingt et quelques religieuses mortes de 1626 à 1792.) Elle crut respirer quelque chose de cet encens de la prière et du sacrifice qui avait si longtemps parfumé ce saint asile. Toutefois il y avait d'immenses travaux à faire pour remettre les bâtiments en état, et la Révérende Mère hésitait. Elle consulta Mgr Angebault. Le prélat fut d'avis que, quelles que dussent être les difficultés de l'entreprise, il était de haute convenance de réintégrer le Nouveau Carmel dans l'Ancien. Cet avis fut suivi. Le bâtiment fut acheté, les sœurs se dépensèrent elles-mêmes pour faire une partie des réparations, et aujourd'hui tout a repris, depuis longtemps, le religieux aspect des anciens jours.

Ainsi fut définitivement établi le nouveau Carmel d'Angers auquel Monseigneur ne cessa de donner les marques du plus tendre intérêt. Plus tard, il permit aux R. P. du Saint-Sacrement de jeter les fondements de leur œuvre dans les bâtiments extérieurs des Carmélites où ils demeurèrent environ sept ans, servant d'aumôniers aux bonnes religieuses. Enfin, lorsqu'il mourut, il légua au couvent un beau ciboire, dont la vue ravive chaque jour dans le cœur des filles de sainte Thérèse la reconnaissance et l'amour filial qu'elles ont voués au pieux prélat à qui elles doivent leur rétablissement en Anjou.

Qu'il était heureux l'Évêque d'Angers quand il pouvait passer quelques instants avec ces âmes ferventes, leur parler de Dieu, de la Vierge et des saints et les enlever, dans un élan d'amour, au-dessus des misères et des luttes qu'engendreront éternellement les révoltes de Satan sur la terre! Pendant qu'il priait, nouveau Moïse, d'autres combattaient. Et quels combats!

Depuis dix-huit ans les catholiques réclamaient vainement une loi sur la liberté d'enseignement. Plusieurs fois l'on avait cru toucher au but et toujours l'espoir s'était évanoui, tant il était difficile de dissiper les préjugés de la foule, les craintes du monopole universitaire et les défiances du pouvoir. Il y fallut, non pas seulement le talent, l'habileté et l'éloquence de trois hommes des plus célèbres de ce siècle, mais encore leur dévouement, leur abnégation et jusqu'au sacrifice de leur gloire, Montalembert, de Falloux et Dupanloup, tous les trois absolument dissemblables, et paraissant peu faits pour s'entendre, mais qu'unirent heureusement la même foi catholique, le même amour de l'Église et la même haine des entraves apportées à la mission divine de la Religion.

Pendant dix-huit ans, M. de Montalembert avait saisi l'opinion de la question et l'avait à peu près amenée à maturité. Durant son ministère, M. de Falloux la traduisit en projet de loi ; à Mgr Dupanloup nous devons le ministère de M. de Falloux et le concours plein, entier et admirable d'un homme sur lequel il semblait qu'il y avait peu à compter, M. Thiers. Il ne fallait pas moins pour obtenir ce vote d'une loi si bien équilibrée qu'au dire de M. de Melun, « une concession de moins et une exigence de plus entraînaient le rejet de la loi ». Elle n'eut pas alors l'agrément de tous les catholiques, mais le temps, qui apprend toujours bien des choses, nous a montré que les catholiques en pouvaient tirer parti; que, grâce à elle, nous avons encore aujourd'hui des chrétiens vaillants pour lutter et qu'elle était une arme si bonne entre leurs mains, que le premier soin des adversaires de la Religion revenus au pouvoir a été de briser « cette loi qui fut la grande charte de l'émancipation de l'enseignement en France, cette loi obtenue après de si longs efforts et au prix de si glorieuses luttes, cette loi à la fois si modérée et si efficace, si scrupuleuse à tenir compte de tous les droits et de tous les intérêts[1] ».

Mgr Angebault n'eut pas de part dans la confection de la loi. Néanmoins il s'en occupa. Il se fit l'écho des sentiments de la province ecclésiastique près du Ministre. « Je suis venu à Paris, écrit-il à Mgr Régnier pour le sacre de Mgr de Moulins, et aussi comme député, en quelque sorte, de notre province pour prendre quelques renseignements. Douze évêques étaient réunis, j'ai parlé à presque tous. J'ai vu le ministre; j'ai pris des renseignements auprès des personnes qui m'ont paru le plus en état de m'éclairer. Il en résulte que la très grande et presque entière majorité est d'avis de concourir franchement et avec zèle à l'exécution de la loi. »

Il était trop sage pour adopter l'opinion du *tout ou rien*. Nous en trouvons la preuve dans une lettre à M. Micolon de Guérines. « On pèse en ce moment nos destinées qui vont sortir de la loi sur l'enseignement. Il y en a, je crois, qui s'abusent en voulant tout ou rien, comme l'*Univers*, qui préféreraient notre *statu quo* aux améliorations de notre cher M. de Falloux. Je ne puis partager cette manière de voir, parce que, hélas, je ne puis partager leurs espérances. On s'abuse par des espérances d'optimisme que devraient bien faire évanouir les déclamations furibondes de nos Victor Hugo et consorts. Il y a une haine profonde

[1] Discours de M. Chesnelong, 20 mai 1880.

contre la religion et ses ministres et, quoique cette Chambre ne réalise pas toutes mes espérances, savons-nous ce que nous aurons plus tard? Je suis d'avis de prendre tout ce que l'on pourra. Il vaut mieux vivre de pain bis que de mourir de faim. »

Qu'eût-il dit s'il avait connu toutes les difficultés, toutes les oppositions, tous les froissements qui dix fois faillirent compromettre le succès des délicates négociations qui amenèrent le vote de la loi de 1850? Bien qu'il n'en soupçonnât qu'une partie, il fut tellement heureux du résultat final qu'il écrivit à M. de Falloux une lettre que Mme de Falloux trouva « fort touchante » et à laquelle le comte répondit modestement : « Je suis très récompensé déjà, en ayant contribué, même indirectement, à briser quelques-unes des entraves de l'Église. Tout ce qui me serait accordé au-delà me semblerait usurpation. »

Monseigneur put donc se réjouir à la pensée que l'Église recouvrait quelque liberté. Mais les joies, au service de Dieu, sont souvent mêlées d'épreuves. Sa santé, si faible au début de son épiscopat, s'était soutenue et fortifiée jusque-là. Elle fut alors gravement atteinte. On se figure difficilement, quand on n'en a pas fait l'expérience, quelles fatigues imposent aux évêques leurs visites pastorales et leurs tournées de confirmation. De longues courses chaque jour, des cérémonies pénibles, des discours sans cesse répétés, des repas officiels nécessairement prolongés, des préoccupations de tout genre viennent à bout des tempéraments les plus robustes. Pendant le cours de sa visite annuelle, l'Évêque d'Angers avait ressenti les premières atteintes d'une fort grave maladie. Au retour, il fut pris d'une péritonite qui bientôt mit ses jours en danger. Il semblait, ainsi qu'il l'a dit lui-même, que, « comme la flamme qui voltige autour de la bougie expirante, son âme, prête à s'envoler, était sur le point de quitter son corps ». Les vicaires généraux alarmés prescrivirent des prières pour le rétablissement de sa santé. « Monseigneur, disaient-ils, est atteint d'une maladie qui n'a pas encore cédé aux soins intelligents et empressés d'habiles médecins et des personnes qui l'entourent de leur affection et de leur dévouement. Son état cause à sa famille et à tous ceux qui connaissent la nature de son mal de légitimes inquiétudes. Ces inquiétudes... nous aurions voulu les épargner à tout le diocèse. Mais le père de la famille est malade et tous ses membres doivent s'associer dans la douleur et dans la prière. » On vit alors quelle place occupait Mgr Angebault dans le cœur de ses diocésains. De tous côtés se manifesta l'inquiétude la plus vraie; de toutes les parties de son diocèse arrivèrent les marques de la plus sincère affection et les témoignages les moins équivoques de l'amour de ses enfants. On fit mieux, on adressa à Dieu de ferventes prières. Elles firent violence au ciel et, contre toute espérance, le 10 août, jour anniversaire de son sacre, un mieux inespéré se fit sentir. Le rétablissement complet fut lent toutefois et, deux mois après, Monseigneur écrivait de Sucé pour remercier ses diocésains de l'intérêt qu'ils lui avaient porté, des prières qu'ils avaient faites pour lui; mais il les avertissait qu'il ne pourrait pas encore rentrer en son diocèse pour les fêtes patronales de Saint-Maurice. Cette épreuve fut longue à son zèle; il la porta, comme toutes les autres, avec la plus parfaite conformité à la volonté de Dieu.

Revenu à la santé, Monseigneur reprit le cours de ses travaux apostoliques et il fut tout heureux de terminer l'année par la bonne nouvelle du jubilé. Pie IX n'avait pu prescrire cette grande réjouissance avec toutes les solennités accoutumées, à cause des épreuves dont il était à peine sorti. Mais il ne voulait pas tarder davantage à faire jouir les fidèles d'une faveur qui, pour lui, était une action de grâces. Son retour au Vatican lui paraissait providentiel; il lui sembla qu'il mettait fin à la tempête qui avait agité l'Église de Rome et le monde catholique tout entier, et il voulut associer à sa joie tout le peuple fidèle.

Aucune classe de la société n'échappait à la sollicitude de Monseigneur. Nous l'avons vu s'occuper déjà des Enfants de Marie, des domestiques. Plus tard, il groupera aussi en Association les mères chrétiennes. Il favorisait la Société de Saint-Vincent-de-Paul; il avait recruté des hommes pour l'adoration nocturne du Très Saint Sacrement. La classe ouvrière était trop intéressante pour ne pas attirer ses regards. Mais, comme dans le peuple le souci du pain de chaque jour tient une si large place, il voulut joindre aux secours spirituels les secours matériels dont l'ouvrier a un si pressant besoin. Il fonda à Angers l'Association dite Société générale des secours mutuels. Il ne fut pas seul dans cette fondation, mais il y eut une large part, et il fut le Président de la Société. « Je recommande à vos prières, écrivait-il à la Supérieure de Saint-Gildas, une œuvre importante à la tête de laquelle je suis placé. Je vous ai envoyé le petit règlement. J'espère, dans les réunions d'ouvriers, pouvoir glisser quelques avis imprégnés de foi pour les ramener à la religion et, dans le Conseil de famille que j'ai réuni déjà plusieurs fois, je n'ai pas mis de dissimulation et je leur ai bien dit qu'à côté du secours maternel donné aux malades j'avais bien l'intention de glisser un autre secours plus utile encore et plus précieux; que, d'ailleurs, ma présence seule dans leurs réunions et mon habit étaient une prédication, et qu'on serait étonné si je tenais un autre langage. Demandez au bon Dieu, ma chère Fille, que mes efforts ne soient pas inutiles, que ma voix ne soit pas méconnue. Les commencements me donnent des espérances. Nous avons recueilli déjà 1.200 francs; il y a 400 fondateurs et bienfaiteurs et plus de 300 ouvriers sociétaires; j'espère que cette œuvre portera des fruits.

Le but de l'œuvre n'était donc pas seulement de procurer quelques secours aux ouvriers atteints par la maladie, c'était d'unir tous les membres de l'Association par les liens d'une bienveillance réciproque et d'une affectueuse communauté d'intérêts. Il y avait deux sortes de membres : les fondateurs et les sociétaires ; mais tout fondateur pouvait devenir sociétaire et réciproquement. Il y avait un Conseil de famille formé par les membres délégués, à raison d'un délégué par série de dix sociétaires. Ainsi les ouvriers avaient leur part active dans l'administration de la Société, ils pouvaient faire entendre librement leurs plaintes ou leurs demandes ; rien n'était moins autoritaire ni, en même temps, mieux organisé.

Il fallut cependant, pour réussir, combattre bien des préjugés, dissiper bien des illusions et confondre bien des calomnies. C'est ce que fit la première réunion qui eut lieu le 11 mai 1851. On avait dit que les ouvriers ne voudraient pas faire partie d'une Association où dominait l'influence chrétienne, et dès la première réunion ils étaient au nombre de cinq cent quarante-neuf. Abusant de l'article 10 du règlement qui portait que l'ivrognerie et l'inconduite étaient des motifs d'exclusion, on avait prétendu que pour un rien, pour la moindre faute passagère, on exclurait les membres de la Société. « Nous savons tous plus ou moins, disait M. de Boissard, avec autant de modestie que de franchise, par notre propre expérience, par les fautes de notre jeunesse et même aussi, quelquefois, par celles de notre âge mûr, que tous nous avons eu, que nous avons, que nous aurons encore besoin d'indulgence. Ce n'est donc point de fautes passagères, de quelque nature qu'elles soient, qu'il est ici question, mais les habitudes invétérées d'ivrognerie, une inconduite notoire, scandaleuse, voilà ce qui empêcherait d'admettre dans une Société comme la nôtre, toute composée de gens de bien et d'honneur, voilà ce qui pourrait en faire exclure. Eh! Messieurs, si cet article n'existait pas et qu'on vînt le proposer, j'ai la confiance qu'il ne s'élèverait pas ici une seule voix pour le repousser. »

Enfin, on avait répandu le bruit perfide qu'on pèserait sur la conscience des ouvriers pour les forcer à remplir leurs devoirs religieux. Que de mal n'a-t-on pas fait avec cette sotte peur de la pression catholique ? Monseigneur fit à cette objection une réponse qui est de tous les temps et que le peuple trouverait grand profit à méditer : « Que craindriez-vous de votre Évêque ?... Ce n'est pas sa domination, n'est-ce pas ? Il n'a qu'une houlette pour sceptre. Ce n'est pas son ambition. Les intérêts de la terre ne sont rien pour lui. Ce n'est pas la crainte qu'il se serve de vous pour arriver aux honneurs ? Il n'a pas, lui, besoin d'élection ; il est l'élu de Dieu. Mais vous craignez peut-être qu'il ne vous pousse vers la religion, qu'il ne vous enlace dans ses pratiques ? Eh bien ! je vais vous faire ma profession de foi, et je voudrais être transparent, pour que chacun de vous lût au fond de mon cœur.

« Oui, je donnerais ma vie, je la donnerais mille fois pour vous gagner tous à la religion, pour que vous en connussiez, comme moi, la beauté, la douceur, les charmes ; pour que vous fussiez fidèles à ses lois et que, pour prix, vous pussiez goûter la paix qu'elle répand dans les cœurs ; mais, je vous en donne l'assurance, vous n'entendrez jamais ici sortir de ma bouche des paroles qui puissent vous blesser, des sollicitations importunes. Je vous parlerai quelquefois de la religion, parce qu'elle est le lien des esprits, parce qu'elle peut nous préserver des conséquences effrayantes des fausses doctrines, parce qu'elle répand dans les cœurs le baume des consolations véritables, parce qu'en consolidant l'ordre matériel elle favorise même les intérêts de l'industrie. Vous voyez toute ma pensée ; mais, en faisant ainsi, est-ce que je trahirai vos intérêts ? Est-ce que je méconnaîtrai ceux de vos familles, ceux de la cité, ceux de la France, notre patrie commune? Non, Messieurs, je n'aurai jamais avec vous d'autre langage que celui de l'affection la plus vraie, de la réserve la plus prudente. »

L'ouvrier français est toujours capable de goûter un si franc langage. Celui de l'Évêque d'Angers, dit le compte rendu de cette réunion, fut suivi de vifs et unanimes applaudissements.

Tout heureux de se sentir apprécié et goûté, parce qu'il pensait pouvoir par là faire plus de bien, il se promit de retourner à ses chers ouvriers. Toute sa vie il aima à leur adresser la parole. Il traitait familièrement avec eux les sujets les plus variés de la religion, de la morale, de l'industrie. Il descendait dans les moindres détails du ménage ouvrier pour en étudier les peines, les joies, les ressources, etc... Il ne dédaignait pas de lire les ouvrages faits sur la condition des ouvriers, et, chose singulière, lui qui ne parlait jamais que sur quelques notes prises à la hâte, il écrivit longtemps et tout au complet les allocutions qu'il adressait à ses chers ouvriers. Son dévouement ne fut pas perdu ; on en eut bien la preuve quand, à ses obsèques, on vit ces ouvriers disputer aux élèves du sanctuaire l'honneur de le porter à sa dernière demeure.

Avec cet amour des ouvriers, Monseigneur ne pouvait pas oublier leurs enfants. Il savait combien souvent la foi est battue en brèche dans l'atelier. Il savait aussi quels entraînements attendent le jeune homme au moment des premiers orages du cœur. Une œuvre de préservation de la jeunesse devait conquérir toutes ces sympathies. Cette œuvre fut conçue et exécutée par un prêtre dont le nom vénéré est encore applaudi dans les réunions des œuvres ouvrières, M. l'abbé Leboucher.

Alors vicaire de Saint-Laud, M. Leboucher entreprit de réunir chaque dimanche des apprentis et de jeunes ouvriers pour les amuser honnêtement, conserver en eux le principe de la foi et les aider à pratiquer courageusement les devoirs de leur religion. Il fallait un local pour ces réunions. Le zélé fondateur fut aidé à ses débuts par un saint prêtre, l'abbé d'Andigné, qui lui fit un don considérable. Grâce à cette générosité, l'œuvre put prendre de rapides développements.

Elle avait bien modestement commencé. En 1850 elle ne comptait que deux ou trois associés qui jouaient et couraient dans le jardin de la cure de Saint-Laud. L'année suivante, la joyeuse colonie avait pris son domicile à la Musse, sur la promenade de la Baumette et, au mois de septembre 1852, elle était installée dans le splendide local actuel. Monseigneur avait béni l'œuvre, l'avait encouragée et largement soutenue de ses deniers. C'est de cette œuvre, l'une des premières en ce siècle, qu'est parti le mouvement ouvrier que nous voyons maintenant croître de jour en jour.

Dès 1859, les œuvres de jeunesse étaient assez nombreuses pour que M. Leboucher pût tenir le premier de ces Congrès annuels qui ont tant animé le zèle des directeurs d'œuvres de jeunesse. C'est encore M. Leboucher qui eut l'initiative de ce Congrès de Nevers qui, en 1871, unit en un faisceau commun toutes les œuvres catholiques, avec bureau central à Paris. Il faut reconnaître toutefois que l'œuvre de Notre-Dame-des-Champs dut beaucoup à M. Henri Jouin, aujourd'hui secrétaire de l'École des Beaux-Arts. M. Jouin avait reçu de Dieu, dans un corps malheureusement arrêté par l'infirmité, une âme ardente, franche et loyale. Travailleur intrépide, poète, écrivain disert, critique d'art distingué, il était surtout chrétien. Il fut longtemps l'âme et la vie des Congrès, et c'est à lui qu'est due pour une bonne part cette expansion admirable des œuvres catholiques.

De son côté, l'Évêque d'Angers ne ménageait rien pour une œuvre, qui, en dehors des grandes choses dont nous venons de parler, donnait à la ville d'Angers une légion de chefs de famille honnêtes et religieux. Pour en assurer l'avenir, il la remit entre les mains de ses frères de Saint-Vincent-de-Paul[1]. Après les jeunes, les vieux, ou plutôt en même temps qu'il favorisait les œuvres de jeunesse, il cherchait aussi à soulager les vieillards. Oh! que la vieillesse est triste quand elle n'est pas consolée par la religion! Monseigneur ne pouvait voir sans pitié ces pauvres que l'âge et son cortège d'infirmités met hors d'état de gagner leur vie. Souffrants, isolés, même au milieu des membres de leur famille qui se dispersent tout le jour, à charge à des enfants qui sont souvent misérables eux-mêmes, parfois transportés de l'un chez l'autre comme un fardeau gênant, la plupart du temps éloignés de Dieu, ne recevant aucun des secours religieux dont ils auraient si grand besoin, ils vivent dans un chagrin qui les aigrit et sont trop exposés à mourir dans des sentiments voisins du désespoir. Tout ce qui tend à les soulager excitait l'admiration du bon évêque. Aussi est-ce avec joie qu'il appela à Angers les saintes petites sœurs des pauvres; il les établit aux portes de la ville d'Angers, en pleine campagne, dans un lieu bien aéré, le Mélinais, où elles ont prospéré et où elles continuent à recueillir, à soigner, à consoler et à sauver les pauvres vieux qu'on veut bien leur confier. Cette fondation eut lieu en 1850. Monseigneur ne cessa de lui témoigner le plus paternel intérêt et, comme gage de ces sentiments, il voulut, en mourant, léguer aux petites sœurs des pauvres tout son linge et ses vêtements.

En suivant toujours le besoin de son cœur, comme il le dit, il écrivit une circulaire pour recommander l'œuvre de la Propagation de la Foi. Une autre œuvre, non pas rivale, mais sœur de celle-ci, avait pris naissance depuis quelques années, celle de la Sainte-Enfance, chargée de recueillir le

[1] Elle est dirigée aujourd'hui par M. Myionnet, le neveu même du pieux fondateur dont nous avons déjà parlé.

sou des petits enfants chrétiens, pour le transmettre aux missionnaires qui travaillaient là-bas à sauver les pauvres enfants idolâtres.

Cette œuvre trouva d'abord quelque contradiction. Elle semblait une reproduction réduite de la Propagation de la Foi. L'Archevêque de Lyon craignit que cette œuvre nouvelle ne fît tort à celle qui était établie déjà dans sa ville archiépiscopale. L'Évêque d'Angers partagea d'abord ses sentiments. En 1844, il avait écrit au Président de l'œuvre nouvelle qu'il avait peur de voir la Sainte-Enfance faire tort à la Propagation de la Foi et que, ses *craintes* ayant été malheureusement confirmées, il ne pouvait, malgré les instances réitérées de Mgr de Forbin-Janson et la vénération dont il était pénétré pour ses lumières et ses vertus, favoriser l'œuvre dans son diocèse. Quatre ans plus tard, il était encore sous l'empire de la même *impression*, car il écrivait à l'un de ses curés que, sans blâmer l'œuvre de la Sainte-Enfance et sans l'interdire, il lui recommandait du moins de ne faire aucune propagande. Cependant, en présence des résultats obtenus, ayant constaté que l'œuvre de la Propagation suivait une progression constante, que d'ailleurs des mesures avaient été prises par le vénérable Mgr de Forbin-Janson, pour que le succès d'une œuvre ne mît aucun obstacle à la marche de l'autre, il recommanda de grand cœur l'œuvre de la Sainte-Enfance. « Jusqu'ici, disait-il à ses curés, en parlant de cette œuvre, sans la condamner, j'avais été timide pour l'encourager. Des observations à moi adressées par des bouches respectables m'avaient fait craindre qu'elle ne nuisît à son aînée... mais, rassuré par les mesures prises... je ne crains pas de vous la recommander, en vous rappelant toutefois qu'il est expressément prescrit que tout associé de la Sainte-Enfance, qui sera parvenu à l'âge de vingt-et-un an, fasse en même temps partie de l'association pour la Propagation de la Foi et que, s'il ne pouvait pas ou ne voulait pas faire partie en même temps de ces deux associations, il soit affilié à l'œuvre principale, c'est-à-dire, celle de la Propagation de la Foi. »

Une lettre de l'abbé James, vice-président du Conseil central de Paris, le remercia d'avoir recommandé l'œuvre dans un *beau passage* de son dernier mandement.

Il ne suffit pas de contribuer par l'aumône à la diffusion de la foi en pays étranger ; il faut aussi l'entretenir dans les pays chrétiens. Le grand moyen, après la famille, c'est l'école. Monseigneur ne l'oublait pas et il profitait largement des dispositions de la loi de 1850. Auprès des avantages qu'offrait cette loi, elle présentait un danger. La lettre d'obédience, qu'elle admettait comme certificat de capacité, donnait aux communautés le droit d'envoyer, sans contrôle, des institutrices de tous côtés. Et, comme les demandes étaient nombreuses, on courait le risque, pour y faire droit, d'envoyer quelquefois des maîtresses d'école insuffisamment préparées. Quand même on eût évité cet écueil, restait encore à craindre que les ennemis des congrégations ne criassent à l'ignorance. On sait s'ils s'en font défaut quand ils en trouvent l'occasion.

Pour parer à cet inconvénient, Monseigneur, avec une sagesse qui devait un jour sauver la lettre d'obédience, rendit une ordonnance en vertu de laquelle aucune religieuse ne pouvait être placée à la tête d'une classe ou d'un asile sans avoir préalablement subi avec succès un examen devant une commission nommée par lui. Il fit rédiger des programmes pour les différentes classes. Chaque année, la commission devait procéder aux examens dans la première quinzaine du mois d'août.

Cette ordonnance, exactement suivie, eut pour premier résultat de maintenir et d'élever même le niveau des études primaires. Elle eut, en outre, l'avantage d'inspirer confiance aux familles et d'imposer silence à la malveillance. On verra plus tard que ce ne fut pas là son seul succès.

CHAPITRE X

Le Journalisme

Rétablissement de l'Empire. — Sentiments des Évêques vis-à-vis de Rome. — Mgr Angebault et l'Infaillibilité pontificale. — La loi de 1850 et la Presse. Lettre à M. Bonnetty. — Question des classiques. — Les Évêques et la Presse catholique. — Lettres de l'Évêque d'Angers au Nonce, à Antonelli, à Pie IX.

Cependant, les événements politiques en France prenaient un cours rapide. Le Pouvoir législatif et le Pouvoir exécutif ne s'entendaient guère dans la République française. C'était l'élection de Louis-Napoléon à la présidence qui avait amené le conflit, et la France, lasse de la lutte contre l'anarchie, n'était que trop disposée à accepter les modifications que, dans son propre intérêt, le Président voulait introduire dans la Constitution. L'assemblée résistait, mais mollement, et le bon sens de M. Thiers ne suffisait pas à l'arrêter sur la pente où on la faisait glisser. Le coup d'État du 2 décembre n'était que la préface du second Empire. En l'apprenant, Monseigneur écrivit : « Puisse l'autorité qui prend des mesures si énergiques ne *jamais dépasser les bornes de la modération !* »

Le Président n'avait point de semblable préoccupation. Il voulait l'Empire, l'Empire fut rétabli. Qu'allait devenir l'Église de France sous ce nouveau gouvernement? C'est la question que se posaient les catholiques. L'Empereur avait annoncé son désir de la paix ; il avait prononcé le mot fameux : « Il faut que les méchants tremblent et que les bons se rassurent », et il avait cherché l'appui des catholiques. C'étaient là des motifs d'espérance. Mais que de sujets de crainte! Cet homme était évidemment ambitieux; il avait débuté violemment, il avait sacrifié l'Assemblée législative où les catholiques étaient si puissants et il avait accepté et réclamé le secours d'hommes qui n'étaient rien moins que religieux. D'ailleurs son avènement ne pouvait qu'ajouter une division de plus à celles qui existaient et ne devait rendre que plus profonde encore la plus funeste des divisions, celle des catholiques entre eux.

Nous avons déjà laissé entrevoir quelque chose de ces luttes entre des hommes qui auraient dû se tenir serrés les uns contre les autres pour faire face à l'ennemi commun, la révolution, et qui se séparèrent si malheureusement. Le temps est venu, ce semble, de rendre un compte impartial de ce singulier mouvement d'idées qui a fait tant de mal à l'Église de France. La plupart des combattants de cette arène politique, sociale et religieuse, ont disparu. Les événements terribles qui ont succédé, les luttes soutenues pour défendre les droits naturels ou acquis ont amené les esprits sur un terrain nouveau; les conseils et la haute sagesse de Léon XIII ont mis fin aux querelles d'autrefois, et il n'y a plus aucune crainte de les réveiller. C'est donc l'heure de les juger équitablement, et nous le devons à la mémoire de Mgr Angebault, qui y fut mêlé beaucoup plus qu'on ne l'a cru communément. Sa volumineuse correspondance nous donnera une idée juste de ce que fut cette lutte des catholiques au commencement du second Empire.

Cherchons d'abord quels étaient, à cette époque, les sentiments de l'épiscopat français pour le Pape et, puisqu'il faut prononcer le mot, si les évêques étaient gallicans. On l'a dit d'un certain nombre et de Mgr Angebault lui-même. Voici, en ce qui le concerne, ce qu'il en pensait et ce qu'il en écrivait à M. Bonnetty, le directeur des *Annales de philosophie chrétienne :* « Je ne suis point gallican, je ne l'ai jamais été »; mais, avant d'appliquer ce mot comme on l'a fait si souvent, c'est-à-dire comme une injure, il faudrait, écrivait-il en substance, le définir et s'assurer qu'il convient à ces évêques si soumis au Souverain Pontife, si filialement respectueux, si heureux d'aller déposer aux pieds du trône pontifical l'hommage de leur amour et qui, d'ailleurs, reçoivent en échange les témoignages de la plus affectueuse bienveillance de la part du Pape. « Nous avons tous un juge, reprenait-il ensuite, c'est le Pasteur suprême, le successeur de Pierre. Rome, c'est la *lumière*, c'est notre espérance, c'est aussi l'objet de notre amour. Que du haut de sa chaire, le Vicaire de Jésus-Christ élève sa voix, qu'il fasse un signe, toutes les volontés se courberont. » Cette lettre est datée du 5 mars 1853. Mais déjà, en 1849, écrivant au Ministre des Cultes, qui était alors un catholique éminent[1], il ne tenait pas un autre langage. « Si je ne trouvais au fond de mon âme, disait-il, la soumission que la foi inspire pour la suprême autorité du Père et du Pontife de toute l'Église catholique, si cette docilité filiale, cette confiance entière n'était pas un besoin pour mon cœur, si je ne sentais pas que je suis prêt à donner ma vie pour celui qui tient envers nous *la place de Jésus-Christ lui-même*, si je n'étais pas convaincu que ces sentiments sont partagés par tous nos vénérables collègues, que jamais une église n'eût dans aucun temps pour la chaire de saint Pierre un dévouement plus entier, plus généreux que celui de l'Église de France en ce moment, je n'oserais pas dire qu'il est des hommes et des ecclésiastiques même qui, par une illusion que je voudrais pouvoir toujours respecter, rabaissent trop, déprécient trop l'autorité locale du pasteur pour surexalter celle qui est au premier rang. »

Enfin voici ce qu'il enseignait dans son mandement du

[1] Le comte de Falloux.

8 décembre 1854, à propos de la définition du dogme de l'Immaculée-Conception.

« Par toutes ces preuves et par tous ces témoignages, par les paroles de Notre-Seigneur Jésus-Christ et par la croyance de tous les siècles, concluons donc, N. T. C. F., et proclamons, sans crainte de nous tromper, cette doctrine au-dessus de toute discussion, de tout conteste, de toute opinion, de tout préjugé et de tout système, cette vérité qui a été crue, qui a été professée, qui a été acclamée par toutes les générations et toutes les langues depuis dix-huit siècles, qui ne peut être reniée, méconnue, oubliée sans briser le lien de la grande unité catholique, c'est que Pierre et, dans sa personne, le Vicaire de Jésus-Christ, est le fondement de l'Église, le principe, le centre nécessaire de l'unité; qu'il possède, dans l'Église, un pouvoir indépendant, absolu, suprême *sur les intelligences* par l'enseignement de la foi, sur les volontés par une autorité émanée de Dieu même. C'est là cette pierre, cette pierre merveilleuse entrevue, bien des siècles avant son apparition, par le prophète Isaïe. »

A cette époque l'infaillibilité du Pape n'était pas encore un dogme ; mais la vérité de foi aujourd'hui définie eût-elle été promulguée, qu'y aurait-il eu à changer dans ce langage ?

Et l'Évêque d'Angers était persuadé comme nous venons de le voir, que ses sentiments et sa conviction étaient partagés par tous ses vénérables collègues. Ceux qui étaient en relations avec lui pensaient effectivement ainsi. « L'Église de France, écrivait l'Archevêque de Cambrai, se jette avec un amour tout filial dans les bras du Souverain Pontife. » L'Évêque de Viviers, Mgr Guibert, disait : « Quand le Pape aura parlé nous nous soumettrons, quelles que soient ses décisions. » Et ailleurs : « Nous devons être romains plus et mieux que ceux qui nous traitent de gallicans. » L'Évêque d'Orléans, Mgr Dupanloup, disait avec force : « Il n'y a pas huit évêques gallicans en France. Il serait facile de multiplier ces citations. Nous n'en ferons plus qu'une qui, à elle seule, est une preuve manifeste des sentiments de l'épiscopat à l'égard de Rome. « Sur quinze provinces ecclésiastiques dont se compose l'Église de France, écrivait Mgr de Mazenod, treize ont tenu leurs conciles ; lisez nos décrets et vous verrez si jamais les *droits* et les *prérogatives* du Saint-Siège ont été mieux établis, plus énergiquement défendus et si le Père commun a jamais été entouré de plus d'obéissance, de plus de respect et de plus d'amour. »

Et, quand nous n'aurions pas ces témoignages décisifs, il est assez clair que le gallicanisme ne pouvait plus exister en France. La Révolution l'avait tué et bien tué. On conçoit le gallicanisme alors que la Religion catholique était la Religion de l'État et que ses lois faisaient partie de la législation française. L'État, qui se mettait au service de l'Église, avec les devoirs qu'il acceptait, acquérait des droits que lui reconnaissait ou lui concédait l'Église. Il prétendait, sinon toujours justement, assez naturellement du moins, avoir un contrôle sur les décisions venues de Rome qu'il aurait à faire respecter. Il ne voulait pas accepter une suprématie, une infaillibilité surtout qui obligerait le Roi à céder au Pontife. De là la doctrine des quatre articles et les éternelles discussions sur la limite d'action des deux pouvoirs ; de là aussi les entraînements de l'Épiscopat et des hommes d'Église sous la main du pouvoir civil rompant difficilement avec le Roi en qui se personnifiait alors le patriotisme. Mais, du moment qu'il n'y avait plus de religion d'État, que l'État n'avait plus à faire observer les lois religieuses, celui-ci perdait fatalement le prétendu droit de contrôler l'Église, il ne pouvait plus y avoir de doctrine d'État, de théologie d'État, partant plus de gallicanisme.

Il pouvait toutefois et il devait rester quelques traces de

l'ancien ordre de choses dans les idées et dans les mœurs, des coutumes et des liturgies particulières plus ou moins respectables, des lacunes dans les études théologiques et canoniques, des erreurs peut-être sur certaines questions mal étudiées. Il fallait laisser au temps et à la sagesse de cette Église qui « se jetait avec un amour si filial entre les bras du Souverain Pontife », le soin de détruire ces restes malheureux. Mais l'attachement aux doctrines gallicanes des siècles précédents n'existait plus, du moins dans le clergé et surtout dans l'épiscopat. Quelques exceptions, fussent-elles bien constatées, n'infirmeraient pas le fait. Et cela est si vrai que les tentatives faites par les divers gouvernements de France pour faire enseigner les quatre articles dans les Séminaires ont toujours complètement échoué.

D'où venait donc cette grande accusation de gallicanisme? Hélas! Au moment où tant d'idées nouvelles surgissaient, où les utopies les plus étranges se faisaient jour, où toutes les erreurs religieuses, polititiques, sociales se donnaient libre carrière, des hommes se levèrent pour défendre la vérité. Ardents à la lutte, confiants en eux-mêmes, parfois pleins de talents et écrivains supérieurs, ils se donnèrent la mission de diriger l'Église de France. Pleins de zèle, mais d'un zèle qui n'était pas *selon la science*, comme dit l'apôtre, ils ne ménagèrent rien, ni personne. Quiconque, fût-il Évêque ou Archevêque, ne pensait pas comme eux en tout, fut traité en ennemi de l'Église, par conséquent en ennemi de Rome et du Pape et fut déclaré gallican. Tous les témoignages sont ici d'accord et nous allons voir que les partisans les plus déterminés des doctrines romaines ne purent se défendre de blâmer ce qu'on a appelé si justement le laïcisme dans l'Église.

Déjà, nous le savons, Mgr Angebault avait protesté contre le marquis de Régnon, et Rome lui avait donné raison;

déjà aussi il avait désapprouvé M. Bonetty, et il va continuer la lutte avec courage.

La loi de 1850, œuvre de tant de sagesse, et qui devait avoir pour notre pays de si heureux résultats, n'avait pas trouvé grâce devant quelques journalistes catholiques qui enlevaient à l'épiscopat la conduite de l'Église de France, et un de ceux qui avaient réclamé avec le plus d'énergie et de talent la liberté d'enseignement, Louis Veuillot, se déclara résolument contre elle. On a dit que le célèbre polémiste était devenu chef de l'opposition par dépit de n'avoir pas été nommé membre de la Commission chargée d'élaborer la loi. Nous ne pouvons accepter cette accusation. Nous préférons croire à un zèle trop ardent et à l'ignorance des difficultés que présentait pratiquement cette délicate question, et c'est d'ailleurs l'opinion des Évêques qui eurent le plus à souffrir de la polémique du rédacteur en chef de l'*Univers*. Quoi qu'il en soit, cette opposition faillit devenir funeste à la loi qui s'élaborait dans des conditions exceptionnelles et certainement inespérées. Louis Veuillot y avait mis tout son talent, toute la violence aussi de son caractère et tout sembla compromis.

Le Nonce dut demander à l'Évêque d'Orléans de faire un mémoire pour le Souverain Pontife et ce mémoire ayant été communiqué aux Évêques : « J'ai reçu, comme vous, écrit l'Archevêque de Toulouse, ce mémoire de 190 pages sur la situation présente de l'Église gallicane. Il m'a singulièrement frappé. C'est ce que j'ai lu depuis longtemps de plus docte, de plus sage, de plus raisonnable, de plus pieux, de plus juste, de plus propre à guérir nos maux présents et à conjurer le triste avenir que tant d'écervelés préparent à l'Église et au Saint-Siège. » « J'ai trouvé le mémoire bien, écrit de son côté Mgr Régnier ; il est modéré et raisonné. » Ce mémoire reçut l'approbation de presque tous les Évêques. Revêtu de la signature de trente-deux Évêques ou Archevêques, il fut remis au Pape par l'Archevêque de Besançon. Pie IX envoya alors au Nonce des instructions qui amenèrent un apaisement momentané. La loi put être votée.

Mais la paix ne fut pas de longue durée, car le journalisme reprit bientôt ses attaques. Les Évêques ne cessaient de protester, mais en vain. L'Évêque d'Angers se plaignait des querelles amenées par ces polémiques. « En ce moment, des hommes zélés, dit-on, mais peu prudents et exagérés jettent de tous côtés la perturbation et la division dans notre chère Église de France par leurs discours, par leurs écrits. » L'Évêque de Viviers en réfère à Rome. « J'ai parlé au Nonce, dans le même sens que vous, pendant mon court séjour à Paris ; je lui ai répété souvent que Rome ne devait pas se laisser conduire par quelques têtes françaises pleine d'imagination. J'ai écrit, il y a quelque temps, une lettre très respectueuse, dans laquelle je prenais la liberté d'adresser à Sa Sainteté quelques observations sur la situation actuelle, à propos de la *Correspondance de Rome.* » L'Évêque d'Orléans, avec son grand sens et une véritable modération, disait aussi : « Sans le vouloir, sans le savoir, peut-être, quelques catholiques ardents, trop ardents, enlèveraient, s'il était possible, à l'Église, à l'Épiscopat, par la promptitude de leur initiative et l'élan de leur polémique, la direction, le gouvernement supérieur. »

« Désormais, toutes les fois qu'un point de doctrine ou qu'un plan de conduite devront être examinés, décidés par les Évêques de France ou par le Saint-Siège, quelques écrivains pourront-ils prendre sur ce point, sur cette résolution, l'initiative, nous ne disons pas d'une discussion grave, paisible, modérée, mais du jugement, de la décision, de la condamnation ?...

« Les verrons-nous prévenir, soulever les esprits, agiter les consciences, faire, en quelque sorte, violence à la sage et lente délibération des Évêques ou, du moins, gêner leur liberté, en anathématisant à l'avance telle décision, telle ou telle conduite? » « Je crains bien que tout cela, dit l'Archevêque de Toulouse en parlant du mémoire, ne soit pas entendu ni goûté et que Dieu ne nous réserve de dures épreuves dans des discussions intestines. Se peut-il que les P... et les J... M... se fassent nos maîtres et nos réformateurs? »

Quant à Mgr Angebault, ses sentiments, souvent manifestés ailleurs, nous apparaîtront très clairement dans la lettre suivante à M. Bonetty :

« Monsieur le Directeur,

« Je n'ai point l'intention d'entamer une polémique avec vous; mais, avec la lettre que vous m'avez fait l'honneur de m'écrire, vous m'avez adressé un dernier numéro des *Annales*, et vous paraissez désirer une réponse. Je ne crains point de prendre la plume et de m'expliquer franchement.

« Mon premier besoin est de rendre hommage à votre zèle, à vos talents. J'aime aussi à vous répéter que je m'étais abonné, dès le principe, à votre travail, que j'en suivais le développement avec un véritable intérêt; mais que mes sentiments ont dû changer lorsque j'ai vu qu'au lieu de s'occuper de sciences religieuses on descendait à des questions de personnes et qu'on suivait des tendances qui me semblent dangereuses.

« Si vous désirez que je m'explique plus clairement, je vous dirai franchement, Monsieur, que depuis trop longtemps je vois avec anxiété et avec un profond regret la presse religieuse faire irruption sur un terrain qu'elle devrait respecter. Je ne suis ici l'avocat ni d'un parti ni d'un autre. Je blâme toutes les exagérations et surtout ces luttes, ces violences, ces injures même que des écrivains catholiques se jettent à la tête, triste spectacle qu'on devrait nous épargner.

« Mais ce que je blâme surtout, c'est de voir des hommes sans mission se permettre de donner à ceux qui sont leurs guides dans la foi des avis, des conseils, une direction ; de s'occuper de notre administration diocésaine, de l'enseignement de nos Séminaires, de la discipline concernant les clercs, de la liturgie de nos diocèses, sans connaître ni les obstacles matériels, ni les raisons d'opportunité (et quand même ils auraient approfondi ces questions difficiles, cette connaissance ne leur donnerait pas le droit de porter un jugement). Je blâme cette coutume qui s'établit d'en appeler par la presse à l'opinion publique, tribunal inconnu dans l'Église, et d'exercer ainsi sur nous une pression, au moins morale, et de gêner sans cesse ceux que le Saint-Esprit a chargés de diriger les troupeaux.

« Je blâme ceux qui excitent l'irritation en rappelant continuellement la discussion sur des questions de gallicanisme qu'il faudrait laisser ensevelir dans la tombe d'un triste passé, qui jettent cette qualification à tous ceux qui ne partagent pas leurs opinions, les plans qu'ils forment, les réformes qu'ils veulent adopter, qui osent élever des soupçons contre les premiers pasteurs eux-mêmes, comme s'ils avaient reçu une mission pour les juger, qui les traitent du moins avec une légèreté déplorable.

« Je ne suis point gallican, je ne l'ai jamais été, mais, avant d'appliquer ce mot comme une injure, il faudrait le définir et voir s'il convient à ces Évêques si soumis au Souverain Pontife, si aimants, si filialement respectueux, qui sont si heureux d'aller déposer aux pieds du trône pontifical l'hommage de leur amour et qui, en échange, reçoivent du Père commun les témoignages de la plus affectueuse bienveillance ? Et voilà ceux qu'on représente comme hostiles, contre lesquels on sème des défiances. Avouez, Monsieur, que la presse manque à sa noble mission quand elle se livre à de tels excès.

« Je blâmerais encore, si la question ne devenait trop

délicate, ceux qui révèlent, à un public qui n'en doit pas connaître, les choses bonnes ou même mauvaises qui n'étaient pas destinées à la publicité. Je ne condamne point les intentions, mais je blâme les faits. Nous avons un juge, c'est le pasteur suprême, le successeur de saint Pierre. Que le vicaire de Jésus-Christ élève sa voix, qu'il fasse un signe, toutes les volontés se courberont. Mais ces oracles, mais ces censures, nous ne reconnaissons pas le droit de les prononcer à ceux qui sont sans mission. Ils s'arrogent un pouvoir que nous ne pouvons admettre, et si, comme on ne cesse de le répéter, tous sont *soldats* pour défendre la foi, tous ne sont pas *capitaines*, et, dans cette *armée rangée en bataille*, chacun doit demeurer à la place qui lui est assignée.

« Je me suis expliqué franchement, Monsieur, sur des égarements que je déplore parce qu'ils nuisent au bien ; mes observations sont générales, n'en soyez point blessé comme d'une attaque personnelle. »

Mais reprenons le récit des faits; aussi bien contribuera-t-il encore plus à mettre dans son jour l'abus du laïcisme dans l'Église.

La question des classiques païens venait d'être soulevée par un prêtre de plus de zèle que de sagesse, l'abbé Gaume, vicaire général de l'Évêque de Nevers. Dans un livre intitulé le *Ver rongeur*, il soutenait cette thèse que l'éducation classique, se faisant à l'aide des auteurs païens, devait être nécessairement païenne et que c'était là le ver rongeur qui décomposait les sociétés. Ainsi posée, cette thèse ne tenait pas debout. « Ne me condamnez pas, écrivait à ce sujet le cardinal Pitra, à approuver le *Ver rongeur*, même après le cardinal de Reims. J'ai essayé, par des lectures complètes, de prendre ce livre au sérieux ; je n'ai pu qu'éprouver une impatience de plus en plus irritée...

« Son système me semble sans base. Il n'y a pas un seul décret de l'Église, un seul Canon des Conciles contre les classiques. Il n'a pas compris les textes des Pères, il n'a pas su ce qu'on faisait au moyen âge. L'abbé Gaume n'a pas ouvert Marcianus Capella, qui a été le livre usuel de mille ans : tout y est classique et mythologique à dérouter les plus habiles. Il n'a pas vu ces innombrables gloses, quelques-unes de saints personnages, qui couvrent les marges et les interlignes des classiques. Enfin il a été plus outré que ne le fut jamais l'abbé de Rancé. Il n'y a plus guère qu'à brûler le *Traité des Études* de Mabillon si le *Ver rongeur* a raison. Mabillon nomme crûment les classiques même pour les études des élèves et des novices du monastère. Il faudrait vraiment renier toutes les traditions de notre Ordre pour adopter ce système.

« Enfin, pour aller au fond de sa thèse, est-il logique d'appeler païennes les règles fondamentales et universelles du beau littéraire? La rhétorique d'Aristote, la poétique d'Horace ne sont pas plus païennes, quant au fond, que la géométrie d'Euclide, que la médecine d'Hippocrate. N'est-il pas plus logique et plus chrétien de réclamer comme un domaine commun cet héritage de l'antiquité et de montrer que l'Église l'a conservé et en a tiré si merveilleusement parti? »

A quoi D. Guéranger répondait : « J'approuve de tout point votre manière de voir. Le contraire est absurde... L'abbé Gaume est profondément ignorant, vous ne pouvez le suivre en aucune façon. »

Si tout s'était borné à une discussion sage et courtoise, la question se serait éclaircie tout naturellement et la thèse eût été réduite, comme elle l'a été depuis, aux trois points suivants : 1° l'expurgation plus sévère des auteurs païens; 2° l'introduction plus large des auteurs chrétiens dans les études classiques; 3° l'enseignement chrétien des auteurs païens.

Il n'en fut pas ainsi malheureusement. L'Évêque d'Orléans, qui travaillait de toutes ses forces à exhausser le niveau des études dans ses petits séminaires, adressa, en 1852, à ses professeurs une longue et belle lettre sur les classiques. Se tenant à l'écart des opinions extrêmes, il maintenait l'enseignement des classiques païens, chez lesquels tout n'est pas païen, et qui ont des beautés littéraires qui ne sont pas païennes; il ajoutait qu'il fallait laisser aux auteurs anciens la place que leur ont assignée les plus saints évêques et les plus savantes congrégations; qu'il fallait d'ailleurs ne négliger aucune des précautions nécessaires; choisir avec soin les éditions le mieux expurgées et enseigner chrétiennement; enfin il donnait à l'Écriture sainte, aux Pères de l'Église et aux auteurs modernes une place plus grande que ne l'avait faite autrefois saint Charles Borromée qu'on n'accusa jamais ni de relâchement ni de paganisme.

Malgré la modération de cette conduite, l'Évêque d'Orléans fut violemment attaqué par l'*Univers*. D'après ce journal, l'Évêque d'Orléans regardait comme un *danger pour la foi* de faire *une plus large part* dans l'éducation aux classiques chrétiens... il instituait dans les séminaires un système d'éducation dont le paganisme *formait la base*. D'autres journalistes, faisant écho, allaient jusqu'à soutenir que ces instructions n'étaient qu'un véhément plaidoyer en faveur de la *renaissance du paganisme;* qu'il ne savait ni ce qu'il *voulait*, ni où il *allait;* qu'il ne distinguait pas suffisamment entre la *morale chrétienne* et la *morale païenne*, entre *Socrate* et l'*Évangile;* enfin, on l'assimilait à un *fils de Voltaire!*

Il n'était plus possible de tolérer de semblables attaques. L'Évêque d'Orléans publia un mandement dans lequel, s'élevant bien au-dessus de la question des classiques, il dénonçait l'invasion du journalisme laïque dans l'administration épiscopale et défendait la lecture de l'*Univers*, non pas à tout le monde, mais *aux professeurs* à qui il avait donné ses précédentes instructions.

Ce mandement fit pousser un cri de délivrance aux évêques. Mgr Angebault répondit par la lettre suivante :

« Monseigneur,

« J'ai lu et relu, avec une très grande attention, votre lettre du 19 avril 1852 à MM. les Supérieurs et Professeurs de vos séminaires et votre mandement du 30 mai. Dans cette controverse, il y a deux questions bien distinctes, savoir une question littéraire et religieuse à la fois, sur laquelle vous exprimez votre sentiment, et un acte d'autorité que, dans les limites de votre droit, vous exercez sur les ecclésiastiques auxquels vous avez confié la direction de vos établissements.

« Sur la première question, les opinions peuvent être libres : l'Église ne s'est point prononcée. Tous et chacun peuvent donc en sûreté de conscience avoir leur manière de voir, pourvu que dans la discussion, surtout envers un Évêque, et j'ajoute envers un Évêque qui a noblement consacré une si grande partie de sa vie à l'éducation de la jeunesse, on conserve les formes de la charité et du respect.

« Je crois que, d'accord tous au fond sur les principes, il est facile de s'entendre, qu'après avoir défini ce qu'on appelle auteurs païens et auteurs chrétiens, on voudra d'un commun accord exclure de l'instruction la morale païenne pour inoculer dans les cœurs de nos élèves la morale pure de l'Évangile C'est ainsi que j'ai compris votre lettre, Monseigneur, et j'y donne mon adhésion. C'est ainsi qu'on aurait dû la comprendre et je regrette que des hommes qui se portent auxiliaires pour défendre la vérité se soient laissé emporter par une ardeur qui n'a respecté, en discutant votre lettre, ni la charité, ni les convenances.

« Sur la deuxième question, c'est-à-dire sur la manière dont ces écrivains se sont permis d'apprécier, de juger, de censurer un acte de votre administration épiscopale, j'y trouve, Monseigneur, un excès intolérable, une énormité contre laquelle tous nous devons nous élever avec toute la force de notre divine autorité. Oui, il est vrai, et je m'en plains depuis longtemps, que des écrivains téméraires, des journalistes, qui prétendent servir la cause de la religion, se permettent de tracer des règles de conduite à leurs Évêques et à leurs pasteurs, de juger les actes de leur administration, de les traduire devant le tribunal de l'opinion publique, de s'immiscer dans la direction de leurs écoles et de leurs séminaires, dans la conduite qu'ils ont à tenir envers leurs élèves, et de porter ainsi la perturbation dans nos rangs et la défiance dans l'esprit de nos prêtres. Or, cette prétendue autorité, que des hommes sans mission croient tenir de leur zèle ou de leur talent, je ne la reconnaîtrai jamais et, m'appuyant sur le bâton pastoral que le successeur de saint Pierre a remis entre mes mains, je la repousserai de toutes mes forces comme contraire à la divine constitution de l'Église, comme attentatoire aux droits de l'Épiscopat, comme introduisant la puissance du laïcisme au sein de nos troupeaux et le presbytérianisme dans notre clergé.

« J'adhère donc ainsi, Monseigneur, et à votre lettre du 19 avril et à votre mandement du 30 mai, et vous donne toute autorisation pour user, s'il était à propos, de la lettre que j'ai l'honneur de vous écrire... »

Et qu'on ne s'étonne pas de ces vives paroles. Elles n'étaient que l'expression d'un sentiment commun à presque tous les Évêques de ce temps ; Mgr de Mazenod dit même : *tous* :

« Tous les Évêques qui, comme vous, Monseigneur, « gémissent de voir notre belle Église de France humiliée « au point où elle l'est par le journalisme, devraient éle- « ver la voix pour se faire entendre. » — « Je suis attristé « comme vous, mon bon Seigneur, écrit l'archevêque de « Tours, Mgr Morlot, de toutes nos misères. Quand et com- « ment en sortira-t-on ? Hélas !... Quant à l'*Univers*, on

« se tromperait grandement si l'on croyait qu'il peut se « calmer, c'est toujours la même fougue, le même emportement. » — Et ailleurs : « Je voudrais que tout abonnement à ce journal cessât désormais de notre part. Il est « temps de secouer ce joug humiliant. »

Et enfin, apprenant le départ pour Rome de certains hommes, qui cherchaient à Rome même un appui contre les Évêques de France, il écrit encore : « Et maintenant, « une sirène enchanteresse part, escortée des hommes que « vous savez, pour flatter agréablement les tendances qui « existent contre nous.

« Tout cela est vrai et donne beaucoup à penser et plus « à craindre. Ce qui ne me paraît pas moins à craindre, « c'est que la réaction viendra et sera peut-être aussi « funeste, dans un sens opposé. »

Ici se fait jour, on le voit, une double préoccupation : celle de la réaction qui pourrait rejeter en arrière l'Église de France et la rendre moins étroitement unie à Rome, et celle de n'être point accusé injustement de gallicanisme. M. Veuillot, en effet, par une diversion plus habile que loyale, sortant de la question des classiques, se posait en défenseur de l'ultramontanisme et en victime des évêques gallicans. « Je suis, écrivait-il à Mgr Fioramonti, depuis douze ans, rédacteur en chef du journal *l'Univers* qui se publie à Paris pour défendre les *doctrines* de la *Sainte-Église Romaine* », et ailleurs : « Nous errons parce que nous sommes *ultramontains*. »

Nous avons déjà vu ce qu'il fallait penser des évêques de cette époque. L'accusation n'était, certes, fondée sur rien. Mais, en la répétant souvent, on finissait par en faire croire quelque chose. « A force de voir partout des gallicans, on finira par les faire renaître », disait l'Évêque d'Orléans.

Ainsi, les plus saints et les plus grands évêques de France se trouvaient entre cette double alternative, ou se laisser diriger par le journalisme, ou passer pour hostiles au Saint-Siège. C'est ce qui leur arrachait des cris de douleur.

Un jour, c'était l'Archevêque de Besançon, cardinal Mathieu, qui écrivait, « Je déplore avec vous les excès de « l'Univers, sa témérité à se mêler de tout, à vouloir lan- « cer, conduire les choses de la Religion et à réglementer « les Évêques. »

Une autre fois, c'est l'Archevêque de Bordeaux, Mgr Donnet, qui dit : « Comme vous, j'ai vivement gémi « sur ce qui vient de se passer... Nos réformateurs et « maîtres ont maintenant une telle audace que l'excès du « mal finira par ouvrir les yeux. »

« Tout le monde convient, écrit Mgr Guibert, qu'il y a « chez lui (M. Veuillot) des excès et une grande intempé- « rance de langage... Je crois qu'il serait bon que d'autres « Évêques manifestassent leur pensée. Sans cela... per- « sonne n'osera plus l'attaquer ou lui résister. Il faudra se « résigner à subir le joug ; il en résultera la déconsidéra- « tion pour l'épiscopat, qui paraîtra traîné à la remorque « de quelques journalistes. »

L'Évêque d'Angoulême, Mgr Cousseau, n'a pas d'autres sentiments « Je ne suis, dit-il, pas moins préoccupé que « Votre Grandeur, de la gravité de notre situation pré- « sente. Approuver sans réserve les allures de l'*Univers*... « ce serait s'engager dans une voie pleine de périls. »

L'Archevêque de Cambrai, l'homme sage par excellence et qui ne veut pas prendre part ouvertement à la lutte, pour ne point donner le spectacle de la division, écrit cependant à Rome. « J'ai écrit au Nonce, en le laissant libre « d'envoyer ma lettre au Saint-Père, s'il le jugeait utile. « *Je me borne à dire* ce que je trouve de dangereux dans « l'imprudence irritante et provocatrice avec laquelle cer- « tains rédacteurs de l'*Univers* parlent à tout propos de « gallicanisme et d'Ultramontanisme. Je dis que *j'im-*

« *prouve fortement* ce qu'il y a ainsi d'exclusif dans leur « théologie et de passionné dans leur polémique. »

« Il était plus que temps, écrit l'Évêque de Quimper, « Mgr Graveran, de donner un avertissement sévère à des « écrivains qui, avec de bonnes intentions sans doute, « nous poussent à une crise dangereuse.

« J'ai écrit hier une lettre au Saint-Père. J'ai cru devoir « me borner à prier en peu de mots Sa Sainteté d'inter- « venir pour mettre un terme à un état de choses souve- « rainement fâcheux. »

« Je partage toutes vos craintes, écrit l'évêque de Nevers, « Mgr Dufêtre, et je crois comme vous qu'on nous pousse à « un abîme. La circulaire de Mgr de Viviers est pleine de « sagesse et de vérité. J'ai écrit à ce digne collègue que je « lui offrais mon concours sans aucune réserve. »

L'Archevêque de Lyon, cardinal de Bonald : « J'ai gémi « comme vous sur les écarts des journaux religieux... « L'*Univers* ne garde plus de mesure, et les rédacteurs ne « voient pas tout le mal qu'ils nous font. Les services que « l'*Univers* a rendus m'ont seuls arrêté ; mais j'ai été tenté « souvent de faire une levée de boucliers contre cette « feuille et de la défendre dans mon diocèse... Je viens « de lire la circulaire de Mgr de Viviers ; j'en ai été charmé... « Il faudra bien nous prononcer, si l'*Univers* suit la « même voie... »

« Le cardinal Antonelli, lui-même, c'est l'Archevêque de « Toulouse qui parle, sentait les périls de la situation, pro- « mettait d'y veiller... et demandait que les Évêques écri- « vissent directement au Pape. »

« J'ai la confiance qu'on se laissera éclairer à Rome sur « notre vraie situation, écrit encore Mgr Guibert. Ce ne sont « pas eux qui ont tort ; ils ne peuvent nous juger que par ce « qu'on leur dit. Il y a un certain nombre d'ecclésiastiques « français à l'imagination exaltée, qui nous représentent « comme des gallicans renforcés. Ils attribuent à ce pré-

« tendu gallicanisme tous les maux de notre pays. C'est, à « leurs yeux, la source de toutes les impiétés, de tous les « vices, de toutes les révolutions ; il n'y a plus que ce mal « dans le monde, et, si on le supprimait, la terre deviendrait un paradis terrestre avec l'innocence primitive. « Que voulez-vous que l'on croie à Rome ?...

Enfin, pour qu'on ne nous accuse pas de ne citer que des adversaires, voici ce que Mgr l'Évêque de Moulins, Mgr de Dreux-Brézé, écrit dans une lettre destinée à défendre le journalisme. « Je ne dissimulerai pas que la presse reli« gieuse n'ait eu de grands torts et n'ait commis des « fautes... Que si on croit utile de les rappeler et d'infli« ger une leçon à la presse, j'y consens... »

L'Archevêque de Reims, Mgr Gousset, disait : « Je conviens que l'*Univers* a des défauts, qu'il a eu même des torts, notamment en ce qui concerne la loi de 1850 » ; et il écrivait à l'Évêque d'Orléans : « La presse a besoin d'être « plus disciplinée, plus respectueuse..... par des jour« naux ou des correspondances imprimées, elle annonce « souvent comme décision de l'Épiscopat, comme pensée « du clergé, les avis personnels émis sur des questions « religieuses par des Évêques réunis dans un salon et « émettant leur opinion personnelle, sans prétendre « émettre le sentiment de tout l'Épiscopat et de tout le « clergé qui ne leur ont pas conféré mandat. Il y a en cela « abus grave, on trompe le lecteur confiant, on engage aux « *yeux du public* l'Épiscopat dans des solutions qui « plaisent au journal, mais sur lesquelles l'Épiscopat n'a « point été appelé à se prononcer. »

N'est-ce pas la plainte même des Évêques combattus par l'*Univers* et qui souffraient d'être mis ainsi en demeure par l'opinion publique de se prononcer contre leur gré ? Et cette plainte n'emprunte-t-elle pas une force toute particulière au caractère de Mgr Gousset, le plus ardent défenseur de l'*Univers* ?

L'Évêque de Saint-Brieuc, Mgr Le Mée : « Toutes ces « menées contre l'Épiscopat ont pour résultat de fortifier « le presbytérianisme et, quand il aura pris le dessus, la « papauté en sera-t-elle plus puissante ? Certainement, je « ne voudrais pour rien au monde retirer au Souverain « Pontife le moindre de ses droits. Mais... depuis qu'on « s'est mis à penser, à agir ainsi, l'esprit de soumission « est mort dans beaucoup de prêtres... J'ai entendu dire « à peu près : Un Évêque ? qu'est-ce que cela ? Mais le Pape ! « ah ! et on laissait fièrement de côté les avis de « l'Évêque... »

L'Évêque de Poitiers, Mgr Pie, avoue que dans la presse il y a « de part et d'autre des torts sérieux de fond et de « forme ».

L'Évêque de Montauban, Mgr Doney : « Je déclare égale- « ment que je suis très affligé des l'*intervention* des « *journaux* dans la discussion des questions religieuses ; « que je n'ai cessé de les blâmer et même de m'en plaindre « à plusieurs et qu'il serait infiniment désirable de « trouver quelque moyen de faire cesser cet abus, qui est « allé quelquefois jusqu'au scandale. »

Mais le laïcisme ou le journalisme ne baissait pas le ton. Les plaintes universelles de l'Épiscopat venaient, disait-il, de l'esprit d'hostilité des Évêques de France contre les doctrines de l'Église de Rome. Le pieux Évêque de Marseille, attaqué personnellement, répondit à cette accusation en écrivant à l'Archevêque de Reims. « Monseigneur, il en « coûte de parler longuement de soi... mais puisqu'il faut « que je me défende, je suis forcé de dire quel fut toujours « mon amour pour l'Église de Rome. Encore diacre et « jeune prêtre ensuite, il m'a été donné, malgré la sur- « veillance la plus active d'une police ombrageuse, de me « consacrer, dans des rapports quotidiens, au service des « Cardinaux Romains alors amenés à Paris et persécutés « bientôt après pour cause de fidélité au Saint-Siège. Les

« dangers auxquels je m'exposais sans cesse étaient com-
« pensés dans mon âme par le bonheur d'être utile à ces
« illustres exilés et de *m'inspirer de plus en plus de*
« *leur esprit*. Plus tard, sans que j'écoutasse certains aver-
« tissements de l'amitié, mon attachement connu pour
« Rome fut inébranlable en présence d'une politique qui
« en faisait tout particulièrement à mon égard un motif
« avoué d'éloignement. Grâce à la direction que, comme
« vicaire général ou comme évêque, j'ai pu imprimer à
« l'esprit du clergé, le diocèse de Marseille a été un des
« premiers en France à se pénétrer généralement des sen-
« timents tout romains que j'exprimais encore publique-
« ment, il y a deux ans, dans un discours prononcé à la
« dernière session du Concile d'Aix. Je n'ai pu établir la
« congrégation des Oblats de *Marie-Immaculée* qu'au
« milieu des obstacles que lui suscitaient d'anciens pré-
« jugés contredits par ces mêmes sentiments dont je la
« nourrissais pour faire de ses membres *les hommes du*
« *Pape* comme des Évêques, c'est-à-dire les hommes de
« l'Église, les hommes de Dieu. Faut-il enfin vous citer ce
« saint Liguori dont j'ai pu enseigner et pratiquer la
« théologie longtemps avant les livres publiés par vous à
« cet effet, dont, le premier, j'ai établi le culte en France,
« et dont la vie écrite sous mes yeux et d'après mes inspi-
« rations par l'un des miens, répandue partout depuis et
« traduite en plusieurs langues, a fixé l'attention. J'avais
« voulu servir la cause de Dieu par la doctrine et par les
« exemples de cet admirable Évêque dont le dévouement
« à l'autorité du Pape allait si loin et qui fut, dans le
« XVIIIe siècle, la plus haute expression et le témoignage
« le plus éclatant de la Sainteté de l'Église. La pensée du
« zèle qui m'animait fut hautement approuvée par
« Pie VIII, qui m'honora à ce sujet d'un bref particulier. »

Quel autre Évêque n'eût eu quelques raisons de même

nature à faire valoir pour répondre aux accusations lancées contre lui ?

On a vu déjà, par la lettre de Mgr Angebault à l'Évêque d'Orléans, « qui se compromettait pour tous », ce qu'il pensait de la situation et comment, s'élevant au-dessus de la querelle secondaire des classiques, il dénonçait le péril du laïcisme. Il demeura fidèle jusqu'au bout à cette ligne de conduite.

D'après les nombreuses citations que nous avons faites, on voit qu'il n'y avait, au fond de tout cela, rien qui touchât de près ou de loin à l'Ultramontanisme ou au Gallicanisme. « Je ne comprendrai jamais, écrivait l'Évêque « d'Orléans au nonce apostolique à Paris, ce que le galli- « canisme ou l'ultramontanisme peuvent avoir à faire ici. » Toutefois, comme la division s'accentuait parmi les catholiques, dans le désir de voir l'union se faire, Mgr Dupanloup, de concert avec l'Archevêque de Paris et avec l'Archevêque de Besançon, rédigea une note en quatre articles qui résumaient bien la pensée de l'Épiscopat sur la question des classiques et il la soumit à la signature de tous les Évêques et Archevêques de France. Cette démarche était-elle habile ? Elle ne le parut pas à plusieurs et particulièrement à l'Évêque d'Angers et à l'Archevêque de Tours. L'un et l'autre néanmoins donnèrent leur signature, autant parce qu'ils adhéraient pour le fonds à la Déclaration de l'Évêque d'Orléans que pour ne pas abandonner celui qui avait si bien défendu les droits de l'Épiscopat. D'autres, quoique moins nombreux, refusèrent de signer, ne le jugeant pas opportun.

La Déclaration de l'Évêque d'Orléans, outre qu'elle avait le tort d'obliger les Évêques à se prononcer ouvertement dans une question, où il y avait division, sinon pour le fond, au moins pour la forme, avait encore le désavantage de rétrécir la question. La déclaration, en effet, ne portait plus que sur les classiques, tandis que l'affaire principale était celle de l'autorité épiscopale.

Quoi qu'il en soit, la Déclaration reçut la signature de quarante-six archevêques et évêques et l'adhésion de beaucoup d'autres, l'*Univers* promit de s'amender et l'on put espérer un peu plus de calme.

Mgr l'Évêque d'Angers en profita pour écrire à M. Louis Veuillot, car, s'il tenait ferme contre les excès du journalisme, il ne voulait pourtant pas sa mort. On verra, du reste, par sa lettre, qu'il ne cachait pas sa pensée.

« Monsieur, écrivait-il le 23 juin 1852, dans une lettre, « en date du 19 juin, vous mettez les Évêques en demeure « de déclarer si jamais ils ont eu à se plaindre de la rédac- « tion de l'*Univers* et vous les priez de dire si l'œuvre « que vous dirigez leur a paru compromettante. J'ai dû « croire et je crois à la loyauté de cet appel. Je vais donc « y répondre bien simplement en vous faisant connaître, « sans défiance, mes pensées et mes impressions.....

« Permettez-moi de vous le dire, avec une grande fran- « chise, pour toute œuvre il faut une mission; pour « défendre l'Église, en se joignant à la sainte milice, il « faut recevoir des chefs qu'elle reconnaît pour guides ou « le commandement, ou la direction, ou du moins l'ins- « piration. Le zèle seul, la droiture dans les intentions, le « talent même ne suffisent pas, et, comme à l'armée la « bravoure sans l'obéissance a été plus d'une fois la cause « de nos revers, de même, dans les luttes religieuses, « l'ardeur en dehors de ceux que l'Esprit-Saint a placés « pour diriger l'Église pourrait finir par la compro- « mettre. »

« Si je faisais au journal *l'Univers* et à ses rédacteurs « l'application de ces principes, je dirais que nous avons « toujours admiré leur zèle et leur ardeur, que très sou- « vent nous avons applaudi à leur talent, qu'assez ordi- « nairement nous avons accueilli leurs principes et joui de

« leurs succès; mais je dois à la vérité de dire que j'ai
« regretté plus d'une fois de les voir prendre le pas sur
« leurs chefs, donner des avis, des conseils aux pasteurs,
« vouloir leur imposer une direction, blâmer, au moins
« indirectement, leur marche, leur réserve, interpréter
« leur silence et donner lieu ainsi, quoique involontaire-
« ment, sans doute, à des divergences et à des déviations,
« au moins dans l'attitude et dans la marche du clergé.
« Les conséquences, fruit de la confiance même que le jour-
« nal pouvait inspirer, je les ai regrettées très profondé-
« ment, parce qu'elles étaient de nature à semer des
« défiances dans l'esprit de nos prêtres et à nous rendre
« l'administration extrêmement difficile et parfois impos-
« sible.

« Je désire que dans cette lettre, non destinée à la publi-
« cité, vous voyiez une preuve de l'estime et des sentiments
« distingués avec lesquels, etc. »

L'Évêque d'Angers restait donc favorable à la presse catholique, malgré les reproches qu'il croyait pouvoir lui adresser. Mais il protestait surtout contre cette prétention de faire *marcher les Évêques*, comme on le disait dans certains milieux.

Son Éminence l'Archevêque de Reims, cardinal Gousset, qui avait bien un peu favorisé le mouvement contre lequel protestaient les Évêques par son approbation du *Ver rongeur*, approbation donnée, dit-on, avant lecture de l'ouvrage, avait cru devoir envoyer une circulaire à l'Épiscopat pour désapprouver la déclaration de l'Évêque d'Orléans. C'était assurément son droit, bien qu'il se mît par là en désaccord avec la grande majorité des Évêques. Mais, dans cet acte, après avoir exprimé sa manière de voir, il allait jusqu'à l'interprétation des sentiments. « Je finirai en vous
« soumettant une pensée qui est peut-être fausse, mais
« que je ne crois pas téméraire. La polémique sur l'usage
« des classiques n'est plus qu'un prétexte pour plusieurs des

« adversaires de l'*Univers*. On veut faire tomber ce journal « parce qu'il est à la fois plus fort que la plupart des autres « journaux religieux et plus zélé pour les doctrines « romaines..... C'est dans le même esprit que l'on fait la « guerre à la *Correspondance de Rome*. »

Nous avons vu comment l'Évêque de Marseille avait répondu à ce prélat. Nous n'avons pas la réponse de Mgr Angebault, mais nous savons que lui qui connaissait mieux que personne quel était l'esprit de la *Correspondance de Rome*, lui qui avait averti le marquis de Régnon sans succès, et qui avait obtenu à Rome gain de cause contre lui, ne crut pas pouvoir approuver la lettre de l'Archevêque de Reims. Nous trouvons une note de sa main qui en fait foi. « J'ai parlé à Mgr d'Avignon de la lettre du « cardinal de Reims que je ne puis approuver, parce qu'il « nous menace d'une polémique publique et qu'il soutient « même la *Correspondance*. J'ai écrit à Son Éminence : « Mgr Gousset ne m'a pas répondu. »

De plus, il s'empressa d'écrire à l'Évêque de Marseille si injustement attaqué : « J'ai compris, lui dit-il, tout ce « qu'avaient d'humilant pour les Évêques de France et de « pénible pour vous, Monseigneur, les critiques téméraires « et scandaleuses de la *Correspondance de Rome*. Je « m'étais déjà plusieurs fois, soit dans mes rapports avec « mes vénérables collègues, soit dans les retraites ecclésias- « tiques, en face de mon clergé, élevé avec force contre « ces écrivains sans mission et ces journalistes sans « pudeur qui se permettent de donner, par la voie de la « presse, des avertissements aux Évêques. C'est, à mon « sens, un des grands dangers de ces derniers temps, parce « qu'on répand ainsi, non seulement parmi les fidèles, mais « surtout dans le clergé, l'esprit de conteste, d'examen, de « résistance à l'autorité.....

« Je dois vous l'avouer, Monseigneur, je ne pensais pas « que nous aurions à nous défendre des traits lancés par

« les nôtres. Ainsi, à l'occasion d'une polémique soulevée
« imprudemment par M. le vicaire général de Nevers, j'ai
« été péniblement contristé en voyant Mgr de Moulins livrer
« à la publicité une lettre dans laquelle il se permet de
« soupçonner l'attachement à l'Église de Rome de ceux de
« ses collègues qui ne partagent pas son opinion sur la
« question des classiques. Pour vous, Monseigneur, vous
« avez à vous plaindre et beaucoup plus encore de la lettre
« adressée aux Évêques de France par Son Éminence le
« Cardinal Archevêque de Reims. Je comprends le senti-
« ment de peine que vous avez éprouvé, je m'y associe et
« je désire que mes sympathies puissent l'alléger.

« Quand je reçus cette circulaire, j'écrivis à Mgr Gousset
« pour lui exprimer mon étonnement et lui adresser mes
« observations. Il ne m'a point répondu ; je ne m'en plains
« point, mais vous, Monseigneur, vous aviez droit à une
« réponse et ce silence a dû vous blesser.

« Oui, il faut bien nous l'avouer, il y a un parti qui, par
« ses exagérations, rend notre position difficile, qui veut
« se faire un mérite exclusif de son dévouement au Saint-
« Siège, qui ose bien faire peser sur nous des soupçons
« injustes et blessants, et qui se plaît à ressusciter des
« fantômes pour se donner le mérite de les combattre.
« Mais ne nous désespérons pas, Monseigneur, notre bien-
« aimé Père et Pontife est trop sage pour se laisser prendre
« au piège de telles exagérations, et il reconnaîtra que la
« chaleur qui s'agite n'est pas la pureté du zèle et que
« ceux de ses enfants et de ses frères qui ne se répandent
« pas en protestations et en démonstrations publiques ne
« sont ni moins soumis, ni moins dévoués, ni moins
« aimants. »

L'année suivante vit de nouveaux excès de journalisme. Un grand vicaire d'Orléans, M. l'abbé Gaduel, professseur de théologie, fit paraître dans le journal l'*Ami de la Religion* une réfutation de Donoso Cortès, alors ambassadeur d'Espagne à Paris. L'illustre catholique avait publié un écrit dans lequel M. Gaduel crut découvrir de nombreuses erreurs de doctrine. Il pensa qu'il était de son devoir de les signaler au public. Avait-il raison ou avait-il tort? En tout cas, c'était son droit. Louis Veuillot, c'était son droit aussi, bien qu'il pût laisser à désirer au point de vue des connaissances théologiques, prit la plume pour répondre. Il le fit dans cinq articles, avec une violence telle que l'abbé Gaduel, se jugeant outragé et certainement calomnié, déféra l'*Univers* au jugement de l'Archevêque de Paris.

Avant que l'Archevêque eût rendu sa sentence, Mgr l'Évêque de Viviers, « n'y tenant plus », a-t-il écrit, crut que sa conscience lui faisait un devoir d'élever la voix. Il adressa à son clergé une lettre grave et fortement motivée, dans laquelle il faisait connaître les raisons qu'il avait de refuser l'*Univers*. Cette lettre fit grand bruit, et elle parut à la fois si sage et si forte que les adhésions arrivèrent immédiatement de tous côtés.

Pendant ce temps, l'Archevêque de Paris rédigeait et publiait une ordonnance par laquelle il interdisait à son clergé tout entier de lire l'*Univers* et surtout d'y écrire.

Quelque motivé que fût ce jugement, il parut trop dur à un certain nombre d'Évêques.

Louis Veuillot recourut à Rome. Il était temps, en effet, que le Souverain Pontife intervînt pour mettre fin au scandale.

On pressent quelle fut l'attitude de Mgr Angebault dans la lutte. Il était trop persuadé du danger que courait l'Église de France pour ne pas soutenir tous ceux qui combattaient l'invasion du laïcisme et du journalisme catholique indépendant de l'Épiscopat. Trop haut d'honneur et trop sincère dans sa foi pour descendre aux petits moyens et aux sentiments mesquins qu'on prêtait aux Évêques français, il ne songea jamais, comme on l'a dit, à empêcher l'approbation du Concile d'Amiens, non plus qu'à tuer l'*Univers*. On sait quelle lettre il avait écrite à Louis Veuillot.

Mais, en même temps, il fit tous ses efforts pour enrayer un mouvement qui lui paraissait mauvais et dangereux.

Dès que parurent dans l'*Univers* les premiers articles contre l'abbé Gaduel, il écrivit à l'Archevêque de Paris : « Je n'ai point voulu vous distraire au milieu des graves « préoccupations qui absorbaient tous vos instants et, « cependant, j'aurais voulu appeler votre attention sur les « écarts d'une presse que notre autorité éloignée ne peut « contenir. »

Rappelant alors les articles publiés contre l'abbé Gaduel, il ajoutait :

« Je ne sais, Monseigneur, si votre haute intervention « pourrait avoir une heureuse influence, puisque, malgré « les avis sincères donnés déjà par Votre Grandeur, mal- « gré les conseils du Concile de Paris lui-même, des écri- « vains qui nous parlent sans cesse de leurs principes « catholiques les méconnaissent d'une telle manière. Pour « nous, notre voix est impuissante, etc... »

Trois semaines plus tard, la fameuse ordonnance de l'Archevêque de Paris avait paru. Monseigneur ne l'accueillit peut-être pas sans réserve ; mais, fidèle à sa ligne de conduite, il soutint l'Archevêque de Paris et, toujours franc et fidèle, il ne lui cacha point ce qu'il ne pouvait approuver. Voici cette lettre si pleine de dignité :

« MONSEIGNEUR,

« Je m'empresse de vous remercier de l'envoi que vous « avez bien voulu me faire de votre ordonnance concernant « l'*Univers*. J'adhère au jugement que vous avez porté « sur cette affaire et je désire que les mesures sévères « prises par vous fassent enfin comprendre aux journa- « listes que les décisions du Concile de Paris (comme pour « notre province celles du Concile de Rennes) trouveront

« une sanction dans l'autorité épiscopale. Il est par trop « inconvenant et il est surtout par trop dangereux que des « écrivains laïques se permettent d'intervenir dans nos « questions d'administration ecclésiastique, de direction « pour l'enseignement de nos séminaires et de discipline « pour nos clercs. Nous ne devons pas, nous ne pouvons « pas permettre que ces questions délicates soient discu- « tées, envenimées, dénaturées quelquefois devant un « public que l'on voudrait prendre pour juge de l'autorité « des Évêques. Il ne nous est pas possible de permettre « qu'au scandale des vrais fidèles, au détriment de la Reli- « gion, on érige un pareil tribunal dans l'Église de Dieu.

« Il en est un auquel on peut appeler de nos actes épis- « copaux, c'est celui du Vicaire de Jésus-Christ dont nous « aimerons toujours à reconnaître et à bénir l'autorité; « hors de cette ligne hiérarchique, il n'y a qu'incertitude « et perturbation. J'adhère donc à la sentence de Votre « Grandeur, tout en regrettant que des écrivains qui ne « sont pas sans mérite, mais qui sont trop souvent sans « prudence, vous aient forcé à prendre de telles mesures.

« Après cette déclaration bien claire et bien franche, « oserais-je, Monseigneur, vous dire ma pensée bien sim- « plement sur la manière dont est rédigée l'ordonnance! « Dans une question si grave, j'aurais désiré que le style « du jugement archiépiscopal ne se ressentît pas tant de « l'espèce d'indignation qu'a excitée en vous la témérité « des écrivains : je voudrais dire que j'y ai trouvé une cer- « taine chaleur qu'ils appelleront de la vivacité. Je vous « demande pardon, Monseigneur, si je vous fais connaître « aussi librement ma pensée. Je désire que vous y voyiez « une preuve de ma franchise et de ma confiance. »

Et, en post-scriptum, il ajoute : « Veuillez bien croire « que je vous donne tout droit d'user de la lettre que j'ai « l'honneur de vous écrire. Je désirerais que, par des mani- « festations individuelles, nous sentissions tous le besoin

« de soutenir ostensiblement et Vous et Mgr de Viviers, et
« je vais moi-même probablement faire connaître à mon
« clergé mon opinion sur la question de principe. »

Cette lettre à son clergé, il la rédigea, en effet, et la soumit au jugement du vénérable M. Helly, supérieur du Grand-Séminaire d'Angers, qui la trouva fort bien. Mais, avant de la publier, il prit conseil comme à l'ordinaire de l'Archevêque de Tours, son métropolitain. Celui-ci se montra opposé à la publication, bien qu'il fût favorable à la thèse. Des raisons de prudence le dirigeaient : « On est « scandalisé, disait-il, de ces divisions éclatantes, et si, « d'un certain côté, il ne *manque pas* de *provocations* « propres à les faire naître, il ne faut pas que, du nôtre, « nous cédions trop facilement à l'impulsion. » Monseigneur ne publia pas sa lettre, au grand regret de l'Évêque de Viviers, à qui il en avait communiqué le texte et qui lui répondait : « La lecture de votre projet de circulaire m'a « fait vivement regretter que vous n'ayez pas publié un « écrit si sage, si solide, si propre à éclairer les esprits les « plus opiniâtres. Il n'aurait fallu que trois ou quatre « lettres comme celle-là pour porter la lumière et pour « forcer l'*Univers*, non à suspendre sa publication, *ce que* « *nous ne demandons pas*, mais du moins à la modifier « et à se renfermer dans de justes limites. Je trouve votre « vénérable métropolitain bien prudent... Voyez ceux qui « favorisent (le journal), ils sont tous en campagne. Sur « cinq que je connais, quatre ont pris la parole. »...

Si Monseigneur ne publia pas la lettre à son clergé par déférence pour l'avis de son métropolitain, il ne laissa toutefois échapper aucune occasion de faire connaître sa pensée. Un journal catholique d'Angers, qui devait avoir une certaine célébrité, l'*Union de l'Ouest*, avait inséré une correspondance de M. de Saint-Chéron où les Évêques étaient attaqués. Monseigneur écrivit au rédacteur en chef :

« Des questions malheureusement trop graves s'agitent

« en ce moment, soulevées par des journalistes peu pru-
« dents. Des Évêques s'en sont alarmés. Un prélat distin-
« gué, usant de son droit, avait donné des instructions à
« ses séminaires, il est attaqué et mis en cause.

« A ce sujet, M. de Saint-Chéron, votre correspondant,
« cherchant à détourner la question de son véritable sens,
« se permet, avec l'arme du ridicule, de censurer dans
« deux articles « *l'autorité religieuse qui rivalise de*
« *zèle contre la presse avec l'autorité civile* », et ces
« articles sont reproduits dans votre numéro de ce jour.

« Il ne m'est pas possible, Monsieur, de garder le silence
« sur de tels abus. Je viens donc vous prier de rayer mon
« nom de la liste de vos abonnés et de ne plus m'envoyer
« le journal l'*Union de l'Ouest.* »

Mais tout ceci ne pouvait guère avoir d'efficacité. Il fallait agir plus loin et plus haut.

Nous avons vu qu'après l'ordonnance de Mgr l'Archevêque de Paris, M. Veuillot en avait appelé à Rome; il fallait fournir à Rome les pièces du procès.

Les Évêques écrivirent. Le bien de l'Église de France le demandait, et d'ailleurs ils étaient dans le cas de légitime défense.

Mgr Angebault ne fut pas des derniers. Nous donnons ici les trois lettres qu'il écrivit au Nonce, au cardinal Antonelli et au Saint-Père. Elles achèveront de faire le jour sur les vrais sentiments de l'Épiscopat, et, en vérité, qui pourrait y trouver une trace quelconque de gallicanisme? Le mot y est prononcé, mais la chose? Même à Rome, on a toujours nommé l'Église de France l'Église gallicane. Il écrivait donc au Nonce :

« Excellence, vous m'avez toujours témoigné un si bien-
« veillant intérêt que je ne crains pas de déposer dans
« votre cœur les peines qui affligent le mien.

« Lorsque vous me pressiez, vous me poussiez, il vous
« en souvient, pour que je consentisse à accepter ce titre

« d'Évêque qui m'effrayait tant, notre Église de France
« était forte, du moins d'unité et de dévouement. Le gou-
« vernement d'alors était peu favorable aux désirs qu'elle
« manifestait soit pour la liberté d'enseignement, soit
« pour la Compagnie de Jésus ; mais du moins elle mar-
« chait, elle agissait avec harmonie, avec ensemble. Pour-
« quoi donc, sous un gouvernement qui maintenant lui
« accorde une protection suffisante, qui a rétabli dans ses
« États et sur son trône notre Père commun, pourquoi
« est-elle divisée, déchirée par ses propres enfants ?

« Oh ! Monseigneur, qu'ils sont coupables ceux qui
« sèment ainsi la division entre les frères ! Des écrivains,
« qui se disent catholiques et même catholiques avant
« tout, ne cessent de jeter parmi nous les défiances, et
« vont les porter jusqu'au pied du Trône Pontifical. A l'aide
« de qualifications injurieuses, on représente la majorité
« des Évêques comme hostiles au Saint-Siège, comme peu
« soumis à ses décisions ; cette antique Église gallicane
« qui a toujours mérité d'être appelée la fille aînée de
« l'Église catholique, on l'injurie dans le passé et dans le
« présent. Les Évêques si dévoués, si fidèles, si aimants,
« qui sont heureux d'aller porter aux pieds du Père bien-
« aimé, l'hommage de leur filial amour et de leur res-
« pectueux dévouement, on élève contre eux des soup-
« çons, on les attaque et quelques collègues, peu prudents,
« soutiennent les écrivains exagérés qui portent le feu de
« tous côtés. Le digne Évêque de Viviers, dont les senti-
« ments de fidélité au Saint-Siège sont connus, vient de
« les signaler hautement. Ma correspondance étendue me
« prouve que la très grande majorité de mes vénérés
« collègues partage sa manière de voir. Puisse cette mani-
« festation, puisse aussi, Monseigneur, votre voix pleine
« de foi et de vérité, faire connaître à Sa Sainteté l'état de
« nos diocèses, la position de notre France ! »

L'Évêque d'Angers ne se contenta pas, dans une question si grave, d'écrire au Nonce; il voulut en référer directement au Saint-Père lui-même. Voici sa lettre du 18 février 1853.

« Très Saint Père,

« Permettez à un de vos fils les plus respectueux et les « plus soumis, de déposer aux pieds de Votre Sainteté « les inquiétudes qui le troublent. N'est-ce pas au Saint-« Siège que nous devons recourir? N'est-ce pas sa pru-« dente fermeté qui doit calmer les orages?

« Lorsqu'il y a un demi-siècle, l'Église de France était « bouleversée, anéantie, ce fut la main du Saint-Pontife, « Pie VII, de glorieuse mémoire, qui la releva de ses « ruines et la rétablit sur ses bases. Depuis lors, plus atta-« chés encore, s'il était possible, à la chaire de Pierre, les « Évêques de France se sont faits remarquer par leur « dévouement filial envers le Saint-Siège, le consultant « dans leurs doutes, allant dans la ville éternelle lui por-« ter l'hommage de leur vénération et de leur amour, lui « soumettant avec empressement les actes de leurs con-« ciles et tâchant surtout d'honorer l'Église catholique par « leur zèle à remplir leurs saintes fonctions.

« C'est ainsi qu'aussitôt après le rétablissement des « sièges épiscopaux, au commencement de ce siècle, ils « s'empressèrent de fonder des Séminaires dans lesquels « ils forment les jeunes clercs par de fortes études et par « une discipline exemplaire ; ils ont fait fleurir dans leurs « diocèses un nombre extraordinaire de communautés « religieuses qui se livrent à la contemplation, ou bien qui « instruisent les jeunes personnes des classes élevées ou « les filles pauvres des villes et des campagnes, qui « soignent les malades dans les hôpitaux, les infirmes « dans leurs demeures, les détenus dans leurs prisons, les « aliénés dans les hospices, qui reçoivent les orphelins, « préservent la jeunesse, ou bien ouvrent un asile au

« repentir et à celles qui ont eu le malheur de tomber
« dans le vice; des communautés d'hommes ont aussi été
« fondées : les enfants de saint Ignace, de saint Domi-
« nique, de saint Benoît, de saint François, de saint Vin-
« cent-de-Paul, les disciples si modestes et si zélés de
« M. Ollier, les Trappistes, les Frères de Saint-Jean-de-
« Dieu, les Frères des Écoles Chrétiennes édifient la
« France par leurs vertus et l'éclairent par leurs talents.
« Votre Sainteté a bien voulu nous emprunter quelques-
« unes de nos richesses et les Saintes Filles de la Charité,
« celles du Bon-Pasteur, les Frères du vénérable M. de la
« Salle ou ceux du Mans sont allés porter leur zèle dans
« ses États.

« Tel est le fruit des efforts constants des Évêques de
« France ; et une quantité d'associations de bonnes œuvres
« sont florissantes sous leur patronage. Si la bonté du
« Ciel permettait que Votre Sainteté apparût au milieu de
« notre France, tel est le spectacle qui réjouirait son cœur
« paternel et Elle se verrait entourée des Évêques, ses
« frères et ses fils, qui, à la tête de leurs troupeaux, vien-
« draient sur son passage réclamer sa bénédiction.

« Et cependant, Très Saint Père, ces Évêques, qui vous
« sont filialement dévoués, se voient sous le poids des
« défiances, qui sont semées non seulement autour d'eux,
« mais portées jusqu'à Rome même, au pied du Siège
« Apostolique. Avec l'ardeur qui caractérise notre nation,
« des hommes qui ne sont pas sans mérite, mais qui sont
« souvent sans prudence, attaquent dans des écrits et sur-
« tout dans les feuilles publiques notre administration
« épiscopale, l'enseignement de nos Séminaires, la forme
« de nos études classiques, les droits de notre autorité.
« Des prêtres et même des laïques sans mission se per-
« mettent de donner publiquement des décisions, une
« direction ; ils sèment les inquiétudes, les divisions parmi
« nos prêtres, parmi les membres de nos chapitres et pour

« nous l'administration devient de plus en plus hérissée de
« difficultés. En vain, les Conciles de la Province de Paris,
« de celle de Tours, après avoir été revêtus de l'Auguste
« approbation de Votre Sainteté, ont-ils donné des instruc-
« tions, tracé des règles à ces écrivains téméraires, ils n'en
« tiennent aucun compte et dernièrement encore l'un d'eux,
« exaltant les droits de la presse religieuse laïque, semblait
« vouloir lui donner le premier rang pour défendre les
« causes de la foi, en laissant de côté et en couvrant de ses
« dédains la science de la théologie. Et nous, Évêques,
« quand nous gémissons de ces exagérations, quand nous
« voulons élever la voix, on nous représente aussitôt
« comme des fauteurs du gallicanisme, c'est-à-dire dans
« leur sens, comme des hommes imbus de doctrines con-
« traires à celles du Saint-Siège, insoumis à son autorité
« et ne tenant pas compte de ses décisions.

« Or, voilà, Très Saint Père, des injures que les Évêques,
« vos fils, repoussent de toutes leurs forces. S'il y a bien-
« tôt deux cents ans, des prélats français ont contristé les
« Souverains-Pontifes par des doctrines qui n'étaient pas
« assez conformes au respect filial qui leur était dû, pour-
« quoi veut-on en faire peser sur nous le reproche? Le
« sang de ceux qui ont été immolés victimes de leur atta-
« chement au Saint-Siège, en repoussant une Constitution
« impie, la fidélité de ceux qui maintenant gouvernent les
« diocèses de cette antique et noble Église de France,
« n'effacent-ils donc point ce qu'il y aurait de fâcheux dans
« les souvenirs du passé? Les marques de confiance
« données à l'épiscopat français par Votre Sainteté Elle-
« même et par ses prédécesseurs, ne sont-elles pas son
« plus bel éloge? Et tout dernièrement un d'entre nous
« qu'on a désigné comme favorisant les doctrines dites
« gallicanes, notre vénérable collègue du Mans, est allé
« déposer aux pieds de Votre Sainteté l'hommage de son
« amour et la pieuse offrande de la province ecclésias-

« tique de Tours. Votre Béatitude aura pu juger par Elle-
« même s'il était digne des censures qui l'affligent.

« Ce qu'il y a de plus triste, il faut bien l'avouer à Votre
« Béatitude, c'est que quelques-uns même de nos chers
« collègues, avec des intentions louables, sans doute, ne
« se défient pas assez de ces écrivains qui se croient ainsi
« autorisés et se livrent à de dangereuses exagérations.
« N'est-ce pas pour cela qu'il y a deux ans, les Pères du
« Concile de Rennes se virent obligés de déposer au Tri-
« bunal de Votre Sainteté un écrit du marquis de Réguon
« qui osait calomnier les Évêques auprès même de Votre
« Sainteté ?

« Il est donc temps que, dans la barque mystérieuse,
« Pierre, comme son divin Maître, se lève pour commander
« à la tempête : les esprits sont agités, le clergé s'émeut,
« les fidèles prennent part à nos discussions, les Évêques
« sont dans la crainte, le gouvernement lui-même voit avec
« inquiétude cette agitation, et la chose la plus triste serait
« de le voir intervenir. Dans de telles conjonctures, c'est
« vers le Pasteur suprême que nous tournons nos regards,
« c'est à lui que nous confions nos craintes, c'est de sa
« bouche que nous attendons la parole du salut.

« Dans cette confiance, et prosterné aux pieds de Votre
« Sainteté, je lui demande, pour moi et pour le troupeau
« confié à mes soins, sa bénédiction apostolique, en lui
« offrant l'hommage du profond respect et de la soumission
« entière avec laquelle je suis,

« Très Saint Père,

« De Votre Sainteté

« Le très humble, très obéissant et très affectionné servi-
« teur et fils. »

Enfin, quelques jours après, le 24 février, il s'adressait encore au Cardinal Antonelli. Cet homme d'État, si célèbre sous le pontificat de Pie IX, se rendait bien compte, comme nous l'avons vu, du mouvement qui se faisait en France, et il en reconnaissait les dangers. Il en avait entretenu le Pape; mais, pour éclairer Sa Sainteté, il avait demandé aux Évêques français d'écrire directement à Sa Sainteté.

Mgr Angebault, qui venait de suivre son conseil, crut devoir l'en avertir et lui exposer de nouveau ses griefs et ses craintes. Il le fit par la lettre suivante :

« ÉMINENCE,

« Il y a quelques jours, j'ai eu l'honneur d'écrire à Sa « Sainteté et de déposer aux pieds du trône pontifical, avec « l'hommage de mon amour filial et de ma respectueuse « soumission, les peines qui me troublent à la vue de « l'agitation qui règne dans notre France.

« Je prie Votre Excellence de me permettre de lui ouvrir « aussi mon cœur.

« Depuis longtemps nous voyions à l'horizon des nuages « menaçants, l'inquiétude se répandait dans nos diocèses, « les têtes s'exaltaient, et notre administration épiscopale « devenait de plus en plus difficile ; mais, depuis deux ou « trois ans, le mal a empiré, la division s'est manifestée et « elle croît chaque jour.

« 1° Division entre les écrivains. Deux journaux reli- « gieux se partagent les abonnés : l'*Univers* et l'*Ami de* « *la religion*. La guerre est déclarée entre eux, la polé- « mique est vive, inconvenante, compromettante pour la « religion et pour le bien.

« 2° Division entre les journalistes et les Évêques. Tel « journal se flatte d'être patronné par des Évêques « influents, par un prince même de l'Église, et déclare « que, quoique en minorité, ces suffrages lui suffisent « pour contre-balancer les autres. Tel autre journal (l'*Ami* « *de la religion*) se flatte d'avoir pour lui la majorité de « l'Épiscopat ; on cite les noms des prélats, on pèse leur « valeur, on discute leur opinion. Ces divisions se sont « manifestées surtout pour la question de la loi d'ensei-

« gnement et dans la malheureuse question des clas-
« siques.

« 3° Division entre les Évêques. Les journalistes l'ont
« provoquée par leurs imprudences : ils ont cherché à en
« profiter, à l'exploiter. Ainsi, dans la querelle des clas-
« siques, Mgr d'Orléans a condamné l'*Univers* ; Mgr Parisis,
« évêque d'Arras, a soutenu l'*Univers* par des lettres
« publiques. M. l'abbé Gaume s'est mis en opposition avec
« son Évêque, Mgr de Nevers, contrairement aux prescrip-
« tions du Concile de Latran et aux ordonnances du
« Concile provincial de Sens, qui défendent à des clercs de
« publier des ouvrages sur les questions ecclésiastiques
« sans le consentement de l'Ordinaire. Mgr l'Archevêque de
« Reims a publiquement approuvé et soutenu M. Gaume.

« Dans cette même affaire des classiques, Mgr d'Orléans
« avait adressé en communication aux Évêques certains
« articles confidentiels. Mgr de Moulins les a rendus publics
« par un mandement donné aux journalistes. Tout derniè-
« rement, un mémoire confidentiel aussi avait été soumis
« aux Évêques par un auteur anonyme ; Mgr l'Archevêque
« de Reims l'a rendu public dans une brochure.

« Je prie Votre Excellence de remarquer que je n'exprime
« aucune opinion ni approbation, ni blâme, soit sur les
« déclarations d'Orléans soit sur le mémoire aux Évêques ;
« je me contente de signaler les faits et de dire qu'il y a
« division entre les Évêques ; le fait est évident.

« 4° Division peut-être même entre les Conciles de nos
« provinces. On le dit déjà, malheureusement, mais le fait
« n'est pas certain encore. Oui, Éminence, on dit qu'au
« Concile qui vient d'être tenu à Amiens des décisions ont
« été prises contrairement ou du moins dans un sens diffé-
« rent des instructions données par le Concile de Paris et
« par celui de Rennes pour la province de Tours, aux
« écrivains et aux journalistes qui s'occupent des ques-
« tions religieuses. Le fait est-il vrai, je ne le sais pas,

« mais voilà ce qu'on dit, et ces rumeurs entretiennent
« l'agitation.

« Il n'est donc que trop vrai que la division existe dans
« notre pauvre France. Quelles en sont les causes, quel en
« serait le remède?

« Les causes, ce sont la mobilité des esprits dans notre
« nation, la vivacité d'imagination, l'exaltation avec
« laquelle on embrasse et on soutient ses opinions. La
« cause principale, c'est surtout la témérité des journalistes
« qui se disent religieux, le défaut d'égards envers les
« personnes les plus élevées en dignité, les Évêques eux-
« mêmes; l'inconvenance avec laquelle ils se permettent
« de traiter les questions les plus ardues de notre adminis-
« tration diocésaine, de l'enseignement dans nos Sémi-
« naires, de nos rapports avec nos clercs, de l'organisa-
« tion des officialités, etc., etc. Ils osent tout examiner,
« tout discuter, tout juger, et ils donnent des décisions,
« une direction même aux Pontifes et aux prêtres, et ils en
« appellent à l'opinion publique; ils érigent ainsi dans
« l'Église de Dieu un tribunal inconnu, une juridiction
« inouïe; ils exercent par là une pression morale sur les
« Évêques et nous gênent et nous nuisent et, sous prétexte
« que tous les catholiques sont soldats pour défendre la
« foi, ils se font capitaines, commandants, pasteurs; ils
« prennent la houlette, ils prennent la verge et régentent
« tout le monde comme des maîtres. Dans ces excès,
« l'*Univers* se signale entre les autres par sa hardiesse,
« par son ton tranchant, impératif, par la violence de ses
« formes. Il y a surtout un genre d'injures qu'il prodigue
« sans cesse; quiconque n'est pas de son opinion, ne par-
« tage pas son exaltation, est accusé de gallicanisme et
« signalé comme hostile au Saint-Siège, comme repoussant
« les doctrines romaines dont il est, lui, le défenseur, l'or-
« gane, l'expression. Si on l'attaque, surtout, il oublie
« toutes les convenances et laisse découler de sa plume

« les injures, le persiflage, les expressions les plus
« fâcheuses. C'est ce qui vient d'arriver contre le vicaire
« général d'Orléans et ce qui a provoqué l'ordonnance
« sévère de Mgr l'Archevêque de Paris.

« Les causes de cette division, c'est encore le zèle peu
« prudent de certains autres écrivains, qui, avec des
« intentions bonnes peut-être, mais sans discrétion,
« lancent au milieu de nos diocèses des décisions, des
« principes, des ouvrages qui bouleversent nos prêtres,
« qui troublent nos chapitres, qui entravent notre admi-
« nistration, qui détruisent nos usages les plus respectables
« et consacrés par une longue et heureuse expérience.
« Dans ce nombre, Éminence, permettez-moi de signaler
« les anciens auteurs de la correspondance de Rome.

« Que Votre Éminence veuille bien y réfléchir, toutes
« les fois que les changements viendront d'en bas et seront
« provoqués par des hommes sans mission, sans pru-
« dence, il y aura perturbation et grand danger. Si l'au-
« torité suprême éprouve quelque désir, reconnaît la
« nécessité de quelque changement, elle l'exprimera avec
« calme, avec cette bonté paternelle qui la caractérise, elle
« attendra les moments et elle préparera les voies, elle
« prendra les moyens, elle ne brusquera rien, *omnia
« sperat, omnia suffert, omnia sustinet, non agit per-
« peram*. C'est à ces traits qu'on reconnaît la main du
« Père, du Pasteur, ses brebis entendent sa voix et elles
« la suivent.

« J'ai fait connaître à Votre Éminence nos divisions et
« leurs causes ; que n'aurais-je pas à dire si je parlais de
« nos inquiétudes, de nos transes, de la crainte trop juste
« que nous avons de voir le feu se répandre davantage
« encore, d'avoir peut-être à subir l'action du pouvoir
« civil, du Gouvernement lui-même qui s'alarme, qui
« voudra intervenir, qui, poussé par des hommes ennemis,
« exercera peut-être une réaction et, sous prétexte de

« défendre l'autorité diocésaine attaquée, lui offrira une
« protection dangereuse.

« Entre toutes nos peines, faut-il dire à Votre Éminence
« pour nous la plus cruelle? C'est celle de nous voir
« attaqués, calomniés jusqu'aux pieds de Notre Père. Oui,
« Éminence, autour du trône pontifical lui-même on sème
« des défiances contre les Évêques de France, contre leurs
« sentiments, leur soumission à l'autorité suprême. Eux
« si dévoués, si aimants, si filialement dociles, on ose les
« représenter comme attachés à ces anciennes doctrines
« qui, il y a bientôt deux cents ans, contristèrent les
« Pontifes Romains. On ne se souvient plus de cette
« ancienne Église gallicane, de sa gloire, des services
« rendus par Elle à la Religion, des éloges si bienveil-
« lants des Souverains Pontifes dans tous les temps. On ne
« veut pas se souvenir de ces grands Évêques, qui, il y a
« soixante ans, sont morts sur les échafauds, dans les
« prisons, sur la terre d'exil, pour leur fidélité à l'Église
« romaine et parce qu'ils repoussaient une constitution
« impie. On ne se souvient plus de ces autres Évêques,
« qui, en 1811, convoqués à Paris, bravaient, pour sou-
« tenir les droits du saint pape Pie VII, de glorieuse
« mémoire, la fureur de l'homme qui faisait trembler toute
« l'Europe. On ne veut pas reconnaitre le dévouement de
« cet épiscopat français qui se livre avec tant de zèle
« maintenant au gouvernement des diocèses, qui donne
« naissance à toutes les bonnes œuvres, à cette œuvre
« entre autres de la Propagation de la foi, qui les soutient,
« qui les féconde, qui remplit tout du feu de sa charité,
« qui pleurait avec l'illustre captif de Gaëte, qui appelait
« pour lui les populations aux pieds des autels, qui se
« relevait glorieux et plein de joie en apprenant le retour
« dans la capitale du Pontife et du Père bien-aimé. Voilà,
« Éminence, ceux contre lesquels on sème des défiances,
« ceux qu'on calomnie.

« Mais enfin à ces maux quel remède? Le remède pour « nous, c'est de tourner les yeux vers ce trône qui est le « centre de nos espérances comme il est l'objet de notre « amour.

« Je viens de signaler à Votre Éminence et, par vous au « Père commun, les périls de notre situation, le précipice « vers lequel ou nous pousse et l'exaltation, l'exagération « de certains hommes qui ne sont peut-être pas sans « mérite, mais qui sont sans discrétion, le zèle peu prudent « même dans l'Épiscopat d'une minorité qui veut tout « diriger, tout entraîner, sans calculer les obstacles, les « vœux de ses collègues, sans écouter leurs avis, leurs « réclamations, leur expérience. Or, avec une telle préci- « pitation on opère des déchirements et de funestes divi- « sions. Qu'il me suffise de dessiner ainsi notre situation. « Si Votre Excellence veut la connaître encore mieux et « les tendances du parti qui se dit catholique avant tout, « qu'Elle demande, qu'Elle lise la circulaire de Mgr l'Évêque « de Viviers, en date du 2 février, au sujet du journal; elle « y verra les sentiments de la grande, de l'immense majo- « rité des Évêques. Je le sais par ma correspondance avec « mes vénérables collègues; et si tous nous ne faisons « pas de telles manifestations, c'est qu'il nous suffit d'avoir « un tel organe et que nous craignons d'allumer peut-être « encore davantage l'incendie; mais, je le répète, ces sen- « timents-là sont les nôtres.

« Maintenant, des lumières de Votre Éminence, de la « prudence, de la fermeté surtout du Saint-Père, nous « attendons le salut.

« J'ai l'honneur, etc... »

Malgré les longueurs et les redites inévitables de ces lettres, nous avons voulu les citer tout entières, afin qu'on pût juger, en pleine connaissance de cause, de l'état des esprits à cette époque. Beaucoup d'autres Évêques écrivirent dans le même sens à Rome; la volumineuse correspondance de l'Évêque d'Angers en fait foi. Naturellement ces lettres firent grande impression. D'un autre côté, on ne voulut pas se montrer sévère pour l'écrivain qui, en se modérant, pouvait rendre de grands services à la cause religieuse. Il fut averti avec charité. Le secrétaire des lettres latines, Mgr Fivramonti, à qui il s'était recommandé, lui écrivit : « Il serait bon, non seulement pour vous-« même, mais encore pour le service utile de l'Église que, « tout en prenant en main la cause de la vérité, vous « examinassiez d'abord avec grand soin toutes choses et « surtout, dans les questions libres, faites en sorte que la « plus petite tache ne souille le nom des hommes éminents. « Une feuille religieuse doit être si bien composée qu'elle « ne contienne rien qui ne soit modéré et doux. »

Les Évêques ne demandaient pas autre chose.

Le Pape, de son côté, envoyait, le 21 mars, une encyclique aux Évêques de France. Cette lettre était telle qu'on pouvait et qu'on devait l'attendre de la sagesse et de la prudence de Pie IX. Il n'y parlait pas de l'ordonnance de Mgr l'Archevêque de Paris qui n'y était ainsi ni confirmée, ni improuvée. « Mais les vertus et les œuvres de l'Épis-« copat français y étaient célébrées, et sa docilité envers « Rome glorifiée ; la presse religieuse y était déclarée une « œuvre utile, mais à la condition d'accepter la direction « et les paternels avis des Évêques ; tous étaient enfin « conviés à l'union et à la concorde[1]. »

L'Archevêque de Paris répondit à cette invite en retirant son ordonnance. Le bon droit triomphait et, si la paix ne fut pas rétablie, ce ne fut assurément pas la faute du Souverain Pontife.

On nous pardonnera, nous l'espérons, de nous être un peu étendu sur ces questions. Elles n'ont plus aujourd'hui qu'un intérêt rétrospectif et ne peuvent plus passionner

[1] *Vie de Mgr Dupanloup*, t. II, p. 143, 144.

les esprits. Les grands malheurs de la chère Église de France ont fait enfin cesser ces divisions d'autrefois. Il nous a semblé utile, néanmoins, de dégager complètement la mémoire de Mgr Angebault de l'accusation de gallicanisme contre laquelle proteste sa vie tout entière.

CHAPITRE XI

1853 et années suivantes

Monseigneur est décoré. — Défense de la loi de 1850. — Adoration diurne. — Adoration perpétuelle. — Les missionnaires diocésains. — Congrégation de Saint-Charles. — Santification du dimanche. — Guerre d'Orient. — Immaculée-Conception. — Inondations de 1856. — Règles de Saint-Gildas. — Rétablissement de la Liturgie Romaine. — Établissement des Capucins d'Angers. — Attentat d'Orsini.

L'empereur, qui cherchait tous les moyens de se concilier les sympathies des catholiques, prodiguait les honneurs au Clergé. Au mois de janvier 1853, il décora plusieurs évêques ; Mgr Angebault fut du nombre. Il annonça cette nouvelle à M. de Guérines en ces termes : « J'oubliais de vous dire, ce que peut-être les journaux vous apprendront, que le pouvoir a voulu m'enrôler dans les rangs de la chevalerie. Je ne sais pourquoi je me trouve sur cette liste et bien à mon insu, je vous l'assure, mais on a pensé qu'il ne m'était pas loisible de refuser. »

L'Évêque de Viviers, si ami de Mgr Angebault, avait été aussi décoré dans la même circonstance. Cet honneur, qu'il n'avait pas plus recherché et pas plus désiré que l'Évêque d'Angers, ne l'émut pas davantage. Répondant à une lettre dans laquelle Monseigneur s'excusait de ne l'avoir point félicité à cette occasion, il disait « Je n'avais pas *non plus* pensé à vous féliciter de cette nouvelle décoration, car j'attachais moi-même peu de prix à cette distinction que j'ai reçue en même temps que vous. Si quelque chose peut en relever la valeur à mes yeux, c'est l'honneur que vous lui faites en l'acceptant. »

Vraiment, ces hommes étaient grands et, avec si peu d'empressement pour les honneurs, ils pouvaient se montrer indépendants et faire entendre leur voix d'Évêque, quand leur conscience le demandait. Ils n'y manquèrent ni l'un ni l'autre.

La loi de 1850 contrariait trop les vues d'un pouvoir personnel et autoritaire, pour ne pas recevoir de lui promptement quelque atteinte. Au commencement de 1854, sous prétexte de réglementation intérieure, le Ministre de l'Instruction publique, M. Fortoul, fit examiner, par le Conseil d'État, quatre articles de loi ayant pour but de diminuer le nombre des Recteurs. Il parut à plusieurs que ces articles n'étaient pas en conformité, sinon avec la lettre, du moins avec l'esprit de la loi du 15 mars. Et cela était d'autant plus vraisemblable que le journal *le Siècle* ne cachait plus l'espérance qu'il avait de voir les Évêques replacés sous le joug du Code universitaire. L'*Ami de la Religion*, dans son numéro du 14 février, pour avoir voulu opposer quelques réclamations aux violences du journal gouvernemental, avait reçu un premier avertissement. L'Évêque d'Angers était trop sur ses gardes pour n'être pas frappé de cette conduite. Il en écrivit à M. le Ministre des cultes. Sans vouloir discuter la mesure prise par le Ministre de l'intérieur et tout en faisant ressortir que l'on avait été sévère pour la défense sans l'être pour l'attaque, il faisait part de ses préoccupations. « Je ne puis m'empêcher, disait-il, de laisser percer les préoccupations que doivent nous faire concevoir les interprétations successives données à la loi du 15 mars 1850 et les modifications diverses qu'on lui fait subir. » Il rappelait la multitude des décrets qui, *comme des langes, enveloppaient* l'enfant nouveau-né et commençaient à gêner ses allures. Il faisait remarquer qu'on changeait le système des études, qu'on remaniait l'organisation administrative et qu'on calomniait les Évêques en leur prêtant de fausses intentions. Le Ministre répondit sans parvenir à rassurer l'Évêque. Il affirmait que la volonté formelle du gouvernement était de respecter la loi du 15 mars et qu'on ne toucherait jamais à une de ses *parties essentielles*. On sait ce que veulent dire de telles paroles. Monseigneur sentit redoubler ses craintes. Il fit imprimer sa lettre au Ministre, avec la réponse, et l'envoya aux Évêques, afin de les mettre sur leurs gardes d'abord, et aussi pour leur insinuer d'agir près du gouvernement.

Ce ne fut pas sans raison, car l'Empire ne cessa de travailler à l'amoindrissement de cette loi de liberté. Sans l'attaquer ouvertement, mais à force de réglementation et de décrets, il lui enleva tout ce qu'il put ressaisir, et ce ne fut pas sa faute s'il ne lui porta pas des coups plus décisifs.

Pour soutenir la lutte, Mgr Angebault avait besoin de forces. Il les puisait dans sa piété. Aucune dévotion ne lui était plus chère que la dévotion au Saint-Sacrement. Chaque matin, à moins qu'il n'allât dire sa messe dans quelque communauté, il descendait à sept heures et demie soit à la cathédrale pendant l'hiver, soit à sa chapelle de l'Esvière dans la belle saison. Après une longue préparation il montait à l'autel et célébrait les saints mystères avec un profond recueillement. Sans se hâter et sans traîner non plus, il prononçait tout avec précision et l'on voyait à une certaine onction de sa voix qu'il suivait attentivement le sens des prières et y laissait aller son cœur. C'était, avec l'oraison, la dévotion du matin.

L'après-midi, il ne manquait pas de faire une visite au Très Saint-Sacrement. Là, il priait pour toutes les personnes qui s'étaient recommandées à lui. On en trouve la preuve dans sa correspondance. A chaque instant on y rencontre des expressions comme celles-ci : « Aujourd'hui j'ai prié pour vous devant le Saint-Sacrement »; « hier, dans ma visite au Saint-Sacrement, je vous ai recommandé à Notre-Seigneur ». C'est au pied de l'autel qu'il allait chercher les lumières dont il avait besoin. Plusieurs de ses lettres de direction, et des plus importantes, ont été écrites au sortir de sa chapelle, après un entretien avec le Dieu de l'Eucharistie. Mais ce qui l'occupait le plus, à cette heure, c'était l'amour même de Notre-Seigneur, l'amour qu'il nous porte et dont il nous donne un si sincère et si précieux gage dans le Très Saint-Sacrement; l'amour que nous lui devons pour ce grand bienfait et que nous lui donnons si peu et enfin l'oubli, l'ingratitude des hommes qui délaissent la communion ou qui vont même jusqu'à outrager la personne adorable de Notre-Seigneur. Cette pensée faisait couler ses larmes dans le silence et il se préoccupait des moyens de dédommager le divin Maître par quelque acte public de réparation et d'amende honorable.

Déjà nous l'avons vu établir l'adoration nocturne; il voulut avoir aussi l'adoration pendant le jour. Le 14 mars 1854, il fit appel aux dames d'Angers. « Témoin de votre zèle pour les bonnes œuvres et de votre piété, nous avons cherché, non pas quel nouvel appât, mais plutôt quelle récompense nous pourrions leur offrir; et il nous a semblé que rien ne serait plus doux pour vous que de vous réunir pour offrir vos adorations à notre bon Sauveur, dans le sacrement de son amour. » Il leur rappelait l'exemple de ces hommes pieux qui avaient l'habitude de passer la nuit en adoration et les engageait à les remplacer, le jour, aux pieds du Saint-Sacrement. Enfin, il priait celles qui voudraient bien faire partie de l'association de donner leurs noms.

Une fois réunies, et elles le furent en grand nombre dès le premier jour, elles furent divisées en séries de cinquante personnes, choisies autant que possible dans le même quartier. L'Évêque était le Supérieur. Une Présidente, une Vice-Présidente, une Secrétaire, une Trésorière et une Sacristine formaient le Conseil de l'Œuvre. Les jours d'adoration étaient répartis de telle sorte que chaque associée eût, chaque mois, son heure de présence. La journée commençait le matin par la messe et se terminait, le soir, par le salut du Saint-Sacrement.

L'œuvre a prospéré et Monseigneur l'aima toujours. De temps à autre, il allait dire lui-même la messe à la chapelle de l'adoration ; il adressait chaque fois un mot d'édification à ces Dames. Mais cette œuvre ne suffisait pas à son zèle ; il voulait une adoration sans interruption, l'adoration perpétuelle.

Par une circulaire, en date du 24 mars 1854, il annonça à ses curés que les exercices de l'adoration perpétuelle ouvriraient à la fin de l'année et, au mois d'octobre, il régla définitivement la forme de ces exercices. Il ne devait plus y avoir aucune interruption de l'adoration du Saint-Sacrement dans le diocèse d'Angers. Un tableau de répartition faisait connaître à chaque paroisse ou communauté les jours qui lui étaient réservés et, depuis le 3 décembre que l'adoration fut inaugurée à la cathédrale, il y a toujours eu quelques adorateurs devant l'autel, priant pour le diocèse. Chaque jour une amende honorable fort touchante a été lue au nom de quelque paroisse pour la réparation des injures faites au Dieu de l'Eucharistie.

Dans son ordonnance d'érection, Monseigneur avait demandé de faire venir, autant que possible, un prédicateur étranger à la paroisse et il avait conseillé de profiter de cette circonstance pour donner aux fidèles les exercices d'une petite retraite.

Cette institution fut reçue avec un véritable enthousiasme dans tout le diocèse. Honorée de trois brefs du Souverain Pontife, enrichie d'indulgences, elle porta les plus heureux fruits.

Aux fêtes de l'adoration perpétuelle, le zèle des pasteurs donna un grand éclat et la parole de Dieu, annoncée à cette occasion avec plus de solennité, réveilla la foi endormie chez quelques-uns. Chez d'autres, elle fit naître le remords qui conduit à l'aveu et au pardon des fautes.

Monseigneur se louait donc de tels résultats ; mais plus ils étaient consolants plus ils faisaient regretter le petit nombre d'ouvriers en mesure de se dévouer à l'œuvre. On était en 1855 ; les ordres religieux venaient, il est vrai, de se rétablir en France ; mais ils n'avaient encore pu se multiplier suffisamment. L'Évêque d'Angers ne cessait de prier Dieu de l'éclairer et de lui faire connaître les moyens de venir en aide au clergé paroissial, spécialement pour la prédication. A la retraite pastorale, il fit un appel à son clergé en faveur d'un établissement de prêtres auxiliaires qui voudraient bien se consacrer à la prédication des fêtes de l'adoration. Son appel fut entendu. « Il y a vingt ans, lui « écrivait un de ses curés, on avait parlé d'un semblable « projet et, dès lors, je pensais me mettre à la disposition « de mon Évêque. Votre Grandeur paraissant penser « sérieusement à l'exécution de ce projet, je crois devoir, « pour l'acquit de ma conscience, vous déclarer que les « années, en s'accumulant sur ma tête, n'ont rien changé « à mes dispositions et que mes goûts pour ce genre de « ministère se sont conservés. » Et, avec une grande humilité, ce digne curé ajoutait : « A mon âge, il est vrai, je « ne pourrai rendre que très peu de services ; cependant « si Votre Grandeur pense que je puisse être de quelque « utilité pour cette œuvre dont le besoin se fait sentir de « plus en plus, elle peut disposer de moi. Je m'estimerai « heureux de pouvoir prendre quelque part au bien qui « en devra résulter. »

Monseigneur accueillit avec joie cette ouverture. Il fit part de sa pensée à ce digne curé, M. l'abbé Rousseau. Trois autres ecclésiastiques s'adjoignirent au premier.

Monseigneur traça des règlements très sages à cette petite Communauté ; il leur procura une maison, et le diocèse d'Angers eut son petit couvent de missionnaires diocésains. Monseigneur alla lui-même présider à leur installation, qui eut lieu le 17 novembre 1855. L'année suivante, Monseigneur leur adjoignit M. l'abbé Chesneau, devenu depuis vicaire général de l'Évêque d'Angers, prélat de la maison de Sa Sainteté. En très peu de temps, ces saints missionnaires firent un bien incroyable. Le Souverain Pontife en fut si touché qu'il envoya un bref très élogieux à l'Évêque d'Angers sur ce sujet. Du mois de novembre 1855 au mois de juin 1858, la Société des missionnaires angevins donna environ cent soixante-dix retraites ou missions, toutes suivies avec un grand succès.

L'œuvre qui paraissait si prospère ne devait cependant pas, comme nous le verrons, tarder à se dissoudre. Les missionnaires diocésains firent place aux capucins, mais les exercices de l'Adoration continuèrent comme par le passé.

Mgr Angebault ne pouvait taire la joie que lui causaient les succès de l'Adoration perpétuelle.

« Vous me parlez, écrit-il à sa cousine, la Carmélite, de la pieuse dévotion de l'Adoration perpétuelle établie en Anjou. Le bon Sauveur continue à la bénir ; je viens de recevoir encore ici des lettres de nos curés ; l'un, qui est auprès de Cholet, me mande qu'au jour fixé pour sa paroisse 700 personnes se sont présentées pour la communion (il y a 1.200 personnes de population). Un autre, sur le bord de la Loire, m'écrit que 800 ont communié, parmi lesquelles beaucoup d'hommes. Je fais imprimer en ce moment une longue lettre pastorale à ce sujet, je vous l'enverrai. J'y annonce au clergé la fondation d'une maison de missionnaires diocésains, destinés précisément à soutenir dans les paroisses cette œuvre de l'Adoration. J'espère qu'elle renouvellera notre Anjou. Le clergé l'a accueillie avec une grande faveur, et ce n'est pas une des moindres consolations pour moi de voir les ecclésiastiques déployer un grand zèle pour aller seconder leurs confrères, prêcher, confesser et ranimer ainsi leur ferveur à eux-mêmes. »

Nous avons parlé plus haut des premiers soins donnés à la Congrégation de Saint-Charles. La Communauté s'était rapidement développée. Le nombre des Religieuses, qui était de quatre-vingts en 1843, s'était élevé, dix ans plus tard, à deux cents. La Congrégation avait pu acquérir un vaste et beau local et y établir un noviciat qui comptait trentre-cinq à quarante postulantes. Toutefois, ce résultat ne fut acquis qu'au prix des plus grands efforts.

Il fallut d'abord lutter contre les anciens membres de la Communauté qui n'avaient pas voulu accepter de faire des vœux. Ces bonnes filles devinrent facilement un embarras. Sans vouloir accepter les obligations nouvelles qu'on ne pouvait, d'ailleurs, songer à leur imposer, elles entendaient bien rester filles de Saint-Charles, en porter le costume et continuer leur œuvre de dévouement. Habituées à suivre à peu près leur volonté, ayant leur manière de faire, portant le nom et gardant le costume de Saint-Charles, elles faisaient illusion dans le monde où il devenait impossible de distinguer celles qui étaient Religieuses de celles qui ne l'étaient pas. Elles causaient ainsi un véritable préjudice à la nouvelle Congrégation et lui faisaient perdre le bénéfice qu'elle devait retirer de son institution canonique et de ses nouveaux règlements. Il fallut à l'Évêque d'Angers une patience et une fermeté à toute épreuve pour amener ces bonnes filles à changer de costume. Avec cette habileté féminine qui ne dit jamais non, mais qui sait si bien reprendre ce qu'elle paraît avoir cédé, elles changeaient la qualité de l'étoffe tout en gardant la couleur et la forme; d'autres fois, à la petite croix d'or elles substituaient la croix d'argent. Dans certains cas, après avoir changé d'abord, elles reprenaient peu à peu et pièce à pièce tout l'ancien costume. Les curés eux-mêmes, intéressés à faire croire qu'ils avaient des Sœurs de Saint-Charles, les soutenaient autant qu'ils pouvaient. Ils faisaient à l'Évêque de belles protestations, mais, soit impuissance, soit désir de ne pas compromettre le bien dans leurs paroisses, ils ne se pressaient pas beaucoup de faire rentrer teutes choses dans l'ordre.

Et la résistance ne venait pas seulement de celles qui avaient refusé les vœux. Parmi les autres, il y eut des défections. Plusieurs ou n'avaient pas compris la portée de leurs nouveaux engagements, ou n'avaient pas cru qu'on y tiendrait la main. Elles se retirèrent et allèrent se ranger derrière la Sœur Céleste qui, comme nous l'avons dit déjà, avait fondé à Angoulême un établissement rival, mais qui ne se distinguait en rien à l'extérieur du véritable Saint-Charles.

Cette confusion intolérable durait encore en 1854. La nouvelle Supérieure de Saint-Charles et les Sœurs du Conseil en référèrent à Monseigneur en lui signalant les graves inconvénients d'un tel état de choses.

« L'abus dont nous avons à nous plaindre, Monseigneur, c'est que toutes les personnes dénommées ci-dessus s'obstinent à porter le costume de Saint-Charles qui est resté tel absolument qu'il a toujours été à la Maison de Saint-Charles.

« De là, dans l'opinion publique, une confusion pour nous très compromettante et, dans des cas trop réels, une solidarité de blâme que l'identité d'habit ne nous permet pas toujours de décliner suffisamment. Nous pourrions vous citer une condamnation en police correctionnelle de deux Sœurs indûment vêtues de notre costume, la tenue inconvenante d'autres personnes à Saint-Martin de Beaupréau et, à Louresse, la mauvaise conduite d'une jeune fille vêtue comme nous, les notes on ne peut plus défavorables données assez récemment au Conseil académique sur deux institutions qui passeraient encore pour être des nôtres sans les protestations formelles et réitérées de M. l'abbé Bompois...

« Nous venons donc, Monseigneur, supplier Votre Grandeur de vouloir bien prendre les mesures suivantes ou toutes autres que vous croiriez meilleures :

« 1° Notifier à l'autorité académique que les institutrices titulaires ou adjointes sus-dénommées ne sont point membres de la Congrégation de Saint-Charles et qu'elles n'ont le droit ni d'en prendre le nom ni d'en porter l'habit; 2° Enjoindre à celles qui résident dans le diocèse de se vêtir de telle façon qu'il ne soit plus facile de les confondre avec les Sœurs de Saint-Charles; 3° Donner à MM. les curés des paroisses où elles résident communication de cette injonction, avec prière de tenir la main à ce qu'elle soit observée.

Pour ce qui est de la Sœur Céleste et de ses sœurs d'Angoulême, nous vous prions d'agir comme bon vous semblera. »

Monseigneur accueillit cette requête. Il écrivit de nouveau à celles qui portaient indûment le costume de Saint-Charles; les curés reçurent l'ordre de tenir à ce que la mesure épiscopale ne fût pas éludée; enfin, au sujet de la Sœur Céleste, il écrivit à l'Évêque d'Angoulême.

L'abus cessa à peu près. En tout cas, l'autorité académique et les populations surent à quoi s'en tenir, et la Congrégation de Saint-Charles cessa d'être solidaire des agissements de ces membres séparés.

Restait une grande mesure à prendre : faire reconnaître légalement la Congrégation de Saint-Charles comme Congrégation à Supérieure générale.

Le décret impérial du 15 novembre 1810 avait reconnu la Communauté de Saint-Charles comme Congrégation à Supérieure locale. Or, il était bien évident que d'après les statuts même, approuvés par le décret, Saint-Charles devait être une Communauté à Supérieure générale. Les statuts disaient, en effet, que Saint-Charles avait pour but « de soulager les pauvres malades des villes et des *campagnes*, et de former des sujets pour faire l'école gratuite et administrer des secours aux malades de la *campagne* ». Il était impossible d'atteindre ce but sans une Supérieure générale. D'un autre côté, un décret du 21 janvier 1852 exigeait, pour qu'une Communauté à Supérieure locale pût être autorisée comme Congrégation à Supérieure générale, qu'elle produisît une double pièce constatant : 1° qu'à l'époque où elle avait été autorisée comme Communauté régie par une Supérieure locale, elle était réellement dirigée par une Supérieure générale. 2° Qu'à la même époque, elle avait formé des établissements sous sa dépendance.

Pour sortir du vague où le décret de 1810 laissait Saint-Charles, Monseigneur engagea la Communauté à formuler une demande de reconnaissance comme Congrégation à Supérieure générale. Cette demande s'appuyait sur les statuts que nous venons de rappeler. Le Ministre n'accepta pas cette demande et exigea qu'on remplît les formalités réclamées par le décret de 1852.

Monseigneur fit alors remarquer à M. le Ministre, que Saint-Charles avait formé des maisons qui dépendaient d'elles pendant le dix-huitième siècle et depuis 1810 et que toujours la Supérieure de Saint-Charles avait agi comme Supérieure générale. Le Ministre refusa de nouveau la reconnaissance sollicitée en se fondant sur ce que, la Congrégation de Saint-Charles ayant été dissoute en 1792, les établissements formés par elle ne pouvaient plus être allégués comme une preuve qu'en 1810 elle était dirigée par une Supérieure générale et que d'ailleurs, en 1810, elle n'avait aucune maison sous sa dépendance.

La question semblait devoir être tranchée dans un sens défavorable à Saint-Charles, lorsque, sur de nouvelles instances, le Ministre renvoya l'affaire au Conseil d'État.

Celui-ci, dans sa séance du 13 janvier 1853, après avoir étudié l'affaire, fut d'avis, comme le gouvernement, que la Congrégation de Saint-Charles ne remplissait pas les obligations imposées par le décret du 31 janvier 1852, mais en même temps il admettait le bien fondé de l'argumentation basée sur les statuts approuvés en 1810 et déclarait que « par ces statuts, approuvés lors de son autorisation, la Congrégation de Saint-Charles avait pour but : de soulager les pauvres malades des villes et des campagnes et de former des sujets pour faire l'école gratuite et administrer des secours aux malades dans les campagnes » ; que de telles énonciations impliquaient virtuellement, pour ladite association, le caractère de Congrégation à Supérieure générale ;

Et qu'il était d'avis :

Qu'une autorisation nouvelle n'était pas nécessaire à l'association des Sœurs de Saint-Charles pour exister à titre de Congrégation à Supérieure générale, et qu'il n'y avait pas lieu à donner suite au projet de décret.

Le Gouvernement se rendit à l'avis du Conseil d'État et la Congrégation de Saint-Charles, ainsi reconnue indirectement comme Congrégation à Supérieure générale, put faire rétrocéder à la Maison-Mère les biens qui, appartenant de fait à la Congrégation, étaient demeurés, en droit, la propriété personnelle de plusieurs religieuses de Saint-Charles.

Il était temps aussi d'appliquer intégralement la règle dont dix années d'expérience avaient démontré la sagesse.

Lors de la réforme de 1843 et de la nomination de la Mère Modeste, l'état et la connaissance du personnel n'avaient point permis de pourvoir suffisamment les premiers postes. Une sœur Séraphie, nommée maîtresse des novices, ne convenait qu'imparfaitement à cette grande charge ; une sœur Saint-Charles était à la fois économe générale et assistante. Ce cumul présentait des inconvénients graves que la titulaire, « ardente, absolue et un peu téméraire », n'avait pas su éviter. Mais comment faire pour changer cet état de choses sans froisser les bonnes sœurs qui tenaient ces emplois ? M. Bernier profita des dispositions de la sœur Modeste qui, vraiment digne de son nom, se croyait toujours au-dessous de sa charge ; il lui permit d'offrir sa démission à Monseigneur. En même temps il écrivait à l'Évêque, lui conseillait d'accepter la démission et d'ordonner une nouvelle élection. Aucune circonstance ne pouvait être plus favorable à un remaniement des emplois. Monseigneur suivit cet avis et ordonna l'élection, mais en y mettant pour condition que la nouvelle supérieure, quelle qu'elle fût, constituerait, suivant son droit, le personnel exigé par les règlements. Ce qui était prévu arriva. La sœur Modeste fut réélue, elle choisit pour assistante la sœur Séraphie, laissa la sœur Saint-Charles à son économat et pour maîtresse des novices elle choisit la sœur Saint-Louis de Gonzague qui devait devenir et est demeurée jusqu'à sa mort la très digne Supérieure générale de Saint-Charles.

L'intrépide Supérieur ne s'en tint pas là. Il ne pouvait s'arrêter, tant qu'il restait quelque chose à faire. C'est pourquoi, à la date du 4 décembre 1853, il écrivit à Monseigneur une longue lettre, dans laquelle, après avoir énuméré tout ce qui avait été fait depuis 1843, par l'Évêque d'Angers pour la communauté de Saint-Charles et tout le bien qui en était résulté, il ajoutait :

« Il faut que les statuts et les règles ne soient pas mal appropriés à la nature et, si l'on peut ainsi parler, au tempérament de la communauté qu'ils sont destinés à faire vivre, puisque, sous leur empire, non seulement l'œuvre a vécu, mais elle a, grâce à Dieu et à votre bienveillance, Monseigneur, prospéré au-delà de mes espérances et probablement au-delà des vôtres, et puisque, en les appliquant avec mesure et fermeté nous avons surmonté d'énormes difficultés, bien que je suis loin de prétendre que ce soit une œuvre sans défaut, je regarde comme démontré par l'épreuve de ces dix années si rudes, si pleines d'obstacles et d'écueils, que le plan, l'ensemble et les principaux détails garantissent, autant que possible, le succès et le progrès pour l'avenir.

« Toutefois, Monseigneur, si les statuts et les règles ont porté d'heureux fruits, je dois vous déclarer que cela vient uniquement de l'attention que j'ai eue personnellement d'en maintenir constamment l'exécution et du soin que j'ai pris d'en tirer parti dans toutes les occasions, et qu'il me manque, pour faire le bien, un élément très important : l'étude, la connaissance parfaite, le respect et l'amour des statuts et des règles. Or, tout naturellement et nécessairement il en sera ainsi tant que les statuts et les règles se présenteront à nos sujets sous une forme très peu propre à leur concilier l'estime et le respect. A l'exception de deux ou trois manuscrits un peu soignés, qui restent à la Maison-Mère, les 220 à 230 sœurs de Saint-Charles ne connaissent les règles que par des cahiers la plupart informes, inexacts, peu complets, dépourvus de toute authenticité et de tout caractère propre à rappeler l'autorité épiscopale, au lieu d'être pour elles un manuel digne et respectable qu'elles puissent consulter à chaque instant et mettre sans rougir entre les mains d'un confesseur.

« Telle est, Monseigneur, la seule difficulté grave que je rencontre maintenant dans l'exercice de mes fonctions de Supérieur. Mais elle est très sérieuse et je sens qu'elle s'aggrave à mesure que la communauté s'augmente et à mesure que nos sujets vieillissent. Je prie donc Votre Grandeur de faire cesser cet obstacle au bien en donnant une approbation authentique à une édition imprimée des Statuts et des Règles de Saint-Charles. »

Cette demande répondait trop aux propres désirs de Monseigneur pour n'être pas favorablement accueillie par lui. On se prépara donc à faire imprimer la règle de Saint-Charles. On fit d'abord tirer trois épreuves dont l'une fut remise à Monseigneur, une autre à la Supérieure et la troisième à M. Bernier. Chacun écrivit ses réflexions sur son épreuve et du résultat de cette revision sortirent les dernières règles de Saint-Charles finalement formulées en 152 articles. Et le 17 septembre 1854, Monseigneur donna, dans les termes que voici, son approbation : « Après avoir lu et mûrement examiné la Règle, divisée en six chapitres et donnant en tout cent cinquante-deux articles, qui a été préparée pour la congrégation des sœurs de Saint-Charles, en notre diocèse, nous déclarons l'approuver et l'approuvons par ces présentes. »

Ainsi se trouva définitivement constituée l'œuvre très importante de la congrégation hospitalière et enseignante de Saint-Charles d'Angers. Le zélé Supérieur put songer à la retraite. Les efforts qu'il avait faits avec tant de succès pour rassembler et fondre ensemble tant d'éléments disparates, la vigilance continue qu'il avait dû exercer pendant dix ans pour faire exécuter les règles, la lutte qu'il avait été obligé de soutenir pour triompher de tant d'obstacles l'avaient fatigué. D'ailleurs il n'avait pu déployer tant de zèle et de fermeté, malgré sa prudence et sa douceur, sans causer ici ou là quelques froissements. Il pensa que l'œuvre, définitivement et normalement constituée, pouvait sans difficulté passer à d'autres mains. Il saisit le premier prétexte venu et offrit, le 2 octobre, sa démission, à Monseigneur, en le remerciant du concours que Sa Grandeur n'avait cessé de lui donner. Les sœurs de Saint-Charles ne firent pas d'instance pour conserver leur Supérieur, et Monseigneur dut, quoique à regret, accepter la démission de M. Bernier. Il lui écrivit :

« J'ai trouvé ici, mon bien cher abbé, à mon retour de

voyage, la lettre que vous m'avez adressée le 2 de ce mois, pour me faire connaître la résolution prise par vous de ne plus vous occuper de la Congrégation de Saint-Charles. Je suis bien triste de cette détermination et je pense qu'il vous en aura coûté à vous-même pour la prendre. Depuis douze ans vous avez donné à ces bonnes filles des soins assidus, vous les avez tirées du précipice et il doit vous être pénible de renoncer aux consolations qui doivent être le prix de vos sacrifices.

« Votre détermination paraît tellement arrêtée que je n'insiste pas pour vous prier de reprendre un fardeau dont vous paraissez fatigué. Mon embarras sera bien grand pour vous remplacer, et je ne sais vraiment à qui je confierai une telle mission. »

Pour ménager la transition, Monseigneur garda quelque temps lui-même la supériorité de Saint-Charles et continua, avec un dévouement plein d'affection, l'œuvre du précédent Supérieur ; puis il confia la charge à M. l'abbé Bompois, l'un de ses vicaires généraux, dont l'affection pour Saint-Charles devint proverbiale dans le diocèse et dont le dévouement ne se démentit pas un seul instant. Le souvenir de M. Bernier ne se perdit pourtant pas à Saint-Charles ; son départ y excita plus de regrets qu'on n'en fit paraître, et la Communauté garde encore aujourd'hui la mémoire de ses travaux, de sa constance, de sa patience et de sa grande aménité.

Il semble d'ailleurs que Dieu ait voulu marquer à cette époque la fin de la première phase de la vie de Saint-Charles. Un an plus tard, dans les premiers jours de novembre, Dieu rappelait à lui la Mère Modeste, la première Supérieure de la nouvelle Congrégation religieuse, qui avait si dignement secondé les travaux de Monseigneur et de M. Bernier. Sa mort fut un deuil pour la ville d'Angers autant que pour ses filles. Le Préfet de Maine-et-Loire voulut assister à ses funérailles et Monseigneur, lui ayant écrit pour le remercier de cet acte de sympathie, en reçut la lettre suivante :

« MONSEIGNEUR,

« Je suis touché de l'obligeante lettre que vous m'avez fait l'honneur de m'écrire hier après avoir remarqué ma présence à la cérémonie funèbre de l'église Saint-Jacques.

« Je ne mérite pas tant pour un acte bien simple, Monseigneur, puisqu'il s'agissait de témoigner mes regrets respectueux et sincères pour la perte de la vénérable Mère Supérieure de Saint-Charles, mes sympathies reconnaissantes et dévouées pour l'utile Congrégation qui fait tant de bien et de tant de façons, mon désir de m'associer à vous, le plus que je puis, et au clergé, pour des manifestations de sentiments si légitimes, si mérités. »

La présence du Préfet aux obsèques de la Mère Modeste et la lettre qu'on vient de lire nous montrent qu'au début de l'Empire la religion tenait une place dans les préoccupations des hommes de gouvernement. Même le pouvoir faisait alors cesser les travaux publics le dimanche, à moins qu'il n'y eût urgence et nécessité de les continuer. On peut aussi dire que la question du dimanche était surtout une question religieuse, tandis qu'aujourd'hui les partisans du repos dominical en font surtout une question sociale. Tout le monde, à peu près, convenait alors comme aujourd'hui de l'utilité de la cessation des travaux le dimanche. Mais comment y arriver? C'est ce qu'on ne voyait pas clairement. On constatait le mal, on ne trouvait pas le remède.

En 1850, une Commisssion parlementaire avait été nommée pour étudier la possibilité du retour à la loi de 1814 sur l'observation du dimanche, loi qui, tout en n'ayant pas été rapportée, était néanmoins tombée en désuétude.

Le rapporteur fut M. de Montalembert. Nul plus que lui, certes, ne pouvait désirer une solution favorable. La conclusion de son rapport fut désolante. « Pouvons-nous espérer, disait le rapporteur, au milieu de nos lamentables divisions, de rencontrer, d'ici à longtemps, un gouvernement assez énergique pour faire exécuter cette loi, pour déclarer la guerre aux plus mauvaises passions des sociétés modernes?.. Si un tel gouvernement pouvait se créer chez nous, peut-on espérer que l'opinion publique, si mobile, si incertaine, lui prêterait l'appui nécessaire pour entreprendre une croisade contre les mœurs? Cette confiance nous a manqué. »

Cette confiance qui faisait défaut en 1850, le gouvernement de l'Empereur l'avait inspirée trois ans plus tard, et l'on crut les circonstances assez favorables pour commencer la croisade. Une Association se forma à Paris pour l'observation du repos dominical. Cette Association n'avait rien d'illibéral. Elle avait pour but non de faire remplir les devoirs religieux du dimanche, mais d'en procurer la facilité à ceux qui voulaient accomplir ces devoirs, en accordant un repos utile à tous.

Un Comité avait pris naissance dans le quartier de Saint-Thomas d'Aquin. Il se mit en rapport avec les Évêques pour les prier de favoriser ce mouvement.

Sans avoir grande confiance dans les moyens d'action de ce Comité, l'Évêque d'Angers, loin de l'entraver, favorisa son action. Seulement il ne s'en tint pas là. Il pensa, non sans raison, que le repos dominical ne serait jamais bien observé tant que les fidèles ne sanctifieraient pas le dimanche par l'accomplissement du devoir religieux. Il fit d'abord son mandement de carême pour l'année 1854 sur ce sujet. Puis il s'entendit avec un certain nombre de ses diocésains d'Angers afin de former, en sa ville épiscopale, une Association pour l'observation du repos dominical. Il fit pour cette Association un règlement fort sage, avec tous les tempéraments possibles et désirables pour atteindre le but : empêcher, le dimanche et les jours de fête de précepte, le travail des ouvriers et la vente des commerçants. Pour faire partie de l'Association, il suffisait de donner son nom et d'adhérer au règlement pour l'accomplissement duquel on était laissé à sa conscience. L'Association n'eut pas tout le succès qu'il en espérait. Du moins, elle enraya le mouvement qui entraînait à la profanation du dimanche et laissa plus de liberté aux fidèles de fréquenter l'église.

Le moment était d'ailleurs favorable pour revenir à la religion, car la justice de Dieu se faisait alors bien cruellement sentir. Les saisons avaient été bouleversées, les champs ravagés par des pluies continuelles, les récoltes étaient en partie anéanties, la maladie dévastait les vignes, faisait pourrir les pommes de terre. Le choléra avait de nouveau fait son apparition, et l'on était à la veille de la guerre d'Orient.

La politique traditionnelle de la France et des autres puissances européennes avait été de fermer l'Europe à l'armée du croissant. Mais, depuis le règne de Pierre-le-Grand, la Russie était devenue un État si puissant qu'elle portait ombrage aux autres nations occidentales. Déjà en 1840 elle avait failli marcher sur Constantinople. Maîtresse de la capitale de l'empire turc, elle menaçait directement les possessions indiennes des Anglais. Il fallut donc la contenir. C'est ce que firent, par le traité de Londres, les Anglais unis à la Prusse et à l'Autriche. Treize ans plus tard, la Russie menaçait de nouveau Constantinople, et les Anglais étaient trop heureux de trouver les Français pour faire avec eux la guerre de Crimée.

A la déclaration de guerre, l'Évêque d'Angers fit appel à la piété de ses diocésains : « Le cri de guerre a retenti ; de formidables préparatifs nous font présager des luttes terribles, de nouveaux moyens de destruction sont mis au service du courage, des flottes nombreuses ont déjà sillonné les mers et l'Occident s'est ébranlé de nouveau pour se précipiter vers l'Orient. A une époque plus éloignée, notre France aussi s'était alliée à celle qui, depuis, fut presque toujours sa rivale. Alors guidées par des rois valeureux, elles allaient, sous la bannière du Christ, combattre ses fougueux ennemis. Dieu le veut! s'était-on écrié de toutes parts, et l'on volait à la guerre sainte. Maintenant, c'est l'opprimé qu'il faut défendre ; c'est le fort qu'il faut arrêter pour l'empêcher d'abuser de sa puissance ; c'est le schisme qu'il faut contenir pour préserver l'Orient d'une orthodoxie menteuse.

« A tous ces motifs nous ne pouvons rester indifférents. Nous venons donc vous appeler aux pieds des autels pour demander à Celui qui est l'arbitre des combats de donner la prudence aux chefs, la vaillance aux soldats, la modération à la force et la victoire à la justice. »

La guerre fut plus longue qu'on ne l'avait cru ; la maladie fit autant de victimes que les combats. L'Évêque d'Angers pensait sans cesse aux enfants de France qui souffraient et mouraient là-bas ; il pensait aux mères, desquelles *la guerre est tant détestée* : « Nous conjurons Dieu, disait-il, de sécher les larmes, d'adoucir les douleurs de ces mères, de ces épouses, de ces familles désolées qui ne *veulent pas être consolées parce que leurs fils ne sont plus.* » Aussi avec quelle joie il apprenait enfin la conclusion de la paix! Mais, toujours placé au point de vue de la foi, il s'efforçait de faire admirer aux fidèles les vues de la Providence et la sagesse avec laquelle Elle faisait servir même le fléau de la guerre à ses desseins de miséricorde. Il leur montrait « la longanimité qui attend et la miséricorde qui sollicite, et la justice qui, fatiguée des prévarications, vient avertir les peuples en répandant sur eux ses fléaux, et la bonté inépuisable d'un père qui se laisse fléchir et accorde le pardon à la prière. » Ainsi profitait-il de toutes les occasions pour reporter vers Dieu les âmes trop promptes à oublier, dans le cours habituel des choses, l'action perpétuelle de la divine Providence. En même temps il fit célébrer un service solennel à sa cathédrale pour les officiers et soldats du 79e morts en Crimée. Une décoration sévère voilait les murs de la cathédrale. Sur les noires tentures surmontées de drapeaux tricolores étaient inscrits les noms des combats qui ont illustré notre armée. En avant du riche catafalque, entouré de trophées d'armes, une pièce de canon était en batterie. La galerie haute du chœur était garnie d'une multitude de drapeaux, et derrière la croix de l'autel s'élevait un magnifique soleil formé de sabres, de baïonnettes et de pistolets... Toutes les autorités civiles et militaires étaient présentes. Étaient là aussi tous les officiers, sous-officiers et soldats du 79e. Monseigneur monta en chaire pour prononcer l'allocution. Après avoir comparé notre armée à celle de Judas Machabée, il laissa tomber ces belles paroles : « Brave régiment, nous vous accompagnions de nos vœux, ainsi que tous les autres corps de notre vaillante armée ; nous nous sommes associés à vos triomphes comme à vos épreuves, nous suivions vos pas sur les plaines des champs de bataille ou dans les sinuosités de la tranchée, et nous ouvrions, en palpitant de crainte ou d'espérance, ces lettres que nous attendions avec anxiété. La Patrie reconnaissante a applaudi à vos efforts ; tous, et l'ennemi même que vous combattiez, ont rendu hommage à votre générosité comme à votre valeur. Mais la religion, cette autre mère, pouvait-elle demeurer étrangère ou indifférente ?... Nous ne devions pas oublier les braves que la mort a moissonnés dans vos rangs. La gloire que le monde peut donner ne suffit pas à leur mémoire, il est d'autres couronnes que celles que l'on cueille sur les champs de bataille, et la foi qu'ils ont montrée dans leurs derniers moments mérite une autre récompense que de stériles regrets..... L'Église en deuil va faire monter ses prières vers le trône de Celui qui est le Dieu des armées. Puisse-t-il exaucer nos vœux pour nos chers défunts et leur accorder les palmes de l'immortalité et du bonheur éternel ! »

Cette terrible année apporta enfin une grande joie au cœur de l'Évêque d'Angers. Son âme, qui était d'une innocence admirable, avait toujours été remplie d'une tendre dévotion envers la Sainte Vierge. Pendant son exil de Gaëte, Pie IX avait, comme nous l'avons vu, écrit aux Évêques pour leur faire connaître le projet qu'il méditait de proclamer l'Immaculée-Conception de Marie. Il leur demandait quelle était la tradition de leurs églises et leur désir de voir définir une vérité que leur piété acceptait universellement. Nous avons dit comment Mgr Angebault avait répondu favorablement à cette demande, au nom de l'Église d'Angers. Grande fut donc sa joie lorsqu'il apprit qu'enfin, grâce à la définition du Souverain-Pontife, il était de foi que Marie avait été conçue sans péché, que *la mère de Dieu n'avait jamais été un seul instant sous l'empire du démon.* Certes, il l'avait toujours cru, mais il fut heureux de faire un acte de foi encore plus vif, plus intense et plus profond.

Il s'empressa de porter le décret pontifical à la connaissance des fidèles. Après avoir, dans son mandement, rappelé la tradition catholique au sujet de l'Immaculée-Conception, il en promulgua le dogme, et il ordonna de chanter le *Te Deum* en actions de grâce. Il demanda aussi à la ville d'Angers une manifestation solennelle en l'honneur de la promulgation du dogme. La ville tout entière répondit à son appel. Toutes les églises furent magnifiquement décorées et, le soir, elles furent illuminées, ainsi que presque toutes les maisons particulières. Toutes rivalisèrent de zèle et d'enthousiasme; depuis l'aristocratique demeure jusqu'à l'humble mansarde du plus pauvre ouvrier, toutes furent pavoisées et illuminées et l'Évêque d'Angers, en annonçant ce triomphe, put s'écrier : « Ma ville épiscopale était en feu. »

L'année qui suivit la guerre de Crimée, fut signalée par une grande catastrophe. La plupart des fleuves débordèrent et portèrent le ravage dans les moissons prêtes à mûrir. On était au mois de juin. Le diocèse d'Angers eut particulièrement à souffrir des inondations de la Loire. Le fleuve, rompant ses digues, à la Chapelle, en Touraine, se précipita avec une furie inouïe dans toute la vallée. Le désastre fut immense, le dévouement sans bornes. Le Clergé se montra à la hauteur de sa mission dans ces douloureuses circonstances, et l'un de ses représentants, le Curé de Longué, M. Massonneau, y gagna la croix de la Légion d'honneur.

Malgré tous les efforts individuels, malgré la sollicitude du gouvernement, toutes les pertes ne purent être réparées, ni tous les maux conjurés. Mgr Angebault fit à la charité de ses diocésains un appel qui, comme toujours, fut entendu.

A quelques jours de là, l'Empereur voulut, en apportant les secours de l'État, venir en personne témoigner de sa sympathie pour les pauvres inondés. Il se mêla, non sans quelque crânerie, à ces ouvriers des carrières de Trélazé qui, peu de temps auparavant, avaient lancé l'insurrection de la Marianne. Le soir, un banquet eut lieu à la Préfecture. L'Évêque était près de l'Empereur. Pendant le repas, il se pencha vers lui et lui dit avec un zèle tout épiscopal : « Sire, vous avez fait beaucoup pour la religion dans notre chère patrie. et les catholiques vous en sont très reconnaissants. Veuillez me pardonner, cependant, la liberté que je prends de vous signaler les attaques impies de la presse, et particulièrement du journal le *Siècle*. » — « Que voulez-vous, Monseigneur, lui répondit l'Empereur, pour excuser l'inaction gouvernementale, c'est une grande industrie. » L'Évêque d'Angers trouva la réponse bien peu satisfaisante et il répliqua, sur un ton de grande tristesse : « Pardonnez-moi, Sire, si je n'avais pas encore compris que le gouvernement favorisât une industrie qui consiste à empoisonner la nation. »

Cette presse impie, dont parlait Monseigneur, avait déjà fait de grands ravages et l'opinion commençait à être moins sympathique au Clergé. Quelques semaines après l'inondation, Monseigneur félicitait ses curés de leur zèle et de leur dévouement ; « ç'avait été pour lui, disait-il, une grande, une bien douce consolation, en visitant les paroisses désolées, d'entendre le récit des efforts faits par ces dignes ecclésiastiques pour porter secours de tous côtés à leurs paroissiens dans la détresse et dans beaucoup d'endroits de les entendre payer à leurs prêtres un juste tribut de reconnaissance », mais il les prémunissait contre un danger. On voulait trop souvent écarter leur influence dans la distribution des secours, on les éloignait des bureaux de bienfaisance, ou bien on leur y suscitait mille tracasseries pour les en faire sortir. Il leur demandait de ne pas se décourager, de se montrer calmes, prudents, réservés, mais de ne pas donner leur démission, afin de remplir la mission divine que les hommes ne peuvent enlever à l'Église. « Nous aurons toujours, quoi qu'on fasse, une influence qu'on peut gêner, taquiner, mais que l'on ne pourra anéantir. Multiplions nos efforts à l'encontre des entraves qu'on multiplie contre nous ; redoublons de zèle à mesure qu'on redouble de mauvais vouloir. Le bon Dieu nous bénira ; il suscitera des âmes généreuses, des magistrats intelligents, et, si l'on nous ferme la porte pour nous empêcher d'arriver auprès du pauvre, nous descendrons par le toit, comme le paralytique » de l'Évangile.

On voit que si l'Évêque d'Angers conseillait souvent la prudence, il ne prêchait du moins jamais l'effacement.

Vers cette époque s'établit à Angers l'œuvre des Écoles d'Orient. Elle avait pour but de répandre, en Orient, au moyen des écoles tenues par nos missionnaires et nos religieux, avec la connaissance de la vraie religion, les principes de la civilisation chrétienne, et d'y faire prévaloir l'influence française. En 1857, l'amiral Mathieu, frère du cardinal-archevêque de Besançon, recommanda les écoles d'Orient à Mgr Angebault et lui demanda pour M. Lavigerie, depuis cardinal, la permission de faire, à Angers, un sermon de charité en leur faveur. Monseigneur ne pouvait qu'accueillir une telle demande. Il reçut avec joie le pieux abbé et, non seulement il lui permit de prêcher, mais il l'invita à fonder l'œuvre en Anjou. Elle y fut organisée en effet, et elle y fonctionna régulièrement. Un article de la *Semaine religieuse* d'Angers nous apprend que le 27 janvier 1864 l'œuvre tint sa réunion à la Chapelle de la Miséricorde, que le sermon y fut donné par M. le Curé de Saint-Laud et que le nombre des associés y était considérable.

Pour se reposer des fatigues de son ministère, Monseigneur alla visiter son cher Saint-Gildas où il désirait toujours mourir et sans lequel il ne pouvait vivre. Une grande et belle cérémonie devait y avoir lieu. La règle donnée par Mgr Angebault quinze ans auparavant avait subi l'épreuve de l'expérience et avait dû être modifiée en quelques points. Ces modifications avaient été faites de concert par Nos Seigneurs les Évêques de Nantes et d'Angers et par M. l'abbé de Lépertière, supérieur de la communauté. Outre ces modifications, on avait ajouté à la fin de chaque chapitre quelques réflexions pieuses fort propres à exciter les bonnes religieuses à la pratique exacte de leurs règles. L'Évêque de Nantes fit un mandement pour la promulgation de cette règle définitive que les sœurs reçurent de ses mains à genoux. Le Supérieur et les deux prélats prirent successivement la parole et la cérémonie eut un caractère si émouvant qu'un des bons frères ne put s'empêcher de dire en sortant : « Quelle cérémonie touchante! Il était temps qu'elle finît, on n'y pouvait plus tenir. »

De retour à Angers, Monseigneur commença l'étude

d'une question très importante, celle du rétablissement de la liturgie romaine. Cette question était à l'ordre du jour.

La Révolution française, en bouleversant l'état religieux en France, avait nécessairement desserré les liens qui unissaient l'Église à l'État, le gallicanisme en était mort et l'épiscopat français se retournait vers Rome, avec quel élan ! nous l'avons vu.

Ce mouvement si marqué, une plus grande facilité de communications depuis l'établissement des chemins de fer, la possibilité de régler désormais beaucoup de questions sans l'intervention des pouvoirs civils, tout faisait sentir le besoin d'unité dans la prière et dans le culte public. Pie IX, d'ailleurs, n'avait pas caché son désir de voir la France chrétienne reprendre la liturgie romaine. Il le demandait, mais, avec la prudence habituelle du Saint-Siège, il ne l'exigeait pas. Il laissait au temps et à la bonne volonté des Évêques d'y arriver, lentement mais sûrement.

Cette entreprise voulait beaucoup de sagesse. Il est d'expérience universelle que les peuples fidèles tiennent à leurs rites, à leurs symboles, à leurs formules de prières en raison même de l'intensité de leur foi. Il semble qu'on touche à leurs croyances même quand on leur enlève leurs livres de piété, fût-ce pour en substituer de plus autorisés. Tout ce qui tient aux habitudes d'enfance fait, pour ainsi dire, le fonds le plus affectionné et le plus indestructible de l'homme. Un changement aussi grave que celui d'une liturgie devait donc toucher le cœur des fidèles à l'endroit le plus sensible. Il fallait, en conséquence, préparer doucement les esprits à ce changement pour ne blesser les âmes que le moins possible, et l'Église est trop maternelle pour ne pas mettre la plus grande bonté et la plus grande condescendance dans l'exécution d'une mesure si bonne qu'elle soit et quelque fruit qu'elle doive produire plus tard.

D'ailleurs, le côté matériel seul demandait une grande prudence. Le retour à la liturgie romaine supprimait la plupart des livres liturgiques : missels, bréviaires, rituels, antiphonaires, etc., etc... C'était une dépense énorme pour les Évêchés, obligés de faire les premiers frais, pour les fabriques généralement si pauvres, pour tous les prêtres dont le budget s'équilibre si difficilement, pour les fidèles enfin obligés, sous peine de ne pouvoir suivre les offices, d'acheter de nouveaux paroissiens. L'état précaire des ressources du culte, en France, donnait à réfléchir et, même parmi les plus désireux de reprendre le Romain, beaucoup se demandaient comment ils suffiraient à la dépense.

Enfin parmi toutes les choses qu'on allait abandonner quelques-unes, beaucoup peut-être, méritaient d'être conservées. Il fallait faire un choix judicieux et habile, faire cadrer ces choses avec la liturgie romaine et faire examiner et approuver à Rome ces modifications ou ces additions.

Il suffit d'un instant de réflexion pour reconnaître l'importance et la délicatesse d'un tel travail. Enfin toutes ces difficultés naturelles, inhérentes au projet en lui-même étaient encore compliquées par la timidité et les hésitations des uns et aussi par l'empressement excessif et l'imprudence des autres. Comme toujours, le journalisme voulut diriger le mouvement. On recommença, sur ce nouveau terrain, la lutte ancienne du gallicanisme et de l'ultramontanisme. Les Évêques furent poussés l'épée dans les reins et plusieurs durent, pour n'être pas débordés, résister aux injonctions qui leur furent adressées, par des hommes souvent fort incompétents et n'ayant, dans tous les cas, aucune espèce d'autorité en pareille matière.

C'est ce que fit, en particulier, le cardinal Mathieu, archevêque de Besançon. Il retarda longtemps l'adoption de la liturgie romaine dans son diocèse pour plusieurs raisons ; pour celle-ci, en particulier, « qu'il tenait qu'un Évêque doit commander et non obéir et que ce n'est ni aux fidèles, ni aux prêtres de prendre dans une question si grave la moindre initiative, mais qu'ils ont le devoir d'attendre le signal de l'Évêque, et que c'est à l'Évêque à l'attendre et à la recevoir du Saint-Siège, juge suprême de la question ». « Il tenait que c'était aux Évêques et non aux prêtres et encore moins aux laïques, par l'organe des journaux, de commander et de conduire ce mouvement de retour *si unanime et si nécessaire.* »

L'Évêque d'Angers n'eut pas, grâce à Dieu, de grandes difficultés. L'esprit du clergé était bon. On trouvait, sans doute, chez les anciens prêtres surtout, un grand attachement à l'ancienne liturgie. Et comment en aurait-il été autrement ? Comment ne pas regretter, comme l'un des plus chers souvenirs d'enfance, ces cérémonies dont les charmes les avaient doucement inclinés vers le sanctuaire et ces bréviaires qui avaient réjoui leur jeunesse sacerdotale ? Mais ils étaient prêts à tout sacrifier pour le bien général et l'unité de la prière catholique.

Il y avait un plus grand empressement dans le jeune clergé mais, docile à la voix de son Évêque, sachant qu'il préparait aussi activement que possible la réalisation de ses vœux, il attendait avec confiance et tranquillité l'heure marquée par Dieu.

Monseigneur put donc travailler, à loisir, pendant plusieurs années, à la réforme de la liturgie. Il fit nommer diverses Commissions pour examiner les résolutions à prendre concernant le chant, la rédaction du propre Angevin, le costume du chœur, le cérémonial, les usages approuvés. Chaque Commission fit son rapport. Tous ces rapports particuliers furent étudiés de nouveau et fondus ensemble et, quand tout fut réglé, il envoya à Rome M. le chanoine Lamoureux pour demander l'approbation pontificale.

Dès le mois d'octobre 1857, Monseigneur faisait savoir qu'on n'attendait plus que les imprimeurs et que très probablement si les imprimeurs ne se trompaient pas, on pourrait être prêt vers la fête de Pâques 1858. « D'ici là, ajoutait-il, nous défendons expressément à MM. les Curés de devancer l'époque pour l'office public dans les paroisses. »

La partie du chant ecclésiastique fut confiée au savant abbé Tardif dont la compétence était universellement reconnue. Monseigneur tenait tellement à ce point, qu'il fit, au commencement de l'année suivante, un mandement sur le chant. Après avoir raconté, en un style qui s'élevait parfois jusqu'à la poésie, l'histoire du chant; il terminait en demandant aux Curés de faire tous leurs efforts pour former la foule à chanter aux offices. Il prescrivit de faire commencer le chant aux enfants dans les écoles. « MM. les Curés, disait-il, ou à leur défaut MM. les Vicaires, pourront, à la fin des classes, ou pendant les soirées d'hiver, pour les enfants des bourgs, les exercer à chanter les morceaux les plus usuels et surtout les psaumes. » Il engageait à répandre sous forme de dons, de récompenses de prix, les livres de chants et les recueils de cantiques. Il annonçait qu'il avait fait insérer dans les paroissiens du diocèse les parties de la messe qui se chantent en commun avec quelques hymnes pour les saluts. Enfin, il désirait que l'on formât des chœurs de jeunes filles pour alterner avec les chantres. Il aurait voulu voir tous les fidèles prendre part aux offices.

Une note insérée à la suite de ce mandement faisait connaître que de grands obstacles matériels avaient apporté du retard dans l'adoption de la nouvelle liturgie, mais que les paroissiens seraient prêts dans quelques semaines et les livres liturgiques dans un délai qui ne serait pas très considérable.

La même année, en effet, le 2 novembre 1858, parut le

mandement pour le rétablissement de la liturgie romaine dans le diocèse d'Angers.

En publiant son ordonnance, Monseigneur rappelle en quelques mots ce qu'est la liturgie : l'ensemble des règles qui régissent les rapports extérieurs de la société chrétienne avec son divin Auteur, relient les enfants à leur Père et les divers membres de la grande famille chrétienne entre eux. Elle embrasse tout le culte divin, toutes ces formules et ces cérémonies qui constituent et accompagnent l'oblation du saint Sacrifice, l'administration des Sacrements et l'accomplissement du grand devoir de la prière publique.

La liturgie romaine est donc l'ensemble des prières, des symboles et des cérémonies, recueilli, gardé et consacré depuis les temps apostoliques jusqu'à nos jours par l'autorité souveraine des successeurs de Pierre. Elle descend donc, quant à sa substance, des Apôtres eux-mêmes. Il montre que cette liturgie a été générale, presque universelle dans l'Église, et qu'en particulier elle a été, jusque dans le dix-huitième siècle, celle du diocèse d'Angers.

Sans vouloir blâmer ceux de ses vénérables prédécesseurs qui ont changé cette liturgie pour une nouvelle, il croit pouvoir affirmer que, s'ils vivaient aujourd'hui, ils marcheraient dans une voie que, dit-il, « nous n'avons point ouverte, mais dans laquelle nous entrons avec confiance, dès lors que nous nous y voyons appelé par le vœu pressant du Souverain Pontife.

« Et telle est, ajoute-t-il, notre réponse dernière et décisive à ceux qui nous demanderaient encore : A quoi bon ce changement ? A ceux pour qui les beautés et les avantages de la liturgie romaine ne sembleraient pas justifier suffisamment ce retour : *E Roma scripta venerunt*, des *Lettres sont venues de Rome*. Le Souverain Pontife a parlé. Sans doute, cette parole n'a point été un ordre formel, mais c'est un désir, un désir ardent. Et nous, enfants soumis et dévoués, pourrions-nous demander davantage? Pourrions-nous hésiter à satisfaire ce qu'il dit être le vœu le plus cher à son cœur? »

Il comprend, toutefois, les sentiments que le changement peut inspirer à un certain nombre « qui n'abandonneront pas sans regret ces prières et ces cérémonies qui ont édifié et réjoui leurs jeunes ans et qui ont ainsi pour eux tout le charme d'un souvenir d'enfance. » Il les console en leur montrant qu'on ne fait que revenir à l'ancienne liturgie, comme des enfants qui rentrent dans l'héritage de leurs ancêtres; que le changement sera moins grand qu'il ne paraît; qu'on garde enfin, au propre angevin, le culte des Saints que rattachent à nos contrées leur naissance, leur séjour ou leur culte plus populaire parmi nous. Enfin il ordonne :

Que la liturgie romaine sera rétablie dans sa ville épiscopale et mise en vigueur le premier dimanche d'Avent de la présente année; que, pour les autres paroisses du diocèse, vu l'impossibilité de se procurer de suite les livres liturgiques nécessaires, un délai est accordé qui ne pourra pas être prolongé au-delà du jour de Pâques de l'année suivante;

Qu'en conséquence, l'usage de tous autres livres que ceux de la liturgie romaine sera interdit à partir du premier dimanche d'Avent pour toutes les églises et chapelles d'Angers, et pour toutes les autres églises du diocèse à partir du jour où la liturgie romaine y sera adoptée.

Ainsi fut terminée sagement cette œuvre délicate. Les esprits avaient été préparés à cette mesure, les négociations prudemment conduites. Elle était attendue de tous, désirée par un bon nombre, redoutée par quelques-uns. Tous l'accueillirent avec soumission. Il fallut quelque temps pour changer toutes les vieilles habitudes, pour calmer des regrets légitimes. En somme, le rétablissement heureux de la liturgie romaine s'opéra dans les meilleures conditions possibles. On eut peut-être à regretter la perte de quelques parties qu'on aurait pu conserver au propre angevin et qui disparurent malheureusement, mais, en définitive, si l'on fut peut-être un peu sévère, on organisa du moins une liturgie franchement romaine, et nous dirions volontiers d'une grande pureté de style.

Nous avons dit ailleurs que les Pères missionnaires diocésains du Saint Sacrement avaient été remplacés par les Capucins. Voici dans quelles circonstances :

A la suite du carême prêché à la cathédrale, en 1858, par le Père Laurent, une députation de soixante hommes vint trouver Monseigneur et le supplia de fonder à Angers un établissement des Frères de Saint-François d'Assise.

Il était difficile de refuser cette demande. Toutefois, comme cette nouvelle fondation exigeait de grands sacrifices d'argent, Monseigneur en fit la remarque à ces Messieurs, à la tête desquels se trouvait le docteur Renier, toujours le premier aux bonnes œuvres. Ces Messieurs s'engagèrent par écrit à se charger de tous les frais, sans rien demander à l'Évêché. Dans ces conditions, Monseigneur voulut bien donner son autorisation, et il écrivit au P. Provincial pour lui demander quelques religieux.

La fondation ne marcha point sans difficulté. Il fallait d'abord attendre que le Chapitre des Frères Capucins fût réuni pour savoir s'il accepterait l'établissement d'une maison à Angers. Il fallait ensuite s'occuper du choix d'un local, enfin recueillir les souscriptions nécessaires pour les frais d'installation. Ce fut au mois de juin seulement que le Chapitre accepta le projet de fondation de la maison d'Angers.

Dans l'intervalle, Monseigneur avait décidé de fermer la Maison des missionnaires diocésains. Les souscriptions, en effet, ne répondaient point aux promesses du bon docteur Renier. On comprit de bonne heure que le diocèse serait obligé de faire de grands sacrifices. Et pourtant, il fallait mener à terme la fondation des Capucins qu'on ne pouvait plus désormais abandonner. D'un autre côté, la maison des missionnaires diocésains ne marchait pas encore toute seule ; les dettes de l'installation n'étaient pas payées, et les missionnaires n'arrivaient que difficilement à équilibrer leur budget. Il fallait donc se résoudre à sacrifier l'une ou l'autre de ces œuvres.

Or, l'opinion publique ayant été forcément saisie du projet de fondation d'une maison de Capucins, des souscriptions assez nombreuses, quoique très insuffisantes, avaient été versées, et il n'était plus guère facile de revenir en arrière et d'abandonner le projet de cette nouvelle fondation.

Monseigneur réunit donc son Conseil, lui exposa ses embarras et lui demanda les avis dont il avait besoin. Le Conseil fut d'avis qu'il n'était pas possible de conserver la maison des missionnaires diocésains. Monseigneur dut céder; mais ce ne fut pas sans douleur qu'il se sépara de ces hommes dévoués qui s'étaient sacrifiés à l'accomplissement de ses vœux.

« Vous m'avez entendu parler, écrivait-il au Père Laurent, de l'œuvre excellente de l'Adoration perpétuelle
« dans le diocèse, du bien qu'elle a produit et qu'elle opère
« encore chaque jour. Pour la soutenir, j'avais fondé la
« maison de nos missionnaires diocésains, dits Pères de
« l'Adoration. Ils jouissent de la confiance du clergé et
« ont donné à l'œuvre de l'Adoration un grand élan en
« évangélisant les paroisses. Je voulais qu'ils s'occupassent
« aussi des œuvres concernant les hommes.

« Devant la manifestation imposante qui appelait vos
« bons Pères et à laquelle j'ai donné mon assentiment,
« j'ai dû mûrement délibérer pour savoir si je devais, si je
« pouvais conserver l'œuvre des Pères de l'Adoration. Mon
« Conseil épiscopal, consulté par moi, à diverses reprises,

« a pensé que ce n'était pas possible, et je viens de me « décider à mettre fin à une œuvre qui m'était très chère. « Je replace ces bons Pères dans le ministère paroissial. »

C'est en ces termes simples que Monseigneur annonçait la fin d'une entreprise qui était la sienne propre, qu'il avait conduite avec sagesse, établie par de grands sacrifices et cultivée avec tant d'amour. Tout le monde comprit ce qu'il en devait coûter à son cœur. « Maintenant que votre « détermination est prise, écrit le Père Gauthier, recteur « de la maison des Jésuites d'Angers, je ne puis dire « qu'une seule chose, c'est que je ne saurais assez admirer « votre dévouement à tout ce que vous paraît demander « la plus grande gloire de Dieu. Je sais combien ce sacri- « fice a dû vous être amer, car plus d'une fois vous m'avez « fait connaître que vous regardiez cette œuvre comme le « complément, le couronnement de toutes celles que vous « avez fondées pour le bien de votre diocèse. Aussi ce « sacrifice n'est pas un de ceux que Dieu demande aux « âmes ordinaires, c'est un sacrifice héroïque dans toute « la force du terme. Dieu n'en demande de pareils qu'aux « âmes privilégiées.

« Je vous vénérais, Monseigneur, je vous aimais de tout « mon cœur ; je vous admire maintenant plus que je ne « saurais dire... Je prierai pour Votre Grandeur, afin que « Notre-Seigneur daigne compenser désormais par l'abon- « dance de ses consolations l'amertume qu'il lui a fait « éprouver. »

La consolation ne vint pas tout de suite. L'œuvre des capucins fut longue et difficile à fonder. Il fallut reprendre et abandonner tour à tour de nombreuses négociations, faire de nouveaux sacrifices d'argent pour arriver enfin à les établir dans le monastère de la cour Saint-Laud qu'ils occupent encore aujourd'hui.

Pendant que les Saints travaillent à la gloire de Dieu sur la terre, le démon ne cesse d'entraver leur œuvre en poussant à la révolte et au crime. Au moment où l'Évêque d'Angers s'occupait du rétablissement de la Liturgie romaine et de l'installation des capucins à Angers, au commencement de 1858, la France apprit avec stupeur qu'un nouvel attentat avait été dirigé contre la vie de l'Empereur. Était-ce simple désir d'effrayer Napoléon et de lui faire changer sa ligne politique ou voulait-on le punir d'oublier, au pouvoir, les promesses faites à la société secrète? Toujours est-il que la bombe Orsini vint jeter l'effroi dans les esprits et les cœurs. Le coup ayant manqué encore une fois, Monseigneur ordonna d'en remercier la Providence par des prières publiques. Il écrivit aussi au Ministre en le félicitant de ce que la Providence n'avait pas permis aux méchants d'atteindre leur but et avait préservé les jours de Sa Majesté. Mais, fidèle à profiter de toute occasion de faire entendre de graves avertissements, il ajoutait: « Je prie Monsieur le Ministre de me permettre de lui exposer toute ma pensée. La justice frappera sans doute les quelques misérables qui ont mis à exécution ces noirs complots; mais il ne suffit pas de les atteindre, il faut remonter à ceux qui se sont servis de tels instruments. Il faut surtout prévenir les causes qui préparent de si effroyables catastrophes. Or, parmi celles qui exercent la plus funeste influence, je range l'exaltation et la perversité des écrits qui répandent chaque jour dans les masses les plus funestes poisons; et parmi ceux qui me semblent dangereux à l'excès, j'ai remarqué depuis longtemps le journal *le Siècle* que j'avais signalé déjà à M. Fortoul, votre prédécesseur. J'ose encore élever la voix contre lui, devant vous, Monsieur le Ministre, et en le faisant j'obéis à ma conscience et à mon amour pour la patrie... Il ne faut pas s'étonner si, quand on sème du vent, on recueille des tempêtes. »

CHAPITRE XII

Lutte contre le Gouvernement

Plan d'administration. — Frères de Saint-Vincent-de-Paul. — Synodes diocésains. — Guerre d'Italie. — Denier de saint Pierre. — Mémoires des Évêques de la province de Tours à l'Empereur. — Tracasseries du Gouvernement. — Défense de la loi de 1850.

L'épiscopat de Mgr Angebault n'avait pas été stérile ; le prélat se dépensait sans compter et son vénérable ami, le métropolitain de Tours, lui en faisait des remontrances. « M. le Supérieur du Grand-Séminaire me dit que votre santé va mieux, mais que vous n'êtes guère plus raisonnable. Vous travaillez trop. Vous croyez, sans doute, cher Seigneur, qu'il est bien facile de remplacer un Évêque tel que vous, mais, sur ce point, nous différons entièrement d'opinion. Il faut absolument modérer votre activité. Si j'étais votre confesseur, je sais bien quelle pénitence je vous imposerais pour cela. » Rien n'y faisait. Tant qu'il restait quelque chose à faire, il ne pouvait s'arrêter. En ce moment il portait un regard d'ensemble sur son diocèse et cherchait à se tracer un plan d'administration où rien ne fût oublié.

Il songeait à établir ou à développer les œuvres les plus diverses : Conférences ecclésiastiques, enseignement philosophique et théologique, examens des jeunes prêtres et des séminaristes, examen des livres qui se publient chaque année, étude approfondie de la religion dans les pensionnats de jeunes filles, œuvres des missions et retraites paroissiales, qu'il voulait faire donner tous les neuf ans à chaque paroisse, visites plus fréquentes et plus complètes des Églises et des fabriques, chant religieux, etc... Rien n'échappait à son ardente activité. Ce qui le préoccupait avant tout, c'était le moyen de ramener les hommes à Dieu. Il voulait que l'on commençât par les enfants des écoles, que l'on continuât par les œuvres de jeunesse comme celle de Notre-Dame-des-Champs et qu'enfin l'on eût une chapelle ou Église à Angers réservée aux hommes et aux militaires où l'on pût convoquer ceux qui, n'ayant pas de place à l'Église, y viennent difficilement faute de savoir où s'y mettre. Enfin il voulait une œuvre spéciale pour les militaires. Cette dernière œuvre avait eu un commencement d'exécution, mais elle n'avait malheureusement pas tardé à succomber en face des nombreuses difficultés qu'elle suscitait.

Pour subvenir à tant de nécessités, il sentait bien que l'Évêque et les vicaires généraux, embarrassés par les détails de l'administration quotidienne, étaient impuissants. Il eût voulu, à la tête de chacun de ces services, un homme intelligent et dévoué. Mais le budget des cultes, borné à peu près aux seuls services paroissiaux, n'offrait aucune ressource pour ces œuvres supplémentaires si importantes. Il eût voulu pouvoir se servir des membres de son chapitre. Mais étant admis, ce qui existe en fait aujourd'hui, que le canonicat est la récompense de longs et excellents services, on ne pouvait vraiment guère imposer à de vénérables vétérans du sacerdoce des charges qui, si elles exigeaient la prudence et la maturité de l'âge, demandaient aussi l'activité et la force des jeunes années.

Comme il avait, dans son diocèse, sept communautés de femmes à Maison-Mère, il pensa à faire nommer sept Supérieurs qui vivraient à Angers, rétribués en partie par leurs communautés et en partie par l'Évêché et qui pourraient donner aux œuvres qu'il rêvait tout le temps que leur laisserait l'administration des religieuses dont ils avaient la charge. Ce n'était pas aussi complet qu'il l'eût désiré ; mais comment faire autrement ?

Il soumit ses réflexions à plusieurs de ses vénérés collègues qui en furent frappés. « J'ai lu avec le plus grand intérêt les notes que vous avez bien voulu me communiquer, lui écrit l'Évêque de Nantes. Je vais vous en dire simplement ma pensée. Je ne pourrai le faire que d'une manière bien générale. Je serais heureux de pouvoir causer quelque jour des détails avec vous. » Suit une longue lettre qui marque avec quelle attention le digne prélat a étudié le mémoire qui lui était soumis.

L'Archevêque de Cambrai dit dans sa lettre. « J'ai lu avec beaucoup d'intérêt votre *programme et plan d'administration.* Trouver des hommes pour appliquer ces théories, *hoc opus, hic labor.* » Le métropolitain est plus explicite : « Je viens de lire vos réflexions sur la manière de bien administrer un diocèse. Je trouve tout cela parfaitement juste et il faudrait avoir sans cesse sous les yeux un plan ainsi conçu et arrêté, pour s'en rapprocher autant que possible dans la pratique. Car il y a dans la théorie une perfection qu'on n'atteint jamais en réalité, mais qu'il est bon de se proposer toujours comme un point de mire.

« Je vous assure que je ferai mon profit de la communication que vous avez bien voulu me faire dans l'intérêt de mon diocèse. Quand vous viendrez à Tours ou que j'irai chez vous, il serait bon que nous nous enfermassions seuls pendant une heure ou deux pour discuter ensemble toutes ces matières importantes. On gagne toujours quelque chose dans ces communications intimes, surtout avec un Évêque qui a, comme vous, une longue expérience. »

Comme le prédisait si bien l'Archevêque de Tours, Monseigneur ne put jamais réaliser ce plan d'une manière complète. Il s'en rapprocha de plus en plus et suivant que le lui permirent les circonstances. Tous ces projets qui occupaient sa pensée ne lui faisaient pas perdre de vue ses enfants de Paris.

Nous avons dit comment il avait fondé, le 3 mars 1845, à Paris, une Communauté qui ne comprenait guère qu'un membre actif. De retour à Angers, il n'eut garde d'oublier celui qu'il appelait « son bon ermite » et, pour l'affermir et l'encourager, il lui écrivit, quelque temps après, la lettre suivante : « J'ai bien prié pour le trio... Dans ce jour que « je n'oublierai jamais, où je visitai votre nouvelle demeure, « tâchant d'essuyer vos larmes que, malgré vous, faisait « couler la scène de la veille, je vous dis que l'œuvre « naissante, réduite au grain de sénevé le plus petit, était « une œuvre de Dieu. Ce n'était pas seulement un mot de « consolation que j'offrais à un ami, c'était une parole de « conviction que j'adressais à un apôtre. Oui, mon enfant, « je le répète dans le calme du cabinet, à côté de mon cru- « cifix, c'est une œuvre de Dieu, à laquelle vous avez « l'honneur d'être appelé, à laquelle vous donnerez votre « concours. Après ces premiers orages, l'horizon s'éclair- « cira...

« Ne craignez pas, mon cher Fils, prenez courage et « avancez. Au moment marqué par la Providence, vous « trouverez sur la route des compagnons qui ne viendront « peut-être qu'à la onzième heure ; mais ils viendront. « Défrichez, labourez, arrosez la terre de vos sueurs, et, « s'il le faut, de votre sang, c'est le moyen de la rendre « féconde. Le sillon que vous suivez est la voie de Dieu ; « que faut-il de plus pour vous ? »

M. Myionnet comprenait ce langage et, alors que toute la Communauté c'était lui, il répondait à Dieu par cette prière faite de toute l'ardeur de son âme : « Mon Dieu, « faites que notre Communauté ne soit jamais riche, pour « qu'elle vous serve toujours avec zèle ! »

Il ne nous appartient pas de suivre les progrès lents

mais continus de l'œuvre qui venait de naître. Une quinzaine d'années après, nous voyons la Communauté se composer de trente frères laïcs et d'une demi-douzaine de jeunes ecclésiastiques, parmi lesquels se trouvait l'abbé Planchat. Ce fut le premier prêtre qui vint s'adjoindre aux frères laïcs de M. Le Prévost. Il eut plus tard l'honneur de couronner une vie toute de dévouement aux pauvres, aux ouvriers, aux soldats, par le martyre. Il tomba sous les balles, avec les autres otages fusillés à la rue Haxo. N'y avait-il point parmi ses meurtriers quelques malheureux comblés de ses bienfaits ?

On était alors en 1859 ; le grain de sénevé commençait à devenir un arbre. Les Frères de Saint-Vincent-de-Paul avaient compris que rien ne peut se faire sans la bénédiction du prêtre. Ils avaient accueilli avec la plus grande joie la venue parmi eux de l'abbé Planchat et de ses jeunes compagnons. La Communauté était fervente et toujours dirigée par M. Le Prévost.

Cet état de choses, toutefois, soulevait une grande question. — Dans cette Communauté, composée de laïcs et d'ecclésiastiques, qui aurait la prééminence et le gouvernement ? M. Le Prévost, avec son abnégation, ses vertus, sa délicatesse et ses formes aimables pouvait diriger tout, sans susciter la moindre difficulté. Mais après lui ? La forme qu'avait prise cette Communauté d'un nouveau genre pouvait faire croire peut-être à une sorte de laïcisme, qui ne pouvait que nuire au progrès de l'œuvre et entraver son essor. M. Le Prévost le sentait bien. Il priait, il étudiait le problème et ne savait trop comment le résoudre. Il eut recours à son conseiller, l'Évêque d'Angers. Citons ses lettres. Elle nous montreront quel était le véritable esprit de l'œuvre et nous feront comprendre la cause des hésitations du pieux directeur des Frères de Saint-Vincent-de-Paul.

De Vaugirard, M. Le Prévost écrivait, à la date du 6 août 1859 :

« MONSEIGNEUR,

« Nous sommes touchés et reconnaissants plus que nous ne pourrions le dire de la sollicitude toute paternelle que vous daignez accorder à notre petite famille, et dont vous lui donnez si constamment des preuves depuis le jour où elle a pris naissance sous vos yeux, bénie par vous, soutenue par vos conseils, encouragée par les marques de votre tendre charité. Nous ne nous étonnons point des nouveaux témoignages que nous en recevons, tout particulièrement en ce moment ; nous étions depuis quelque temps plus occupés que de coutume de notre situation et de notre avenir ; nous avions beaucoup prié pour que le Seigneur daignât nous éclairer et nous montrer plus clairement dans quelle voie nous devions marcher ; votre lettre, Monseigneur, arrivant si à propos, nous semble comme la réponse que le Seigneur fait à nos instances.

« La bénédiction divine n'a pas cessé d'être bien sensible parmi nous ; nous vivons dans l'union et dans la paix ; nos œuvres prospèrent ; notre nombre s'accroît lentement, mais constamment et sûrement ; tout donc, pour le présent, semble bon et satisfaisant ; mais la préoccupation de l'avenir tient toujours en éveil ceux d'entre nous qui conduisent la nacelle.

« La question tout spécialement qui vous a paru devoir être soumise à Mgr l'Archevêque de Tours, concernant l'union intime et la coordonnance des deux éléments ecclésiastique et laïque, attire toute notre attention et nous semble demander une solution. Ma santé est plus que frêle ; des accidents qui se sont renouvelés encore récemment indiquent qu'un rien pourrait mettre fin à mon existence ; en présence d'une nécessité qui peut être si prochaine, il nous est impossible de ne pas nous dire : Que devrait-on faire, le cas échéant ? Nous ne voyons pas de réponse bien nette.

« A n'en juger que par les dispositions présentes, notre manière d'être actuelle a de réels avantages ; ecclésiastiques et laïcs travaillent cordialement à l'œuvre de Dieu sans s'occuper d'eux-mêmes et de leur condition. Chacun apporte à la masse commune toutes les facultés personnelles et les ressources dont il dispose ; il en résulte que tous valent ce qu'ils peuvent valoir, ayant libre espace pour donner emploi aux dons que Dieu leur a faits ; nous, laïcs, conduisant les entreprises, sommes toujours disposés à y faire une place d'honneur et une part éminente aux ecclésiastiques, dont nous vénérons le caractère, dont nous appelons et assistons le ministère ; nous inclinerions donc à garder l'état présent des choses ; il serait, je crois, aussi accepté au dehors, si nous parvenions à en corriger les inconvénients les plus saillants. On regarde, en général, autour de nous, avec défiance et défaveur une institution qui semble aux yeux de plusieurs une expression aussi caractérisée que possible du *laïcisme*, puisque ostensiblement des laïcs y organisent des œuvres dans lesquelles ils ne donnent, en apparence, que la seconde place au Clergé. Je dis, en apparence, car, par le fait, le but suprême de nos œuvres étant spirituel, le principe spirituel de la Communauté, l'élément qui le représente plus particulièrement, agit et domine réellement au fond de tous nos mouvements, de tous nos travaux et de toute la vie de notre Institut. On ne veut pas observer non plus, quand on nous critique, que la Société tout entière est organisée ainsi de notre temps, que la plupart même des institutions chrétiennes sont dans la même condition, laissant le mouvement extérieur et l'initiative apparente à l'élément civil, séculier, et gardant seulement la vie et la puissance à l'élément ecclésiastique et religieux. Si l'on suppose surtout l'élément laïque pieux, dévoué à tout ce qui touche à la gloire de Dieu, déférent, respectueux, soumis à l'Église et à toute la hiérarchie, on ne voit pas qu'il soit hors de raison et de convenance de constituer des œuvres dans cette condition. Mais il faudrait donner satisfaction aux défiances qu'on a contre nous, en tout ce qu'elles ont de réel ou même de spécieux. Il serait à souhaiter que nos frères ecclésiastiques eussent, pour leur ministère particulièrement, une direction plus constante et plus ostensible ; surtout, qu'ils reçussent extérieurement, comme par le fait, leur mission pour leurs emplois d'un chef ecclésiastique ; qu'ils eussent, en un mot, un couvert honorable qui abritât la dignité de leur caractère et ôtât à leur ministère jusqu'à l'ombre de la dépendance à l'égard d'une autorité laïque. Nous avions pensé à poser au sommet de notre petite famille un Père Spirituel, donnant vie spirituelle à la Communauté et à ses œuvres, dirigeant tout particulièrement les Frères ecclésiastiques, leur donnant mission d'après les demandes du Conseil, et suivant de haut la marche de la Congrégation, sans se mêler directement ni activement à ses mouvements. Mais ce Père, où le trouver? Hors de la Communauté? Mais c'est bien difficile ; qui voudra s'occuper de nous avec le zèle, la prudence, la constance, le désintéressement désirables? Si on en trouve un, par impossible, comment, quand il fera défaut, en trouver un second avec les mêmes qualités et le même *esprit* surtout? — Si on le cherche dans la Congrégation elle-même, il faut le supposer suffisamment mûr, expérimenté ; s'il est jeune encore, actif, où portera-t-il ses facultés d'initiative et d'action? Dans les œuvres de la Communauté? il sortira de son rôle ; au dehors? il se dépensera sans profit pour elle.

« Dans une visite que je fis dernièrement à Son Éminence Monseigneur notre Archevêque, sur quelques mots que j'essayais de lui dire et qui furent, il est vrai, interrompus par une personne survenant, il me répondit que peut-être il serait sage pour nous de nous rattacher à quelque congrégation déjà fondée et dont la consistance pourrait nous donner appui. Sans prendre ces mots pour un avis, puisque Monseigneur n'avait pu donner précisément cette portée à ses paroles, nous avons bien souvent, avant et depuis, examiné si nous ne trouverions pas avantage à nous unir, comme tiers-ordre, à la congrégation de Saint-Lazare, par exemple; nous plaçant, à son égard, à peu près comme le sont les sœurs de charité, qui ont leur constitution propre, leur supérieure spéciale, et qui sont seulement dirigées et appuyées de haut par la congrégation Saint-Lazare. Je sais que la situation serait différente à notre égard; bien des choses seraient à considérer; jusqu'où iraient l'union et la dépendance? Que deviendraient nos vœux de religion? Pour tout cela, on aurait à se mieux éclairer en prenant communication des règles des sœurs de Saint-Vincent-de-Paul, en ce qui touche leurs rapports avec MM. de Saint-Lazare. En supposant, par exemple, que M. le Général désignât un prêtre de sa congrégation pour nous donner une haute direction, on pourrait craindre, ou qu'il s'occupât faiblement de nous, ce qui rendrait notre rapprochement avec la congrégation de la Mission à peu près illusoire, ou qu'il intervînt trop effectivement dans le détail de nos affaires et n'entravât notre mouvement ainsi que la libre direction du Supérieur de la communauté.

« Pardonnez-moi, mon bon et vénéré Seigneur, de vous dire si longuement tous nos doutes, toutes nos incertitudes; elles peuvent servir à vous éclairer, en vous montrant mieux combien nous sommes peu forts et combien votre appui, les lumières de votre haute expérience nous seront nécessaires.

« Nous avons recueilli avec bonheur l'espérance, que votre lettre nous permet de concevoir, d'une prochaine visite que vous feriez à vos enfants de Vaugirard; elle serait pour nous un véritable bien, et j'ose dire, Monseigneur, une véritable bonne œuvre pour vous. Nous vous préparerons, si vous ne la dédaignez pas, une humble cellule ; mais je ne saurais assez insister sur toute l'indulgence et l'esprit de pauvreté dont vous aurez besoin, si vous ne croyez pas impossible de prendre asile dans notre chétive maison. Nous bâtissons, en ce moment, un corps de logis considérable ; le désordre qui s'ensuit, joint au voisinage de nos ateliers, rend le séjour de notre pauvre demeure bien peu agréable ; si vous passiez à travers tous ces inconvénients, notre reconnaissance n'en devrait être que plus grande.

« Je vous prie, Monseigneur, d'agréer, etc... »

Ainsi M. Le Prévost sentait toute la difficulté de l'organisation de sa communauté. Il voyait surtout l'opposition dont elle était la source et qui pouvait en arrêter les développements. Il cherchait donc, de bonne foi et en toute humilité, le moyen de répondre aux objections qu'on lui faisait. Mais en même temps il était également préoccupé de maintenir les positions acquises. Dieu lui avait inspiré, à lui laïque, la pensée d'une communauté laïque pour pouvoir faire le bien et porter les lumières et les consolations de la foi là où la soutane du prêtre ne pouvait pénétrer. Il ne fallait pas sortir de là, ou il sortait, par le fait même, de la mission que la Providence semblait lui avoir donnée. Le problème était difficile. Mgr Angebault ne se hâtait pas de le résoudre. Ses hésitations et ses incertitudes étaient les mêmes que celles de M. Le Prévost. Peut-être eût-il été plus incliné que lui à donner la supériorité à un ecclésiastique. Mais il sentait mieux encore qu'il n'était guère possible de se passer de M. Le Prévost ; c'était l'homme que Dieu avait envoyé et qui semblait absolument nécessaire. Il ne savait donc à quoi se résoudre. Il priait et il consultait, comme à l'ordinaire, particulièrement son saint ami, l'Archevêque de Tours.

Celui-ci louait l'œuvre, l'encourageait, la déclarait très appropriée à la triste situation de la société, mais il ne concluait pas, et l'Évêque d'Angers ne décidait rien.

M. Le Prévost insista. Il écrivit de nouveau à l'Évêque d'Angers, à la date du 24 septembre 1859, le pressant de chercher une solution qui devenait de plus en plus nécessaire.

L'Évêque d'Angers ne la trouvait pas et n'osait prendre une détermination ferme. Fidèle à sa pratique habituelle, il attendait un signe de Dieu.

Il vint au moment où personne n'y comptait. Vers les premiers jours du mois de novembre, Mme Le Prévost mourut chrétiennement à Lyon.

Sa mort laissait à son mari la liberté de revenir à ses idées de sacerdoce. Celui-ci vit immédiatement le moyen de trancher les grandes difficultés contre lesquelles il se débattait depuis si longtemps. Se faire prêtre, c'était réaliser la plus ardente des aspirations de son âme ; c'était aussi donner, en fait, un supérieur ecclésiastique à sa petite communauté. Le pli une fois pris et l'élan donné, on pourrait toujours, dans la communauté même, trouver un successeur ecclésiastique qui n'aurait qu'à marcher sur les traces du premier. L'avenir était ainsi assuré. Toutefois, M. Le Prévost ne voulut rien faire sans avoir l'avis de l'Évêque d'Angers, le confident, le père de la petite famille.

Mgr Angebault crut voir dans la mort inattendue de Mme Le Prévost le signe de Dieu. Il n'agit pas à la hâte cependant. Il vint à Paris, passa une semaine entière à l'humble maison de Vaugirard, s'entretint en particulier avec chacun des Frères, consulta le Cardinal Archevêque de Paris, prit enfin sa détermination, réunit le Conseil de la communauté et, sur sa demande, il fut décidé que M. Le Prévost se présenterait aux ordres.

Quelques mois plus tard, M. Le Prévost était prêtre et supérieur de la communauté des Frères de Saint-Vincent-de-Paul. La congrégation venait de recevoir sa forme définitive.

Mgr Angebault lui conserva toute sa vie la plus paternelle affection. Il lui confia, aussitôt qu'il le put, la belle et importante œuvre de Notre-Dame-des-Champs, à Angers, et lui donna, en toute circonstance, les preuves de son entier dévouement. De son côté le nouvel Institut le regarda toujours comme son premier fondateur et son vrai père.

Une autre œuvre, d'une grande importance, préoccupait l'esprit de Mgr Angebault. Le Concile provincial de Tours, dans son septième décret, après avoir regretté que la Province eût été privée des assemblées synodales et avoir loué les assemblées ordinaires des prêtres, avait dit : « Les Évêques de la Province estimant grandement les formes antiques décrites au pontifical romain pour la célébration des synodes indiqueront, suivant l'opportunité des temps et des circonstances, la tenue des synodes.

L'Évêque d'Angers, scrupuleux observateur de toute règle posée en faveur du bien, pensait depuis longtemps à cette grave question des synodes.

Ce n'était pas une petite affaire. D'abord on était absolument déshabitué de ces vénérables assemblées. Autrefois, elles avaient été fréquentes en France, et le diocèse d'Angers, en particulier, en tenait régulièrement deux par an. Mais, à la fin du XVIIIe siècle, elles avaient cessé partout sous l'influence de causes diverses qu'il est inutile de rappeler ici. Au sortir de la Révolution, l'Église de France avait assez à faire de se relever de ses ruines. Reconquérir ou rebâtir les temples détruits ou abandonnés, remettre l'ordre dans les paroisses et les reconstituer, pourvoir au recrutement du clergé par la fondation ou le rétablissement des écoles ecclésiastiques et des séminaires, et, en même temps, lutter contre les pouvoirs établis dont les meilleurs étaient au moins tracassiers, c'en était assez pour employer le temps et la vie des Évêques de la première moitié de ce siècle.

Depuis la Révolution de février, l'Église commençait à respirer plus à l'aise et la question des synodes put être débattue dans les Conciles provinciaux. Toutefois, il fallait préparer l'opinion à cette tenue publique des assemblées synodales qu'elle ne connaissait plus.

Pour le diocèse d'Angers, la difficulté était grande. Il y avait juste cent ans qu'était mort Mgr de Vaugiraud, le dernier qui eût tenu Synode. Il fallait refaire des statuts synodaux. Il y en avait eu autrefois. Les Évêques des siècles précédents avaient fait de nombreuses ordonnances sur tous les points de la discipline ecclésiastique, et ces ordonnances, publiées par Mgr Henri Arnault, avec les prescriptions qu'il avait faites dans les nombreux Synodes qu'il avait réunis lui-même, avaient formé le corps des statuts synodaux du diocèse d'Angers. Mais, outre que ces statuts étaient devenus fort rares, ils avaient cessé d'être pratiques et ne répondaient plus aux besoins nouveaux du clergé et des fidèles.

« Rédiger et promulguer de nouveaux statuts, telle fut la mission que Mgr d'Angers voulut confier à son Synode, et c'est à la préparation de cette œuvre importante que lui-même consacra sa science, son intelligence, son zèle tout entier. Revoir les anciens statuts et ordonnances de ses prédécesseurs, s'éclairer de tout ce qui avait été publié depuis dix ans dans les Conciles et les Synodes tenus en France, compulser un nombre considérable d'auteurs, se rendre compte des besoins actuels de son vaste diocèse, chercher dans des règles sages ou le remède qui guérit le mal ou l'utile conseil qui prévient le danger, telle fut la tâche que Mgr d'Angers regarda comme attachée à sa mission épiscopale et dont il ne voulut se décharger sur personne. Plusieurs années s'écoulèrent dans ce pénible et difficile labeur ; chaque jour le prélat, dont on connaît l'ardente, l'incomparable activité, y consacrait plusieurs heures arrachées aux soins incessants d'une administration compliquée et, dans les tournées pastorales, où les jours ne lui appartenaient pas, les heures de la nuit suppléaient au défaut des heures du jour[1]. »

Les archives de l'évêché possèdent deux exemplaires manuscrits du projet des statuts diocésains. Le premier n'est qu'un recueil de notes et de pensées sur le sujet. Le second est une rédaction complète des statuts à examiner. Tous les deux sont écrits en entier de la main de Monseigneur, et le second n'a pas moins de cent huit pages in-4° d'une écriture fine et serrée. Cet immense travail fut soumis, au mois de juin 1859, à l'examen des ecclésiastiques qui devaient assister au Synode. Après une étude attentive, ils durent faire parvenir à l'évêché leurs réflexions avant le 15 août. Monseigneur ayant reçu ces notes, les lut avec soin et en tint le plus grand compte. Il ne se rendit pas à toutes, et certes, comme il était le législateur, il n'était tenu de se rendre à aucune en particulier, mais il se servit de la plupart pour corriger, améliorer ou même changer complètement ce qu'il avait écrit dans son premier projet.

La lettre d'indiction du Synode, datée du 29 juin, en fixait l'ouverture au 27 septembre suivant. Elle convoquait au Synode les vicaires généraux, les chanoines titulaires et honoraires, tous les curés inamovibles, le Supérieur des RR. PP. Jésuites d'Angers et deux religieux à son choix; le Supérieur de Mongazon et celui de Combrée, les Supérieurs de Communautés de religieuses à maison-mère, tous les desservants de la ville d'Angers, un desservant de chaque canton, nommé à la majorité des voix par tous les curés du canton, et enfin quelques ecclésiastiques désignés nominativement par l'Évêque.

L'ouverture eut lieu au jour indiqué et avec toutes les

[1] Histoire du Synode diocésain d'Angers, p. 9.

formes prescrites par le Pontifical romain. A la première session solennelle, un discours magistral fut prononcé par M. l'abbé Baranger, curé de Baugé, sur ce sujet : « L'action incessante de l'épiscopat sur les mœurs, les coutumes, les institutions et tout ce qui constitue la vie sociale des peuples. » Le sujet était assurément de circonstance et permit à l'orateur d'esquisser en ces termes le tableau de l'épiscopat de Mgr Angebault : « C'est à ce zèle actif, vigilant et éclairé que nous devons tant de réformes salutaires, tant d'établissements utiles créés ou relevés de leurs ruines, l'avenir des prêtres âgés ou infirmes assuré par de plus sages règlements, de magnifiques petits Séminaires que nous envient les plus vastes diocèses, un autre collège, qui fut leur père et qui, longtemps détourné de sa destination, n'attend aujourd'hui, pour reprendre sa place au soleil et porter encore les plus beaux fruits, que le souffle inspirateur qui a déjà redonné la force et la vie à tant d'œuvres ou mortes ou condamnées à périr. Vous préludiez, Monseigneur, à la régénération de votre diocèse par l'éducation de la jeunesse. Les éléments pour cette œuvre étaient rares et se produisaient timidement, mais sous votre main, la jeune plante de sénevé devenait bientôt un grand arbre. Ces Congrégations enseignantes, que nous avions vues si faibles, si petites, si incertaines de leur avenir, se montrent aujourd'hui pleines de sève et de vigueur. Malgré les tempêtes et les épreuves qui s'opposaient à leur développement, elles ont grandi sous votre habile direction, et leurs nombreux rameaux étendent leurs bienfaits au-delà des bornes de cet heureux diocèse. Enfin, tout ce bien dont nous aimons à remercier le ciel, chacun dans le poste qui lui a été confié, ces écoles fondées, ces églises reconstruites, ces Sociétés charitables établies, ces pieuses Associations créées, tout ce mouvement nouveau d'institutions utiles, toutes ces industries de la charité, toutes ces ingénieuses combinaisons du zèle, toutes ces sages innovations qui annoncent le progrès, tout cela, Monseigneur, ou s'est inspiré de votre pensée ou s'opère sous l'influence si douce de vos encouragements et de vos conseils. »

Tout se passa, au Synode, avec un ordre, un ensemble, une charité admirables. Les membres de l'Assemblée furent divisés en trois Commissions chargées d'étudier, dans des réunions particulières, les questions soumises au clergé. A chaque réunion, les travaux étaient résumés et consignés, toutes les opinions émises, puis les procès-verbaux étaient présentés à l'Évêque, qui en prenait connaissance et en tenait compte pour la rédaction définitive qu'il soumettait à tous les membres du Synode réunis en Assemblée générale. Avec cet ordre, chacun put émettre librement son opinion sans retarder la marche des travaux qui furent achevés trois jours après.

Aussi M. l'abbé Denécheau, curé de la cathédrale, pouvait-il dire à Monseigneur en toute vérité : « Si ces jours ont passé vite, il est une chose qui ne passera pas, qui restera à jamais gravée dans le cœur de tous les prêtres de votre diocèse, c'est le vif sentiment de reconnaissance qu'ils éprouvent pour la haute confiance dont vous les avez honorés en les appelant gratuitement à prêter à votre sagesse et à votre expérience le concours de leur science et de leurs conseils et en voulant bien appuyer sur l'union des cœurs et sur une sainte communauté de pensées et de sentiments une autorité qui n'a besoin que d'elle-même pour être respectée et obéie ; ce qui ne passera pas, non plus, ce que chacun de nous conservera comme un précieux trésor au fond de son cœur, c'est le souvenir de cette union si franche, si cordiale qui, dans ces jours de contact et de rapprochement, a fait de tous les cœurs un seul cœur, de tous les esprits un seul esprit, et de toutes les âmes une seule âme, c'est le souvenir de ces communications intimes, de ces épanchements réciproques entre le père et les enfants par lesquels il a été donné aux fils de mieux connaître et de mieux apprécier tout ce qu'il y a dans le cœur du père de bonté, de tendresse, d'affectueux dévouement, et au père de connaître à son tour et d'apprécier tout ce qu'il y a dans le cœur des fils de respect, de reconnaissance, d'amour, d'inviolable attachement. » A quoi Monseigneur put répondre, dans son dernier mot, « qu'il lui était impossible d'exprimer la joie dont avait surabondé son cœur durant ces trois jours, en voyant dans ses prêtres, avec plus d'évidence que jamais, un esprit si excellent, une ouverture de cœur si grande, une affection si filiale, une docilité si parfaite à recevoir ses conseils et ses avis. »

Cette grande joie, Monseigneur se la procura deux autres fois ; il tint un second Synode les 24, 25 et 26 septembre 1861, et un troisième les 22, 23 et 24 septembre 1863.

De ces trois Assemblées synodales est sorti le recueil des statuts synodaux du diocèse d'Angers composé de trois parties correspondant aux trois Synodes : la première règle ce qui concerne l'administration des sacrements, la seconde traite des fonctions ecclésiastiques dans l'exercice du culte, la troisième a trait à la vie et aux mœurs des ecclésiastiques. Ainsi toute la vie sacerdotale se trouve contenue et dirigée par des règles pleines de sagesse qui en sont la sauvegarde et en assurent la dignité. Ces pacifiques travaux s'étaient préparés au milieu des bruits de guerre. La France s'était levée contre l'Autriche et était allée la combattre sur les champs de bataille de l'Italie.

Le 4 mai 1859, le Ministre de l'Instruction publique et des Cultes écrivait une circulaire aux évêques, pour leur annoncer la prochaine campagne. Après avoir parlé des sentiments pacifiques de l'Empereur, il rejetait la responsabilité de la guerre sur l'Autriche et cherchait à rassurer le Clergé sur les conséquences d'une lutte devenue, disait-il, inévitable. « Le Prince qui a donné à la religion tant « de témoignages de déférence et d'attachement, qui, après « les mauvais jours de 1848, a ramené le Saint-Père au

« Vatican, est le plus ferme soutien de l'unité catholique ;
« et il *veut* que le Chef suprême de l'Église soit *respecté*
« dans *tous* ses *droits* de *Souverain temporel.* »

Les sentiments de Sa Majesté... « doivent faire naître
« dans le cœur du Clergé français autant de sécurité que
« de gratitude. L'Empereur et l'armée seront bientôt en
« présence de l'ennemi : que Dieu protège la France et
« l'Empereur ! »

Malgré ces assurances si formelles, le Clergé ne fut pas le moins du monde tranquillisé. Certes, l'Autriche pouvait avoir des torts. Il pouvait être bon d'agir diplomatiquement pour diminuer les inconvénients d'une occupation trop prolongée et adoucir les répressions peut-être trop sévères. Mais, au lendemain de l'attentat d'Orsini, prendre en main la cause de la partie la plus révolutionnaire de l'Italie et déclarer la guerre à une puissance catholique, sous prétexte de favoriser ce qu'on appelait les « légitimes progrès des peuples », cela n'avait rien de rassurant, et le gouvernement impérial le sentait si bien qu'il éprouvait le besoin de faire des circulaires aux Évêques.

Mgr Angebault répondit le 6 mai :

« MONSIEUR LE MINISTRE,

« Il ne m'appartient pas d'exprimer mon opinion sur la question politique et sur ses causes, ni sur les remèdes à apporter dans les circonstances si graves qui préoccupent les esprits.

« Comme Français, je dois former des vœux pour que notre vaillante armée soutienne dignement l'honneur de son drapeau illustré par tant de victoires. Comme ministre du Dieu de paix, je dois déplorer un conflit qui traînera nécessairement à sa suite tous les malheurs de la guerre. Mais, comme Évêque, je dois surtout considérer les intérêts sacrés de la Société et de la Religion. Or, sous ce double rapport, je ne puis dissimuler à Votre Excellence les inquiétudes qui se sont présentées à mon esprit.

« La France s'est reposée dans l'espérance et elle a acclamé l'Empire qui *était la paix*. L'Église s'est réjouie en voyant le nouveau gouvernement rendre à la Ville Éternelle celui que la révolution en avait chassé... Telles étaient nos joies et nos cœurs s'ouvraient également à la confiance et à la reconnaissance. Faut-il vous l'avouer, Monsieur le Ministre, ces sentiments si doux se sont trouvés menacés en entendant, quoique de loin, mais répétés comme un écho par des feuilles trop souvent hostiles, ces clameurs, ces menaces qui nous épouvantent toujours ; ces commotions qui présagent et qui précèdent les éruptions des volcans ; en apprenant que des Princes déjà étaient chassés par l'émeute et que, même dans cette Rome si mobile, l'Auguste chef de l'Église semblait jeter un regard sur l'horizon pour se chercher une retraite.

« Voilà nos craintes, Monsieur le Ministre, et, puisque vous devez toujours trouver la vérité sur les lèvres d'un Évêque, j'ose vous la dire franchement. »

Après avoir rempli ainsi son devoir envers le Ministre, il le remplit également envers ses diocésains. Dans un mandement qui reproduit les expressions même de sa lettre au Ministre, il demanda des prières pour tout le temps que la guerre durerait.

Après la bataille de Magenta, il fit chanter le *Te Deum* pour remercier Dieu du succès de nos armes. Mais la guerre l'inquiétait ; il soupirait après la paix. « Nous demanderons, dit-il, que la paix vienne bientôt fermer les blessures de la guerre et que, suivant l'image du psaume que nous chantons en ces jours, la main du Seigneur brise les glaives et les boucliers. »

Il avait raison de s'inquiéter. La victoire de Magenta avait rempli de joie les révolutionnaires italiens. L'Empereur, par sa proclamation du 8 juin, ne fit que les encourager.

« Je ne viens pas, disait-il, avec un système préconçu, « pour déposséder les Souverains, ni pour vous imposer « ma volonté ; mon armée ne s'occupera que de deux « choses : combattre vos ennemis et maintenir l'ordre à « l'intérieur ; elle ne mettra aucun obstacle à la libre « manifestation de vos vœux légitimes. La Providence « favorise quelquefois les peuples comme les individus, en « leur donnant l'occasion de grandir tout d'un coup ; mais « c'est à la condition qu'ils sachent en profiter. Profitez « donc de la fortune qui s'offre à vous ! Votre désir d'in« dépendance, si longtemps comprimé, si longtemps déçu, « se réalisera, si vous vous en montrez dignes. Unissez« vous donc dans un seul but ; l'affranchissement de votre « pays. Organisez-vous militairement, volez sous les dra« peaux du roi Victor-Emmanuel, qui vous a déjà montré « si noblement le chemin de l'honneur... »

Les Italiens répondirent à cet appel en se soulevant à Bologne, à Ferrare, à Pérouse et ailleurs ; les craintes des catholiques redoublèrent et se firent jour. Pour y mettre un terme, le gouvernement envoya aux journaux catholiques un communiqué où il était dit que la proclamation de l'Empereur, empreinte de cette haute modération qui était la règle invariable de sa politique, n'avait fait appel qu'au patriotisme et à la discipline du peuple italien, qu'elle avait répudié toute intention d'un système préconçu de déposséder les Souverains et que l'Empereur avait, en outre, formellement reconnu la neutralité des États de l'Église. Ce communiqué n'était point de nature à rassurer les catholiques.

La victoire de Solférino, suivie tout à coup de la paix de Villafranca, vint cependant les surprendre. En voyant l'Empereur arrêter soudainement la guerre et annoncer l'établissement d'une confédération de divers peuples italiens, sous la présidence du Pape, ils se demandèrent s'ils n'étaient pas allés trop loin dans leurs défiances et si l'Empereur n'avait pas vraiment le désir tout à la fois de sauvegarder les droits du Saint-Père, de délivrer l'Italie de l'occupation étrangère et de lui assurer la seule unité compatible avec sa gloire comme avec ses intérêts.

Mgr Angebault s'y trompa. Dans son mandement sur la conclusion de la paix, s'adressant d'abord à l'Empereur, il disait : « Vous n'avez pas voulu seulement vous préoccuper des intérêts politiques et, donnant à chacun sa part, tracer aux contrées leurs limites, vous avez aussi appelé comme modérateur suprême le Pontife vénéré qui présidera aux destinées de la famille dont il sera doublement le père. » Et se tournant vers Pie IX, il ajoutait : « Votre fils aîné vient vous apporter un manteau d'honneur pour couvrir vos blessures et sa main protectrice saura comprimer l'anarchie. » L'illusion, hélas ! ne fut pas de longue durée.

Était-ce aveuglement, utopie ou hypocrisie ? L'Empereur voulait-il sincèrement le maintien du Pape, ou désirait-il seulement gagner du temps ? Qui le dira ? ceux toutefois qui n'avaient pas perdu le souvenir de la lettre à Edgard Ney, se défendaient difficilement d'un soupçon à l'égard de la droiture de Napoléon. Tous entrevoyaient le danger et ne pouvaient taire leurs appréhensions. Pie IX en particulier en appelait à la parole donnée. « Notre espérance « s'augmente, disait-il le 20 juin, parce que, suivant les « déclarations de notre Très Cher Fils en Jésus-Christ, « l'Empereur des Français, les armées françaises qui sont « en Italie, non seulement ne feront rien contre notre « pouvoir temporel et la domination du Saint-Siège, mais « au contraire les protégeront et les conserveront. » Mais si le père voulait croire à la loyauté, le Souverain s'inquiétait et il signalait aux divers gouvernements les faits qui rendaient chaque jour plus inqualifiable la conduite du gouvernement sarde envers le Saint-Siège, conduite qui ne laissait aucun doute sur la volonté d'enlever au Pape une partie intégrante de son domaine temporel.

L'Évêque d'Angers, en voyant s'accentuer le mouvement révolutionnaire en Italie, perdit toute illusion. « La question « devient bien grave, écrivit-il à Mgr de Cambrai ; nous ne « pouvons plus nous le dissimuler. Le silence, l'inaction « du pouvoir en présence de la Révolution qui grandit, « qui insulte et menace le Saint-Père, qui s'empare vio- « lemment de ses États, annonce un parti pris et la posi- « tion du Pape finit par devenir intolérable. Dans cet état « de choses, que devons-nous faire ? Que ferons-nous ? Il y « a danger à se taire, danger aussi à parler. Le pouvoir, « comme excuse, pourra dire qu'on l'a taquiné, qu'on l'a « aigri. D'un autre côté, n'avons-nous pas un devoir à « remplir ? Ne faut-il pas éclairer les fidèles, diriger « l'opinion sur cette question religieuse très grave, avertir « le pouvoir, le forcer de prendre une attitude meilleure « et d'arrêter, puisqu'il le pourrait, le torrent qui va ren- « verser le Saint-Siège... Un tel état de choses devient « bien inquiétant et il importe de se concerter et de « nous entendre... »

Quelques jours après, le 11 octobre, le Cardinal Archevêque de Bordeaux recevait l'Empereur. La situation était grave. Dans le consistoire du 6 septembre précédent, Pie IX avait solennellement protesté contre l'usurpation révolutionnaire. Jusqu'à quel point la main de la France ou plutôt de son gouvernement avait-elle soutenu les ennemis de la Papauté, nul ne le savait. Mais tous les cœurs catholiques étaient atterrés. L'Évêque d'Orléans, traduisant les sentiments de tous les hommes d'ordre, avait fait entendre la plus noble des protestations. Sans attaquer directement le pouvoir, il démasquait vigoureusement toutes les menées criminelles. L'Évêque de Nantes écrivait : « Je crois que « le moment de parler ne peut plus être différé... Je

« trouve la protestation de l'Évêque d'Orléans très belle
« pour le fond et pour la forme. On ne saurait crier au
« secours avec trop d'énergie quand le feu dévore la
« maison... J'ai cru devoir adhérer à la protestation de
« l'Évêque d'Orléans. »

C'est dans ces graves circonstances que l'Archevêque de Bordeaux, recevant l'Empereur, dut lui exprimer les sentiments dont il était pénétré. Il le fit avec une modération et une élévation de forme qui ne nuisaient en rien à la fermeté de la pensée. Après avoir fait allusion au retour du Pape à Rome, il ajoutait : « Aujourd'hui nous prions encore, Sire,
« avec plus de ferveur, s'il est possible, pour que Dieu vous
« fournisse les moyens, comme il vous en a donné la
« volonté, de rester fidèle à cette politique chrétienne qui
« fit bénir votre nom et qui est peut-être le secret de la
« prospérité et la source des gloires de votre règne.

« Nous prions avec une confiance qui s'obstine, avec une
« espérance que n'ont pu décourager des événements
« déplorables et de sacrilèges violences ; et le motif de cet
« espoir, dont la réalisation semble si difficile aujourd'hui,
« après Dieu, c'est vous, Sire, vous qui avez été et qui
« voulez être encore le fils aîné de l'Église, vous qui avez
« dit ces paroles mémorables : « La souveraineté tempo-
« relle du chef vénérable de l'Église est intimement liée à
« l'éclat du catholicisme comme à la liberté et à l'indé-
« pendance de l'Italie... »

L'Empereur répondit : « ... Je ne puis ici entrer dans
« les développements qu'exigerait la grave question que
« vous avez touchée, et je me borne à rappeler que le
« Gouvernement qui a replacé le Saint-Père sur son trône
« ne saurait lui faire entendre que des conseils inspirés
« par un respectueux et sincère dévouement à ses intérêts ;
« mais il s'inquiète avec raison du jour qui ne saurait être
« éloigné où Rome sera évacuée par nos troupes... »

Ce discours ne pouvait que redoubler les alarmes. Quoi !

pour donner des conseils au Pape, pour annoncer qu'on allait retirer les troupes, on choisissait juste le moment où ses États étaient envahis, où toutes les idées révolutionnaires étaient répandues à profusion par le gouvernement sarde, on n'avait aucun conseil à donner à ce dernier, on ne trouvait pas un mot de blâme pour les plus coupables entreprises ! La France catholique comprit bien où l'on tendait. Restait la tâche difficile sinon impossible de ramener le Gouvernement à de meilleures idées.

Monseigneur écrivit à M. Hamille, directeur des Cultes :

« Dans la lettre que vous me faites l'honneur de m'écrire, « vous me parlez de la grave question qui préoccupe en ce « moment les esprits. Je vous remercie de ces quelques « lignes et je vais y répondre avec simplicité et fran- « chise.

« ... La guerre d'Italie est venue assombrir mes pensées. « Je craignais que, dans une alliance douteuse, l'épée de « la France ne servît d'autres intérêts que ceux de sa gloire. « J'ai même, dans un mandement du 14 mai 1859, exprimé « mes craintes et dit que la Révolution, sous quelque « drapeau qu'elle se cache, nous épouvante. Et, pour ras- « surer les populations, j'avais besoin de leur citer les « paroles de M. le Ministre des Cultes nous disant que « l'Empereur « voulait qu'il fît connaître au clergé que le « prince qui a donné à la religion tant de témoignages de « déférence et d'attachement... est le plus ferme soutien « de l'unité catholique et qu'il veut que le chef suprême « de l'Église soit respecté dans tous ses droits de Sou- « verain temporel.

« Fort de ces promesses si formelles, je ne me suis pas « inquiété des menaces que faisaient entendre chaque jour « des feuilles hostiles à tous principes, à la religion, au « Saint-Père, quoique en regrettant une pareille licence. « Je n'ai pas voulu m'effrayer, lorsque, après la paix conclue « d'une manière inattendue, la Révolution, sous les traits

« de Garibaldi et autres a envahi les Duchés ; mes craintes
« ont surgi en voyant la révolte envahir les États du
« Pape, insulter à son pouvoir, à ses droits ; elles deve-
« naient chaque jour plus vives, en voyant de tels excès
« encouragés par un roi qui ose pourtant se dire catho-
« lique et protester de son respect pour le Saint-Père.

« Chaque jour j'attendais l'improbation d'une telle
« conduite, la répression de cette audace. Certes, le chef
« suprême de l'Église n'est plus *respecté dans tous ses*
« *droits de Souverain temporel,* et cependant, depuis
« trois mois, le Prince qui nous avait fait adresser solen-
« nellement ces paroles, qui d'un mot pouvait mettre un
« terme à cette anarchie, demeure calme, impassible et
« laisse un allié abuser de son silence.

« Chaque jour, je lis avidement le *Moniteur* et je ne lis
« pas même un désaveu. Cher Monsieur, est-il étonnant que
« notre foi s'inquiète, que des Évêques s'alarment ?...

« Ah ! cher Monsieur, dites à M. le Ministre des Cultes
« quels sont nos regrets, faites-lui connaître la peine
« profonde d'un vieil Évêque qui n'a jamais fait d'oppo-
« sition au pouvoir, mais qui se désole de le voir s'engager
« dans cette voie et qui tremble pour l'avenir. Je crois
« que ses meilleurs amis sont ceux qui osent lui dire la
« vérité...

« Je termine cette lettre déjà longue ; ma plume ne
« s'arrêterait pas, car c'est mon cœur et ma conscience
« qui la guident. »

De tels avertissements ne devaient pas suffire pour ramener l'Empereur dans une voie différente. Si l'on avait su le vrai fond de sa pensée, peut-être aurait-on parlé plus haut et plus fort. Mais on l'ignorait. Sans doute il était facile de faire des conjectures et l'on pouvait craindre, sans le juger trop témérairement, qu'il n'eût des vues très arrêtées et fort peu favorables au Saint-Père. Toutefois on n'avait pas de certitude. Et fallait-il lui témoigner une défiance irritante qui n'eût fait que de le confirmer dans ses projets? Bon nombre d'Évêques ne le pensaient pas. « Je crois, écrivait l'Archevêque de Besançon à Mgr Ange- « bault, que dans la situation présente nous devons faire « tout notre possible pour venir en aide au Saint-Père, et « ce que nous devons nous proposer, c'est moins l'éclat et « les applaudissements que les choses utilement pratiques.

« Toute l'affaire est entre les mains de l'Empereur; ce « qu'il voudra sera ce qui se fera; mais avec sa trempe « d'esprit et son caractère, tout effort tenté pour exercer « sur lui une pression extérieure, échouera. »

« Il me semble donc que le mieux est de le faire réflé- « chir, de lui faire apprécier sans bruit combien il serait « fâcheux pour lui que l'opinion des catholiques se déta- « chât de lui. »

On avait pardonné à l'Évêque d'Orléans sa protestation publique, parce que, malgré la vivacité de cet écrit, il était rédigé avec tact et s'arrêtait à temps. Mais il y avait péril à l'imiter. D'Orléans même on écrivait à l'Évêque d'Angers : « Si l'on parle maintenant (après Mgr Dupanloup), on a « l'air de vouloir marcher à la suite; si on se tait, on a « l'air de ne pas approuver..... Il y a un danger dans ces « actes insolites, et vraiment le problème n'est pas facile « à résoudre. »

On a vu comment Mgr Angebault l'avait résolu par cette lettre à M. Hamille dont l'Archevêque de Tours, Mgr Guibert, disait : « Comme je suis bien aise de conserver une « pièce digne d'un Évêque, j'en ai fait tirer une copie. » D'une manière ou d'une autre, tous les Évêques firent entendre leurs respectueuses observations au gouvernement.

Elles n'eurent aucun succès, et la situation ne fit qu'empirer dans les derniers mois de l'année.

Alors parut la trop fameuse brochure *Le Pape et le Congrès*, qui développait un plan où l'on ne réservait au Pape que le Vatican avec son jardin et un magnifique traitement qui serait fourni par toutes les puissances catholiques. Cette brochure, d'allure officieuse, remit la plume aux mains des Évêques. Le 12 février 1860, Mgr Angebault écrivit au Ministre des Cultes : « La bienveillance que vous m'avez témoignée dernièrement, lorsque je suis allé vous confier mes peines, m'enhardit pour vous dire celles qui m'accablent maintenant..... Nous étions heureux et nous bénissions la main qui soutenait la religion et Celui qui en est ici-bas l'Auguste chef. Pourquoi des questions politiques, provoquant une guerre cruelle, sont-elles venues troubler cet accord ? Pourquoi des passions que le sentiment révolutionnaire a envenimées et que, certainement, le gouvernement de l'Empereur voudrait pouvoir comprimer, soufflent-elles le feu de la discorde et nous poussent-elles vers le précipice ? Notre Père, effrayé, a fait entendre des plaintes douloureuses, les pasteurs en ont été émus, ils ont élevé la voix pour éclairer les peuples. On reproche à quelques-uns de l'avoir fait avec vivacité ; ils cherchent leur excuse dans l'affliction qui les dominait.

« Mais il y a une question encore plus haute, Monsieur le Ministre, c'est celle de l'avenir, et c'est la religion que l'Empereur soutenait si noblement qui le supplie de la protéger encore. Il faut bien le dire à votre Excellence, l'inquiétude est dans tous les cœurs, et moi qui ai vu 1811, 1812 et 1813 et les tristes conséquences d'une scission déplorable, je frémis et pour l'Église et pour l'État en jetant un coup d'œil sur le passé et sur l'avenir.

« Oh ! Monsieur le Ministre, votre zèle pour le bien et votre amour pour l'Empereur doivent vous faire partager nos anxiétés. Soyez notre interprète auprès de Sa Majesté. Nous l'en conjurons, au nom de la France si catholique, au nom de ce fils que la Providence lui a donné et que le Père commun a béni....., au nom des pasteurs des diocèses inquiets en ce moment et auxquels il serait encore possible de rendre la sécurité et le calme, que sa prudence dissipe les nuages et, comme elle dictait la paix naguère, qu'elle commande maintenant aux mauvaises passions qui menacent le trône pontifical ! »

Ce concert de plaintes ne laissait pas que de remuer l'Empereur. Laissé à lui-même, il eût écouté peut-être ces graves avertissements, il aurait été ému de ces accents si sincères et si profonds.

Mais la politique n'entend guère le langage du sentiment, fût-il même d'accord avec la plus haute raison. L'Empereur avait son parti, ses engagements, peut-être, avec les Sociétés secrètes, au moins ses illusions et ses utopies.

La réponse ne se fit pas attendre à ces doléances des Évêques. Elle vint sous la forme d'une lettre ministérielle à la date du 17 février 1860. Dans cette lettre, le Ministre des Cultes mettait l'agitation sur le compte des passions politiques. Il rappelait les luttes anciennes des Princes contre les Papes, il remettait en mémoire l'Assemblée de 1682 et le Concordat de 1801 et les articles organiques, pour s'en prévaloir. Il ne promettait plus, au nom de l'Empereur, de maintenir le Pape dans tous ses droits de Souverain temporel. « Nous demandons au Pape, écrivait-il, qu'il « veuille bien, en sa qualité de Souverain d'un État italien, « envisager les événements comme la Providence (sans « doute personnifiée dans les États Sardes et Victor-Emma- « nuel) les laisse se dérouler dans la longue histoire de « l'humanité. Nous le supplions de tenir compte de tout ce « qui a une influence nécessaire sur le règlement des « affaires de ce monde ; nous le conjurons de faire des sacri- « fices matériels, s'ils sont inévitables, au repos de l'Eu- « rope et de la chrétienté. Nous lui offrons, comme nous « le lui avons toujours offert, le plus sincère concours pour « les *solutions possibles* et les moins *dommageables* au « *Souverain temporel.* »

Enfin le Ministre terminait par le grand mot : la loi.

« L'Empereur sera toujours heureux de protéger le

« clergé français, mais il veut énergiquement, dans l'in-
« térêt de tous, le maintien et l'exécution des lois..... »

Quos vult perdere Jupiter, prius dementat. La raison politique, les engagements les plus sacrés et les plus positifs, la reconnaissanse pour le Pape, la justice de la cause, les vrais intérêts de la France ne purent faire ouvrir les yeux à l'Empereur ni changer sa volonté. Dix ans suffirent pour réaliser les inquiétudes des Évêques. Dix ans plus tard, Mgr Angebault n'était plus là. Dieu, en le rappelant à lui, lui avait épargné le douloureux spectacle que nous avons eu sous les yeux. L'Autriche battue se jetant dans les bras de la Prusse, l'Italie armée contre nous, l'Allemagne se ruant sur la France, les armées françaises en débâcle, le sol de la patrie envahi, le sang des martyrs versé par la Commune, le vieil Empereur prisonnier honteux, mourant tragiquement sur la terre étrangère, son fils, l'espoir de la France, tué au loin, mystérieusement, par la zagaie d'un Zoulou, l'Impératrice obligée de cacher, au milieu de la foule, sa douleur et la dignité de sa personne, tout attestait la vérité des paroles de l'Évêque d'Angers : « Moi qui ai vu 1811, 1812 et 1813, et les tristes conséquences d'une scission déplorable, je frémis et pour l'Église et pour l'État. »

Le prélat, qui protestait si énergiquement contre la politique impériale, ne s'en tenait pas aux paroles ; il agissait. En voyant le Souverain Pontife dépouillé d'une partie de ses États, il comprit la gêne que devait éprouver le trésor pontifical. En 1847, quand on avait voulu faire une quête en faveur de Pie IX, il n'avait pas jugé bon de se livrer à une démonstration pour le moins inutile. Mais en 1860, il n'attendit personne pour aller au secours du Pape et, le premier, établit publiquement le Denier de Saint-Pierre.

Le 17 décembre 1859, un évêque français des colonies, se trouvant à Rome pour les affaires de son diocèse, écrivait confidentiellement à Mgr l'Archevêque de Cambrai :

« Bien que je n'en aie reçu aucunement la mission, je ne
« crois pas inopportun de vous dire que vous seriez fort
« agréable au Saint-Père si vous aviez la bonne inspiration
« d'ordonner dans votre diocèse une quête en faveur de son
« trésor pontifical qu'a ruiné l'insurrection des Romagnes.

« Je sais, d'aussi bonne part que possible, que Sa Sainteté
« ne veut rien demander et encore bien moins rien impo-
« ser à cet égard, mais que, néanmoins, Elle verrait avec
« un plaisir infini la France lui donner cette nouvelle
« preuve de son dévouement. Je sais qu'on ne veut inviter
« aucun évêque en particulier à prendre l'initiative, mais
« qu'on voudrait bien que les plus anciens et les plus con-
« sidérables la prissent quasi *motu proprio*. Je sais enfin,
« à n'en pouvoir douter, que cette question ayant été mise
« hier sur le tapis, dans le cabinet du Saint-Père, votre
« nom y a été prononcé, et que, parmi les principaux per-
« sonnages, l'on vous considère comme l'un de ceux sur
« qui on doit le plus compter. J'aurai sans doute bientôt
« l'occasion de vous donner plus de détails de vive voix,
« mais en attendant, c'est bien cela.

« Il est bon de vous faire observer aussi que ce que l'on
« a surtout en vue, c'est moins le résultat matériel que
« l'effet moral. On ne compte pas sur une somme capable
« de rétablir les finances, mais on compte sur l'influence
« que pourra exercer au Congrès (on croyait encore au
« Congrès que devait faire échouer la brochure : *le Pape et
« le Congrès*) ce zèle incessant des catholiques pour tous
« les intérêts du Saint-Siège. Il est certain qu'il y aura là
« encore de quoi donner à penser à la diplomatie. »

L'Archevêque de Cambrai ne crut pas devoir répondre favorablement à cette pensée. Il avait des motifs sérieux, généraux et particuliers d'attendre ce qu'il appelait des *temps moins nébuleux*.

L'Évêque d'Angers avait-il reçu quelque semblable communication où son amour pour Pie IX lui fit-il deviner la pensée du Saint-Père? Nous ne saurions le dire. Toujours est-il que le jour de Pâques de l'année 1860, sans avoir rien dit à personne de son projet, il monta solennellement dans la chaire de la cathédrale et annonça ouvertement l'établissement, dans son diocèse, de l'Œuvre du Denier de Saint-Pierre.

« Lorsque le Saint-Père était obligé de fuir sur une terre « étrangère, dit-il, nous fîmes appel à votre générosité et » notre voix fut entendue et vous y répondîtes noblement. « Aujourd'hui, il n'a pas pris la route de l'exil; il demeure « dans cette Rome si chère, mais si mobile. Il y reste, « mais privé des secours nécessaires pour soutenir sa « dignité et pourvoir aux œuvres catholiques. Sa voix ne « se fera pas entendre pour les solliciter. Les convenances « ne permettraient pas au Pontife de descendre à un appel; « mais, dans de tels moments, c'est aux enfants à épar- « gner au père la pudeur d'une telle démarche. »

Ce noble appel fut accueilli avec enthousiasme par les fidèles de tout le diocèse, et depuis l'Anjou n'a cessé de contribuer dans une large part à payer au Saint-Père cette dette de filial amour.

Dans son allocution du 13 avril, Mgr Angebault, allant au devant des objections que l'on pouvait élever contre le Denier de Saint-Pierre, répondait à ceux qui seraient tentés de voir dans sa démarche une démonstration blessante pour l'Autorité. « Ils seraient dans l'erreur, disait-il... « Ce serait faire injure au Pouvoir que de penser qu'il « puisse voir avec défiance un acte de bienfaisance. Sur « cette noble terre de France, le catholicisme et la charité « doivent partout trouver l'hospitalité, et le Pouvoir qui a « rétabli le Saint-Père, qui depuis onze ans a voulu, dans « Rome, lui prêter l'appui de sa force, ne peut voir avec « inquiétude le concours de votre faiblesse qui ne peut « offrir que sa générosité et ses vœux. »

De telles paroles étaient bonnes dans la bouche d'un

évêque ; mais elles témoignaient bien de quelque défiance, et si Monseigneur eût été véritablement sans crainte il eût été plus surpris qu'il ne le fut de la manière dont le gouvernement accueillit sa démarche. A peine eut-elle été connue à Paris que le Ministre écrivit :

« Le gouvernement de l'Empereur qui offre, en ce « moment au Saint-Siège toutes les facilités qu'il peut « trouver lui-même pour les opérations d'un emprunt, n'a « jamais eu la pensée d'empêcher le Clergé de recueillir « les offrandes libres et spontanées que les fidèles des- « tinent au Souverain-Pontife. Mais il désire qu'on évite « d'imprimer à ces collectes le caractère d'une vaste « Société, essentiellement laïque, facilement accessible « aux passions politiques... Une pareille œuvre ne répon- « dra pas au but qu'elle se propose, et j'ai même lieu de « craindre qu'elle ne nuise au développement des senti- « ments religieux des populations. »

La réponse était trop facile à faire pour que Monseigneur en laissât échapper l'occasion. Après avoir protesté qu'il n'avait jamais eu intention de participer à une opération financière quelconque, mais voulu seulement solliciter la générosité des fidèles en faveur du Pontife injustement dépouillé, prenant l'offensive, il disait hardiment, en faisant la critique du gouvernement : « On a trop insisté « depuis quelque temps et sous toutes les formes pour cir- « conscrire le Souverain-Pontife dans le cercle d'une auto- « rité toute spirituelle : il a besoin, pour exercer son action, « d'une indépendance temporelle et extérieure. Tous les « siècles l'avaient compris et vous-même, Monsieur le « Ministre, vous aviez affirmé solennellement que vous « étiez formellement chargé par Sa Majesté l'Empereur « de faire connaître au Clergé qu'il voulait que le Chef « suprême de l'Église fût respecté dans tous ses droits de « Souverain temporel.

« Or, il a été injustement dépouillé par un prince voisin

« qui n'écoute que son ambition. Au moment même où
« nous devions penser que la victoire allait respecter ses
« États, il est réduit à la détresse. Peut-on trouver
« étonnant que ses fils lui viennent en aide, puisque les
« gouvernements eux-mêmes s'offraient pour lui faire un
« traitement que la délicatesse ne lui permettait pas
« d'accepter.

« Je ne sais, Monsieur le Ministre, pourquoi l'on s'obs-
« tine à voir une question politique dans une œuvre aussi
« naturelle. La Belgique, l'Allemagne, l'Irlande, les États-
« Unis se sont empressés d'offrir des secours au Souverain-
« Pontife malheureux ; c'est donc une question catholique
« et je m'étonnerais que la France, la fille aînée de l'Église,
« y demeurât étrangère.

« Mais, depuis quelque temps, nous ne pouvons élever la
« voix en faveur du Souverain-Pontife sans qu'aussitôt on
« nous représente comme les organes des partis politiques
« et depuis lors le Clergé est l'objet de suspicions ; on l'en-
« toure de défiances et l'on multiplie autour de nous les
« entraves... Pourquoi le Pouvoir nous représente-t-il
« comme des suspects, quand il serait si facile de calmer
« nos craintes ?

« Les ennemis du gouvernement, ce ne sont point les
« évêques, ce ne sont point les catholiques. Ce sont ces
« hommes qui chaque jour sapent les fondements du pou-
« voir dans des écrits perfides, dans des feuilles qui
« déversent l'ironie et le blasphème sur l'Église et son
« auguste chef; ce sont ces hommes, ennemis de toute
« autorité, qui applaudissent à des proclamations incen-
« diaires, à des souscriptions pour des millions de fusils,
« hommes de désordre qui soufflent partout le feu des
« révolutions. Voilà les véritables ennemis du gouverne-
« ment, voilà ceux qu'il faut redouter. En démasquant la
« révolution, nous aurons rempli un devoir : c'est au pou-
« voir, qu'elle menace aussi, à la combattre... »

Le ministre voulut répliquer. L'Évêque d'Angers déclara qu'il suivait sa conscience et que, s'il le fallait, il irait jusqu'à publier la correspondance ministérielle. Le Ministre se le tint pour dit et se tut.

Cependant les funestes conséquences de la guerre d'Italie devenaient chaque jour plus manifestes ; il était de plus en plus clair que nous avions, au-delà des monts, déchaîné une révolution que le gouvernement de l'empereur ne voulait pas arrêter. Les protestations individuelles des Évêques n'y faisaient rien. On crut qu'une protestation collective aurait plus de succès. L'Archevêque de Tours et ses suffragants de la Province firent un mémoire collectif. Dans ce document, écrit avec une dignité toute sacerdotale et une émotion contenue mais profonde, les Évêques de la Province de Tours rappelaient l'origine et la nécessité du pouvoir temporel des Papes. Ils dénonçaient les ambitieuses visées de la Révolution italienne et les maux incalculables qui devaient résulter de son succès pour l'Église tout entière et pour la société, et ils demandaient respectueusement à l'Empereur d'examiner dans son cœur si la France et la Religion n'attendaient rien de plus (que ce qu'il avait fait) du Prince chrétien et du Fils aîné de l'Église, au milieu des graves périls qui menaçaient notre mère commune. « Notre confiance, ajoutaient-ils, la confiance des chrétiens est en vous. Les choses sont arrivées à ce point que rien, en ce moment, ne peut être fait sans Vous pour l'Église, ni contre l'Église. »

Le Pape répondit à ce mémoire par un bref élogieux qui fut une digne récompense pour les Évêques ses défenseurs. Le Gouvernement français lui-même en parut ému. M. Rouland répondit, par une lettre convenable, que l'Empereur accueillerait toujours volontiers « des observations présentées avec ce calme et cette gravité qui conviennent éminemment à l'Épiscopat », il affirmait que les rapports avec Rome s'étaient améliorés et que « si des questions d'un intérêt secondaire auprès de la liberté et de la sûreté du Pape attendaient encore leur solution, cette solution répondrait à la fois aux desseins de l'Empereur, aux légitimes exigences de la politique et aux véritables intérêts de l'Église. »

Ces belles paroles étaient-elles dictées par un désir sincère de revenir en arrière? Il est permis d'en douter quand on voit quel était l'esprit de défiance du Gouvernement vis-à-vis des Évêques. Dès l'année précédente, des instructions avaient été envoyées aux préfets ; ordre leur avait été donné de surveiller partout le clergé et de le dénoncer sans merci. Il arriva ce qui devait arriver. L'exécution d'une semblable mission, confiée à un personnel subalterne, devint facilement ridicule et odieuse. L'Évêque d'Angers s'en plaignit au Ministre.

« M. le Ministre de l'Intérieur, écrit-il, à la date du 2 février 1860, a cru devoir donner publiquement à MM. les Préfets des instructions pour exercer envers le clergé une surveillance spéciale. Les conséquences ne se sont pas fait attendre et nos prévisions ont été tristement réalisées. Dans plusieurs églises de mon diocèse, à la ville et à la campagne, des gendarmes, sans doute par suite des instructions reçues, sont entrés au moment où les sermons commençaient ; ils se plaçaient ostensiblement devant la chaire et sortaient lorsque l'instruction était achevée, sans se donner même la peine de masquer la mission qu'ils avaient reçue.

« Lorsque, il y a dix-huit ans, je vins remplir, sur ce sol brûlant de l'Anjou, la mission redoutable que l'obéissance m'avait imposée, je rappelai au clergé, la première fois que j'eus l'honneur de parler devant lui, que la chaire ne doit pas être une tribune. Toujours, depuis, j'ai fait les mêmes recommandations. Mais je ne devais pas croire, Monsieur le Ministre, qu'un Gouvernement qui nous affirme qu'il veut protéger la religion soumettrait publiquement notre ministère à une surveillance humiliante. Comment ne comprend-on pas que de telles mesures blessent le clergé, irritent les populations, excitent ou justifient les inquiétudes ? Aussi, dois-je vous dire, dans l'intérêt même du Gouvernement que, dans la petite ville de Doué-la-Fontaine, située sur les limites du pays où ont eu lieu les luttes des Vendéens, les fidèles, à la vue des gendarmes, rappelaient que *c'était ainsi qu'on faisait en 1792*. Je cite leurs paroles comme un trait de lumière. Si l'autorité a besoin de renseignements, n'est-ce pas auprès des Évêques qu'elle les trouvera, plutôt qu'en les demandant à des hommes illettrés ou prévenus?

« Si de telles mesures devaient être maintenues, j'aurais à craindre que le clergé n'en témoignât hautement son mécontentement et, pour prévenir une telle manifestation, je me verrais dans la nécessité d'adresser à MM. les Curés une circulaire pour leur donner des conseils. M. le Ministre pensera, peut-être, comme moi, qu'il serait fâcheux que nous fussions réduits à prendre de tels moyens.

« Je ne dissimulerai point non plus à Votre Excellence que des bruits vagues sont venus nous inquiéter sur des intentions qu'aurait le Gouvernement de resserrer encore davantage, pour les établissements d'enseignement, les limites de cette loi de 1850 qui nous avait promis la liberté et qu'on a presque aussitôt et depuis comprimée, tronquée, surtout pour ce qui concerne les écoles primaires. »

En même temps que le pouvoir faisait épier le clergé, il prenait une mesure d'une extrême gravité. Jusqu'alors les lettres circulaires et mandements des Évêques n'avaient point été soumis aux lois qui régissaient la presse. Tant que le Gouvernement avait été ou avait paru favorable à la Religion, il n'avait rien à craindre des écrits des Évêques. Mais, depuis la funeste guerre d'Italie, les Évêques, de tous côtés, ils élevaient la voix en faveur du Souverain Pontife. Le pouvoir, gêné par ces révélations et cette publicité, songea à les interdire par l'application de la loi à tous les écrits sans distinction.

D'abord il fut interdit aux journaux de reproduire les mandements des Évêques. Puis, les Préfets reçurent l'ordre d'écrire aux imprimeurs des Évêchés pour leur rappeler la loi du 21 octobre 1814. « L'article 14 de cette loi, écrivait le Préfet de Maine-et-Loire à l'imprimeur de l'Évêché, vous impose l'obligation de n'imprimer aucun écrit avant d'en avoir fait la déclaration à la Préfecture, comme aussi de le mettre en vente, ni de le publier de quelque manière que ce soit, avant d'en avoir déposé deux exemplaires...

« Dans un esprit de confiance et de bienveillance pour l'autorité religieuse, les mandements et les lettres pastorales ont été affranchis aussi, par une décision administrative et à titre de simple tolérance, des formalités prescrites par ledit article ainsi que du timbre généralement prescrit pour les imprimés.

« Mais depuis quelque temps d'assez nombreux écrits, publiés sous le titre de mandements ou lettres pastorales, traitent les questions les plus étrangères aux intérêts spirituels. De véritables brochures politiques où les événements qui s'accomplissent en Europe, où les actes des gouvernements sont discutés, usurpent les immunités accordées aux actes spéciaux de la juridiction épiscopale. Cette confusion abusive ne saurait être plus longtemps tolérée. Le gouvernement ne veut entraver en rien, dans sa sphère légitime, l'action de l'autorité ecclésiastique; les mandements et lettres pastorales qui ne sortent pas du domaine spirituel, s'imprimant en placards pour être affichés ou lus dans les Églises, continueront, en conséquence, d'être affranchis du timbre et du dépôt. Mais les écrits qui, quel que soit leur titre, prenant pour franchir l'enceinte du sanctuaire la forme de brochure, vont trop souvent se mêler à la polémique temporelle, ne pourront dorénavant profiter d'une dispense qui n'a pas été établie pour eux.

« Je crois devoir, Monsieur, appeler sur cette distinction votre attention particulière ; c'est, comme vous le savez, à vous que sont imposées, comme imprimeur, les obligations du dépôt et du timbre ; c'est, par conséquent, vous qui seriez poursuivi s'il n'y était pas satisfait avec la plus grande ponctualité.

« Je vous prie, etc... »

Ainsi, d'après la théorie administrative, c'était par tolérance seulement qu'on laissait libre l'impression des mandements, lettres pastorales, etc... Ainsi, on chargeait l'imprimeur de se faire, à ses risques et périls, le juge du caractère des écrits épiscopaux. Cette lettre préfectorale n'était que la suite d'une circulaire écrite à la date du 10 novembre précédent par M. le Ministre de l'Intérieur, circulaire qui avait suscité de nombreuses réclamations de la part de l'Épiscopat.

Devant ces réclamations, le Ministre des Cultes, M. Rouland, écrivit lui-même aux Évêques, le 2 janvier 1861. Cherchant à expliquer la pensée de son collègue, il disait que, les Évêques ne lui envoyant plus, depuis un an, un double exemplaire de leurs mandements, il avait rétabli l'obligation du dépôt, non comme un acte de censure, mais comme un moyen plus rapide d'observation. Il insistait beaucoup sur la question du timbre, qui était obligatoire pour tous les écrits politiques n'excédant pas dix feuilles. Il terminait en disant que, dans une pensée bienveillante, le gouvernement consentait toujours à exempter les mandements, lettres pastorales, circulaires ayant trait aux relations obligées des Évêques avec leur clergé et les fidèles, mais que tous les autres écrits qui n'auraient pas ce caractère devaient tomber sous le coup de la loi. « Ainsi, concluait-il, restent exempts du timbre les lettres pastorales et mandements imprimés dans le format traditionnel, lus en chaire, affichés dans l'église et envoyés aux curés et desservants pour les besoins et dans les limites du diocèse. Mais si ces lettres et mandements, aspirant à un retentissement que l'Épiscopat n'avait pas coutume de juger nécessaire à l'accomplissement de ses devoirs spirituels, prennent la forme de brochures et deviennent un objet de colportage, de vente et d'exposition hors du diocèse, comme tous les imprimés livrés au commerce de la librairie et à la circulation générale, ils doivent être assujettis aux obligations du droit commun, suivant les matières qu'ils traitent. »

Monseigneur répondit : « Je reçois la lettre que vous nous avez fait l'honneur de nous adresser le 2 janvier, pour expliquer celle de M. Billault, ministre de l'Intérieur, concernant les mandements et les lettres pastorales des Évêques. Le gouvernement s'est ému des oppositions qu'elle a soulevées et des manifestations de certains prélats qui se sont fait les interprètes de leurs collègues. Mais Votre Excellence, traitant surtout et avec détail la question du timbre, laisserait croire que les Évêques auraient eu pour but de réclamer contre une mesure fiscale et que c'est cette augmentation de dépenses qui a inspiré leurs craintes. Je ne puis accepter cette interprétation, Monsieur le Ministre, et nous ne croirons point qu'un gouvernement comme celui de la France ait pu juger ainsi la question et descendre à de si minimes détails. Vous voudrez bien aussi nous rendre la justice de croire que nous envisageons nous-mêmes la question de plus haut et que nous aurions gardé le silence, si nous n'avions vu dans la circulaire de M. le Ministre de l'Intérieur qu'une mesure administrative sollicitée par les bureaux des Finances. Ce que nous avons vu, ce qui en ressortait aux yeux de tous, c'était une défiance et un moyen d'enchaîner la parole des Évêques. Tous avaient cru devoir élever la voix pour défendre le Souverain Pontife humilié, outragé, spolié. Ils ont surtout dévoilé l'injustice d'un Prince qui, oubliant ses serments et la noble foi de sa race, violait en même temps et la justice et l'honneur. L'histoire, un jour, flétrira de pareilles iniquités ; les Évêques n'ont fait que devancer son jugement. Mais, en manifestant leurs sentiments aux yeux des fidèles qu'ils sont chargés d'éclairer pour ce qui tient à la foi, aux droits de l'Église, à l'honneur du Saint-Siège, ils n'ont jamais eu l'intention d'attaquer le gouvernement français, ni Sa Majesté l'Empereur qui, plusieurs fois et dans des circonstances solennelles, a protesté de son dévouement pour le Saint-Père dont il avait promis de sauvegarder les domaines. Il nous était donc permis à tous de désirer que ces vœux fussent réalisés, et des espérances, Monsieur le Ministre, n'ont jamais été un crime.....

« Je n'ajoute plus qu'un mot. Votre Excellence fait une obligation aux imprimeurs de lui envoyer le double de nos mandements. J'étais dans l'habitude d'adresser les miens à M. le Premier Président, à M. le Procureur général et à M. le Préfet, pensant que ce magistrat pouvait vous les transmettre. J'aurais continué avec plaisir à suivre ce mode, et je regrette que la disposition nouvelle, dans les circonstances actuelles, ne ressemble à une surveillance qui peut ne paraître pas assez digne quand elle est exercée par les sommités du Pouvoir. »

Obligé par les réclamations des Évêques de céder sur la question de la publication des mandements, le gouvernement ne se tint pas pour battu, et M. le Garde des Sceaux, rééditant une législation d'un autre âge, voulut du moins empêcher les communications du clergé avec Rome. Monseigneur reprit la plume quelques semaines après : « Les occupations multipliées d'une tournée pastorale, écrivit-il au Ministre des Cultes, ne m'ont pas permis de vous écrire pour vous faire connaître la pénible impression que m'a fait éprouver la lecture de la circulaire de M. le Garde des Sceaux. Je craindrais cependant que mon silence ne fût pris pour acquiescement ou comme la conséquence d'une crainte que ma conscience repousserait, et je veux bien franchement faire connaître mon sentiment à Votre Excellence. Je le ferai avec d'autant plus de liberté que ces mesures ne peuvent m'atteindre.....

« Il eût été nécessaire, Monsieur le Ministre, de bien préciser les questions, les défenses, afin de distinguer les limites. Le gouvernement voudrait-il regarder comme un délit les sentiments de sympathie envers le Souverain Pontife, si digne, si patient, si malheureux?

« Nous ne pouvons le croire lorsque lui-même le défend, le protège et nous a fait plusieurs fois des déclarations dont nous aimons à garder le souvenir. Les articles sévères dont on voudrait nous faire l'application n'ont pas prévu un tel cas, et ils ne l'auraient pu sans injustice.....

« Il est un autre point qu'il eût surtout fallu définir et que notre conscience ne saurait admettre sans explication.

« L'art. 207 qui suit, comme conséquence de ceux qui le précèdent, menace de l'amende, de la prison et même, dans certains cas, du bannissement le ministre du culte qui aurait correspondu, sans autorisation préalable, sur des *questions* et des *matières religieuses* avec une cour ou puissance étrangère. D'abord, il faudrait dire si le Souverain Pontife, comme chef de la religion catholique, peut être considéré comme une puissance étrangère. Nous ne le pouvons pas admettre sans violer les principes canoniques. Il est la source, la seule source des pouvoirs religieux. Il en est qu'il se réserve, qu'il doit se réserver, que toute la tradition et les saints Conciles lui reconnaissent. Comment un gouvernement laïque voudrait-il et pourrait-il les restreindre en empêchant les Évêques et les prêtres même de s'adresser à lui pour les obtenir?

« Il y a des pouvoirs nécessaires pour la direction des consciences qui tiennent à l'exercice du Sacrement auguste de la pénitence, que le prêtre a besoin de solliciter, sans pouvoir jamais, sous les peines les plus graves, en faire connaître l'application et l'emploi. Est-il possible de supposer qu'un gouvernement laïque puisse s'immiscer dans de telles questions? L'Évêque lui-même ne peut en demander compte à ses prêtres. Et cependant l'Évêque et le prêtre ne peut pas demander ses pouvoirs sans correspondre avec le Souverain-Pontife. Je vais plus loin : même dans les questions religieuses qui ne tiennent pas au secret des consciences, pour les questions dogmatiques, un gouvernement voudrait-il se faire juge des questions de foi, en accordant ou en refusant une sanction? Je sais que le passé a offert de ces tristes anomalies et qu'il y a un siècle les parlements, égarés par les principes d'une fausse philosophie, voulurent se faire juges des questions dogmatiques. Mais l'on sait aussi quelles perturbations excitèrent ces arrêts et les ordres, sous peine de confiscation et de bannissement, pour administrer les Sacrements à des pénitents insoumis. Le passé doit éclairer le présent, Monsieur le Ministre, et le Gouvernement de l'Empereur est trop prudent pour descendre à de telles conséquences. Il eût donc été sage, Monsieur le Ministre, de faire des distinctions pour les prévenir et de ne pas laisser peser sur nous une menace plus qu'inutile, puisque nos consciences ne pourraient pas s'y soumettre. »

Ainsi luttait l'Évêque d'Angers pour les droits de la Sainte Église et de ses ministres. Cette lutte, il est vrai, s'imposait. Les lettres et circulaires ministérielles adressées à l'épiscopat, appelaient naturellement l'attention et fournissaient d'elles-mêmes l'occasion de répondre. Mais une foule de décrets particuliers, d'empiètements inaperçus pouvaient passer sans émouvoir l'opinion, et il fallait un œil attentif pour les découvrir et une grande vigilance pour les empêcher de faire bien du mal. C'est ainsi que, dès l'année 1850, la fameuse loi du 15 mars était déjà faussée dans son esprit. L'Évêque d'Angers dut en entreprendre la défense. On peut dire, sans exagération, que ses efforts persévérants ont maintenu aussi longtemps que possible les droits créés par la loi de 1850 en faveur de l'enseignement libre. On se tromperait grandement, en effet, si l'on croyait que le gouvernement impérial a été favorable à cet enseignement. Cette législation, œuvre d'efforts si prolongés et si dévoués fut, hélas ! dès le début, battue en brèche : le décret du 29 juillet 1850 commença la série des mesures administratives ou législatives qui devaient changer la nature et le caractère de la loi sur l'enseignement primaire.

Le décret du 9 mars 1852, ceux du 31 décembre 1853 et du 15 février 1854, la loi du 14 juin de la même année, etc... eurent pour objet principal de reporter au pouvoir central la plus grande partie des attributions laissées aux autorités locales et de replacer ainsi sous l'omnipotence de l'État cet enseignement libre que la loi de 1850 avait précisément voulu lui soustraire. Toutes ces modifications qui se faisaient sournoisement et presque toujours à coup de décrets, Mgr Angebault les déplorait et les combattait autant qu'il pouvait.

Au mois de février 1861, il fit une longue circulaire qui n'était qu'un commentaire clair et précis des principales dispositions de la loi de 1850 et des lois et décrets subséquents ayant trait à l'enseignement primaire. Il y montrait avec évidence le parti pris par l'État de modifier profondément le mode d'enseignement en France.

« Si la loi de 1850, disait-il, n'a pas satisfait tous les vœux, on peut dire cependant qu'elle a eu d'importants résultats et qu'elle a été le signal de l'apaisement de la lutte : que la libre concurrence pour les méthodes devait tourner au profit de l'enseignement en encourageant tous les efforts.

« Le caractère des modifications subies par la loi est notablement différent : toutes ces modifications nous semblent inspirées par une idée fixe et manifestent toutes une tendance commune, l'absorption par l'État de la direction de l'enseignement ; il suffit, pour s'en convaincre, de se reporter aux détails que nous avons donnés. Ainsi, on verra :

« Que le principe de l'éligibilité de la plupart des membres des conseils supérieurs, académiques, départementaux, a été supprimé ; le Ministre nomme et révoque ces membres.

« Ce point était fondamental pour la liberté d'enseignement ; c'était la reconnaissance d'une action en dehors de l'État ; la nomination et la révocation, par le Ministre, replacent toutes choses sous la direction et l'influence du Pouvoir ;

« Que le nombre des sessions du Conseil Supérieur, leur mode, sont soumis à la volonté du Ministre ;

« Que toutes les attributions exercées par le Recteur sont déférées au Préfet, qui concentre entre ses mains toute la direction de l'enseignement primaire ;

« Que le droit de nomination des instituteurs est passé des Conseils municipaux au Préfet ;

« Que la liberté d'action des délégués cantonaux a été entravée de la manière la plus fâcheuse par l'obligation où ils ont été placés d'admettre l'Inspecteur primaire à leurs réunions et d'instruire toutes les affaires par son entremise.

« Toutes ces modifications et beaucoup d'autres dont nous ne pouvons parler, sont graves. Évidemment elles ont profondément altéré, sinon détruit complètement l'esprit de la loi de 1850 et, par conséquent, nous ont enlevé, pièce par pièce, une œuvre qui avait coûté tant de travail, que nous avions saluée comme le commencement d'une ère nouvelle, qui était la sauvegarde de la liberté d'enseignement, et par là même de la liberté de l'Église et de la Société. »

En présence d'un tel état de choses, Monseigneur ne pouvait que le constater et donner les instructions et éclaircissements nécessaires sur la nouvelle situation faite à l'enseignement libre. C'est ce qui lui avait mis la plume à la main.

Il était facile de prévoir qu'un exposé si simple de la question devait attirer l'attention et mériter les reproches de M. le Ministre de l'Instruction publique et des Cultes? C'est ce qui arriva.

M. Rouland écrivit à Mgr Angebault, à la date du 19 juillet 1865, une longue lettre, dans laquelle, après avoir regretté que l'Évêque ne se fût pas concerté avec le Ministre, il cherchait à infirmer la plupart des allégations contenues dans la circulaire d'avril. Il affirmait d'abord, ce qui n'était pas vrai, que le décret du 29 juillet 1850 avait été rendu sous forme de règlement d'administration publique, c'est-à-dire après avoir été adopté par le Conseil d'État; il soutenait que les communes n'avaient pas le droit de voter une subvention aux écoles libres et que toute subvention votée en faveur d'une école en faisait une école communale, que les maisons d'enseignement secondaire pouvaient seules recevoir un secours d'une commune sans perdre leur caractère d'établissements libres; il exprimait le regret que Monseigneur gardât ses préférences pour les écoles libres; il revendiquait le droit que contestait l'Évêque pour les Inspecteurs d'interroger les élèves pour s'assurer que dans l'école on n'enseignait rien contre la morale, les lois ou la constitution. Enfin, il terminait par ces paroles de reproche : « J'ai hâte de clore cette longue discussion. Je ne puis cependant y mettre un terme sans en appeler à vous-même de l'esprit général de critique qui règne dans cet écrit à l'égard de presque toutes les prescriptions du Gouvernement qui ont eu pour but soit de faire exécuter, soit de modifier la loi du 15 mars 1850. Je ne puis non plus admettre sans contestation cette pensée qui se dégage de l'ensemble de vos observations, que les écoles libres doivent être plus particulièrement chères au clergé et à toutes les personnes religieuses. » La fin était une menace non déguisée. « Aussi apprendrais-je avec une vive satisfaction que Votre Grandeur crût devoir modifier, sous les rapports les plus essentiels, sa circulaire, et m'épargnât ainsi la douleur de la contredire officiellement sur tant de points où nos efforts doivent se réunir dans un intérêt public de l'ordre le plus élevé. »

Il fallait vraiment à M. Rouland toute la confiance qu'il avait en lui-même pour oser écrire une pareille lettre. Qu'il cherchât à pallier les graves modifications apportées à la loi du 15 mars, on le comprend ; mais, qu'il eût l'audace de convoquer un Évêque à entrer dans ses vues, à trouver bon un régime qui détruisait, pièce par pièce, l'œuvre pour laquelle les catholiques avaient lutté pendant vingt ans et à préférer les écoles publiques aux écoles libres qui étaient surtout l'œuvre du clergé, vraiment il fallait, pour cela, ne douter de rien.

L'Évêque d'Angers lui répondit quelques jours après.

« Monsieur le Ministre,

« Le 19 juillet dernier une lettre m'a été adressée de vos bureaux concernant une circulaire publiée par moi le 20 février et relative à la loi du 15 mars 1850. J'ai été étonné du long délai écoulé entre la publication d'une circulaire que j'avais eu l'honneur d'adresser à Votre Excellence, et que je croyais très inoffensive, et des observations en forme de reproches qui me sont parvenues tardivement. Je vous demande permission de répondre aux chefs multipliés que renferme la lettre du 19 juillet...

« Si je ne me suis pas préalablement concerté avec M. le Ministre, c'est que la pensée ne m'en est pas même venue, ne pouvant croire qu'il y eût divergence sur une question qui me semblait surtout historique, et aussi parce que les quelques observations renfermées dans la circulaire étaient des appréciations personnelles.

« M. le Ministre croit d'abord devoir me signaler ce que je dis du décret du 29 juillet 1850 et un blâme m'est infligé à cause de la manière dont je l'interprète.

« Dans une première rédaction je m'étais contenté de constater que ce décret dérogeait à la loi de 1850 et c'est un fait évident; mais je communiquai mon projet de circulaire à plusieurs de mes vénérables collègues et, notamment, à un des membres du Conseil supérieur, et l'un d'eux[1] me fit connaître que ce décret du 29 juillet était moins un décret qu'une circulaire du Ministre (M. de Parieu); qu'il avait été fait sans avis préalable du Conseil supérieur et qu'il fut censuré et annulé par ce même Conseil comme contraire à la loi de 1850, dans une séance du mois de juin...

« La lettre du 19 juillet consacre un long paragraphe pour combattre ma pensée relative aux écoles libres et pose pour principe qu'une école devient communale aussitôt qu'elle reçoit une libéralité de la commune.

« Sur ce principe fondamental, il m'est impossible d'accepter une telle interprétation. C'est une opinion nouvelle que personne jusqu'ici n'a acceptée. Elle est contredite par les faits. » Après avoir démontré cette dernière assertion et prouvé que la distinction établie par le Ministre, entre les maisons d'enseignement secondaires et les écoles primaires, était vaine et sans fondement, l'Évêque continuait : « L'opinion émise par moi s'appuie sur l'avis unanime des commentateurs de la loi de 1850[2].

[1] Celui qui avait renseigné Mgr Angebault, quel qu'il soit, ne l'avait pas induit en erreur, car Mgr Parasis, Évêque d'Arras, membre du Conseil supérieur, a écrit lui-même, le 24 août suivant, ces mots : « Le fameux décret du 29 juillet 1850 n'a pas été *préalablement soumis au Conseil d'État*. Il a été fait à *notre insu* et mis au Bulletin des lois malgré notre *blâme infligé* à la *circulaire Parieu* qui en est la base. »

[2] V. Mgr d'Arras, *Instruction sur la loi d'enseignement*, p. 37 ; — *Commentaire sur la loi d'enseignement*, p. 57, 149, 150.

« Elle s'appuie sur le texte de la loi. L'art. 14 dit : « Le Conseil académique donne son avis sur les secours et sur les encouragements à donner aux écoles primaires; et, dans cet article, il s'agit évidemment des écoles en général, libres ou communales. La loi ne fait pas de distinction. Or, *ubi lex non distinguit nec nos distinguere debemus.*

« Elle s'appuie enfin sur l'esprit de toute la discussion, ainsi qu'on peut voir au *Moniteur.*

« Un blâme m'est infligé dans la lettre du 19 juillet parce que j'exprime une préférence pour les écoles libres.

« J'accepte cette accusation, M. le Ministre, mais je repousse avec toute l'énergie de ma loyauté le motif injurieux qu'on me prête pour cette préférence, à savoir parce que les *établissements libres échappent plus facilement à la surveillance de l'État.* Je n'ai jamais décliné ni repoussé cette surveillance. Si je préfère les établissements libres, ce n'est pas par *crainte de la surveillance de l'État,* mais par *crainte de l'enseignement par l'État.* Il y a entre ces deux choses une différence fondamentale. »

Ici Monseigneur entre dans une discussion, trop longue pour être rapportée, mais d'où ressort clairement un des caractères de la loi de 1850 qu'on n'a peut-être pas assez remarqué. La loi n'avait pas supprimé l'enseignement par l'État, elle lui donnait, ou, si l'on préfère, elle lui reconnaissait la liberté d'enseigner. Mais l'enseignement public, comme l'enseignement privé, était soumis à une série de lois et règlements qui dirigeaient, inspiraient et contenaient l'enseignement officiel aussi bien que l'enseignement établi en dehors du Gouvernement. Ce n'était pas le pouvoir, c'était plutôt la nation qui, par l'élection, nommait la plupart des autorités scolaires qui devaient surveiller et développer l'enseignement en France. C'est justement parce que le Gouvernement voulait changer ce caractère de la loi de 1850, qu'il avait supprimé une partie des élections et remis aux Préfets la plus grande part des pouvoirs concédés aux corps constitués par la loi de 1850. C'était là l'usurpation du gouvernement impérial.

« La loi de 1850, continue l'Évêque d'Angers, au lieu de se développer dans le sens de la liberté d'enseignement, a subi une direction opposée. Les preuves se trouvent dans tous les décrets ou circulaires ministérielles sur l'enseignement. Qu'on lise tous ces décrets, ces circulaires, il est impossible de ne pas s'apercevoir qu'il y a une préoccupation identique, persévérante, qui les a inspirés, savoir : remettre l'enseignement entre les mains de l'État; par suite, à peu près tout ce qui, dans la loi du 15 mars 1850, confiait à la sollicitude d'hommes choisis par la Société la direction de l'Enseignement, a été retranché ou confié au pouvoir. Ainsi, pour entrer seulement dans quelques détails :

« Le principe de l'éligibilité de la plupart des membres des Conseils supérieur, académique, départementaux, a été supprimé. M. le Ministre nomme et révoque ces membres ;

« Le nombre des sessions du Conseil supérieur, leur mode, sont soumis à la volonté de M. le Ministre ;

« Le Préfet exerce toutes les attributions déférées au Recteur et concentre dans ses mains la direction de l'enseignement primaire. Le Préfet nomme les instituteurs ;

« La liberté des délégués cantonaux a été entravée, et dans la plupart des localités cette action elle-même ne s'exerce plus.

« Ces mêmes preuves se trouvent encore dans le sentiment général. Quiconque a observé la marche de la législation sur l'enseignement proclame hautement que la loi de 1850, sur les points les plus importants, est ou abrogée ou à l'état de lettre morte.

« Tout le monde le comprend, et les représentants même de l'autorité ne dissimulent pas leur pensée à cet égard ; ils disent hautement qu'il ne faut plus se placer au point de vue de 1850, que c'était une loi de circonstance et qu'il faut que l'État recouvre ses droits.

« Les faits prouvent également, de la manière la plus évidente, le changement radical introduit dans la loi.

« En effet, qui dirige l'enseignement, qui l'inspire, qui le donne, je ne dis pas seulement dans les écoles supérieures, dans les établissements d'instruction secondaire, mais dans les innombrables écoles communales de la France ? C'est l'État, l'État seul qui enseigne par le Recteur, le Préfet, par l'Inspecteur, par l'Instituteur communal. L'Instituteur communal est si bien l'homme de l'État, de l'Autorité, qu'on l'investit, dans maintes circonstances, de rôles politiques ; qui ne sait la conduite des instituteurs pour les élections ? Ce n'était pas dans ce sens que le Ministre traçait leurs devoirs dans la circulaire de janvier 1850.

« Que fait l'instituteur communal ? Il doit accepter les livres qui lui sont donnés, les méthodes qui lui sont imposées ; il n'a pas même la liberté de varier l'ordre ou la matière de son enseignement. Il faut qu'il rende compte de ce qu'il a fait lire, de ce qu'il a fait apprendre, de ce qu'il a enseigné ; jour par jour, il tient, à la disposition de l'Autorité, l'état détaillé et la note précise de son enseignement. Ce n'est point une critique que j'exerce, je ne veux point blâmer, je raconte.

« Voilà donc l'enseignement par l'État, c'est l'État qui le donne d'une manière directe et sans contrôle.

« Or, dans ma circulaire, j'ai dit, par rapport à cette situation, deux choses qu'il m'est impossible de désavouer, parce qu'elles sont vraies :

« 1° Cette situation n'est pas celle qu'avait faite la loi de 1850 ;

« 2° Cette situation n'est pas favorable à la liberté de l'enseignement.

« Voilà pourquoi je suis plus favorable à la liberté des

écoles. C'est, au reste, une appréciation que je me croyais moi-même libre d'avoir, et je ne puis comprendre qu'on en fasse le sujet d'un reproche. »

Enfin, après avoir montré comment l'opinion qu'il avait émise sur les droits de visite de l'Inspecteur s'appuyait sur le texte même de la loi, sur l'autorité de tous les commentateurs de la loi de 1850 et sur l'usage généralement suivi depuis dix ans, Monseigneur terminait ainsi cette longue lettre :

« Je crois pouvoir dire hardiment, Monsieur le Ministre, que nul ne peut me taxer de m'être montré hostile au gouvernement actuel. Souvent je l'ai remercié des services rendus à la religion et à la patrie dans ces jours difficiles, et maintenant encore je serais le premier à applaudir, pour la propagation de l'enseignement, à des moyens qui, sans nuire à la sûreté de l'État ni à ses droits, permettraient à l'Église de recouvrer le libre exercice de sa sainte mission; mais, malgré ma modération bien connue, il m'est impossible de ne pas voir, dans la marche suivie et le développement donné à la loi du 15 mars 1850, un état de choses qui inspire de graves inquiétudes. Et voilà pourquoi, tout en ayant le regret de me voir en désaccord sur certains points avec la lettre de Votre Excellence, tout en protestant qu'aucune pensée hostile n'a inspiré ma circulaire, je me vois dans la nécessité de dire qu'il me serait impossible de la désavouer.

« J'aime à penser que vous ne permettrez pas, Monsieur le Ministre, que l'on m'inflige un blâme officiel, comme on paraît m'en menacer. Il me resterait à voir alors quels moyens j'aurais à prendre pour faire connaître ma bonne foi et mon innocence.

« J'ai l'honneur, etc... »

Cette lettre reçut l'approbation complète des prélats auxquels elle fut communiquée. « Je viens de lire la lettre du Ministre et votre réponse, écrit l'Archevêque de Tours.

Votre discussion me paraît très solide, triomphante, mais nous sommes des *suspects*, des *vaincus*, et nous nous trouvons en présence de ceux qui ont la force en mains. C'est pour cela que nous avons toujours tort Quand ils avaient besoin de nous et de nos influences, ils nous ménageaient davantage. Je crois que vous faites bien de vous défendre. »

L'Évêque de Quimper ne tint pas un autre langage. « La théorie sur les écoles libres devenues communales par le fait d'un secours qu'elles reçoivent et sa distinction entre les écoles primaires et les écoles secondaires ne me paraît pas sérieure ni soutenable.

« Vous résumez admirablement votre réponse au reproche de préférer les écoles libres, quand vous dites que la loi fit « plus que de juxtaposer l'enseignement libre à celui de l'État et qu'elle voulut, chose bien digne de remarque, donner à l'enseignement officiel lui-même une sorte de contrôle et, autant que possible, la liberté ». Tel a été, en effet, l'esprit de la loi du 15 mars 1850.....

« Votre instruction m'a paru si juste que je l'ai lue à mon clergé dans la retraite et le Synode. »

Enfin Mgr Parisis, Évêque d'Arras et membre du Conseil supérieur, fut encore plus explicite.

« Il n'y a pas une demi-heure que j'ai reçu votre dépêche d'hier et déjà je l'ai lue tout entière. C'est un débat plein d'intérêt et où vous avez pour vous la vérité des faits comme celle des principes.

« Vous voyez bien, entre autres, que le fameux décret du 29 juillet 1850 n'a pas été soumis préalablement au Conseil d'État. Il a été fait à notre insu et mis au *Bulletin des lois*, malgré notre blâme infligé à la circulaire Parieu qui en est la base. »

« Votre réponse est exacte en tous ses points, et je n'hésite pas à vous dire qu'il faut l'envoyer telle quelle. S'il s'agissait de la rendre publique, il y aurait quelques modifications de forme à y faire.

« Tout est menaçant partout, notamment du côté de l'Université. C'est le temps de parler encore jusqu'à ce qu'on étouffe tout à fait notre voix. »

Nous n'avons pas appris que le Ministre ait mis ses menaces à exécution et, pour cette fois encore, le gouvernement dut ralentir sa marche envahissante.

On reconnaît ici la tactique habituelle de l'Évêque d'Angers :

Elle fut invariablement la même chaque fois qu'il crut devoir résister aux empiètements du pouvoir. Avoir l'œil ouvert sur tout ce qui menaçait la liberté de l'Église, noter jour par jour chacun des faits et gestes de l'autorité, faire, quand il avait les preuves en main, le procès aux envahisseurs, tenir au cours de ses démarches ses vénérés collègues, afin qu'aucun ne fût surpris, et engager alors l'action sur le terrain qu'il avait lui-même choisi ; garder d'ailleurs dans la bataille la courtoisie des formes, ne point chercher le bruit, mais ne redouter aucunement la publicité qui faisait si grand peur au ministre, telle fut la pratique constante à laquelle il dut tant de victoires.

On ne s'étonnera pas toutefois, si nous disons que cette lutte ne lui mettait au cœur que fort peu de tendresse pour l'Université. Dans tout ce qui était officiel il était, certes, fort correct, et nous devons reconnaître qu'il rendait justice à tous. Mais nous retrouvons dans sa correspondance intime l'expression de ses vrais sentiments.

Parmi ses amis, il n'en eut pas de meilleur ni avec qui il fut plus à l'aise que le célèbre abbé Jean de la Mennais, fondateur des Frères de l'Instruction chrétienne de Ploërmel et des filles de la Providence de Saint-Brieuc. Frère du célèbre écrivain, qu'il égalait peut-être en talents, qu'il surpassait en science et en prudence, Jean de la Mennais ne fut pas un écrivain uniquement parce qu'il voulut être et fut un homme d'œuvres. A ce titre, il était un idéal pour Mgr Angebault. Leur liaison, qui date des environs de 1830, ne fut brisée que par la mort. Les frères de Ploërmel possèdent une volumineuse correspondance de Mgr l'Évêque d'Angers avec leur vénéré Père. Dans ces lettres si intimes nous avons retrouvé, sous la forme humoristique qu'affectionnait Monseigneur, quelques paroles au sujet de l'Université qui sont fort caractéristiques.

« Toutes les tracasseries de l'Université, disait-il dès 1836, font grand pitié ; il faut bien, comme les Israélites, édifier d'une main et se battre de l'autre. »... Vive l'absence pour les gens de l'Université. Je vote pour qu'ils aillent bien loin, bien loin ou (comme disait dans mon enfance une vieille gouvernante) tant que terre puisse les porter, et alors ce sera non pas de l'amitié mais de l'amour que j'aurai pour eux.

« Se peut-il qu'on soit condamné à remuer ciel et terre et à faire, pendant un mois, antichambre chez tous les conseillers d'État pour obtenir une permission de montrer à lire et à écrire. La bureaucratie nous perd, mon très cher.

« Le dirai-je tout bas, écrivait-il en 1848, je trouve qu'on n'a pas été assez juste pour ce pauvre Louis-Philippe... Dites-moi, je vous prie, si la révolution de 48 a enterré l'Université sous un de ses pavés. »

Enfin, à propos des agissements de M. Duruy, il disait en 1867 : « Que dites-vous de cette nouvelle folie de M. Duruy ? Encore s'il n'était que fou ! Mais ces gens-là veulent étendre leurs mains glacées jusque sur le cœur de la femme et de la jeune fille. Je les combattrai jusqu'à la fin. »

Ces vives paroles n'ont pas de quoi nous étonner. Mgr Angebault était seulement en avance de son temps.

Aujourd'hui l'Université ne se soutient plus guère que par l'influence et l'argent de l'État. N'entendions-nous pas dernièrement deux de nos illustres académiciens, dans une séance officielle de réception, faire spirituellement mais cruellement le procès à « ce laminoir scolaire qui reçoit des êtres variés comme les créations naturelles, qui rend des produits pareils garantis sur facture ou sur diplôme. « L'Empereur, c'est M. de Vogüé qui parle ainsi de l'Université, nous a dotés d'une machine de précision qui doit broyer les caractères des petits français, tuer leur initiative, faire leurs intelligences uniformes ». Avouons-le, Mgr Angebault n'était point pour cette machine-là.

CHAPITRE XIII

Communautés religieuses

Lazaristes. — Oblats de Marie. — Pères du Saint-Sacrement. — Pères de Chavagnes. — Visitandines. — Voyage à Rome. — Incident du retour. — Affaire des jeunes prêtres. — Le manifeste des 7. — La lettre d'obédience. — L'encyclique et le Syllabus.

Non content de défendre les positions acquises, l'Évêque d'Angers cherchait tous les moyens d'implanter des œuvres nouvelles dans son diocèse. Les difficultés qu'il avait trouvées à l'établissement des capucins ne l'avaient pas découragé. Il retirait tant de fruits de la présence des religieux, auxiliaires du Clergé paroissial, qu'il saisit avec empressement l'occasion qui se présenta, d'appeler les Lazaristes. Il leur céda la maison où il avait d'abord établi les prêtres de l'Adoration. C'était une véritable résurrection.

Les prêtres de la mission avaient été établis à Angers, quinze ans après la mort de saint Vincent-de-Paul, le 15 octobre 1675, par M. Jolly, troisième supérieur général de la Congrégation. Leur maison, située rue Valdemaine, avait vécu jusqu'à la grande révolution et n'avait disparu qu'en 1793. Il était juste qu'à la renaissance des ordres religieux en France, les prêtres de la mission reprissent le cours interrompu de leurs travaux à Angers. Ils se réinstallèrent dans leur nouvelle maison en 1860.

L'abbé de Mazenod, depuis Évêque de Marseille, avait fondé, en 1815, la congrégation des Oblats de Marie. La pensée lui en vint de ses propres œuvres. Poussé par son zèle au service des pauvres et des prisonniers, il commença son ministère sacerdotal par des prédications données aux classes ouvrières et dans les prisons. Les fruits qu'il recueillit de ce ministère tout de charité lui firent concevoir le projet de s'adjoindre quelques prêtres, animés du même zèle. En rapport, très jeune encore, avec les cardinaux de la sainte Église, amenés de Rome en France au commencement de ce siècle, il avait puisé dans leur société le goût et l'amour des choses de Rome, qu'il sut inspirer aux membres de sa congrégation. Ils furent les hommes du Pape et les hommes de l'Évêque, comme il disait lui-même, leurs succès furent rapides et, vers 1825, après avoir donné des règles à ses religieux et les avoir soumis à l'épreuve de l'expérience, il demanda à Rome l'approbation de sa congrégation, qui fut accordée par Léon XII, le 17 février 1826.

Or, au mois de février 1860, deux Pères de cette congrégation, donnant une mission à la ville de Craon, vinrent visiter, à Angers, une propriété appartenant au Père Lœvenbruck, missionnaire apostolique, ancien missionnaire de France, homme généreux et qui a fait au diocèse d'Angers de magnifiques dons. La maison se trouva fort du goût des bons Pères qui en parlèrent à leur supérieur général, Mgr de Marseille. Le mois suivant, les Oblats firent dire au Père Lœvenbruck qu'on accepterait volontiers sa maison, s'il voulait bien l'offrir, ce qu'il s'empressa de faire avec son désintéressement habituel. L'Évêque de Marseille en référa à celui d'Angers. Mgr Angebault, au temps des luttes contre le journalisme, avait conçu une haute idée de la piété et de la sagesse de Mgr Mazenod. Il accueillit cette ouverture et les Pères Oblats vinrent s'installer à Angers au mois de juillet suivant.

Un peu plus tard, ce fut le tour des Pères du Saint-Sacrement.

Le 12 juillet 1862, le Père Eymard, fondateur et supérieur des Pères du Saint-Sacrement, adressait à Monseigneur une demande ainsi conçue : Nous venons en toute simplicité et confiance « exposer à Votre Grandeur le « désir que nous avons de fonder, dans votre pieuse ville « d'Angers, une maison d'Adoration ».

La raison que le R. P. Eymard donnait du choix de la ville d'Angers était la convenance d'élever à Jésus-Christ un « trône d'honneur et d'amour sur le lieu même où un « prêtre impie (Bérenger) osa nier le dogme de l'Eucha« ristie ».

Le digne Supérieur faisait ensuite connaître à Monseigneur son nouvel Institut. Il avait pour but de faire honorer Notre-Seigneur dans l'Eucharistie par l'exposition solennelle et l'Adoration perpétuelle du Très Saint-Sacrement. Cette demande répondait aux vœux du pieux prélat, qui regrettait toujours les prêtres diocésains de l'Adoration, il l'accueillit avec joie et, trois jours après, il répondit favorablement. Le Ministre fit quelques difficultés pour l'établissement de cette fondation. Mais, sur les instances et les explications de Mgr Angebault, il finit par donner son approbation au commencement de novembre. « Je suis « tout heureux de la bonne nouvelle de la permission de « M. le Ministre pour la fondation d'Angers, écrivait à « Monseigneur le Père Eymard, à la date du 16 novembre. « Il a fallu tout le courage et tout le dévouement de votre « piété pour triompher de tant d'obstacles. »

La pensée des Pères et de Monseigneur était d'acheter et de réparer la chapelle même du tertre Saint-Laurent où Bérenger avait prêché son hérésie. Nul lieu ne répondait mieux à la vocation des Pères du Saint-Sacrement; mais ils ne purent s'y établir parce qu'elle était devenue la propriété de la ville d'Angers et ils furent heureux de recevoir l'hospitalité des Carmélites. C'est donc dans leur chapelle qu'ils commencèrent l'exposition perpétuelle du Très Saint-Sacrement.

A toutes ces maisons religieuses devait s'en adjoindre une autre par la suite. Nous voulons parler des Pères de Chavagnes.

Nous avons vu quelles avaient été autrefois les relations de Mgr Angebault avec le Père Baudouin. Le souvenir qu'il en avait gardé le disposait tout naturellement à faire bon accueil aux enfants du vénérable fondateur.

Au mois de décembre 1866, le curé de la paroisse d'Andrezé, M. de Mergot, proposa à Monseigneur d'appeler les Pères de Chavagnes ; il offrait d'en recevoir un ou deux dans sa cure, puis de leur donner plus tard une maison séparée, à moins que la paroisse ne leur fût donnée à desservir par l'Ordinaire. Ainsi entendue, la fondation ne souffrait aucune difficulté sérieuse, et elle semblait sur le point de se faire.

Sur ces entrefaites le digne curé de Notre-Dame de Cholet, M. l'abbé Coutant, supérieur des religieuses de Sainte-Anne, à Saumur, s'était abouché avec les Pères de Chavagnes. Dans sa pensée, la communauté de Sainte-Anne, en achetant la maison de la Providence à Saumur, avait surtout en vue le célèbre pèlerinage de Notre-Dame des Ardilliers. Or, pour desservir ce pèlerinage, il fallait une communauté de bons religieux, qui pourraient y donner leurs soins. Ce rêve, longtemps caressé, s'évanouissait toujours. M. Coutant cependant, en ayant fait part aux Pères de M. Baudouin, ceux-ci acceptèrent l'offre et, après quelques pourparlers préparatoires, M. Coutant en référa a Monseigneur.

Celui-ci donna son approbation et les Pères renoncèrent à la fondation d'Andrezé pour venir à Saumur, se consacrer au service des religieuses de la Providence et de leurs pensionnaires et surtout à celui du pèlerinage de Notre-Dame des Ardilliers.

Quelques années auparavant, Monseigneur avait aussi rappelé les Visitandines à Angers. L'ancien monastère de la Visitation de Sainte-Marie d'Angers datait de la première moitié du XVIIe siècle. Il avait été établi en janvier 1636, par Guy Lasnier, abbé de Vaux, chanoine et archidiacre d'Angers, et la Mère Chantal elle-même avait désigné six des sœurs de Paris pour la fondation d'Angers.

Le couvent fut supprimé pendant la Révolution, en 1791, et les sœurs se dispersèrent. Quelques-unes, qui ne voulurent pas rentrer dans le monde, allèrent se réfugier à l'hospice des Incurables. Mais, ayant appris que le monastère de Blois n'avait pas été fermé, elles sollicitèrent de Mgr Montault la permission de demander leur admission à Blois. Trois d'entre elles seulement l'obtinrent et se rendirent à la maison de Blois qui, en 1822, fut transférée au Mans.

Or, au mois d'août 1815, une demoiselle Justine Bergeron, âgée de neuf ans seulement, entrait comme pensionnaire au couvent de Blois où elle trouvait les trois Visitandines d'Angers. En 1823, elle se présenta au Mans, où avait été transférée la communauté de Blois, comme postulante ; elle y fit son noviciat et prononça ses vœux en 1825, sous le nom de sœur Anne-Marie.

C'est elle que la Providence avait choisie pour relever la maison d'Angers dont elle avait pu apprendre les traditions par les anciennes sœurs qu'elle avait connues à Blois.

Voici comment elle y fut amenée. Une dame de la Perraudière, née Prévost de la Chauvellière, devenue veuve à l'âge de quarante-trois ans, résolut de se consacrer à Dieu par les vœux de religion aussitôt que ces quatre enfants pourraient se passer de ses soins. L'heure étant venue, elle fit, mais en vain, des démarches auprès de plusieurs communautés ; ses avances ne furent pas agréées. Le grand obstacle, on le comprend, était son âge avancé. Le noviciat religieux est toujours bien pénible pour celles qui, trop âgées, ont des habitudes qui sont devenues une seconde nature. Repoussée plusieurs fois, elle ne se rebuta pas et songea alors à cette congrégation fondée par saint François de Sales justement en faveur des veuves et des personnes âgées. Elle eut recours à la Visitation et entreprit de rétablir l'ancien monastère d'Angers. Elle ne fut pas d'abord plus heureuse dans ses démarches et aucune des communautés auxquelles elle s'adressa ne voulut entrer dans ses vues.

Sans se décourager, elle recourut, au commencement de 1862, à la Mère Anne-Marie Bergeron, Supérieure de la Visitation du Mans. Elle essuya un nouveau refus. C'était à faire reculer la plus énergique des volontés. Mme de la Perraudière ne se découragea point. Elle fit solliciter, par M. l'abbé Boulangé, aumônier de la Visitation du Mans, la faveur de faire une retraite au monastère. La Mère Bergeron comprit sur-le-champ où elle voulait en venir et, avant de lui répondre, elle écrivit à Mgr Angebault pour lui confier les intentions de Mme de la Perraudière.

L'Évêque d'Angers aimait particulièrement le saint fondateur de la Visitation et portait par là même un vif intérêt à ses chères Filles, et il conçut immédiatement l'espoir de les appeler à Angers. Il répondit : « Les sentiments d'estime et de vénération que je professe depuis longtemps pour les pieuses Filles de Saint-François-de-Salles me feront toujours accueillir avec satisfaction leur présence dans mon diocèse et particulièrement à Angers, qui possédait autrefois une maison de la Visitation. Je suis heureux, ma Révérende Mère, de vous donner cette assurance. »

Toutefois, avec sa prudence ordinaire, Monseigneur n'oublia point les intérêts qui étaient en jeu. Plusieurs grands pensionnats religieux donnaient l'instruction aux jeunes demoiselles de la société angevine ; peut-être l'établissement d'une nouvelle maison d'éducation eût-elle pu être nuisible plutôt qu'utile. Monseigneur le craignit et en écrivit au Mans : « Je verrai avec satisfaction la fondation à Angers d'une maison de la Visitation, mais, afin d'éviter tout embarras ultérieur, je désire, dans l'intérêt du bien, poser une condition bien expresse et bien précise, c'est que cette maison n'aura point de pensionnat. Mais, j'aime à le répéter, si la fondation peut se réaliser dans les conditions dont je viens de parler, j'en serai heureux, et j'espère que Notre Seigneur en sera glorifié. »

La Communauté du Mans crut pouvoir accepter les conditions de l'Évêque d'Angers, et elle fit écrire à Mme de la Perraudière qu'il lui était permis de venir faire sa retraite. Elle arriva le 29 novembre 1862. Il va sans dire qu'elle passa la meilleure partie de sa retraire à s'occuper de la fondation projetée.

La Supérieure du Mans crut devoir alors en référer à son Évêque et lui confier les plans de Mme de la Perraudière ainsi que les sentiments de Mgr Angebault. Dès le premier instant, Mgr Fillion donna les mains à ce projet, qu'il approuva comme une œuvre excellente, propre à renouveler et à accroître la ferveur des bonnes religieuses. C'est ainsi que fut décidée la fondation d'Angers, le jour même de la fête de l'Immaculée Conception, 8 décembre 1862.

Mais de la décision à l'exécution il y a loin encore. Un premier voyage que fit à Angers la Mère Bergeron suffit pour la convaincre que de tous côtés les Visitandines recevraient le meilleur accueil. Elle fut reçue avec la plus grande cordialité par la Supérieure générale du Bon-Pasteur. Le Père Recteur des Jésuites lui écrivit : « Qu'il me soit permis de vous dire combien je suis heureux de votre projet ; car, si tout Jésuite aime la Visitation, je vous avoue qu'il n'en est aucun qui l'aime plus que moi, et depuis longtemps je faisais des vœux pour votre établissement ici. Soyez donc assurée à l'avance de notre concours pour vous être utile autant qu'il dépendra de nous ! » Mgr Angebault reçut les bonnes Sœurs avec la plus grande bonté, les excita à répondre courageusement aux vues de Dieu, nonobstant les difficultés qu'il ne leur dissimula pas et l'impossibilité où il se trouvait de faire personnellement aucun sacrifice pour leur venir en aide. Enfin partout elles reçurent le même accueil bienveillant et sympathique.

Le projet de fondation pour Angers était donc en bonne voie, quand tout d'un coup il fut remis en question. On proposait aux Sœurs de la Visitation le rachat de l'ancien couvent de Moulins. La Communauté du Mans hésita entre Moulins et Angers. Heureusement qu'elle eut l'idée de demander l'avis de la première maison d'Annecy, qui fut entièrement favorable à la fondation d'Angers.

Cet obstacle levé, d'autres se présentèrent, plus grands encore. Mme de la Perraudière eut beaucoup de peine à sortir de quelques difficultés de famille qui l'arrêtèrent un instant; puis il fut difficile et long de trouver une maison convenable. On réussit cependant à se procurer enfin une demeure assez commode dans l'hôtel de la Frégeolière, situé cour Saint-Laud, et qui fut loué pour un an. Grâce aux secours de plusieurs bienfaiteurs qui vinrent ajouter leurs ressources à la somme bien insuffisante offerte par Mme de la Perraudière, on décida enfin que la fondation aurait lieu le 6 juillet 1863. Le jour venu, la Mère Bergeron partit du Mans avec sept ou huit religieuses désignées pour la fondation d'Angers. Elles étaient accompagnées de Mgr Fillion, évêque du Mans, de M. Chevreau, l'un de ses vicaires généraux, et de M. Boulangé, leur aumônier.

En route, elles s'arrêtèrent pour faire un pèlerinage à Notre-Dame-du-Chêne. Là elles firent le vœu que, si à la fin de la première année de leur fondation, elles étaient en possession d'une maison et d'un terrain convenable, elles enverraient pendant cinq ans une tourière à Notre-Dame-du-Chêne pour y rendre grâce de la faveur accordée; qu'un autel serait élevé, dans leur monastère, à Notre-Dame de la Reconnaissance, et enfin une messe d'actions de grâce et une procession auraient lieu pendant cinq ans aussi. Cette promesse, signée de toutes les Sœurs, fut enfermée dans un cœur d'or qui fut laissé en *ex-voto* à la Vierge. A midi, les voyageuses reprirent la route d'Angers, où elles arrivèrent à six heures du soir.

Mgr du Mans les conduisit à l'évêché, où Mgr Angebault leur fit le plus gracieux accueil. « Voyez, leur dit-il en leur montrant dans sa chapelle un vitrail représentant saint François de Sales, voyez ce signe de mon affectueuse vénération pour saint François de Sales ; oui, je l'aime, votre saint Père, peut-être autant que vous pouvez l'aimer. Je suis plein de confiance pour l'avenir ; Dieu vous bénira, je viens de le lui demander par l'intercession de la Très Sainte Vierge, patronne de cette chapelle. Je vous bénis aussi, mes chères Filles, de toute l'effusion de mon cœur. »

Elles se rendirent alors à leur maison, qui n'était qu'à quelques minutes de l'Esvière. Le lendemain matin, Mgr Angebault alla leur dire la messe et leur adressa une touchante allocution toute de circonstance. Avant de les quitter, il leur dit encore : « Vous aussi, vous êtes venues trouver le vieux Père, vous êtes les dernières de ses filles, vous n'en serez pas pour cela les moins aimées. Le Père, à son tour, sera heureux de venir de temps en temps, comme saint François de Sales, se reposer dans la solitude, s'édifier auprès de vous et vous aider à travailler à votre perfection. Je vous le répète, soyez bien simples, bien petites. Allons, je reviendrai bientôt vous voir. » La Visitation avait définitivement repris possession d'Angers. A un an de là, jour pour jour, le 6 juillet 1864, elle avait fait l'acquisition d'une propriété magnifique appelée l'*Image* et qui, avant la Révolution, était une maison de campagne du Grand-Séminaire. Le vœu qu'elles avaient fait à Notre-Dame-du-Chêne était exaucé.

Mgr Angebault leur demeura toujours favorable. Il leur donna pour Supérieur l'un de ses vicaires généraux, M. l'abbé Chesneau, et, jusqu'à ce qu'elles pussent avoir un aumônier, il permit à l'un de ses secrétaires d'être leur premier chapelain.

Il alla les visiter lui-même de temps en temps et les encourager dans les débuts toujours pénibles d'une fondation.

Dans les premiers jours de mars 1866, ces bonnes Sœurs lui firent part d'un projet qu'elles avaient bien à cœur, celui de bâtir enfin une chapelle digne de Notre-Seigneur dans leur monastère. L'Évêque, toujours prudent, les encouragea mais ne voulut pas donner immédiatement son approbation. « Mes Chères Filles, leur dit-il, il faut des ressources pour bâtir, et je ne pourrai vous y autoriser que quand vous aurez quarante mille francs. » Se tournant ensuite vers la Mère Supérieure, il lui demanda : « Combien avez-vous en ce moment? » — « Dix-sept mille francs, Monseigneur. » — « Alors, ma chère Fille, il faut attendre. » Ce refus dut bien un peu chagriner les bonnes Sœurs, mais il sut *dorer* son refus. Le quinze du même mois, c'est-à-dire quelques jours seulement après la visite dont nous venons de parler, il vint au monastère et, demandant la Mère Supérieure seule, il lui dit : « Me voici encore, non pas pour rétracter ce que j'ai dit au sujet de la construction projetée, mais pour vous offrir ma petite pierre. » Puis donnant une petite boîte à la mère supérieure, il ajouta : « Tenez, voilà qui va augmenter votre capital. » La Mère Supérieure, ouvrant la boîte, y trouva une enveloppe et dans l'enveloppe quinze billets de cent francs. Elle allait remercier avec effusion Monseigneur quand il lui dit : « Allez au fond, ma chère fille. » La mère obéit et retira encore un rouleau de quinze cents francs, en pièces d'or.

Puis l'Évêque, sans lui laisser le temps de dire un mot, se retira tout joyeux en disant : « Cela fait vingt mille francs, la moitié de la somme que j'exige ; le bon Dieu pourvoira bientôt au reste, ayez confiance. » Ce qui fut vérifié par l'événement, car bientôt la somme fut complétée, et, deux ans plus tard, on bâtit cette belle chapelle, exactement semblable à celle du monastère béni de Paray-le-Monial.

Les Sœurs de la Visitation ont conservé de Mgr Angebault le souvenir le plus reconnaissant. Voici ce que nous lisons dans une de leurs circulaires aux monastères de l'ordre :

« Après une pénible maladie et vingt-sept ans de ministère pastoral, Mgr Angebault rendait son âme à Dieu, le 2 octobre 1869. Ce fut un deuil profond pour tous ; on aimait tant ce vénérable vieillard, ce Père si bon, si dévoué, ce Saint, en un mot ! Il vous sera aisé de comprendre, bien chères Sœurs, l'immense douleur qui s'empara de nos âmes en cette circonstance ; Monseigneur avait été si bon, si paternel pour ses filles de la Visitation !... Sa Grandeur voulut nous donner une dernière preuve de son affection, en léguant à notre Communauté son bougeoir de vermeil, marqué du sceau de ses armes. Nos cœurs furent profondément attendris à la vue de cet objet, précieux souvenir d'un Père tendrement aimé. Nos regrets, notre reconnaissance et nos prières suivirent au-delà de la tombe cette grande âme que nous aimons à contempler dans le sein de Dieu. »

L'Évêque d'Angers pouvait alors se présenter avec confiance au Saint-Père pour lui rendre compte de l'Administration de son beau diocèse. Jusque-là il n'avait pas encore pu faire son voyage *ad limina* et remplir ainsi l'obligation contractée avec serment le jour de son Sacre. Il songea à faire ce voyage au commencement de 1862. Le gouvernement impérial, toujours appuyé sur les articles organiques, prétendait empêcher les Évêques d'aller à Rome sans sa permission. Mgr Angebault, toujours aussi courtois dans la forme que ferme sur le fonds, écrivit à M. le Ministre, le

16 janvier, non pour lui demander la permission, mais pour lui faire connaître l'intention où il était d'aller à Rome. Là-dessus, réponse du Ministre, rapport du Ministre à l'Empereur, lettre du Ministre au Préfet, lettre du Préfet à l'Évêque, nouvelle lettre à l'Évêque du Ministre, etc... tout cela pour accorder une permission que l'on ne demandait pas. Sans se soucier de toute cette correspondance et sans en accuser même réception, l'Évêque quitta son diocèse et partit pour la Ville éternelle.

Le Ministre avait-il gardé rancune du départ de l'Évêque, avait-il été blessé d'une lettre dans laquelle Mgr Angebault dénonçait les attaques du journal *le Siècle*, nous ne savons; mais au retour de l'Evêque d'Angers eut lieu un incident pénible, dans lequel il est difficile de ne pas voir la mauvaise volonté de l'Administration préfectorale.

Quelques jours avant de rentrer dans sa ville épiscopale, Monseigneur reçut de son Vicaire général, M. Bompois, une lettre assez étrange. Il y était dit que le premier Président, M. Métivier, homme fort estimé et digne de l'être, d'ailleurs très dévoué à la personne de Mgr Angebault, était allé trouver le Vicaire général et lui avait exprimé la crainte de voir se produire quelques manifestations antireligieuses à la rentrée de l'Evêque, qu'il priait Monseigneur de n'y pas donner lieu et de rentrer à Angers sans se faire annoncer. Il y était marqué encore que M. Bompois avait déclaré qu'on éviterait tout emblème, toute décoration, mais qu'on ne pouvait empêcher le Clergé et les fidèles d'aller recevoir le Père commun revenant d'un long voyage ; à quoi, sans adopter ce plan, le premier Président avait pourtant reconnu que le Clergé et l'Evêque avaient certainement ce droit, mais qu'il en référerait à Monseigneur lui-même.

Effectivement, à la date du 10 mars, M. le Premier Président écrivit à Mgr Angebault une lettre pleine d'un profond et respectueux attachement, mais où il faisait appel à son esprit de conciliation en exprimant la crainte que quelques imprudences (de la part des catholiques) ne donnassent lieu à une contre-manifestation antireligieuse. Ainsi, pour empêcher, disait-on, tout ce qui pourrait nuire à la religion, on commençait par supposer que des imprudences viendraient des fidèles ou du Clergé. On n'en croyait rien. Mais, soit qu'on eût peur de réprimer ceux qui spontanément pourraient se livrer au désordre, soit qu'on ne fût pas mécontent d'une agitation qui tournerait contre un prélat gênant, soit même qu'on eût favorisé cette manifestation, on était, l'événement l'a prouvé plus tard, décidé à laisser faire.

Monseigneur répondit de Bordeaux où il avait reçu la lettre de M. Métivier. Il le remercia de ses sentiments bien connus et, tout en lui faisant connaître que, s'il ne consultait que ses goûts, il demanderait l'obscurité et le silence, il déclarait toutefois qu'en la circonstance présente il ne pouvait se soustraire aux désirs de son clergé et de son peuple. « Votre délicatesse, disait-il, comprendra que je ne « puis me refuser à faire connaître le jour et l'heure de « mon arrivée. Je ferais ainsi injure à l'autorité en l'accu- « sant de défiance et de mauvais vouloir ; à mon clergé « dont je blesserais l'affection. Je ne puis rentrer en « cachette comme un homme qui a peur ou qui a fait une « mauvaise action. C'est tout simplement le père qui « revient au sein de sa famille ; c'est le pontife qui est « reçu dans la ville principale, comme il l'est dans les « paroisses qu'il va visiter.

« Je céderai donc au désir exprimé au nom du clergé « par M. l'abbé Bompois dont vous connaissez la prudence ; « mais je recommande très expressément qu'on ne déploie « aucun emblème, qu'on ne fasse point d'acclamations « et que cette cérémonie, toute religieuse, soit absolument « semblable à ce que l'on fait pour les réceptions dans les « paroisses. »

Et, pour faire preuve de la meilleure volonté du monde, il ajoutait :

« Je vous prie de faire connaître mes sentiments à « M. le Préfet. Si M. le Préfet croit devoir faire des « défenses, elles devront être respectées ; mais je crois « qu'on blesserait ainsi la susceptibilité de sentiments « très légitimes. »

Ces sentiments de la population angevine pour son Évêque étaient trop connus pour que le Préfet osât prendre la responsabilité d'une défense. Le prélat fit donc son entrée dans sa ville épiscopale, d'après le programme indiqué. Le clergé de la ville vint au devant de lui, à la gare, en habit de chœur. Le Grand-Séminaire faisait partie du cortège. Sur le parcours de la gare à la cathédrale une foule considérable se pressait pleine de recueillement et de sympathique respect. Rien n'indiquait la moindre préoccupation ni la moindre surexcitation. Le cortège partit de la gare au chant d'hymnes religieuses. Tout alla bien jusqu'à ce que l'Évêque fût arrivé devant la caserne. Alors, tout à coup, et dans un but d'excitation facile à comprendre, on entendit, du côté de la caserne, pousser le cri de « Vive l'Empereur », et une quinzaine de jeunes gens et d'hommes de bas étage le répétèrent, mêlant ainsi un nom auguste à une démonstration antireligieuse. L'Évêque ne parut pas ressentir la moindre émotion et la procession continua son chemin jusqu'à la cathédrale, suivie toujours par les cris et les hurlements de la petite bande des manifestants. La foule, indignée, fort heureusement sut se contenir et ne répondit à aucune provocation, et la police présente, n'ayant reçu d'ordre que contre les catholiques, n'eut pas à intervenir.

Le lendemain, MM. les Vicaires généraux écrivirent, pour se plaindre au Ministre des Cultes, une lettre fort digne où ils disaient entre autres choses. « Blessés dans « nos sentiments les plus légitimes, ceux d'un respect

« filial et ceux de la liberté religieuse, permettez-nous de « venir vous en exprimer nos respectueuses doléances. » Après avoir raconté les faits, ils reprenaient : « Qu'on se « soit servi du nom de l'Empereur pour faire taire les « cantiques sacrés, pour outrager au sein de sa famille le « Père souriant à tous, nous trouvons, Monsieur le « Ministre, nous trouvons que c'est une double profa- « nation, la profanation de ce qu'il y de plus saint par ce « qu'il y a de plus auguste...

« Nous ne venons pas demander la punition des cou- « pables, mais, dans l'intérêt de nos sentiments les plus « chers, dans l'intérêt de l'ordre et de notre liberté reli- « gieuse, nous venons vous prier de faire parvenir « notre étonnement et nos regrets à ceux qui nous devaient « protection, qui nous l'avaient promise et de qui nous « l'avons inutilement attendue. »

Cette lettre causa quelque émotion au ministère. Quinze jours après, le Ministre répondit aux Vicaires généraux. Après avoir déploré cette inconvenante manifestation, M. Rouland s'en prenait à l'imprudence des vicaires généraux : « Vous n'avez pas agi, peut-être, dans cette circonstance, avec toute la prudence nécessaire. » Il leur reprochait ne n'avoir pas tenu compte des sentiments d'une partie de la population qu'ils n'ignoraient pas cependant, ni de l'avertissement de M. le premier Président, ni des craintes de l'autorité, et il les blâmait de n'avoir pas prévenu une manifestation tumultueuse d'un caractère trop peu défini pour permettre de *prendre à l'improviste des mesures répressives*, comme si le Préfet n'avait pas été prévenu, comme s'il n'avait pas promis de réprimer le désordre d'où qu'il vînt.

Cette lettre, peu digne de la gravité d'un ministre, attira de la part de Monseigneur la verte réponse suivante :

« MONSIEUR LE MINISTRE,

« J'avais le désir de me renfermer dans le calme du « silence ; mais, puisque vous-même pensez que le clergé, « qui venait au devant de son Évêque, et le Prélat lui- « même, ont manqué de prudence, je dois répondre à une « accusation que je ne crois pas méritée.

« La première erreur que je repousse formellement « c'est de croire toujours que nous sommes inspirés par « un sentiment politique et que nous subissons l'influence « d'un parti. Je croyais, dans ma longue administration, « avoir donné la preuve du contraire, et Votre Excellence « elle-même m'a fait l'honneur de le reconnaître plus « d'une fois. Si l'autorité qui préside au département « l'avait compris également, elle n'aurait pas transformé « en manifestation politique une cérémonie exclusivement « religieuse.

« Il est très vrai qu'un haut magistrat, que j'estime et « que j'affectionne, m'a écrit pour m'engager à rentrer « comme clandestinement, c'est-à-dire sans faire con- « naître le jour et l'heure de mon arrivée. J'ai dû répondre « que... je ne me cacherais pas comme si j'avais fait une « mauvaise action et que, d'ailleurs, j'aurais l'air d'ex- « primer un sentiment de défiance contre le bon vouloir « ou l'impuissance de l'autorité...

« On a pu représenter au Gouvernement les hurlements « d'une douzaine de jeunes gens en blouse comme les « acclamations de la multitude, mais alors on l'aurait « induit dans une grossière erreur. La foule est restée « silencieuse, respectueuse, mais indignée en voyant une « douzaine de commissaires ou d'agents de police qui « m'entouraient et demeuraient impassibles en présence « de quelques étourdis qui insultaient leur Évêque et « troublaient une cérémonie religieuse concertée avec

« M. le Préfet et autorisée par lui. Un signe de l'autorité « eût suffi pour imposer silence aux perturbateurs...

« A tous ces cris je n'ai répondu que par un calme « imperturbable... mais depuis, il faut vous le dire, « Monsieur le Ministre, ce scandale a été jugé sévèrement « et toutes les classes de la société sans distinction ont « exprimé hautement leur mécontentement et ont fait « retomber sur M. le Préfet de Maine-et-Loire la respon- « sabilité d'un désordre public dont le souvenir ne s'effa- « cera pas. »

Après avoir ainsi vengé ses vicaires généraux de l'accusation d'imprudence portée contre eux, l'Évêque d'Angers prit l'offensive contre le Ministre et se plaignit d'un incident de leur voyage à Rome. A leur arrivée, dans la ville éternelle, le vénérable Archevêque de Tours et son digne suffragant étaient allé présenter leurs hommages à l'ambassadeur et au général de Goyon. L'ambassadeur et le général avaient rendu gracieusement leur visite et le premier avait même invité les prélats à dîner. Pour ménager leur temps et aussi leur santé, les deux prélats avaient remercié. Il paraît que leur refus donna lieu à une fâcheuse interprétation : on voulut y voir à tout prix un motif politique. L'incident fut grossi outre mesure, on alla même jusqu'à dire que les deux prélats, après leur refus de dîner à l'ambassade, avaient accepté l'invitation de l'ambassadeur et de l'internonce d'Autriche. Un journal étranger, l'*Indépendance Belge*, jeta dans la presse le fait ainsi dénaturé. Monseigneur rétablit les faits et repoussa une semblable accusation. Il ajoutait : « Je termine par « une observation que Votre Excellence appréciera. Après « avoir répondu à M. l'Ambassadeur, nous n'avons plus « pensé à son invitation, nous n'en avons pas parlé. « Comment l'*Indépendance Belge* a-t-elle connu, a-t-elle « révélé au public ces détails? Il faut bien qu'une note « partie de l'Ambassade soit venue les lui apprendre. Cette

« feuille étrangère s'occupe assez peu, que je sache, de
« l'Évêque d'Angers et moins encore de savoir où il dîne.
« Eh bien, Monsieur le Ministre, je pense que le repré-
« sentant de la France devrait avoir d'autres sollicitudes
« et que Sa Majesté l'Empereur, qui connaît si bien les
« convenances, que son ministre des affaires étrangères
« n'ont certainement pas donné à MM. les Ambassadeurs
« de telles instructions. » Le coup portait trop droit ; le
Ministre ne répliqua point.

Lutter avec les pouvoirs publics est toujours une grande peine pour un Évêque, mais, lorsque les difficultés viennent du côté où on les attendait le moins, elles causent une douleur plus intense et d'une nature toute particulière. Elles brisent le cœur. Dieu réserve habituellement de telles souffrances aux âmes qu'il aime le plus. Dès lors, l'Évêque d'Angers devait les connaître.

Nous avons vu que, dès le début de son épiscopat, il s'était appliqué à donner une forte impulsion aux études classiques. Le nombre des élèves ecclésiastiques, qui était de trois cent soixante-quinze à son arrivée dans le diocèse, s'élevait, en 1861, à six cent vingt-huit. En mettant beaucoup d'ordre dans l'administration et grâce au zèle et au dévouement de MM. les économes, il avait pu soutenir les divers établissements. Leur situation s'était même améliorée, car ils avaient payé presque toutes les dettes du passé. Une maison de campagne avait été acquise pour Mongazon. Le diocèse avait accepté, à la grande satisfaction des familles et des municipalités, et au grand profit des études, la direction des collèges de Doué et de Cholet. Enfin celui de Combrée avait été reconstruit à neuf, et Beaupréau, racheté par les anciens élèves, était en train de devenir un établissement de plein exercice.

Au mois de juillet 1858, Combrée avait eu une fête splendide. Aux bâtiments scolaires, élevés d'après les vastes et beaux plans de M. Duvêtre, était venue s'ajouter une superbe chapelle du style ogival du XIIIe siècle. Monseigneur avait voulu qu'on en fît la consécration, et il avait désiré donner à cette cérémonie la plus grande solennité. Douze Évêques ou Archevêques et deux abbés mitrés devaient apporter à la fête l'éclat de leur dignité. Bien qu'il n'en vînt que six, jamais Combrée n'avait été à pareil honneur. La consécration fut faite par Mgr l'Archevêque de Tours et par Mgr l'Évêque d'Angers, assistés de Mgr Nanquette, Évêque du Mans, Mgr Dupanloup, Mgr Vicart, Évêque de Laval, et dom Fulgence, abbé de la Trappe de Bellefontaine. La grand'messe fut célébrée par Mgr l'Archevêque de Cambrai. L'Évêque d'Orléans porta la parole, fit l'éloquent éloge de l'humble fondateur, M. Drouet, et célébra le nouveau collège, qu'il appela, pour sa belle architecture, « le Palais de l'éducation ».

Mgr Angebault triomphait en voyant ses desseins si brillamment accomplis. Hélas, les plus belles fêtes ont parfois de tristes lendemains. Quand il se fit rendre les comptes, il trouva que la dette contractée par cette reconstruction était énorme. Il rendit justice au zèle du vénérable économe de Combrée, M. l'abbé Coutant, et à l'habileté de l'architecte, M. Duvêtre. « Je ne dis pas que nous ayons été trompés (sur le prix des travaux). Ces travaux auraient coûté davantage ailleurs, et M. Coutant a déployé un grand zèle. » Mais il se plaignait de n'avoir pas connu le véritable état des choses et de n'avoir point su les emprunts considérables qu'on avait été obligé de faire. C'est le malheur des administrations de ne pouvoir tout prévoir et d'escompter trop l'avenir. Peut-être quelques bienfaiteurs avaient-ils fait des promesses qu'ils ne réalisèrent pas. Toujours est-il que le déficit dépassa toutes les prévisions. Monseigneur en fut effrayé. Ennemi des dettes, il les avait toujours évitées dans sa longue administration et n'avait cessé de prémunir son clergé contre la facilité qu'il y a à les contracter. Il n'en fut que plus douloureusement affecté et se mit avec ardeur à chercher les moyens d'éteindre celles qui pesaient sur Combrée.

Pour aller au plus pressé, il commença par sacrifier 180.000 francs de sa fortune personnelle.

Ce généreux sacrifice, s'il avait été connu, et si Monseigneur avait fait appel à ses prêtres, eût, sans nul doute, entraîné tout le clergé. Malheureusement on ne sut pas *de suite* toute la vérité. Beaucoup ignorèrent la dette, d'autres la nièrent absolument, mais elle était là, lourde et pressante. Monseigneur chercha donc comment il pourrait dégrever l'avenir. Il soumit à son Conseil les questions suivantes :

Conviendrait-il de réduire le nombre des élèves ecclésiastiques ?

Pourrait-on ordonner une troisième quête par an ?

Pourrait-on demander un secours aux prêtres dans les paroisses qui ont des vicaires ?

Enfin, dans beaucoup de diocèses, on fait contracter aux élèves ecclésiastiques des obligations assez fortes, qu'ils doivent acquitter quand ils sont arrivés au sacerdoce. Le diocèse d'Angers prend à sa charge même les frais d'humanités. Ne pourrait-on pas exiger, du moins des élèves du Grand-Séminaire, les deux tiers de la pension qu'ils devraient payer ?

On eut recours à ce dernier moyen, assurément fort légitime, pourvu qu'il n'eût pas d'effet rétroactif. On demanda aux Séminaristes de prendre l'engagement de verser à la caisse diocésaine, dans les années qui suivraient l'ordination, les quatre dixièmes de ce qu'ils auraient dû payer pour leur éducation.

Cette mesure si simple devint pour Monseigneur la source des plus amers chagrins.

D'abord elle avait le tort de paraître rendre ceux sur qui elle tombait spécialement responsables des dettes diocésaines, tandis qu'en réalité ils n'y avaient pas pris plus de part que leurs prédécesseurs. Pourtant on ne leur demandait que ce qu'ils devaient personnellement, et on ne demandait même pas la moitié des frais supportés pour eux. Mais le point de départ laissait à désirer. Sans que Monseigneur y eût pris garde, il donnait à la mesure un caractère rétroactif. Ceux qui étaient déjà dans les ordres majeurs se trouvaient mis en demeure ou de reculer devant le sacerdoce, quand ils ne pouvaient plus rentrer dans le monde, ou de contracter un engagement sur lequel ils n'avaient véritablement pu compter. C'est ce qu'avaient très bien vu plusieurs ecclésiastiques. Malheureusement, la plupart craignirent de déplaire et se turent. « Les « prêtres honorables qui vous ont parlé, disait un véné- « rable curé à Monseigneur, ont écrit dans un sens opposé, « émettant une opinion qu'ils n'avaient pas le courage de « soutenir devant leurs confrères. On vous a trompé sur « l'accueil que devait recevoir cette mesure parmi le « clergé. »

Enfin cette demande fut mal présentée à ceux qu'elle allait atteindre. « J'écrivis officiellement, disait plus tard « Monseigneur à l'un de ces jeunes prêtres, à M. le Supé- « rieur du Séminaire, afin qu'il fît connaître cette mesure « à MM. les diacres avant qu'ils se présentassent pour les « ordres, et M. le Supérieur m'a affirmé qu'il l'avait fait. » C'était vrai. Le vénérable Supérieur en avait parlé, mais en termes tels que les diacres purent croire que cette mesure ne leur serait pas appliquée, et ils se présentèrent aux ordres sans s'en préoccuper.

Ce silence fit croire à Monseigneur que la mesure était acceptée par ces jeunes prêtres. Mais quand, au lendemain de l'ordination, M. le Supérieur rappela, en termes formels, aux jeunes prêtres qu'ils devraient payer les quatre dixièmes de ce qu'ils auraient dû verser pour leur éducation, il y eût une douloureuse surprise et peut-être aussi du mécontentement. Parmi ceux qui venaient de se faire ordonner, plusieurs avaient des dettes ou des charges très lourdes ; ils regardèrent comme fort pénible une obligation, en elle-même peu gênante, mais qui, relativement à leur position obérée, devenait pour eux d'autant plus inquiétante qu'elle avait été moins prévue.

Tout se fût arrangé, et peut-être facilement, par une entrevue avec Monseigneur. Ces jeunes prêtres le vénéraient et l'aimaient. Au fond ils étaient contristés de lui faire de la peine. D'un autre côté, Monseigneur, très bon, très paternel, on le savait et il l'a prouvé depuis à ces jeunes prêtres, même après en avoir tant souffert, eût écouté des demandes justes et respectueusement formulées. Dieu permit que cette démarche ne pût avoir lieu. Au moment où les jeunes prêtres y pensaient, on les découragea et on ne leur permit pas de voir Monseigneur. Déconcertés, ils demandèrent alors conseil.

Les avis qu'ils reçurent leur inspirèrent la pensée de saisir Rome de la question. Ils eurent le tort de n'en point prévenir leur Évêque. Ils écrivirent au Nonce qui les encouragea et leur dit d'écrire à la Congrégation des Évêques et Réguliers. Ayant donc rédigé une sorte de mémoire, dans une forme très respectueuse pour leur Évêque, qu'ils appelaient « notre digne et saint Évêque », ils l'adressèrent à Rome dans le but « d'arrêter un conflit qui affligerait profondément leur cœur. » En terminant, ils demandaient une décision qui devait éclairer leur conscience. Condamnés, ils étaient décidés à cesser toute protestation ; approuvés, ils seraient alors en mesure d'exprimer, avec confiance et respect, leurs justes réclamations à leur Évêque.

Il y avait chez eux inexpérience et ignorance aussi des usages de la curie romaine. Ils s'imaginaient que, sur leur mémoire, on allait trancher la question de droit et de fait, et terminer tout d'un coup une aussi délicate affaire.

La sainte Congrégation, sans rien trancher, croyant

toutefois apercevoir dans la mesure prise par l'Évêque d'Angers un effet rétroactif, se contenta d'écrire au prélat pour l'inviter à ne pas presser l'exécution d'une mesure qui peut-être en droit strict pourrait souffrir quelque difficulté. Monseigneur apprit, par cette communication, que les jeunes prêtres avaient écrit à Rome, sans qu'il en eût été averti et il crut à un parti pris de révolte qu'il n'avait pas voulu soupçonner jusque-là. Très justement attristé qu'on ne lui eût demandé aucun renseignement, il garda la lettre pour lui et réfléchit à ce qu'il aurait à faire.

Pendant ce temps-là, les jeunes prêtres, qui attendaient toujours la réponse à leur communication, reçurent une copie de la lettre adressée par la sainte Congrégation à leur Évêque. Ils en furent naturellement heureux et, dans leur satisfaction, ils ne songèrent pas à se demander comment ils recevaient, sans lettre d'envoi, sans signature cette copie d'un acte qui était destiné seulement à leur Évêque ; ils se passèrent la copie et ils attendirent. Monseigneur fut bientôt averti et il s'étonna, à bon droit, qu'on eût mis ainsi en leurs mains une pièce qui lui paraissait toute confidentielle et toute personnelle. Il écrivit à Rome pour avoir des explications.

A Rome on fut stupéfait ; aucune copie n'avait été livrée. On accusait les jeunes prêtres d'avoir fabriqué une pièce contre leur Évêque. Mais, enfin, il fallut se rendre à l'évidence, la copie était bien exacte. On s'efforça d'atténuer l'effet produit par cette coupable et lâche indiscrétion. Le Nonce déclara qu'il avait simplement dit qu'il n'avait pas à se prononcer sur la question qu'on lui soumettait. Mgr Nardi, auditeur de Rote, ayant toute la confiance du Saint-Père, écrivit : « Il est à désirer qu'on évite un procès ; « c'est bien juste et bien raisonnable pourtant que les « prêtres paient leur dépense. C'est sûr, Monseigneur, que « Votre Grandeur n'a violé aucune loi et aucun droit en « imposant à ces prêtres une compensation que les usages

« et les circonstances rendaient légitimes. » Un ecclésiastique très distingué, qui se trouvait alors à Rome, fit le récit suivant d'une entrevue avec le cardinal Clarelli, préfet de la sainte Congrégation des Évêques et des Réguliers : « J'ai vu hier le cardinal Clarelli. Votre Grandeur « recevra prochainement une deuxième lettre dans laquelle « on expliquera le sens de la première. Si j'ai bien saisi « la pensée du cardinal, la difficulté ne porterait pas sur « le fond même de la question ; on ne contesterait pas le « droit qu'a l'Évêque d'imposer aux jeunes prêtres un « subside pour le Séminaire à titre d'indemnité pour leurs « frais d'éducation, mais sur l'effet rétroactif de cette loi. « La cause n'est nullement jugée, je dirai même elle n'est « pas commencée. Ce qu'on désire c'est une solution qui « ne compromette pas l'autorité épiscopale. »

Le cardinal Clarelli écrivait aussi : « Ah ! Monseigneur, « si vous pouvez découvrir d'où est venue la trahison de « cette malheureuse publicité donnée à une lettre qui, du « reste, a été écrite avant que je fusse en aucune manière « informé de l'affaire, faites à moi, ou plutôt au Saint-« Siège, la grâce de nous le faire connaître. »

On découvrit, enfin, le traître ; c'était un prélat qui avait déjà fort desservi à Rome les Sulpiciens en attendant qu'il desservît l'Église entière, comme journaliste hostile. Protégé de Mgr Bizarelli qui était lui-même secrétaire de la congrégation des Évêques et Réguliers, il avait lu et copié de sa main, dans le cabinet de son protecteur et envoyé aux jeunes prêtres la lettre destinée à l'Évêque. Comme ce prélat intrigant était français, il semblait tout naturel de croire que c'était par son entremise que l'affaire avait été introduite à Rome, et Monseigneur supposa, non sans vraisemblance, une cabale montée entre lui et les jeunes prêtres, et il n'en fut que plus indisposé. Il n'en était rien pourtant. Ces jeunes gens ignoraient jusqu'à l'existence de Mgr C...

Bien qu'à Rome on prétendît n'avoir point tranché la question et qu'on se montrât très favorable à l'Évêque, Monseigneur ne voulut pas pousser plus loin une mesure qui contristait le Saint-Père, et il ne donna plus suite à décision qu'il avait prise.

Dieu sait combien cette triste affaire lui fit de peine. Il en tomba malade. Sa nature, sensible à l'excès, ne put supporter une opposition qu'il ne comprenait pas et qui lui semblait venir d'un manque de cœur et de reconnaissance. Il eut, du moins, la consolation de se voir bénir et rassurer par Pie IX. Sa Sainteté ordonna au cardinal Clarelli de lui écrire la touchante lettre suivante :

« Très Illustre et Très Révérend Frère,

« Sa Sainteté a appris, avec la plus grande joie, que Votre Grandeur, avec sa bonté de cœur habituelle, avait usé d'indulgence dans l'affaire des jeunes prêtres. Ainsi votre autorité, qu'il veut lui-même affermir et confirmer, prendra de jour en jour une nouvelle force. Afin d'ailleurs de vous montrer sa paternelle bienveillance et charité, Sa Sainteté vous donne à vous et à votre troupeau, de très grand cœur (*peramanter*) la Bénédiction Apostolique. »

Il eut une autre joie encore, celle d'apprendre que les jeunes prêtres n'étaient point coupables comme il l'avait pensé. L'heure de s'expliquer vint peu à peu à la satisfaction de tous. Il est inutile d'entrer dans de plus longs détails. Nous ne citerons qu'une lettre qui fera connaître à la fois et la franchise des explications d'une part, et la bonté paternelle de l'autre.

Voici cette lettre de Monseigneur écrite à l'un des signataires de la consultation à Rome :

« Je reçois, mon cher Enfant, votre lettre et je dois vous dire que j'ai été touché de la franchise de vos épanchements. Pourquoi n'ont-ils pas eu lieu plus tôt ? Pourquoi, au début de cette malheureuse et pénible affaire, n'êtes-vous pas venu trouver votre Évêque et lui demander des Conseils et une direction... Vous voyez qu'il y a partout des intrigants qui brouillent tout, puisque vous n'aviez pas écrit à M. C..., que vous ne le connaissiez pas, de lui-même, par un motif qui ne peut être louable, il vous adressait confidentiellement une pièce dérobée par lui frauduleusement dans les archives de la Congrégation. Le Saint-Père en a été tellement indigné, qu'en parlant de lui il s'est servi, pour le désigner, du mot italien « Birbante », que nous traduirions par Brigand.

« Mais laissons cette vilaine affaire qui m'a fait beaucoup de mal et dont je voudrais oublier jusqu'au souvenir. Vous me demandez une permission que j'accorde difficilement; mais, pour sceller par une bienveillance que vous n'oublierez pas les relations que je viens d'avoir avec vous, je vous l'accorde.

« Je veux vous bénir et vous assurer, etc... »

Restait à prendre des mesures pour sauvegarder les intérêts du diocèse. Rome n'avait cessé de déclarer que Monseigneur était dans son droit en exigeant une compensation de ceux qui n'avaient pas payé les frais de leur éducation. Par une ordonnance, en date du 10 avril 1863, Monseigneur demandait aux élèves du Grand-Séminaire de s'engager à rembourser à la Caissse diocésaine le tiers de ce qu'ils auraient dû payer pendant leurs études, dans le délai de sept années, à partir de leur ordination sacerdotale. Cette mesure, appliquée par lui, avec la plus paternelle modération, fut acceptée sans difficulté, et Mgr Freppel l'ayant trouvée sagement établie a continué de l'appliquer.

Pendant que Mgr Angebault réglait cette pénible affaire d'intérieur, son vénérable métropolitain, Mgr Guibert, occupait l'opinion publique.

Les élections au Corps Législatif devaient avoir lieu au mois d'avril 1863. Elles étaient d'une grande importance. La nouvelle politique de l'Empereur avait causé aux catholiques les plus vives comme les plus légitimes inquiétudes. On sentait que l'heure était décisive. Si la nation désabusée envoyait à l'Assemblée des députés décidés à enrayer le mouvement révolutionnaire en Italie et à faire rentrer la France dans sa politique séculaire de protection du Souverain-Pontife, le gouvernement impérial serait bien obligé de barrer au Piémont la route de Rome. Sans même obtenir une majorité favorable au Pape, on pouvait désirer du moins de faire entrer à la Chambre une minorité qui pût en imposer par ses lumières, son éloquence et son dévouement à la grande cause religieuse et nationale. Malheureusement, les catholiques étaient divisés. Les uns, découragés par le spectacle de l'iniquité triomphante, renonçaient à la lutte ; d'autres, sous prétexte de fidélité aux dynasties tombées, refusaient de se mêler aux affaires du gouvernement ; beaucoup enfin, qu'un scrupule avait pu arrêter à l'origine, avaient fini par s'habituer au désœuvrement et ne se sentaient plus le courage d'agir. Pourtant il se faisait comme un réveil de l'opinion publique. Des questions de nature diverse étaient posées à plusieurs Évêques, en particulier sur ce point : Peut-on voter en conscience, doit-on voter ? Si l'Évêque d'Angers eût été consulté, la réponse n'aurait pas été douteuse : « Je comprends parfaitement, écrivait-il à M. de Guérines, le culte du passé. Je respecte certaines positions et des susceptibilités honorables. Mais dans l'autre plateau de la balance on peut déposer des raisons d'un si grand poids, un bien si grand à faire, un mal si effrayant à éviter que les honnêtes gens et les hommes d'énergie doivent, je crois, sinon faire taire, du moins ne pas suivre les sentiments de leur cœur, pour se laisser conduire par la raison.

« Les principes religieux qui sont la base fondamentale de l'édifice, le salut de la Société, le bien de la famille, voilà, à mon sens, les grands principes qu'il faut d'abord sauvegarder ; ensuite viennent les dynasties et enfin telle ou telle branche, tel ou tel chef auquel il faut se rattacher sous le rapport politique. Je trouve même qu'il est dangereux de condamner tout un parti à l'inaction et de l'engager à abdiquer toute influence. On devrait savoir que des administrateurs et des chefs militaires ne s'improvisent pas et que, dans un temps donné, leur concours pourrait être utile. » Voilà ce qu'il eût inévitablement répondu et c'est de grand cœur qu'il eût mis sa signature au bas de la réponse des *sept*.

L'Archevêque de Tours et l'Évêque d'Orléans avaient, en effet, pris l'initiative d'une réponse collective aux diverses questions qui leur avaient été adressées. Pour donner plus de poids à leurs paroles, ils avaient soumis leur projet de réponse à l'Archevêque de Cambrai et aux évêques de Rennes, de Metz, de Nantes et de Chartres. Avec une grande élévation de pensées et en se tenant en dehors et au-dessus de tous les partis, les signataires de la *Réponse aux consultations* demandèrent de voter et de voter en conscience pour les candidats, officiels ou non, qui présentaient le plus de garanties pour les idées d'ordre et de religion et qui pouvaient, par là même, apporter le plus de lumières au gouvernement. « Les élections ne sont pas un jeu, disaient-ils ; cette assemblée aura peut-être entre les mains, autant du moins que ces grandes choses peuvent être entre les mains des hommes : l'honneur de la France, l'indépendance de l'Église, la paix de l'Europe, le sort de la liberté dans notre pays, le sort de la Papauté dans le monde.

« Et voilà pouquoi toutes les voix s'unissent pour vous appeler au scrutin. »

L'effet de ce manifeste fut immense. On n'était pas accoutumé à voir les Évêques donner de telles consultations. Les adhésions et les félicitations arrivèrent en grand nombre aux Évêques signataires. L'une des premières fut celle de l'Évêque d'Angers. « Je veux vous dire, écrivit-il à l'Archevêque de Cambrai, combien je suis heureux de la franche déclaration que vous avez faite avec nos autres vénérés collègues. Je partage vos sentiments de tout cœur. Je ne suis certainement point hostile au gouvernement ; je ferai tout ce qui dépendra de moi pour le soutenir, en concourant au maintien du respect et de l'ordre, mais, par intérêt même pour lui, il importe de l'éclairer et de lui dire que le défaut de concours pour les questions religieuses et pour la question romaine, ne peut avoir, pour lui et pour nous, que les plus funestes conséquences. » Il écrivit aussi à son vénérable ami de Tours, mais cette fois ce ne fut pas pour le féliciter. Il se plaignait, au contraire, de ce qu'il n'avait pas été appelé par lui à prendre connaissance de la *Réponse* et à y apposer sa signature.

On sait la suite de l'*affaire des sept.* La réponse fut déférée au Conseil d'État, le gouvernement n'ayant pu supporter une exposition de principes droite et franche qui condamnait sa politique. Les Évêques résolurent de ne pas se défendre devant le Conseil d'État, ce qui eût été reconnaître sa compétence, seulement l'Archevêque de Tours fit, au nom de ses collègues, un mémoire qu'il adressa au Ministre des Cultes. C'est dans la séance du 8 août que le Conseil d'État porta son jugement. Il déclara qu'il y avait abus dans l'écrit ayant pour titre *Réponse de plusieurs Évêques* et dans la lettre adressée au Ministre des Cultes par l'Archevêque de Tours, le 4 juin. Les Évêques ne répondirent pas. « Je pense, écrivit Mgr Guibert à son collègue de Cambrai, que Votre Grandeur n'aura pas été plus émue que moi de ce fameux arrêt et de la profonde théologie de M. Suin. On ne peut rien voir de moins sérieux ni rien de plus pitoyable. Je doute que cet acte apporte au gouvernement beaucoup de gloire et beaucoup de profit. »

Toutefois, si les Évêques se turent, ce ne fut pas seulement parce qu'ils ne reconnaissaient pas la compétence du

Conseil d'État, mais encore par une raison de patriotisme et pour ne pas gêner les délibérations de la Chambre. C'est ce qu'écrivait clairement l'Évêque de Chartres. « Tout le monde a senti ce que la réserve et la discrétion nous imposaient, surtout au moment où les débats parlementaires allaient s'ouvrir, et tout le monde aussi a compris que notre silence n'emportait de notre part ni aucun assentiment à des considérants qui ne sont point admissibles, ni aucune condonation de nos droits. On ne peut nous ravir les privilèges dont jouissent les autres citoyens. Nous sommes Évêques, il est vrai, ce caractère est inhérent à notre personne, mais nous ne sommes pas, à ce titre, hors du droit commun. Nous pourrons toujours nous concerter sur les points qui intéressent le bien, la justice et les principes conservateurs de la religion et de la morale. C'est une grande erreur et une étrange confusion d'idées de s'imaginer que, par cela même que les Évêques ne doivent point empiéter sur la juridiction de leurs collègues, selon les saints canons, il leur soit interdit d'élever la voix pour la défense des vrais principes et de publier leurs sentiments et les motifs qui leur paraissent propres à les appuyer. »

Ces tracasseries gouvernementales n'empêchaient pas l'Évêque d'Angers de jouir du fruit de ses travaux.

L'étranger qui serait venu, à l'époque où nous sommes arrivés, visiter le diocèse d'Angers, eût été frappé de voir de tous côtés s'élever de jolies églises toutes neuves, sortant de terre comme par enchantement, et il n'eût pas manqué de se dire, à la réflexion, qu'un semblable diocèse devait être bien fervent qui prenait tant de soin de construire des temples si dignes de la Majesté divine. Et, s'il eût demandé à l'un ou l'autre des curés d'où pouvait venir un si grand zèle, on lui aurait répondu, comme le disait un jour à Monseigneur le curé de Sainte-Gemmes-d'Andigné, qu'en faisant la part à chacun il était juste d'attribuer à l'Évêque la première inspiration. « N'est-ce pas à lui, en effet, à son initiative qu'il faut rapporter ce mouvement de reconstructions religieuses? N'est-ce pas à ses encouragements qu'il faut en attribuer l'extension dans le diocèse, lequel, dans son immense étendue, aura bientôt revêtu une blanche tunique d'églises, pour employer l'expression de Raoul Glaber qui, de son temps, fut l'heureux témoin d'un pareil rajeunissement? »

Attristé, en effet, par le spectacle du délabrement et de la pauvreté des églises au sortir de la Révolution, Mgr Angebault avait hardiment favorisé le zèle des fidèles. D'un autre côté, les sages mesures prises pour la prospérité des fabriques ayant augmenté leurs ressources, on avait pu suivre le mouvement imprimé, et le résultat avait été si consolant que Monseigneur voulut s'en faire rendre un compte exact. Il adressa à son clergé une lettre-circulaire lui demandant de faire connaître le nombre des églises et des chapelles reconstruites ou entièrement restaurées depuis vingt ans, avec l'indication des sommes dépensées en reconstructions ou en grosses réparations. Le chiffre de ces dépenses s'éleva à près de dix millions. Le gouvernement avait donné près de 700.000 francs, les communes plus de deux millions, les fabriques plus de trois millions, et la charité publique autant que les fabriques. Quatre-vingts églises et quinze chapelles avaient été construites, quatre-vingt-dix-neuf églises ou chapelles restaurées. Il avait été dépensé, en outre, 565 mille francs pour construction ou réparation des presbytères. Ces chiffres étaient trop à l'honneur du diocèse pour ne pas réjouir le cœur de l'Évêque qui, à cette nouvelle, s'écriait : « Qu'ailleurs l'Église pleure parce que sa voix n'est pas écoutée, ses préceptes méconnus, son règne sans éclat, parce que les jours de dimanches et de fêtes sont des jours de travail et de plaisirs, et non plus les jours du Seigneur ; ici, du moins, quelle consolation de pouvoir en rendre ce témoignage ! Il existe encore un peuple qui n'a pas secoué le joug de la loi, qui demeure fidèle ; et, parmi tant de générations qui ne connaissent plus, qui ne servent plus, qui n'aiment plus Jésus-Christ, il existe encore une génération qui le connaît, qui le sert et qui l'aime : *Hæc est generatio quærentium eum !* »

L'année 1864 vit de nouvelles tentatives contre la loi de 1850. Le gouvernement ne perdait pas de vue le but qu'il voulait atteindre par les modifications apportées successivement à cette loi de liberté. De son côté, l'Évêque ne cessait de protester.

« Je suis forcé, écrivait-il dès le commencement de l'année, d'aller à Paris pour défendre toutes les Communautés gravement compromises par un arrêté du Conseil d'État. Je suis ici le premier attaqué, et mon bon métropolitain, avec quelques autres Évêques, me pressent d'aller défendre cette cause auprès du Ministre. Priez le bon Ange gardien pour qu'il me protège et inspire ce pauvre Tobie, non plus le jeune, mais le vieux, pour qu'il fasse tomber les écailles qui ferment les yeux des Excellences. »

Plus tard, au mois d'août, nouvelle attaque. Le Conseil départemental des Basses-Alpes entendit la lecture du rapport annuel de l'Inspecteur d'académie. Dans ce rapport, l'inspecteur exprimait le vœu de voir à l'avenir le brevet de capacité remplacer les lettres d'obédience L'Évêque de Digne, qui faisait partie du Conseil, protesta. Puis il écrivit pour signaler le fait à l'Archevêque de Cambrai. En terminant sa lettre, il disait en *post-scriptum* qu'il venait d'apprendre de source certaine que le mot d'ordre était venu de Paris. C'était M. Duruy, ministre de l'Instruction publique, qui avait lancé l'affaire ; il espérait faire formuler ce vœu par un certain nombre de Conseils départementaux ; après quoi, le soumettant au Conseil supérieur, il espérait, au moyen d'une sentence favorable, présenter à la Chambre, avec toutes chances de succès, un projet de loi qui abolirait cet article de la loi de 1850.

Mais les Évêques étaient en éveil et de hauts fonctionnaires de l'Université eux-mêmes avaient prévenu Mgr Parisis, qui avait eu autrefois une part si importante dans la discussion du projet de loi. Celui-ci écrivit à son métropolitain, l'Archevêque de Cambrai :

« Les ennemis de la religion travaillent l'opinion publique contre le bénéfice, pourtant bien légitime, des lettres d'obédience dont jouissent nos Congrégations religieuses, et le gouvernement laisse faire pour dire qu'il a eu la main forcée. Le danger est là, et cependant je ne pense pas qu'il faille pour le moment engager à ce sujet des discussions publiques, attendu que nos arguments, quoique les meilleurs, ne seraient pas les mieux compris.

« Ce qu'il y aurait à faire, ce seraient des démarches isolées de quelques évêques bien posés auprès de l'Empereur. C'est le seul moyen d'influence aujourd'hui, pourvu que ces démarches soient bien secrètes et que le monarque puisse s'attribuer les idées sages qu'on lui a inspirées. — C'est une expérience que j'ai faite bien des fois quand j'étais un peu en faveur ; mais je n'y suis plus, et les derniers bruits qui circulent au sujet des affaires de Rome ne m'y remettront pas.

« Quant au Conseil supérieur, si malheureusement l'affaire y arrive, c'est qu'elle sera déjà aux trois quarts perdue pour nous. Cependant, Dieu aidant, j'y ferai mon devoir, et si cet article de la loi de 1850 allait y être déchiré, je protesterais peut-être par ma retraite. »

On a beaucoup parlé de la lettre d'obédience comme d'un privilège odieux. Rien n'est plus faux. La lettre d'obédience était basée sur le principe d'équivalence, lequel n'est qu'une application du principe d'égalité bien entendu. N'y a-t-il pas quelque chose de dérisoire dans ce fait qu'un académicien ne peut faire un maître d'école, parce qu'il n'a pas pris son brevet d'instituteur. La science littéraire qui l'a mené à l'Académie ne pourrait-elle pas être considérée comme l'équivalent de la science exigée du titulaire d'une école primaire ? Et en quoi y aurait-il un privilège ? Certes, tous les instituteurs et institutrices congréganistes, pour qui la lettre d'obédience remplaçait le brevet, n'étaient point dignes d'entrer à l'académie ; mais on avait pensé que le fait d'appartenir à une congrégation enseignante, d'être élevée par elle, d'enseigner en son nom, sous l'autorité des Supérieurs soucieux de leur réputation, valait bien le titre gagné par un examen plus ou moins bien réussi, et l'on en avait conclu que la délégation donnée par le Supérieur d'une Communauté vouée à l'enseignement à l'un de ses membres pour tenir une école offrait autant de garantie que le simple diplôme d'instituteur. Avait-on eu tort ? Les auteurs de la loi de 1850 n'avaient-ils pas compris d'ailleurs l'inconvénient grave que présentait l'obtention du brevet au point de vue de la discipline religieuse ? Qui empêcherait la religieuse brévetée de préférer son école à sa Communauté ? Une institutrice, munie de son diplôme, fût-elle à l'origine animée des meilleures intentions, ne courrait-elle aucun danger de se laisser détourner de sa voie ? La flatterie, la séduction, les belles promesses d'un maire ne pouvaient-elles avoir quelquefois raison de la meilleure bonne volonté ? Une institutrice, pour peu qu'elle se formât un parti en mettant la division dans une paroisse, pour peu qu'elle fût soutenue par les autorités communales, ne pouvait plus être que difficilement rappelée par sa communauté si elle possédait son brevet. Avec la lettre d'obédience, ces inconvénients disparaissaient. Et qu'on ne dise pas que la lettre d'obédience favorisait l'ignorance et faisait instituteurs et institutrices des personnes sans instruction ! Sans doute, l'abus était possible, mais quelle est la chose du monde, fût-elle la meilleure, dont on ne puisse abuser ? Les Communautés n'avaient-elles pas les premières tout intérêt à ne confier la lettre d'obédience qu'à des sujets capables de leur faire honneur et de leur procurer de nouveaux établissements. Il y avait donc au moins autant d'avantages à attendre de la lettre d'obédience que du brevet. Et, de fait, les Communautés religieuses avaient largement contribué à répandre l'instruction dans le peuple.

Mais le gouvernement, qui était peu favorable à l'enseignement chrétien, faisait miroiter aux yeux de la foule un prétendu principe d'égalité et, en représentant la lettre d'obédience comme un privilège, cherchait à la rendre odieuse, afin de pouvoir la supprimer, et voilà pourquoi M. Duruy avait entrepris cette campagne.

L'affaire vint en discussion au Sénat. Son Éminence le cardinal de Bonnechose prit en main la défense de la lettre d'obédience qui fut sauvée ce jour-là. Mais l'éminent Sénateur ne dut son triomphe qu'à l'exposé des mesures prises et des examens établis par l'Évêque d'Angers pour la délivrance, dans les Communautés enseignantes, de la lettre d'obédience. Il n'est que juste, en conséquence, de reporter une bonne part de ce succès à la prudence et à la sagesse de Mgr Angebault.

Le 8 décembre 1864, le Souverain-Pontife, Pie IX, publiait une encyclique ayant pour but de flétrir et de condamner un certain nombre d'erreurs fort répandues dans la Société. Elle indiquait, en même temps, un jubilé pour l'année 1865. A cette encyclique était joint un résumé des principales erreurs du temps, déjà signalées dans les allocutions consistoriales, encycliques et autres lettres apostoliques de N. T. S. P. le Pape.

Ce document célèbre avait été longuement étudié. Déjà, à l'époque de la canonisation des martyrs japonais, un projet de syllabus, contenant soixante-et-une propositions, accompagnées chacune d'une censure, avait été distribué aux Évêques. Le Souverain-Pontife, en leur soumettant ce projet, leur demandait de l'examiner chacun avec un seul théologien de son choix et de faire parvenir, en secret, et par écrit, dans l'espace de trois mois, le résultat de leur examen.

Ainsi mûrement étudié, le syllabus, complété par un certain nombre de nouvelles propositions, également opposées à la doctrine catholique, parut à la fin de l'année mil huit cent soixante-quatre.

Si l'on avait pu douter de l'opportunité de cette publication, la conduite du gouvernement français eût suffi pour lever tous les doutes. Il fallait que ces erreurs fussent bien dans l'esprit de nos gouvernants pour qu'une condamnation leur inspirât tant de colères et une conduite si contraire à toute justice.

Le premier janvier 1865, comme don de joyeux avènement de la nouvelle année, le Ministre des Cultes, M. Baroche, envoyait une circulaire aux Archevêques et Évêques pour leur interdire la publication de l'Encyclique. Il leur annonçait que le Conseil d'État était saisi de l'examen d'un projet de décret tendant à autoriser la publication dans l'Empire de la partie de l'Encyclique du 8 décembre qui accordait un jubilé pour 1865. « Quant à la première « partie de l'Encyclique, ajoutait le Ministre, et au docu- « ment qui y est annexé sous le titre de *Syllabus comple- « tens præcipuos nostræ ætatis errores*, Votre Grandeur « comprendra que la réception et la publication de ces « actes, qui *contiennent des propositions contraires aux « principes sur lesquels repose la constitution de « l'Empire*, ne sauraient être autorisées. Ils ne peuvent « donc être imprimés dans les instructions que vous croi- « riez devoir adresser aux fidèles pour le jubilé ou à toute « autre occasion. »

Ainsi, alors que la Constitution consacrait la pleine liberté du culte catholique, le Souverain Pontife ne pouvait plus faire parvenir son enseignement doctrinal aux fidèles par l'intermédiaire des Évêques, seuls compétents pour expliquer cet enseignement ; alors que, la liberté de la presse étant l'un des articles fondamentaux des constitutions dites modernes, tout écrivain pouvait faire imprimer sa pensée, les Évêques seuls en étaient empêchés; alors que l'Empire lui-même soudoyait la presse anti-catholique, que le mépris, l'injure et les outrages étaient publiquement déversés chaque jour sur la Religion, le Pape, les Évêques et sur toute l'Église, il était interdit de laisser passer aux fidèles la parole du Père et du Pasteur de l'Église universelle; bien plus, enfin, à l'heure où l'on permettait au dernier des journalistes de publier le *Syllabus* pour le réfuter, le travestir, le dénaturer aux yeux des simples fidèles, on défendait aux Évêques de le faire connaître, de l'expliquer et de le défendre contre d'aussi odieuses attaques. Le procédé était aussi déloyal qu'injuste. Ajoutons qu'il était aussi inutile que suranné. Si le gouvernement de l'Empereur avait pensé arrêter, par cette mesure, l'expansion des doctrines pontificales, il fut bien vite détrompé.

L'Épiscopat français se leva tout entier pour faire entendre la protestation indignée de la conscience catholique.

L'Évêque d'Angers fut des premiers.

« *Angers, le 6 janvier 1865.*

« MONSIEUR LE MINISTRE,

« J'ai reçu la lettre que vous m'avez fait l'honneur de m'adresser le premier jour de ce mois et, si je ne vous ai pas aussitôt accusé réception, c'est que j'avais besoin de me recueillir pour adoucir l'impression pénible que cette lettre m'a fait éprouver.

« Je connaissais bien l'art. 1er des Articles organiques ajoutés au Concordat du 28 messidor an IX et publiés en même temps, à l'insu et contre le gré de l'autre partie contractante; je savais que, nonobstant les réclamations réitérées de la part des Souverains Pontifes, on ne permettait aucune publication de Bulles ou de Brefs, même concernant des questions spirituelles, sans un examen préalable ; je m'abstenais et je m'abstiens d'observations à ce sujet. Mais je ne savais pas, je ne pensais pas qu'au moment même où l'on faisait aux Évêques défense de publier cet acte pontifical on pût permettre aux journalistes de publier ce même acte, de le commenter, de le dénaturer, d'en parler avec un mépris insultant.

« Il me semble que l'impartiale équité, que la dignité même du gouvernement devaient s'opposer à ce que des hommes sans mission, non seulement indiscrets mais hostiles, attaquassent à la fois et le Souverain Pontife et la Constitution même de l'Église, qui doit veiller au dépôt de la foi, en signalant les abus et les erreurs qui peuvent la mettre en péril. Je ne veux point élever avec Votre Excellence une discussion canonique, mais je me plains à Elle que, contrairement au droit, à la jurisprudence civile ou criminelle, on entrave la défense au moment où l'on permet l'attaque.

« Je devais à ma conscience et à votre loyauté, Monsieur le Ministre, ces observations ; je pourrais leur donner les développements nécessaires ; je pourrais alors aussi leur donner de la publicité, puisque c'est par la voie du *Moniteur* que vous nous adressez vos instructions, ou que, du moins, il les répète ; je ne le fais pas en ce moment, sans renoncer à ce droit, et je me contenterai de ces quelques notes sommaires, mais je veux que vous connaissiez ma pensée et aussi les limites auxquelles s'arrête ma modération pour ne pas aigrir des plaies que je voudrais à tout prix pouvoir guérir.

« J'ai l'honneur d'être, etc..... »

La protestation de l'Épiscopat ne s'arrêta pas à une lettre au Ministre. Les plus autorisés des Évêques écrivirent pour défendre l'Encyclique et le *Syllabus*. Aucun des contemporains n'a oublié le magistral travail de Mgr Dupanloup ni l'apaisement qui se fit soudain après la publication de cet ouvrage. Le gouvernement fut obligé de battre en retraite. Il déféra au Conseil d'État comme d'abus l'Archevêque de Besançon, cardinal Mathieu, et Mgr de Brézé, Évêque de Moulins, qui avaient donné lecture publique de l'Encyclique, et il fit insérer au *Moniteur*, à la date du 9 février, une note blâmant le Nonce, qui avait osé rendre publiques ses lettres à Mgr l'Évêque de Poitiers et à Mgr l'Évêque d'Orléans. Et ce fut tout.

Telum imbelle sine ictu.

Après cela, Monseigneur put écrire aux fidèles de son diocèse :

« Dans les circonstances où se trouvent l'Église et le monde, au milieu de la confusion qui règne dans les intelligences, au milieu des erreurs qui se propagent avec une incroyable impudence, le chef suprême de l'Église, l'organe de la vérité, Pie IX, a jugé que le temps de se taire était fini ; il a parlé : une Lettre Encyclique a été adressée à tous les Évêques du monde catholique ; les ténèbres ont été séparés de la lumière ; dans le pêle-mêle des doctrines, le jour s'est fait ; l'erreur a été saisie dans les mille dédales où elle portait la mort, elle a été frappée, condamnée ; plaise au ciel que nous puissions dire écrasée ! »

CHAPITRE XIV

Cinquantaine — Dernières années

Sainte-Marie et le grand Hôpital. — Mort de Lamoricière. — Cinquantaine de Mgr Angebault. — M. Duruy et les cours de jeunes filles. — Affaire Zévort. — Affaire B... — Nouvelle jurisprudence du Conseil d'État sur l'acceptation des dons et legs faits aux établissements publics religieux.

En 1865, Monseigneur eut la douleur de voir les Religieuses de Sainte-Marie expulsées de l'hospice général d'Angers.

La Congrégation des Sœurs de la Charité de Sainte-Marie est d'origine tout angevine et remonte jusque vers le milieu du seizième siècle. En 1554, la misère, par suite des guerres précédentes et de divers fléaux, fut grande en Anjou, et le nombre des pauvres s'accrut dans une proportion telle que la ville se vit dans l'impuissance de les soulager. Une Assemblée, composée des officiers de justice, du Maire, des Échevins et des députés du clergé, se réunit, le vingt-quatre mars, à l'Hôtel de Ville, pour aviser aux moyens de secourir tant de malheureux, et voici la mesure qui fut prise à l'unanimité. Après avoir expulsé d'Angers tous les mendiants étrangers, l'Assemblée décida que, outre les Aumôneries particulières qui existaient déjà, une grande Aumônerie générale serait fondée. Elle était destinée à recevoir les pauvres infirmes et les enfants exposés. Son administration était confiée à huit directeurs, dont quatre ecclésiastiques et quatre laïques des plus notables, qu'on appela Pères des pauvres. Un citoyen d'Angers,

Guillaume de la Porte, qui venait de fonder une aumônerie à la Montée des Forges, offrit sa maison qui fut acceptée avec reconnaissance et appropriée aussitôt à recevoir les pauvres et infirmes et les enfants exposés. C'est ainsi que fut fondé l'*hôpital des renfermés*. On fit appel au dévouement et à la piété de quelques femmes généreuses et distinguées qui se chargèrent du service intérieur. Une d'elles porta le titre de Supérieure. Elles s'adjoignirent, en qualité de sœurs, de bonnes filles et des femmes veuves qui, elles-mêmes, furent secondées dans les plus rudes travaux par des aides prises dans le peuple. Ainsi commença la Congrégation de la Charité de Sainte-Marie [1].

Louis XIII et Louis XIV enrichirent et développèrent l'hôpital des Renfermés et Mgr Henri Arnauld, le grand organisateur de la charité en Anjou, en régla l'administration intérieure, avec le zèle, l'activité et la compétence qui lui étaient propres.

La Révolution respecta l'hospice, tout en persécutant les Sœurs, qui toutes avaient refusé le serment à la Constitution civile du Clergé. L'une d'elles cependant, Jeanne Lagraye, dite Sœur Céleste, se trouvant malade et séparée de ses compagnes au moment où on leur demandait le serment, ne fut pas inquiétée et put, sans trahir sa foi ni aliéner sa liberté, rester à l'Hôpital jusqu'à des jours meilleurs.

Après la Révolution, la Communauté se reforma sous la direction de la Sœur Claire et, en 1810, un décret impérial, rendu à Fontainebleau le 15 novembre, lui donna l'existence légale. Les *Sœurs* de *l'Hôpital général des Renfermés* furent reconnues comme Sœurs hospitalières. En 1844, les membres de la Communauté étaient devenus si nombreux qu'il fallut songer à établir un noviciat, hors de la maison de l'Hospice. Après plus d'un an de négocia-

[1] Voir *Petite notice sur l'hospice général.*

tions, les Sœurs de Sainte-Marie furent autorisées, par décret du 12 août, à acquérir la propriété de la Forêt, située sur les hauteurs de Reculée, si chères au bon Roi René, le Roi des Gardons, comme aimaient à l'appeler les pêcheurs de cette contrée. Elles y établirent leur noviciat. Vers la même époque, le gouvernement y plaça l'institution des Sourds-Muets et confia aux Sœurs de Sainte-Marie l'éducation et l'instruction de ces pauvres enfants.

La Congrégation était donc aux Renfermés ; elle avait son noviciat et l'établissement des Sourds-Muets à la Forêt. Enfin elle s'était adjoint le petit établissement de Jarzé. Cette dernière Communauté avait été fondée par une demoiselle Ledoux, que sa charité pour les pauvres et les malades avait poussée à cette entreprise. Elle avait adopté les statuts des Sœurs hospitalières de Saint-Joseph de Baugé, et elle avait été autorisée par décret impérial en date du 1er février 1853. Elle rendait de grands services aux pauvres des environs ; malheureusement elle ne trouvait pas à se recruter et elle aurait fini par périr, faute de sujets. Il en coûtait à la bonne Supérieure de voir le dépérissement de sa chère petite Communauté. Mais, songeant avant tout au bien qu'elle avait rêvé, elle proposa, les larmes aux yeux, de s'agréger à la Communauté de Sainte-Marie. Sa demande fut agréée par les Filles de la Charité et autorisée définitivement par un décret impérial du 30 avril 1862.

Cependant, l'hospice-général dont nous avons vu Monseigneur bénir la première pierre en 1849, était achevé depuis longtemps.

Par les soins de l'Administration s'élevait, sur les bords de la Maine, dans les terrains de l'ancienne Bellefontaine, un monument magnifique. Au centre était une chapelle couronnée d'une superbe coupole. Le Président de la République, depuis empereur Louis-Napoléon, en avait, comme nous l'avons vu plus haut, posé la première pierre en 1849, et plus tard les meilleurs peintres de l'Anjou, les Lenepveu, les Dauban, les Appert, avaient décoré de leurs plus belles pages les murs et la coupole de la chapelle. Le costume des religieuses de Sainte-Marie apparaissait dans ces ravissantes compositions.

A la fin de 1854, Monseigneur alla bénir et inaugurer ce magnifique établissement. Ce fut une fête superbe pour la Congrégation, pour les pauvres et les malades et pour la ville entière. M. le Préfet, les administrateurs, les autorités municipales et un grand concours de personnes de toutes classes vinrent donner un témoignage public de l'intérêt porté aux religieuses et aux pauvres. MM. les Membres de la Commission des Hospices exprimèrent publiquement leur satisfaction aux Sœurs de Sainte-Marie et, pour mieux marquer leur reconnaissance, ils donnèrent à la nouvelle Maison le nom même de la Congrégation qui, depuis trois siècles, s'était entièrement vouée au service des pauvres de la ville d'Angers, et lui conférèrent officiellement le titre d'Hospice général de Sainte-Marie.

Or, dix ans plus tard, les administrateurs des hospices d'Angers décidèrent, on ne sait pourquoi, de réunir à l'hospice Sainte-Marie l'hôpital établi depuis deux siècles dans la magnifique salle Saint-Jean, bâtie autrefois par Henri II Plantagenet. Cet hôpital était desservi par les Filles de Saint-Vincent-de-Paul. La Commission décida de confier tous les services hospitaliers à une seule Congrégation. C'était violer les droits de l'une ou l'autre Communauté et manquer à la reconnaissance. La mère Alleau, Supérieure générale de Sainte-Marie, fit les offres les plus généreuses pour éviter cette extrémité. Elle proposa tous les moyens possibles de conserver les Sœurs de Saint-Vincent-de-Paul en même temps que celles de Sainte-Marie. Ce fut en vain.

Le 8 octobre 1864, les Administrateurs des Hospices d'Angers écrivirent une lettre collective à Monseigneur l'Évêque d'Angers pour lui faire connaître que la Commission avait pris la résolution de remettre tous les services à un seul ordre religieux et qu'elle avait choisi les sœurs de Saint-Vincent-de-Paul.

Pourquoi ce choix ? Pourquoi préférer la moins ancienne et la moins angevine des Congrégations ? Avait-on quelque sujet de se plaindre des Sœurs de Sainte-Marie ? Nullement. Les Administrateurs le reconnaissaient eux-mêmes. « Croyez, Monseigneur, disaient-ils, que ce n'est pas sans « un vif regret que la Commission s'est décidée à faire « un choix entre deux Congrégations qui ont des titres si « réels à la reconnaissance publique dans la ville d'An- « gers et particulièrement à celle des pauvres et des admi- « nistrations hospitalières qui ont pu les suivre et les « apprécier dans leur œuvre de dévouement. »

Monseigneur eut connaissance de cette décision arbitraire par le journal. Il écrivit au Maire d'Angers pour se plaindre d'un pareil procédé.

« Vous m'avez habitué, dit-il dans cette lettre, à des « procédés si délicats et vous connaissez si bien les conve- « nances administratives que vous ne serez pas surpris de « mon étonnement lorsque j'ai appris *par le journal* « qu'une question très grave, concernant deux Commu- « nautés placées dans cette ville et par conséquent sous « ma juridiction, avait été décidée par la Commission « administrative des Hospices que vous présidez, sans « qu'on m'en ait donné la moindre connaissance. Je m'abs- « tiendrai de toutes réflexions, Monsieur le Maire, mais « je ne puis concentrer dans mon cœur la peine profonde « que j'éprouve de cet oubli et je dois du moins vous en « faire part pour sauvegarder les droits de l'autorité dont « j'ai l'honneur d'être revêtu, et qui a été ainsi mé- « connue. »

La Commission des Hospices, quand elle aurait eu, ce qui n'était pas, les meilleures raisons de préférer les

Sœurs de Saint-Vincent-de-Paul à celles de Sainte-Marie, pouvait-elle ainsi biffer d'un trait de plume les décrets qui liaient Sainte-Marie à l'Hospice général? Aucun esprit droit ne le pensait.

La Mère Alleau fit rédiger une notice où les droits de sa Communauté étaient clairement exposés et la remit aux administrateurs. Un mémoire fut envoyé également à M. le Ministre de l'Intérieur. Rien n'y fit. Les traités passés avec la Communauté, les Décrets qui avaient reconnu les Sœurs de Sainte-Marie comme Congrégation hospitalière, avec résidence et chef-d'ordre à l'Hospice général d'Angers, tout céda, chose incroyable, à la décision d'une simple Commission administrative.

Un espoir restait. Dans le cours de l'année, le Père Étienne, Supérieur général des Sœurs de Saint-Vincent-de-Paul, mis au cours des bruits qui circulaient au sujet des dispositions de l'administration hospitalière d'Angers, avait écrit au Supérieur de Sainte-Marie « qu'il pouvait « tenir pour certain que si des propositions lui étaient « faites qui ne permissent pas aux deux Congrégations de « fonctionner conjointement à Angers, il s'empresserait « de prier l'administration de confier le tout aux Religieuses « de Sainte-Marie et de permettre à ses Sœurs de se retirer; « qu'il croirait, dans ce cas, que la tâche à elles confiée « par la Providence était achevée et qu'il était dans ses « desseins qu'elles allassent faire le bien ailleurs. »

Si le digne Supérieur persistait dans le même sentiment, la Communauté de Sainte-Marie gardait tout naturellement ses positions et n'avait rien à craindre. Monseigneur rappela à propos au Père Étienne cette sorte d'engagement moral. Mais le bon Père ne pensa plus, après la détermination de la Commission, que la tâche confiée à ses filles était finie. Au contraire, il vit l'action de la Providence dans la décision prise, et il écrivit : « Nous avons laissé à « la Providence le soin d'amener telle solution qui serait

« dans ses desseins » et, la solution étant intervenue, il s'y conforma avec beaucoup de résignation.

Il n'en fut pas tout à fait de même pour les Sœurs de Sainte-Marie. Elles se soumirent religieusement à cette grande épreuve. Toutefois, en se voyant chassées d'un établissement fait pour elles, en songeant à leurs trois siècles de services rendus, à leurs statuts méconnus, à leur maison-mère occupée par d'autres, en quittant ces pauvres auxquels elles étaient si heureuses de se dévouer, qu'elles aimaient d'un amour si tendre et si maternel, en abandonnant cette chapelle où leurs portraits s'étalaient à tous les regards, mêlés à ceux de leurs pauvres, elles eurent quelque peine à comprendre que MM. les Administrateurs n'eussent été que les instruments de la Providence.

Même si leur vertu se fût élevée jusque-là, elle aurait été ébranlée, peut-être, par le dernier acte des membres de la Commission des hospices. Ce fut le 24 avril 1865 qu'ils notifièrent à la Mère Alleau que, suivant la décision du 8 octobre 1864, le service de l'Hospice général serait confié le 1er mai aux Sœurs de Saint-Vincent-de-Paul. Six jours pour tout abandonner! Trois cents ans de bienfaits n'obtenaient même pas le délai accordé d'ordinaire aux mauvais serviteurs.

Heureusement pour elles qu'elles trouvèrent un protecteur admirablement dévoué dans l'Archevêque de Cambrai. Mgr Régnier les fit appeler, en grand nombre, pour la direction de divers établissements de son vaste et religieux diocèse, et il put ainsi conjurer en partie le mal que devait naturellement causer une sortie si inattendue. Dieu, qui sait tout faire tourner au bien de ses élus, répandit ainsi au loin cette Congrégation, qui trouva dans le Nord plus de vocations qu'elle n'en aurait rencontrées à l'Hospice général. Ce fut une consolation pour ces bonnes religieuses et pour l'Évêque qu'avait tant affligé l'injustice des administrateurs des hospices d'Angers.

Un autre événement, douloureux lui aussi, marqua la fin de cette année.

Le 11 septembre 1865, Monseigneur était, l'après-midi, au milieu des religieuses de Saint-Gildas, dont il stimulait le zèle de ses gais propos, quand on lui apporta une dépêche. Il en prit connaissance. Il pâlit, se leva et ne put dire que ces mots : « Le général Lamoricière est mort. Prions. »

Le héros d'Afrique, le vainqueur de l'émeute dans les rues de Paris, le sublime combattant de Castelfilardo, venait d'être frappé subitement au milieu de cette nuit du 10 septembre, en sa propriété de Prouzel. La veille il avait assisté aux exercices de l'Adoration et au salut du Saint Sacrement qui les avait clôturés. Il avait prolongé jusqu'à dix heures du soir la conversation avec son curé. Puis, en se retirant, il s'était fait apporter ses livres de prières et l'histoire ecclésiastique de l'abbé Darras. A deux heures, il était mort, entre les bras du curé de la paroisse, qui avait eu le temps de l'administrer.

Cette mort soudaine privait le Souverain Pontife de son plus puissant défenseur et jetait la France catholique tout entière dans la consternation. Nul ne fut plus frappé que l'Évêque d'Angers.

Rome devait le tribut de sa reconnaissance à l'illustre guerrier qui n'avait pas craint de tout sacrifier et même, aux yeux de quelques-uns, jusqu'à sa gloire, pour voler au secours de Pie IX. Le diocèse de Nantes avait fait retentir la chaire sacrée des accents émus de l'éloquent Évêque d'Orléans. Le diocèse d'Angers devait aussi son hommage au grand chrétien de *Chillon*[1]. Monseigneur ne cherchait qu'une occasion favorable. Justement cette année 1865 était la cinquantième de son sacerdoce, et sa famille, et sa maison et son diocèse désiraient fêter avec le plus grand

[1] Château de M. de Lamoricière, au Louroux-Béconnais, diocèse d'Angers.

éclat son heureuse cinquantaine. Il voulut en profiter pour faire rendre de nouveaux honneurs au général et accomplir le désir qu'avait Mme de Lamoricière de faire célébrer un service au Louroux-Béconnais. Les prélats, ses amis, qui avaient promis de venir à la fête d'Angers, furent, en conséquence, priés de se rendre au Louroux pour le service qui devait avoir lieu le lundi 6 novembre. Dès la veille au soir arrivèrent, avec Mgr d'Angers, l'Archevêque de Tours et les Évêques d'Angoulême, d'Amiens, de Carcassonne, de Laval, de Limoges, du Mans et de Quimper. Ils furent reçus solennellement par le clergé de la paroisse auquel étaient venus se joindre vingt-cinq à trente ecclésiastiques des environs, ainsi que le R. P. Fulgence, abbé de la Trappe de Bellefontaine. Une magnifique procession les conduisit à l'église au milieu d'une foule de quatre à cinq mille personnes accourues pour les recevoir. Là, ils furent harangués par le curé du Louroux, M. l'abbé Brouillet, qui, en termes émus et élevés, leur souhaita la bienvenue. Ils devaient être appelés à venir dans cette église, due en grande partie aux conseils et à l'argent de M. de Lamoricière ; c'était le vœu du général, mais il n'avait pas prévu, hélas, que ce serait pour lui rendre les derniers devoirs. « Monsieur le Curé, avait-il dit moins d'un an auparavant, lorsque la flèche de notre église sera terminée, il faudra faire une grande cérémonie ; nous prendrons avec nous M. Joseph de Mieulle, et nous irons, au nom du Conseil de fabrique et de la paroisse tout entière, trouver Mgr l'Évêque d'Angers, et nous lui dirons : Monseigneur, nous venons de bâtir une belle église ; les habitants ont fait de grands sacrifices, les propriétaires ont donné de l'argent, les fermiers ont fait travailler leurs bœufs ; nous vous demandons, pour récompense, de la consacrer », et il ajoutait : « Pour donner un plus grand éclat à cette cérémonie, nous le prierons d'inviter un grand nombre d'Évêques. »

Ils étaient venus, ces prélats, mais seulement pour déposer des couronnes sur la tombe prématurément ouverte de celui qui ne les appelait que pour consacrer cette église.

Mgr l'Archevêque de Tours répondit aux paroles de M. le curé avec l'à-propos et la délicatesse de pensées et d'expressions qui ne lui manquaient jamais. Il fit revivre en quelques mots les mâles vertus de l'illustre défunt.

Après la cérémonie, tous les prélats vinrent saluer la noble veuve du général qui, surmontant son émotion et sa douleur, avait voulu les recevoir elle-même.

Le lendemain, les neuf Évêques que nous avons nommés, le R. P. abbé de la Trappe de Bellefontaine, le R. P. Eutrope, ancien abbé de Gethsémani, M. l'abbé Richard, grand vicaire de Nantes, aujourd'hui Cardinal-Archevêque de Paris, plus de trois cents prêtres et une foule de parents, d'amis et d'admirateurs du général de Lamoricière, se pressaient dans l'église du Louroux et s'unissaient tous dans une communauté de prières, d'hommages, de respect, de reconnaissance pour l'un des hommes qui, dans ce siècle, ont le plus aimé la France et l'ont le mieux servie, en laissant autour d'un nom sans tache les plus brillants souvenirs de gloire joints aux plus admirables exemples d'abnégation et de dévouement.

Mgr l'Archevêque de Tours officia pontificalement, avec un ordre, un ensemble dans le cérémonial, une pompe et une dignité que l'on ne trouve pas toujours même dans les cathédrales de nos grandes villes. Mais ce qui fit le plus bel ornement de la cérémonie funèbre, ce fut la foule de ceux qui étaient venus rendre hommage aux vertus du général. Hommes, femmes, enfants, tous vêtus de deuil, sans distinction d'opinions, sans esprit de parti, étaient accourus pour prier et pour pleurer sur le cercueil de celui qui était leur gloire et qui les avait comblés de ses bienfaits.

Les cordons du poêle étaient tenus par quatre personnes choisies parmi les parents et les amis intimes du général de

Lamoricière : MM. le comte de Bourmont, de la Bénardais, vicomte du Ponceau, vicomte de la Haye.

Après l'office, l'Évêque d'Angers monta en chaire pour prononcer l'éloge du général. Il le fit en termes qui remuèrent profondément l'assistance.

Louer le général Lamoricière après l'Évêque d'Orléans était une tâche délicate et ardue. Monseigneur ne recula pas devant elle. Il s'excusa modestement de parler après Mgr Dupanloup et se défendit de vouloir faire une oraison funèbre. « Vous nous excuserez, dit-il, si, sur cette tombe si chère, nous laissons tomber quelques paroles comme des fleurs fanées. »

Puis, saisissant le côté religieux de cette grande vie, il célébra surtout la foi du général, cette foi qui a vaincu le monde. Plusieurs fois l'orateur dut s'interrompre, vaincu par l'émotion et par les larmes. Son éloquence, toute de foi et d'amour, fut à la hauteur du sujet, et le grand général eut encore un éloge digne de lui.

Le soir du même jour, après avoir si bien rendu leurs devoirs au soldat français, au héros chrétien, les Évêques revinrent à Angers.

Il eût été difficile, peut-être, de passer brusquement du service funèbre à la joyeuse cérémonie de la cinquantaine. La journée du 7 novembre fut employée par les prélats à la visite des établissements religieux de la ville d'Angers et particulièrement du Petit-Séminaire.

Jamais plus grand honneur n'avait été fait à Mongazon. La visite de douze Évêques à la fois est un événement qui marque dans toute histoire. Aussi maîtres et élèves rivalisèrent-ils d'empressement pour recevoir dignement les nobles visiteurs. En un clin d'œil, la maison fut transformée et resplendit sous les draperies, les guirlandes de verdure et les multiples inscriptions célébrant la gloire des prélats. Le Supérieur du Petit-Séminaire reçut ses hôtes vénérables avec une aisance et une joie qui n'eurent d'égal que la délicatesse de ses louanges et l'à-propos de son discours.

« ...Une pensée nous inspire confiance, disait-il. En entrant ici, un cher souvenir a dû s'éveiller en vous. Le Petit-Séminaire d'Angers vous aura rappelé les vôtres, Messeigneurs. Ce souvenir nous protège ; en nous rapprochant dans votre pensée de ces familles bien-aimées, il nous assure une part dans votre indulgence paternelle.

« C'est sous la bienveillante inspiration de ce sentiment que vous apprécierez ces décorations multipliées et aussi les compositions littéraires de nos chers élèves. Ils ont voulu vous louer, tâche séduisante, sans doute, mais trop au-dessus de leurs forces. Puissent ces humbles essais, où ils ont mis tout leur cœur, ne pas paraître tout à fait indignes de se produire devant des Évêques qui savent trouver de si nobles accents pour toutes les nobles causes, qui sont maîtres dans l'art de bien dire, comme dans l'art de bien faire. » Puis, reportant cette gloire à qui de droit, il louait particulièrement Mgr Angebault, à qui tout honneur devait revenir en ce jour.

Bien que pris presque à l'improviste, les élèves de Mongazon purent cependant faire entendre quelques pièces de vers latins et français qui furent vivement goûtées de l'auditoire et honorées par Nosseigneurs les Évêques des éloges les plus flatteurs.

La bénédiction des Évêques compléta la journée, qui a laissé à Mongazon les meilleurs souvenirs.

Mais ce n'était là qu'un prélude. Le lendemain, c'était la vraie fête du diocèse, la cinquantaine du vénérable Évêque d'Angers.

Cinquante ans de sacerdoce, c'est-à-dire cinquante ans d'apostolat, de travaux incessants, d'abnégation inépuisable, de vertus sans défaillance ! Quelle belle vie ! Et qu'il est consolant et doux, lorsqu'arrive le soir, de jeter un regard sur les épreuves et les labeurs de la journée et de pouvoir se dire : J'ai rempli mon devoir, j'ai combattu le bon combat, j'ai fait pour Dieu et pour les hommes tout ce que me permettaient mes forces, tout ce que me dictait ma conscience, tout ce que m'inspirait l'amour de ceux qui étaient confiés à ma garde, tout ce que me commandait ma foi et ma sublime mission ! Personne ne pouvait mieux que Mgr Angebault se tenir à lui-même ce langage et, tout en reportant la gloire d'une telle carrière à Dieu, de qui vient tout don parfait, personne n'avait plus le droit de goûter les joies pures qui remplissent le cœur du juste.

La vieille cathédrale resplendissait sous l'éclat de ses riches parures. Onze Évêques siégeaient devant l'autel, la mitre en tête et la crosse à la main, tandis que Mgr Angebault officiait pontificalement. Huit cents ecclésiastiques remplissaient le chœur et le transept ; la vaste nef ne suffisait pas à contenir l'immense foule qui s'y était pressée.

L'art musical avait apporté son tribut à la fête. Sous la direction de l'habile maître de chapelle, les élèves de la Maîtrise, auxquels s'étaient joints de nombreux artistes de la ville, exécutèrent une messe d'un caractère vraiment religieux.

Après l'Évangile, l'éloquent évêque de Poitiers, Mgr Pie, monta en chaire et prononça un discours qui est resté comme un modèle de pensées fortes et gracieuses, de délicatesse et de sentiment, d'élévation et de familiarité charmante. On ne saurait assez admirer l'art merveilleux avec lequel l'orateur, ayant en face de lui l'Évêque qu'il devait louer, sut, comme un peintre, qui mélange ses couleurs pour rendre toutes les nuances de la lumière, grouper les textes de l'Écriture et des saints Pères, les disposer et les fondre, pour achever un portrait complet du modèle qu'il avait sous les yeux. Tout fut loué, jusqu'à cette écriture même « rapide et bien alignée qui ne révélait point une main qui tremble ni une plume qui dévie », et si adroitement, que l'Évêque de Poitiers pouvait dire en toute jus-

28

tice : « Ne vous alarmez pas de ces louanges, car ce n'est pas moi qui vous loue ; je passe la parole à saint Jérôme, à saint Hilaire, aux grands Apôtres et aux grands Saints ; je ne suis que leur traducteur, leur interprète devant cet auditoire, et ce sont eux qui viennent d'achever ce portrait si ressemblant que chacun de vos diocésains s'écrie : comme c'est bien là notre pieux et vénérable Évêque ! »

Après la cérémonie religieuse, Mgr Angebault réunit à sa table, avec les Évêques que nous avons nommés, l'élite de la Société angevine, le Maire d'Angers, la députation de Maine-et-Loire, le général commandant la division militaire, le comte de Quatrebarbes, le comte de Falloux, et environ deux cents prêtres et laïques. Le banquet fut ce qu'il devait être, plein d'une aimable et digne simplicité. On sentait partout la joie et le bonheur était sur tous les fronts.

Au cours du repas, les enfants de la Psalette chantèrent deux duos dont l'un de Bellini, auxquels avaient été adaptées avec goût des paroles célébrant la fête du jour. On lut aussi une pièce de vers extrêmement gracieux d'un jeune talent qui devait se faire plus tard un nom dans les lettres [1].

Enfin se fit entendre la grande voix de l'Archevêque de Tours, célébrant, dans un toast d'une délicatesse exquise, les vertus de son saint ami. « Vous avez montré, par votre exemple, avec quelle prudence et quelle fermeté les Évêques doivent défendre les droits de l'Église et ceux de son chef vénérable ; mais vous avez prouvé, en même temps, qu'en défendant cette sainte cause avec l'indépendance de la conscience, l'Évêque sait remplir tous ses devoirs envers les dépositaires de l'autorité temporelle.

« Que de grandes et belles institutions ont été fondées ou perfectionnées sous votre action féconde pour l'éducation de la jeunesse qui vous fut toujours chère. Vous y

[1] Mlle Marthe Lachèse.

avez mis toute votre sollicitude et même votre fortune personnelle. Que d'écoles établies par vos soins dans les campagnes, pour la propagation des principes chrétiens! Que d'asiles pour le soulagement de la misère et de l'infirmité! Que d'églises construites ou réparées! Votre zèle et votre activité semblent n'avoir voulu rien laisser à faire à ceux qui viendront après vous.

« Que dis-je, Monseigneur, l'avenir est encore, nous l'espérons, ouvert devant vous pour longtemps... C'est le vœu de vos collègues qui demandent à Dieu de conserver longtemps parmi eux un Prélat qui est à leurs yeux le vrai modèle de toutes les vertus épiscopales. »

La salle entière couvrit cette allocution de ses chaleureux applaudissements. Mais il fallait une autre voix pour redire les qualités personnelles de Mgr Angebault, une voix laïque pour reproduire l'appréciation des hommes du monde. M. Segris, député d'Angers, se leva et dit :

« Nous avons entendu la voix de nos vénérables Évêques et Prélats s'unir pour rendre hommage aux vertus épiscopales de Mgr l'Évêque d'Angers. Ils vous ont dit avec quelle abnégation et quel dévouement, depuis cinquante ans, il a su remplir les devoirs souvent pénibles et difficiles qu'impose le sacerdoce.

« Qu'il nous soit permis de faire entendre aussi quelques paroles à un autre point de vue et de nous rendre l'interprète du sentiment laïque si largement représenté dans cette fête toute personnelle et privée.

« Est-il un seul d'entre nous, Messieurs, qui, mis en rapport avec Monseigneur, dans des situations et dans des conditions diverses, n'ait pu apprécier la douceur, la bienveillance et la modération dont ces relations ont toujours été empreintes.

« Si ce sont là des vertus chrétiennes, ce sont aussi des vertus civiles que chacun reconnaît en vous, Monseigneur, et auxquelles il faut toujours rendre hommage, car elles rapprochent les hommes et c'est par elles que toutes les situations peuvent s'unir et se donner la main pour réaliser le bien en ce monde et y faire prévaloir, avec l'esprit de justice, l'idée morale et religieuse. »

D'unanimes bravos prouvèrent à M. Segris qu'il avait rendu, suivant le désir de tous, les sentiments de respect et de gratitude dont tous étaient pénétrés. Ce fut la fin du banquet. La fête se termina le soir dans les salons de l'Évêché, où se renouvelèrent les vœux les plus sincères et les plus ardents pour la conservation des jours si précieux de l'Évêque d'Angers.

Pour lui, il fit l'épilogue en écrivant quelques jours après : « Cette belle fête, j'en ai été bien consolé et je voudrais, dans ce souvenir, puiser un nouveau zèle pour travailler à la gloire du divin Maître. »

Telle fut la fête publique de la cinquantaine qui laissa tant de joie au cœur du Père et des enfants. Nous nous reprocherions d'oublier que déjà Monseigneur avait goûté des joies plus intimes, mais non moins vives peut-être à son cher Saint-Gildas. Un jour de l'année 1857, il était avec ses bonnes filles et il lui échappa de dire : « Si vous m'obtenez huit ans de vie, je viendrai faire ma cinquantaine à Saint-Gildas. » Cette parole, on le pense bien, ne fut pas perdue. Au commencement de l'année 1865, la Communauté la rappela à son cher Père. La fête eut lieu au mois de septembre au milieu de la joie universelle des bonnes Sœurs, qui n'oublièrent de célébrer aucun des bienfaits dont il les avait comblées depuis un demi-siècle.

La cinquantaine de Monseigneur, comme il le désirait, ne fit que redoubler son zèle et ranimer ses forces pour de nouvelles luttes. Il en avait besoin.

Le 30 octobre 1867, M. Duruy, ministre de l'Instruction publique, adressait aux Recteurs d'académie une circulaire qui contenait d'étranges assertions et un plan d'organisation de l'enseignement secondaire des filles plus étrange encore. Il y était dit, entre autres choses, que, dans les pensionnats, « l'enseignement ne dépassait guère la portée des études primaires et que l'enseignement secondaire était à fonder » ; que, pour cela, il fallait s'entendre avec les autorités municipales, qui prêteraient soit une salle de la Mairie, soit quelque autre établissement public pour y établir des cours qui seraient donnés par les professeurs de l'État à des jeunes filles qui viendraient à ces cours accompagnées de leur mère ou de leur gouvernante. Cette circulaire, qui avait pour but, disait M. Duruy, de compléter la loi du 10 avril 1867, concernant les écoles primaires de filles, quelle qu'ait pu être l'intention du Ministre, dépassait de beaucoup le but qu'elle semblait se proposer. Les Évêques y virent, et non sans raison, une attaque indirecte contre l'enseignement religieux, contre la foi et contre les bonnes mœurs. N'était-ce pas, en effet, donner aux professeurs de l'État parfois sans croyance ou imbus des théories athées et matérialistes qui commençaient à prendre tant de faveurs dans les régions officielles, une influence funeste sur les jeunes filles? Quels dangers pour elles de les mettre en rapports journaliers avec les jeunes professeurs! L'infatigable Évêque d'Orléans éleva la voix, dénonça le plan ministériel et mit en garde les familles chrétiennes contre le nouvel enseignement. Tous les Évêques protestèrent. L'Évêque d'Angers ne fut pas le dernier. Un mois apprès l'apparition de la fameuse circulaire, il écrivait à un membre du Conseil Supérieur de l'Instruction publique :

« Dans ces attaques imprudentes, il y a ou de la mau-
« vaise foi ou bien de l'ignorance. Il y aurait un moyen
« plus simple de connaître la force respective des études.
« Que M. Duruy propose un concours entre les élèves de
« nos Communautés, des collèges communaux et même
« des lycées sur les sujets auxquels les jeunes per-
« sonnes sont appliquées..... l'on verra si nos jeunes

« filles méritent le dédain et les reproches qu'on leur « adresse. »

C'est ainsi que l'Évêque faisait justice des accusations ministérielles en ce qui concernait la portée de l'enseignement donné aux jeunes filles. Certes, si M. le Ministre avait voulu relever le défi, il se fût attiré une verte leçon. Nul n'ignorait, en effet, qu'en mettant de côté les questions de grec et de latin, les pensionnats de jeunes filles l'emportaient en tout le reste sur les jeunes gens des établissements d'enseignement secondaire. Mais ce qui tenait le plus au cœur de l'Évêque, c'était surtout l'organisation funeste rêvée par M. Duruy. « La plus grave objection que « soulève le plan ministériel concerne l'éducation de la « jeune fille. M. Duruy veut surtout lui distribuer le pain « de la science ; mais, vous le savez, Monseigneur, « *l'homme ne vit pas seulement de pain*. Celui de *science* « *enfle*, a dit une grande autorité, et l'imagination surexci- « tée de la jeune fille ressemble à ces bulles légères, déco- « rées de brillantes couleurs, que l'enfant s'amuse à livrer « au vent et que le moindre souffle vient briser. La jeune « fille vit de simplicité, de calme, de réserve, et sur son « front la modestie est la plus belle fleur qu'on puisse « attacher à sa couronne.

« Elle ressemble à ces fleurs qu'il faut cacher parce « qu'elles craignent le moindre vent ; les ardeurs même « du soleil leur font perdre leurs couleurs, et M. Duruy ne « craint pas, lui, de les produire en public, de les exposer « à des yeux qui pourraient n'être pas toujours discrets, « à des rapports que la légèreté de l'âge pourrait rendre « dangereux, à des leçons que le parfum même de la « science ne rendrait pas inoffensives. Il n'a préservé « autrefois ni Héloïse ni Abellard.

« Je m'arrête sur cette pente dangereuse, et si les mères « n'étaient pas effrayées, c'est qu'elles ne comprendraient pas leur auguste mission. »

Il se demande ensuite comment un tel plan d'études a pu se faire jour sans avoir été soumis au Conseil supérieur de l'Instruction publique, ou, s'il lui a été soumis, comment il a pu obtenir son approbation. « Pour défendre de « si grands intérêts, dit-il en terminant, votre parole « lumineuse, énergique, se fera entendre, j'en ai la con- « fiance ; si nos efforts étaient impuissants, si nos réclama- « tions étaient méconnues, sentinelles d'Israël, nous « devrons donner l'alarme ; pour moi, je me croirai dans « l'obligation d'élever la voix, et, avec toute l'autorité de « mon âge et de mon ministère, j'adresserai ces conseils à « mes chers coopérateurs et aux mères, pour les détourner, « les empêcher, autant que je le pourrai, de conduire leurs « filles aux écoles où veut les appeler M. le Ministre. »

Il tint promesse ; pour le carême de 1868, il fit son mandement sur l'éducation des jeunes filles.

En même temps il faisait agir par ceux qui pouvaient avoir le plus d'autorité sur l'Empereur.

Le comte de Las Cases portait un nom, symbole de fidélité aux Napoléon. Député de Maine-et-Loire, chambellan, il pouvait à l'occasion, avec l'autorité du représentant et la délicatesse de l'ami fidèle, faire entendre quelques bonnes paroles. Mgr Angebault entretenait avec lui d'excellents rapports. Il lui écrivit, à propos de M. Duruy :

« ..... Des révélations faites par Mgr d'Orléans et des « pièces à l'appui il est confirmé pour moi, comme je le « voyais depuis longtemps, qu'une conspiration est orga- « nisée contre l'enseignement catholique et surtout contre « les jeunes filles. Une secte antireligieuse, aidée par une « mauvaise presse, favorisée par celui qui se trouve placé « à la tête de l'Instruction publique, multiplie ses efforts « pour saper les bases de la religion, de la société, de la « famille. Ils prennent pour prétexte le besoin de répandre « les lumières, mais ces lumières sont celles d'un incendie « qui n'éclairera bientôt plus que des ruines.

« Un matérialisme éhonté, qu'autrefois on n'aurait pas « osé avouer, envahit nos principales écoles, des profes- « seurs payés par l'État l'enseignent publiquement, per- « mettent de soutenir des thèses qui en sont l'expression « et y donnent leur approbation, et, lorsque des pères de « famille indignés demandent du moins à ouvrir des écoles « où leurs enfants pourront être sauvegardés, la mollesse « d'un rapporteur au Sénat tâche d'écarter leur pétition « comme inopportune ....

« Où allons-nous, cher Monsieur, entraînés par ce débor- « dement de passions irréligieuses? Celui qui devrait les « contenir leur donne, au contraire, l'impulsion par une « exubérance d'utopies, de rêves insensés qui mènent à la « ruine.....

« Vous jouissez de la confiance du chef de l'État, votre « dévouement héréditaire lui est connu ; nos prières, nos « vœux ne suffisent pas pour les protéger. Élevez la voix, « cette voix d'un ami, d'un sujet fidèle! »

Les réclamations des Évêques, l'opposition que rencontraient de tous côtés les projets de M. Duruy, les contradictions mêmes de ses collègues, qui le trouvaient trop remuant et trop brouillon, n'empêchaient pas le Ministre de l'Instruction publique de poursuivre l'exécution de son plan. Il se défendait avec beaucoup d'énergie, prétendait qu'il ne voulait rien que de très légitime, qu'on avait mal saisi sa pensée. Il procédait lentement, pour ne pas effrayer, mais il devenait évident qu'il n'abandonnait rien de ses idées. L'épiscopat tout entier était inquiet de tant d'audace. Comment faire pour enrayer ce mouvement, quelle mesure aurait chance de succès? Telle était la question que se posaient les Évêques. Elle n'était pas facile à résoudre. Fallait-il faire acte d'adhésion individuelle à la lettre de l'Évêque d'Orléans? Fallait-il une protestation publique? Fallait-il rédiger une adresse et l'envoyer seulement à l'Empereur? L'Archevêque de Tours avait l'intention de consulter les Évêques de sa province, mais il craignait de peser sur leur détermination. « Vous savez que je ne « manque pas de courage, mais je deviens un peu timide « quand je crains de manquer de modestie vis-à-vis de « mes collègues. » Il priait, en conséquence, Mgr Angebault de les consulter comme de lui-même. L'Évêque d'Arras se prononçait pour une adresse à l'Empereur signée de tout l'épiscopat, mais l'Évêque d'Amiens était d'un autre avis. « Tout ce que vous ressentez je l'éprouve, écrivait-il « à Mgr Angebault, tout ce que vous dites je le pense. Voilà « bien des mois que mon âme est sous le pressoir..... et « je n'ai pas attendu les dernières lumières que Mgr d'Or- « léans vient de répandre sur cette lamentable situation ; « tout cela je le pensais et je le disais autour de moi depuis « l'avènement de M. Duruy. Mais si la lumière est faite « sur l'état du malade, le remède à apporter au mal me « paraît moins facile à connaître et à appliquer. »

Le vénéré prélat raconte ensuite que, dans un voyage à Paris, il avait appris de source autorisée la raison du maintien de M. Duruy au Ministère de l'Instruction publique. C'était une raison d'amour-propre du Souverain. Il savait la défaveur qui accueillait partout M. Duruy, il n'ignorait point qu'il était repoussé par ses collègues du ministère, mais il lui répugnait de paraître céder à une pression extérieure, et il le maintenait justement à cause de la violence de l'attaque. « J'ai des mots de l'Empereur, « disait le prélat, qui ne me permettent pas d'en douter. »

Après avoir vu M. Baroche et M. Pinard, l'Évêque d'Amiens se déclarait prêt à suivre la ligne de conduite qui serait adoptée par ses collègues ; mais il avait peur que le mal ne fût aggravé par de nouvelles attaques venant de la part des Évêques. « Je craindrais que ces « coups redoublés frappés sur la tête de M. Duruy ne « fissent que l'enfoncer davantage dans sa position et de l'y « rendre plus solide.

« L'Empereur y met, nous le savons, de l'amour-propre.
« Céder à ces manifestations des Évêques lui répugne, et
« dans son entourage, même ceux qui pensent comme
« nous, sont de son avis. »

Pénible et terrible situation des gens de bien prêts à se dévouer, mais réduits à l'impuissance par la crainte de compromettre leur cause plutôt que de la servir par leur sacrifice même! Il fut impossible de se concerter pour une démarche collective; mais les Évêques agirent si vigoureusement dans leurs diocèses respectifs, les mères de famille comprirent si bien le danger, que les cours de jeunes filles ne purent jamais se concilier la faveur du public et, après quelques essais plus ou moins malheureux, la déplorable tentative de M. Duruy fut enfin abandonnée.

Les attaques contre la religion ne cessèrent pas pour cela. Le gouvernement multipliait les moyens de corruption. Des conférences plus ou moins scientifiques ou littéraires étaient faites sur commande au public des grandes villes. On y exaltait fort tout ce qui tenait à l'empire et à l'empereur. Mais, en ce qui concernait la religion, il n'en allait pas de même et elle eut plus d'une fois l'occasion de se plaindre. D'un autre côté, on établissait partout où on le pouvait des cours publics, généralement donnés par des professeurs de l'Université, ce qui n'était pas toujours une garantie suffisante de l'orthodoxie de ce nouvel enseignement.

Fidèle à son devoir d'Évêque, c'est-à-dire de Surveillant, Monseigneur se faisait rendre compte des conférences et des cours publics. Aux conférences, hors certaine apologie, ridicule à force d'enthousiasme, du gouvernement impérial, rien ne fut attaqué de ce qui devait être respecté. Il n'en fut pas de même aux cours publics.

Un jeune professeur d'histoire, M. Zévort, dans son cours hebdomadaire, se permit de traiter fort cavalièrement l'histoire de l'Église. Le public angevin goûta peu ces attaques et plusieurs catholiques dénoncèrent le professeur à l'Évêché.

Si désireux qu'il fût de maintenir les saines doctrines, l'Évêque ne voulut pas condamner M. Zévort sur de vagues accusations. Il fit surveiller le cours par des ecclésiastiques et des laïcs instruits, demanda des notes exactes et textuelles. Puis, quand il eut recueilli des documents qui ne pouvaient plus lui laisser aucun doute sur le caractère rationaliste et irréligieux du cours d'histoire, il en référa au recteur de l'Académie de Rennes, dans le ressort duquel se trouve le lycée d'Angers, par la lettre suivante :

« Monsieur le Recteur,

« Je me vois dans la pénible nécessité de vous signaler des faits graves dont les conséquences deviennent funestes.

« Cette année a été envoyé au lycée un jeune professeur nommé M. Zévort, venant de Cluny, et il a été chargé du cours d'histoire fait une fois par semaine aux ouvriers et autres personnes qui viennent y assister. Un cours d'histoire peut être utile, fort instructif et devrait surtout être très inoffensif. Malheureusement, il n'en a pas été ainsi. M. le professeur s'est permis habituellement de censurer, de critiquer les pratiques religieuses, les saints que l'Église vénère, les miracles avérés reconnus par elle et nos croyances les plus respectables. Il jette ainsi le dédain, les railleries du haut de sa chaire et son enseignement rationaliste, irréligieux, provoquant des applaudissements, a blessé profondément les hommes catholiques qui sont venus souvent s'en plaindre à moi. J'ai voulu que ces plaintes, avant d'être accueillies par moi, fussent formulées d'une manière précise. J'ai interrogé des hommes capables, ecclésiastiques et laïcs ; j'ai voulu que des notes exactes me fussent remises après les séances. Quoique ces notes fussent pour moi seul, rédigées sans beaucoup de soins pour la forme et destinées seulement à m'éclairer sur les faits, je veux bien vous les adresser, Monsieur le Recteur, afin que vous puissiez juger par vous-même des tendances et des excentricités irréligieuses de M. le Professeur.

« Il y a cinq ou six semaines, j'avais prié M. l'Aumônier du Lycée d'avertir M. l'Inspecteur, M. le Proviseur, M. Zévort lui-même de la peine que j'éprouvais de ces excès. J'en ai parlé à M. le Préfet qui m'a dit qu'il avait donné ou fait donner des avis à M. le Professeur. M. l'Inspecteur, de Lens, m'a dit qu'il l'avait averti aussi lui-même. Tous ces avertissements ont été inutiles et vendredi dernier, 20 mars, M. le Professeur s'est livré à de nouvelles critiques, notamment au sujet de la donation faite au Saint-Siège par Pépin, « donation illégale, et qui a donné « naissance à ce pouvoir temporel du Pape qui a fait cou- « ler tant de sang au moyen âge et de nos jours est encore « la cause de tant de malheurs ». Des signes d'approbation étaient donnés à de telles paroles (parmi ceux qui applaudissaient, on me signale des élèves externes du Lycée). M. le Professeur enhardi, encouragé, a témoigné sa satisfaction en déclarant plusieurs fois que ce n'était pas à lui que ces applaudissements s'adressaient, mais qu'il les regardait comme une approbation de son enseignement et de ses doctrines.

« Depuis cinq mois, Monsieur le Recteur, j'ai supporté en silence un tel scandale ; j'aimais à penser que les bons conseils, le temps, l'expérience inspireraient au jeune professeur plus de réserve et de modération. Mes espérances ont été trompées et je ne viens point demander à l'Autorité supérieure d'user d'un moyen infructueux. Je vais expliquer ma pensée.

« Il y a environ dix-huit mois, M. l'Inspecteur me communiqua ses craintes, ses plaintes même, contre M. l'Aumônier du Lycée qui, par des paroles peu prudentes, avait, me dit-il, blessé plusieurs parents. Il me pria de le remplacer. J'obtempérai à sa demande et je choisis M. l'abbé Bodaire, chanoine et distingué par ses talents.

« Aujourd'hui, je viens à mon tour, vous demander, Monsieur le Recteur, le remplacement de M. Zévort. Ce n'est pas de paroles imprudentes seulement que j'ai à me plaindre, mais bien d'attaques publiques, réitérées contre la religion, ses dogmes, ses pratiques, contre l'Église et les saints qu'elle a placés sur ses autels. L'époque des vacances de Pâques me semblerait un temps convenable pour ce changement. Je l'attends avec confiance, Monsieur le Recteur, de votre impartialité et de votre respect pour le sentiment religieux. Si ma demande n'était pas accueillie, je le regretterais vivement et, alors, je dois vous en prévenir... il ne me serait pas possible de permettre qu'un aumônier qui me représente, demeurât en face d'un professeur soutenu, autorisé à répandre un enseignement anti-catholique... »

A la réception de cette lettre énergique, le digne Recteur de l'Académie de Rennes, M. Malaguti, accourut à Angers. Il vint faire visite à Monseigneur et le pria de suspendre les mesures auxquelles il avait pensé avoir recours ; il promit que le jeune professeur ne sortirait plus du cadre de l'histoire et ne se permettrait plus aucune attaque contre la religion et l'enseignement catholique.

L'Évêque prit acte de ces promesses et exprima sa confiance envers le Recteur, et il attendit sans donner suite à la mesure qu'il méditait. Il n'attendit pas longtemps. Dès la conférence qui suivit les vacances de Pâques, M. Zévort attaqua le dogme de l'Eucharistie. Il n'était plus possible de garder le silence. Monseigneur se plaignit de ce qu'on avait manqué à la parole donnée et M. le Recteur en fit exprimer tous ses regrets, mais il déclara en même temps qu'il n'avait pas l'autorité nécessaire pour réprimer M. Zévort et qu'il en écrivait à M. le Ministre de l'Instruction publique.

Monseigneur députa alors à Paris M. l'abbé Grolleau, son secrétaire. Il lui donna la mission de voir le Ministre et de lui demander justice. M. Grolleau, suivant en cela les avis du très dévoué M. de Las Cases, sénateur de Maine-et-Loire, et de M. Hamille, directeur des Cultes, vit d'abord M. Rouher. Il en fut bien accueilli. Il en reçut le conseil de voir M. Baroche et de laisser absolument de côté M. Duruy. Tout donnait lieu de croire que la cause de la défense religieuse allait triompher et M. Grolleau songeait au retour, lorsque parut, dans le journal l'*Union de Paris*, un communiqué du Ministre de l'Instruction publique défendant M. Zévort.

Que s'était-il donc passé? Le voici :

L'Inspecteur d'Académie d'Angers, homme personnellement fort honorable et même religieux, mais malheureusement trop enclin à regarder comme un dogme l'impeccabilité des membres de l'Université, avait fait un rapport à M. Duruy dans lequel il affirmait que M. Zévort « n'avait pas dit, n'avait pas pu dire » ce qu'on lui prêtait. Le Ministre de l'Instruction publique, trop heureux de s'appuyer sur un tel rapport, déclara « qu'on lui demandait de punir un homme qui n'était pas « coupable, dans le cas indiqué, et qu'il ne le ferait jamais ». Devant ce déni de justice, l'Évêque d'Angers fit un rapport à M. le Ministre des Cultes dans lequel, après avoir rappelé les faits, avec la preuve évidente, il ajoutait : « Il paraît que M. le Ministre de l'Instruction publique a consulté sur cette affaire M. l'Inspecteur d'Académie d'Angers. Celui-ci, qui m'a fait à moi-même l'aveu qu'il n'avait pas assisté à cette conférence, a fait cependant un rapport pour contredire celui que j'avais adressé à M. le Recteur, avec pièces à l'appui, et il a déclaré que M. Zévort n'avait pas prononcé les paroles incriminées. M. Grolleau tient le fait d'une personne à qui M. Duruy lui-même l'a dit. Par suite du rapport de M. l'Inspecteur, un *communiqué* a été adressé aux journaux pour démentir mon rapport, et le professeur, à l'aide d'un faux exposé, pourra se croire à l'abri de tout reproche et continuer ses attaques.....

« Les intérêts de la religion et du clergé vous sont confiés, Monsieur le Ministre. Les Évêques peuvent donc vous faire le confident de leurs difficultés, de leurs peines; je le fais avec franchise, dans l'intérêt du bien, dans l'intérêt de l'État, et je suis assuré que Votre Excellence voudra bien peser avec une grande attention ces observations si graves. »

Ces démarches n'eurent pourtant pas de suite immédiate. Mais, à la fin de l'année scolaire, Monseigneur trouva l'ocasion de protester de nouveau, et il la saisit avec empressement. Invité, comme à l'ordinaire, à la distribution des prix du Lycée, il refusa en donnant ses raisons à M. le Proviseur; et, pour que sa pensée ne fût pas méconnue, il écrivit la lettre suivante à M. le Préfet de Maine-et-Loire :

« MONSIEUR LE PRÉFET,

« Vous avez eu l'obligeance de me faire connaître le désir que vous auriez d'assister à la distributiton des prix du Petit-Séminaire. J'y ai été très sensible et je vous en ai remercié. Je ne veux donc pas que vous appreniez par d'autres que je ne pourrai pas assister à la distribution des prix du Lycée. Ce jour est celui de ma fête que le clergé de la ville vient me souhaiter.

« Mais je suis trop franc, Monsieur le Préfet, pour me cacher derrière des équivoques, et je dois vous dire que, cette année, j'ai été péniblement affecté de voir qu'on n'écoutait pas mes trop justes réclamations concernant un enseignement public et irréligieux répandu par M. le professeur d'histoire. M. le Recteur de l'Académie, venu exprès à Angers, m'avait donné une parole positive au nom de M. le Proviseur qui n'y a pas tenu, et M. le Ministre de l'Instruction publique n'a répondu à mes observations que par un *communiqué* dans le journal. Votre délicatesse comprendra, je le pense, que je ne dois pas aller me poser, au Lycée, devant M. Zévort. J'en ai prévenu M. le Proviseur, qui m'a fait l'honneur de venir m'inviter, et je lui ai exprimé, à lui-même, le regret de le voir toujours absent pendant que, depuis vingt-six ans, j'ai, moi, toujours tenu à assister à la cérémonie du Lycée.

« Je vous écris cette lettre bien simplement, Monsieur le Préfet, pour éviter toute équivoque, et je vous prie d'agréer l'expression de la respectueuse considération avec laquelle j'ai l'honneur, etc..... »

Une conduite aussi énergique obtint enfin le résultat que voulait Monseigneur. A la fin de l'année scolaire M. Zévort dut quitter Angers. Il était nommé à un autre poste.

Un autre incident pénible était venu cette année troubler la bonne harmonie qui avait toujours existé, à Angers, entre les autorités civiles et religieuses. On allait, comme à l'ordinaire, faire la cérémonie de la Fête-Dieu, si connue et si célèbre sous le nom de « Sacre d'Angers ». Tout était prêt pour la sortie de la grande Procession. Les autorités administratives et militaires avaient répondu avec empressement à l'invitation qui leur avait été faite d'y assister officiellement. M. le Président et la Cour devaient se rendre, en robe et en corps à la solennité. Monseigneur, assis à sa stalle, n'attendait plus que l'arrivée de la Cour pour donner l'ordre du départ, lorsqu'il reçut du Procureur général une lettre ainsi conçue :

« MONSEIGNEUR,

« De tristes circonstances me forcent à retourner à Chalonnes et m'y retiendront demain.

« Je ne pourrai donc me rendre à l'invitation que Votre Grandeur m'a fait l'honneur de m'adresser. »

Le Substitut du procureur impérial pour le parquet et M. le le Premier Président pour la Cour impériale écrivaient en même temps et dans le même sens. La procession eut lieu avec la solennité ordinaire. Le public angevin toutefois remarqua l'absence inusitée de la magistrature.

Que s'était-il donc passé ?

La veille, le treize juin, avait eu lieu, à Chalonnes, l'enterrement civil du général B... Ce général en retraite s'était fixé près de la petite ville de Chalonnes, où il donnait le spectacle d'une vie publiquement scandaleuse. N'assistant jamais à aucun office, ne mettant pas le pied à l'Église, il se moquait ouvertement des lois religieuses. Tout le monde connaissait sa conduite et ses mœurs. Or, il venait d'être frappé d'apoplexie pendant qu'il était à table et en mauvaise compagnie. L'attaque était si violente qu'elle ne lui avait laissé aucune connaissance. M. le Curé de Chalonnes, mandé en toute hâte, *crut pouvoir* lui donner l'extrême-onction, bien qu'il n'eût pu obtenir le moindre signe de repentir ou de désir d'être administré de la part du moribond, qui ne retrouva jamais sa connaissance et mourut au bout de quelques heures.

En de telles circonstances, Monseigneur dut refuser les honneurs de la sépulture *religieuse* et il l'écrivit à M. le Curé, en lui rappelant que les lois *ecclésiastiques* ne lui permettaient pas une telle concession.

Le samedi matin, 13 juin, veille de la Fête-Dieu, M. le Procureur Général, qui était l'ami personnel du défunt, vint avec M. B... fils, ingénieur des Chemins de fer, pour tenter une démarche près de Monseigneur et le prier de retirer sa défense. Monseigneur eût vivement désiré accueillir la requête du fils du malheureux défunt, qui était un homme religieux.

Mais aucune considération humaine ne pouvait changer les dispositions du prélat. Il répondit très poliment, avec un ton de vraie tristesse, en montrant les statuts et en déclarant que rien ne lui permettait de les violer. Le Procureur Général, très ému, dit en se levant au moment de sortir : « Monseigneur, c'est la première fois que je vous demande un service et vous me le refusez ! » Monseigneur répondit avec beaucoup de calme : « M. le Procureur, je « serai heureux, toutes les fois que j'en trouverai l'occa- « sion, de vous rendre service ; mais jamais aux dépens de « ma conscience et vous ne le voudriez pas. »

Quelque pénible qu'eût été le refus, il avait été fait poliment et appuyé de bonnes raisons, et Monseigneur ne croyait pas que l'incident aurait aucune suite. Mais le lendemain MM. les Conseillers se rendaient au palais de la Cour pour prendre leur costume et aller à la cathédrale, lorsque M. le Premier Président leur fit connaître l'événement de Chalonnes et leur dit que M. le Procureur Général ne prendrait pas part à la procession, qu'il ne voulait pas se séparer de lui et n'y assisterait pas, non plus que MM. les Présidents de Chambre qu'il avait vus la veille. La délibération n'avait duré que quelques minutes. MM. les Conseillers étaient loin d'approuver tous une telle décision ; mais, privés de leurs chefs, ils n'allèrent point à la cathédrale, et plusieurs firent ensuite parvenir à Monseigneur l'expression de leurs regrets.

Les gens sensés ne comprirent pas la conduite de la Cour qui n'avait, ce semble, rien à voir dans l'affaire B... Dès le dimanche soir, M. le Premier Président se présenta chez Monseigneur et, ne l'ayant pas trouvé, il revint le 17. Dans une longue et sérieuse conversation, Monseigneur se plaignit avec raison que la Cour s'attribuât le droit de diriger les actes de l'Administration diocésaine, que le Premier Président lui infligeât, sans l'entendre, une sorte de blâme public aux yeux de la population de la ville d'Angers ; il lui dit enfin, d'un ton calme, mais triste et profondément ému, combien il lui était pénible d'appliquer la rigueur des lois de l'Église ; mais qu'à bon droit, elle refusait ses honneurs à ceux qui les avaient méprisés et foulés aux pieds. M. le Premier Président, ému de son côté, répondit que ni lui ni la Cour n'avaient ni le droit ni l'intention de réviser les actes de l'Administration diocésaine et qu'ils n'avaient agi ainsi que pour ne pas se séparer de M. le Procureur Général et qu'il regrettait d'ailleurs de n'avoir pu en prévenir plus tôt Monseigneur, et l'on se sépara après un échange amical d'explications.

L'émotion produite à Angers par ce regrettable incident ne s'était pas communiquée à la ville de Chalonnes.

En l'absence du Clergé catholique, on fit appeler d'Angers un pasteur protestant, qui présida la cérémonie. Une foule nombreuse en fut témoin, mais ne s'y porta que par un simple mouvement de curiosité. Le pasteur fit deux discours : l'un très bref, à la maison mortuaire ; l'autre beaucoup plus long au cimetière. Il eut le bon goût de ne point attaquer les catholiques. Il parla avec une certaine emphase qui fit dire à M. le Procureur Général lui-même : « Les catholiques sont des intolérants, les pasteurs protestants sont des orgueilleux ». Puis la foule se dispersa.

Fidèle à ses habitudes de modération et de conciliation, Monseigneur rendit compte au Ministre de ce qui s'était passé, dans un simple mémoire qui se terminait par ces mots : « J'ai à cœur, j'ai le plus grand désir d'entretenir la bonne harmonie qui doit toujours exister et qui est nécessaire pour les rapports administratifs ; mais, pour l'exécution des lois de l'Église, quand elles commandent impérativement, je ne trahirai jamais ma conscience. »

Il pria ensuite la presse locale de faire le silence sur l'affaire B... L'*Univers* seul rétablit les faits pour répondre à ceux qui voulaient grossir l'incident et, bientôt, tout fut oublié.

Les dernières années de la vie de Mgr Angebault ne lui donnèrent guère plus de repos que celles qui les avaient précédées. Il poursuivait depuis longtemps une affaire qui, à juste titre, le préoccupait vivement. Il s'agissait de défendre, cette fois, contre les usurpations du Conseil d'État lui-même, les droits des fabriques et des établissements religieux.

Le 2 janvier 1817, une loi avait reconnu l'existence des établissements religieux et leur droit à recevoir des legs et fondations. Elle disait :

Article 1er. — Tout établissement ecclésiastique reconnu par la loi pourra accepter, avec l'autorisation du Roi, tous les biens meubles et immeubles ou rentes qui lui seront donnés par acte de dernière volonté.

Art. 2. — Tout établissement ecclésiastique reconnu par la loi pourra également, avec l'autorisation du Roi, acquérir des biens immeubles ou des rentes.

Pour sauvegarder, toutefois, les droits des tiers intéressés, la loi portait aussi :

Art. 7. — L'autorisation pour acceptation ne fera aucun obstacle à ce que les tiers intéressés se pourvoient par les voies du droit contre les dispositions dont l'acceptation aura été autorisée.

Rien de plus juste, assurément, que cette loi qui favorisait le développement des bonnes œuvres et la générosité des bienfaiteurs, sans enlever à ceux qui auraient pu se croire lésés le droit de se pourvoir en justice.

Si les fabriques, Communautés, etc., n'avaient jamais acquis que pour elles-mêmes, la loi était tellement claire qu'elle ne se serait pas prêtée à deux explications. Mais il arrivait souvent qu'un donateur, tout en instituant un établissement écclésiastique légataire, mettait à son legs une clause favorable à un établissement de genre différent. Par exemple, on léguait à une Communauté une somme assez forte, mais avec cette clause qu'on ferait une école et qu'on y recevrait gratuitement les enfants pauvres de la commune. L'intention du bienfaiteur, en pareil cas, était bien de faire participer la commune à sa libéralité. Le gouvernement, dans l'intérêt des communes, devait tout naturellement chercher les moyens de leur assurer le bénéfice de tels legs ou donations. Il autorisa les communes à recevoir ces libéralités. Mais la substitution des communes aux établissements préférés par les testateurs suscita de nombreuses difficultés. Plusieurs héritiers, interprètes fidèles de ces volontés de leur auteur, refusèrent la délivrance des legs. Le Ministre de l'Intérieur, pour couper court à ces difficultés, en référa au Conseil d'État qui, à la date du 4 mars 1841, émit, en Assemblée générale, un avis qui fixa la jurisprudence.

Cet avis portait : 1° Qu'il appartenait au gouvernement de statuer sur les libéralités connexes, c'est-à-dire qui intéressaient un établissement autre que le légataire; 2° Que ces libéralités devaient être conjointement et simultanément acceptées par l'établissement institué légataire et par l'établissement appelé à profiter du legs et nommé bénéficiaire; 3° Que, dans le cas où un legs est fait à un établissement ecclésiastique pour fonder un établissement communal, hospitalier ou autre, il convenait d'autoriser en même temps, par une ordonnance collective, l'acceptation de ce legs, pour le premier comme légataire, comme institué; pour le second comme bénéficiaire et devant indirectement en profiter.

Bien que le texte de ce décret fût suffisamment clair, le Conseil d'État voulut lui-même expliquer sa pensée et, le 31 décembre 1846, il émis l'avis que : « Lorsqu'un legs est fait à une Communauté religieuse dans l'intérêt des pauvres, il y a lieu d'autoriser le Bureau de bienfaisance à accepter la libéralité conjointement avec la Communauté légataire. Ce mode de procéder a été adopté parce qu'il a paru convenable de faire surveiller par le représentant légal des pauvres, quoiqu'il ne soit pas institué, l'emploi d'une libéralité destinée à leur soulagement; mais on n'a pas entendu transporter au Bureau de bienfaisance, même pour partie, les droits de propriété qui résultent pour la Communauté légataire des dispositions du testament. On ne pourrait, sans porter atteinte à ces droits, faire intervenir directement et nominativement le Bureau de bienfaisance dans l'acquisition d'une rente sur l'État avec le capital provenant de la libéralité.

« Il convient seulement de consacrer la trace de la destination que le testateur a donnée à sa libéralité, de rappeler l'origine et la destination du capital par une mention sur l'inscription de rente achetée au nom seul de la Communauté légataire. »

Cet avis était sage. Il sauvegardait tout à la fois les droits de propriété à l'établissement légataire et les droits de jouissance à l'établissement bénéficiaire. Il garantissait, en outre, aux héritiers, l'exécution fidèle des volontés du testateur.

C'est cette législation si claire, si juste, si équitable, que le Conseil d'État, se déjugeant lui-même, prétendait changer. Dans ses séances des 10 et 13 décembre 1862 et 24 janvier 1863, le Conseil d'État émit un avis en contradiction directe avec celui du 30 décembre 1846. Voici cet avis, rendu à propos d'un legs fait par un sieur Rambaud, protestant, au ministre protestant de la commune de Châtillon (Orne).

« Considérant que, lorsque les dons et legs sont faits à une fabrique, à un consistoire, à une cure ou autres établissements religieux, sous la condition expresse que ces dons et legs seront affectés au soulagement des pauvres, ces derniers sont les vrais bénéficiaires de ces libéralités ;

« Que les établissements *institués* sont les intermédiaires appelés, par la confiance du testateur ou du donateur, à exécuter sa volonté ;

« Qu'au terme de nos lois, le droit de représenter les

pauvres appartient aux Bureaux de bienfaisance ou aux Maires, et, à Paris, à l'Administration de l'Assistance publique;

« Considérant, en ce qui touche la *garde* et la *possession* du titre, *qu'il est juste* de confier ce soin à l'établissement qui *représente légalement* les pauvres;

« Que, par suite des considérations ci-dessus développées, le titre de propriété et l'immatriculation de la rente doivent également mentionner le nom de l'établissement *institué* et celui du Bureau de bienfaisance, mais que la possession du titre doit être réservée au *représentant légal* des pauvres, à la charge par ce dernier d'en remettre les arrérages à l'établissement institué pour en faire l'emploi prescrit par le testateur. Est d'avis, etc... »

Ainsi, d'après cet avis, le légataire n'est plus qu'un intermédiaire; le testament l'a en vain investi d'un titre régulier de propriété, il n'est plus propriétaire, mais seulement intermédiaire, et n'est désigné qu'à ce titre sur le titre de propriété donné et confié, non à lui, mais à l'établissement bénéficiaire. Était-il possible d'aller plus contre la volonté clairement exprimée du testateur ou du donateur?

Le Ministre s'empressa d'accueillir un avis qui favorisait trop les convoitises gouvernementales pour lui déplaire. Ce fut en vain qu'en l'espèce le Conseil presbytéral de Châtillon protesta, que la légataire universelle déclara retirer le consentement qu'elle avait donné à l'exécution du legs, le Ministre répondit, le 11 mai 1863, en maintenant la décision donnée.

Un mois plus tard, le 10 juin 1863, à propos d'un legs fait aux frères des écoles chrétiennes, le Conseil d'État confirma sa nouvelle jurisprudence par un avis plus singulier encore, que voici :

« Considérant, en ce qui concerne les fabriques, consistoires, succursales, cures ou évêchés, que les attributions de ces établissements religieux, telles qu'elles sont déterminées par la loi, ne comprennent point la fondation et la direction des écoles ;

« Que, par suite, ces mêmes établissements devraient *être réputés* incapables d'accepter des libéralités faites dans un but étranger à leur institution ;

« Considérant néanmoins que, lorsqu'une libéralité est faite à ces établissements sous la condition de fonder et entretenir une école, il y a le plus souvent avantage, pour les pauvres et pour la commune, à profiter d'une pareille disposition ; qu'il convient d'ailleurs, autant que possible, que l'intention charitable du bienfaiteur produise son effet ;

« Qu'il y a lieu, en ce cas, pour valider la disposition, de faire intervenir la commune à laquelle appartient le soin et l'obligation de pourvoir à l'instruction primaire publique et de l'admettre conjointement avec l'établissement *institué* à accepter le don ou legs. »

Est d'avis, etc...

Enfin, délibérant sur un legs d'immeubles fait à l'Évêque de Grenoble à la charge de fonder et d'entretenir des écoles publiques, le Conseil d'État, le 22 novembre 1866, émit un avis conforme à celui du 10 juin 1863, où nous lisons :

« Considérant qu'aux termes du même avis la garde des titres de propriétés, la perception des revenus et la direction de l'école sont attribuées à la commune ;

« Qu'il est convenable de conférer ce droit d'administration aux communes qui, étant appelées à représenter la généralité des habitants, ont à ce titre un intérêt majeur et plus direct à l'exécution et au maintien des fondations ;

« Est d'avis qu'il y a lieu de décider dans le sens des observations qui précèdent. »

Ainsi le légataire, institué par le testament et dernière volonté du testateur, n'a ni les titres de propriété, ni la perception des revenus, ni l'administration ou la direction de l'école qu'il a la charge de fonder et d'entretenir. Autant dire avec le Ministre écrivant à un Préfet : le légataire n'est qu'un *agent* de *transmission*, ou, comme il l'affirmait à l'Évêque d'Angers que les *communautés ne sont légataires que de nom.*

Monseigneur ne pouvait laisser passer une pareille doctrine sans la combattre. Il pensait que, quand les Membres du Conseil d'État parlaient des attributions des établissements religieux déterminés par la loi, ils auraient dû se souvenir de la loi du 2 janvier 1817 qui mettait dans leurs attributions de pouvoir recevoir dons et legs, sans distinction d'aucune sorte ; que des intermédiaires et des légataires ne sont point la même chose et qu'il est juste que les titres de propriétés soient remis aux propriétaires et non à d'autres ; que, si les établissements religieux sont réputés incapables d'accepter certaines libéralités, le Conseil d'État ne peut les rendre capables, ni le Ministre autoriser lesdits établissements à accepter ces libéralités ; qu'enfin, s'il paraît convenable au Conseil d'État de conférer l'Administration des écoles aux communes, il est encore plus convenable, aux yeux de tous, de respecter tout d'abord la volonté des testateurs et de ne pas déchirer à coups de décrets du Ministre et de décisions du Conseil d'État les pages les plus claires du Code civil sur les testaments.

Cette doctrine inique, inventée par le Conseil d'État, l'Évêque d'Angers la combattit toute sa vie. Il eut d'abord une conférence sérieuse avec M. Baroche, le Ministre qui avait pesé sur le Conseil d'État pour obtenir l'avis du 24 janvier 1863. Il chercha à lui faire comprendre que si, comme tuteur des établissements mineurs, le gouvernement a le droit de refuser ou de restreindre l'autorisation d'accepter, il ne peut jamais avoir celui d'interpréter, de modifier, de changer les volontés clairement et légalement exprimées des testateurs. Mais il n'est pire sourd que celui qui ne veut pas entendre. M. le Ministre ne voulut pas céder. Alors l'Évêque d'Angers résista. Deux legs avaient été faits à deux communautés pour fonder deux écoles. Conformément aux avis du Conseil d'État, les décrets rendus autorisaient l'immatriculation conjointe, mais avec la remise des fonds, puis des rentes, aux mains des maires. Monseigneur fit opposition et, malgré les menaces des maires et des percepteurs, les héritiers, suivant son avis, ne voulurent pas remettre les fonds. Alors il résolut d'engager la question devant les tribunaux et il en parla à Me Dufaure, à qui il voulait confier la défense de cette cause. Les maires n'osèrent pas poursuivre et la question resta pendante. Il en parla également à la rédaction du journal des *Conseils de Fabrique*, en la priant de prendre en mains les intérêts des établissements religieux, et en lui proposant de lui fournir les notes qui pourraient lui être utiles.

Il fit de même opposition à l'exécution d'un décret du 27 juin 1866 conçu dans les mêmes termes que les précédents. Une dame Jallot avait légué à l'église-succursale de Bourg-l'Évêque (diocèse d'Angers) une rente annuelle et perpétuelle de 150 francs, à la charge d'employer les arrérages, jusqu'à concurrence d'une somme de cent francs, à l'établissement à Bourg-l'Évêque d'une école de filles.

Un décret impérial du 27 juin 1866, rendu sur le rapport du Ministre des Cultes, après entente avec le Ministre de l'Intérieur, autorisait le trésorier de la fabrique de l'église de Bourg-l'Évêque et le maire de Bourg-l'Évêque, au nom de cette commune, à accepter conjointement ce legs. Ce décret disposait, en outre, qu'en cas de remboursement de la rente léguée, le capital en provenant serait employé à l'achat d'une rente 3 0/0 sur l'État, qui serait immatriculée aux noms de la fabrique et de la commune de Bourg-l'Évêque, avec mention sur l'inscription de la destination des arrérages. Enfin il prescrivait que la garde du titre serait confiée aux soins du représentant de la commune.

Monseigneur refusa l'exécution de ce décret et présenta ses observations à M. le Ministre. Celui-ci répondit :

« Sans entrer dans la discussion de vos observations, je crois devoir me borner à vous rappeler, Monseigneur, que le décret dont il s'agit, soumis préalablement au Conseil d'État, est conforme, dans toutes ses dispositions, aux règles posées par l'avis de principe de ce Conseil, en date du 10 juin 1863.

« Il ne saurait donc être apporté aucune modification à la décision intervenue. »

L'Evêque d'Angers savait bien qu'il en était ainsi ; mais c'est justement contre cet avis du 10 juin qu'il protestait. Il répondit au Ministre, à la date du 4 août 1866.

« Monsieur le Ministre,

« J'ai reçu la lettre que Votre Excellence m'a fait l'honneur de m'adresser le 28 juillet concernant le legs d'une rente annuelle et perpétuelle de 150 francs fait à la fabrique de la succursale de Bourg-l'Évêque par la dame Jallot.

« J'ai reçu également le décret rendu pour l'autoriser le 27 juin 1866, avec la clause qu'en cas de remboursement le capital sera employé en rentes sur l'État et immatriculé au nom de la fabrique et de la Commune, avec obligation de remettre les titres entre les mains du Maire.

« Contre ce mode d'immatriculation et la remise des titres à M. le Maire, c'est-à-dire contre une disposition administrative changeant les intentions du testament, la volonté de la testatrice, j'ai dû faire et j'ai fait des observations fondées parce que je ne puis reconnaître, en principe, au gouvernement le droit de changer la nature d'un acte régulier, légal, conforme aux textes formels du Code civil sur les testaments.

« Je reconnais au gouvernement, comme tuteur des établissements mineurs, le droit d'accorder ou de refuser l'acceptation pour l'établissement légataire ; mais, dans l'intérêt de l'équité, de la loi et des communes elles-mêmes, je ne puis lui reconnaître le droit de changer, de dénaturer les conditions d'un testament, la volonté expresse et légalement exprimée d'un testateur. Si le testament n'est pas valide, on peut le faire casser, déclarer nul et de non valeur par les tribunaux, mais on ne peut pas l'altérer, le changer, le dénaturer.

« Voilà, Monsieur le Ministre, la question de principes ; voilà les observations que j'ai eu l'honneur de vous faire et qui me paraissent très fondées. Votre Excellence me dit que, sans entrer dans la discussion de ces observations, le décret est conforme dans toutes ses dispositions aux règles posées par l'avis du Conseil d'État du 10 juin 1863 et qu'il y avait lieu d'autoriser l'acceptation et l'immatriculation conjointes avec remise des titres au représentant de l'établissement bénéficiaire. Je sais très bien, Monsieur le Ministre, que le Conseil d'État, dans ses avis de janvier et de juin 1866 a voulu établir cette jurisprudence nouvelle ; mais nous ne l'avons pas acceptée, nous avons toujours réclamé. Malgré toute la déférence que nous devons au Conseil d'État, nous avons toujours dit que le Conseil d'État donne des avis, mais ne fait pas des lois ; les décrets eux-mêmes n'ont pas une puissance législative, autrement la France serait gouvernée par des décrets et non par des lois, et le Code civil demeurerait lettre morte.

« J'éprouve un vif regret de ne pouvoir partager le sentiment de Votre Excellence, ni la conclusion de sa lettre du 28 juillet, qu'il ne saurait être apporté aucune modification à la décision intervenue, parce que les titres doivent être remis au représentant de l'établissement bénéficiaire, et la raison principale sur laquelle je base mon sentiment, c'est que l'établissement bénéficiaire établi par le testament, par la volonté immuable de la testatrice, c'est la fabrique ; or, le représentant de la fabrique, c'est le Curé et non pas le Maire, et l'intention de la testatrice est qu'une partie de la somme soit employée à faire célébrer des messes. Or, l'on ne dira pas que le Maire soit le représentant de l'établissement chargé de faire célébrer des services religieux.

« Administrateur et surveillant des fabriques, je suis chargé de les diriger, de défendre leurs droits dans tout ce qui est régulier et conforme aux lois. Je me vois donc dans la nécessité, Monsieur le Ministre, de combattre, de repousser la jurisprudence toute nouvelle que le Conseil d'État voudrait introduire. »

Si forte, si motivée et si nette que fût cette protestation, elle ne suffisait pas au vigilant Évêque. Nous avons vu qu'il avait poussé les héritiers à protester à leur tour, en refusant la délivrance du legs. C'est ce que firent en particulier les ayants cause de M. Alexandre-Henri Menoir de Langotière qui avait fait un legs, analogue au précédent, à la fabrique de l'église du Vieil-Baugé.

Dans son testament olographe du 10 avril 1856, M. Menoir de Langotière, demeurant au Vieil-Baugé, disait :

« Je donne et lègue à la fabrique du Vieil-Baugé une somme de 3.000 francs qui seront employés à l'achat d'une maison pour loger à perpétuité deux Sœurs d'un ordre religieux quelconque, qui seront établies pour soigner et visiter les malades pauvres et faire gratuitement l'école aux petites filles pauvres de la paroisse.....

« Une autre somme de 600 francs qui sera employée à l'achat d'un mobilier modeste à l'usage des Sœurs.....

« Enfin une somme de 8.000 francs qui sera placée pour faire une rente ou un traitement aux Sœurs..... Les intérêts de ces 8.000 francs ne pourront être employés qu'à l'entretien de ces deux Sœurs.

« L'emploi de toutes ces sommes sera fait *par les soins de la fabrique* et *de son curé.*

« Les deux Sœurs *seront choisies par le curé*; elles seront sous sa direction et non sous celle de *l'Administration municipale.* »

Certes, s'il y avait un cas où l'on dût ne pas suivre l'avis du Conseil d'État, c'était bien celui-ci, puisque, non seulement il n'était rien donné à la commune, mais qu'elle était même formellement exclue de l'administration des biens par la volonté nette du testateur. Mais les gouvernements n'ont pas coutume d'être arrêtés par de pareils scrupules. Le décret du 18 novembre 1863 autorisait l'acceptation tant par le trésorier de la fabrique que par le maire de la commune des différents legs et ajoutait :

« Cette somme de 8.000 francs sera employée à l'achat d'une rente 3 0/0 sur l'État qui sera immatriculée au nom de la fabrique et de la commune du Vieil-Baugé.....

« N'est plus autorisée, comme étant contraire aux lois, la clause du testament portant que les Sœurs seraient au choix et sous la direction du curé de la paroisse. »

La substitution de propriétaire était patente, et la volonté du testateur annulée, sous prétexte d'opposition à des lois qu'on ne citait pas.

Devant une pareille iniquité, les héritiers de M. de Langotière, usant du droit qui leur appartenait d'après les principes généraux et aux termes de la clause de révocation contenue dans le testament de leur auteur, s'adressèrent aux tribunaux compétents pour faire prononcer la révocation d'un legs qu'un légataire, non dénommé dans le testament, prétendait s'attribuer et que ce légataire supposé voulait exécuter dans des conditions autres que celles prescrites par le testateur. Ils furent déboutés de leur demande par un jugement du tribunal civil d'Angers, en date du 29 juillet 1867.

De son côté, la commune du Vieil-Baugé faisait assigner

les héritiers de M. de Langotière pour qu'ils eussent à remettre au percepteur de la commune le capital de la renté léguée. Les héritiers s'y refusèrent. De là un procès qui fut porté devant le tribunal de première instance de Baugé.

Ce jugement fut suivi de plusieurs autres, devant différentes juridictions ; il serait trop long de les rapporter ici. Disons seulement que Mgr Angebault ne déserta pas la lutte. Il mourut avant d'avoir triomphé. Le gouvernement de l'Empereur persévéra jusqu'à la fin dans la jurisprudence inique qu'il avait voulu introduire. Mais enfin, grâce à un arrêt de la Cour d'Angers, en date du 3 mars 1871, le legs de Langotière fut déclaré caduc. Les héritiers, redevenus maîtres de leur immeuble, profitèrent d'une jurisprudence plus équitable, acceptée par la nouvelle République. Ils firent donation à la fabrique du Vieil-Baugé de l'immeuble qu'ils avaient recouvré, à la charge d'assurer le maintien, dans cet immeuble, de l'école des filles dirigée par les Sœurs de la Salle-de-Vihiers. Et cet acte de donation fut approuvé par décret du Président de la République, en date du 10 mars 1875.

L'Évêque d'Angers n'était plus là pour jouir de son succès. Du moins avait-il fait prévaloir sa doctrine auprès de la Cour d'Angers et même du Conseil d'État.

CHAPITRE XV

Portrait de Monseigneur Angebault

Qualités physiques. — Qualités morales. — Son courage et son énergie. — Sa bonté. — La vie à l'évêché. — Son humilité. — Son amour de la pauvreté, de la simplicité. — Sa charité. — Sa piété. — Sa direction pour les personnes du monde, pour les Religieuses. — Exemple de la sagesse de Monseigneur comme directeur.

Ceux qui considéreront attentivement le beau portrait de Mgr Angebault peint par Guignet et exposé dans la salle synodale de l'évêché d'Angers pourront se faire une idée du caractère du pieux prélat.

Il avait la taille haute, le port noble et digne, l'œil doux et caressant, les sourcils fortement prononcés ; à la base du front, une certaine contraction semblait indiquer la vivacité de la pensée, avec quelque chose de tenace dans la volonté. Plus haut, s'accentuait « le pli de la prière, son doux et pieux mouvement ». La narine légèrement gonflée exprimait la satisfaction d'une âme légitimement contente d'elle-même. Enfin, sur sa lèvre prête à sourire, un je ne sais quoi annonçant une dignité latente qui n'attend qu'une occasion pour éclater. Une abondante et longue chevelure, blanche comme la neige, servait de cadre à ce visage d'une élégante beauté.

Ceux qui l'ont connu n'oublieront jamais l'aisance de ses mouvements, la distinction suprême de ses manières, l'à-propos de ses répliques, le charme de sa conversation, l'enjouement de sa gaieté, la finesse de ses traits d'esprit et de ses mots aimables. Il alliait en lui la bonté du père à la dignité de l'Évêque, le doux épanouissement du prêtre à l'élégance du grand seigneur. Peut-être eût-on trouvé sa grâce un peu féminine, si elle n'avait été rehaussée par son admirable réserve et par cet air de dignité qui ne le quittait jamais. Tel il était, montrant en sa personne, à l'extérieur, l'un des types les plus achevés de l'Évêque.

Les perfections morales répondaient aux qualités physiques. Il avait l'intelligence facile et l'imagination brillante ; sa nature le portait vers les études littéraires. On a vu ses succès à l'établissement Liautard. Il conserva toute sa vie les mêmes goûts et les mêmes aptitudes et, jusqu'au bout, il prit plaisir à la lecture des chefs-d'œuvre de la littérature, surtout de ceux du XVIIe siècle, qu'il préférait à tous les autres. Sa mémoire était aisée et sûre, et il aimait l'histoire, mais plus en littérateur qu'en philosophe, et c'était surtout dans les mémoires qu'il aimait à l'étudier. Son commerce avec les grands auteurs français lui avait rendu facile, trop facile, peut-être, le travail de la composition. Il écrivait rapidement et semait ses écrits de pagss étincelantes, avec quelquefois trop d'exubérance, peut-être.

Il parlait comme il écrivait. Quelques notes, jetées à la hâte sur le premier bout de papier venu, suffisaient à ses brillantes improvisations. Il tournait très agréablement le vers français, et c'est en se jouant qu'il avait composé pour Saint-Gildas ces cantiques et ces chansons qui excitaient la piété et la gaieté chez ses bonnes Filles.

Le caractère était droit et ferme, avec une petite pointe, qu'il relevait lui-même, d'entêtement breton. Ennemi de tout détour, de toute ruse, il voulait qu'on parlât comme on pensait, et rien ne gagnait plus sa confiance qu'un aveu dépouillé de tout artifice. Avait-on fait quelque faute, il suffisait de la reconnaître franchement, non seulement pour en recevoir le pardon, mais pour retrouver une plus grande affection et même plus de faveur qu'auparavant.

Il était courageux, énergique. « Mon Dieu, ma Fille, écrit-il, je hais la couardise. Je suis sourd, maintenant, j'ai la goutte quelquefois, mais je ne suis pas lâche, Dieu m'a préservé de cette maladie-là. Je veux mourir sans peur, puissé-je dire sans reproche ! » La goutte, il vient de la nommer, Dieu sait combien elle était peu aimée de ses secrétaires, à cause du redoublement de travail qu'elle leur apportait.

Quand il n'était pas malade, son zèle le portait souvent à sortir ; il aimait à présider les cérémonies, à visiter les écoles, les Communautés religieuses, les personnes avec qui il était en relations d'affaires et de charité. Mais, quand il avait la goutte, il profitait du temps pour le travail du cabinet ; il se faisait apporter sur son lit ce dont il avait besoin, et il écrivait ; il composait ses discours, mettait à jour sa correspondance qui, d'ailleurs, n'était jamais en retard, il faisait de véritables dissertations sur les différents points de droit administratif, défendant sans cesse l'Église, les fabriques, les écoles, répondant à chaque empiètement public ou secret de l'État par un long mémoire. Alors la copie s'entassait, et les secrétaires n'avaient plus de loisirs.

Cette énergie, qu'il gardait contre la souffrance physique, il la déployait surtout dans la lutte contre les ennemis de l'Église, et avec une telle ardeur que l'Archevêque de Tours pouvait lui écrire : « Je savais bien que vous étiez le Nestor de l'épiscopat, mais vous voulez en être l'Achille. » A quoi il répondait : « Je ne suis qu'un vieillard, mais j'aime mieux mourir sur la brèche que couché dans des draps de flanelle entre deux cataplasmes, comme Veuillot s'amusait à le dire dernièrement de Garibaldi. »

Il avait pourtant un défaut de caractère, qu'il décrivait ainsi lui-même : « Mon imagination, très vive encore à mon âge (il avait soixante-treize ans quand il écrivait ceci) et ma nature sensible et impressionnable à l'excès me rendent intolérables les contradictions qui nuisent au bien ou du moins à ce que je crois tel. Je n'ai pas assez de courage pour supporter ces sortes de croix, je suis faible, et alors l'esprit et le corps succombent. Priez pour moi ! »

Son cœur était bien le meilleur qu'on pût trouver. Il eût voulu soulager toutes les misères et compatissait à toutes les souffrances. Aussi avait-il la don de consoler toutes les douleurs. C'est avec raison que M. Subileau disait, dans l'oraison funèbre qu'il prononça, ces belles paroles : « C'était une âme pleine de bonté. Cette bonté, compagne de l'innocence de son cœur, répandait un charme infini dans toutes ses relations. La grâce de son accueil, l'amabilité de ses paroles frappaient tous ceux qui l'approchaient. Prompt à la compassion la plus tendre, son premier mouvement le portait à cicatriser les plaies du cœur. Combien de familles garderont à jamais le souvenir des consolations qu'elles ont reçues de lui lorsque le malheur était venu les frapper ! »

Nous pourrions montrer cette sympathie par des extraits de la volumineuse correspondance de Mgr Angebault. N'en donnons qu'un seul, pris au hasard. Au commencement de 1867, il écrit à une femme que des deuils cruels ont frappée ; « Dans ces jours, on va partout offrant des félicitations, et moi je viens vous apporter des condoléances ; moi, je viens compatir à vos souffrances et pleurer avec vous. Il me semble qu'au milieu de ces ténèbres un rayon de foi vient apporter sa lumière ; tout change d'aspect, tout s'illumine ; la mort disparaît, la figure de celui qu'on regrettait prend un air de béatitude. Alors ce n'est plus un défunt qu'on pleure, ce sont de pieuses reliques qu'on vénère ; c'est un protecteur qu'on implore ; c'est toujours un père, un ami ; mais la foi a touché ce front qui était glacé, cette bouche qui était muette, le défunt parle encore.

« Oh ! puissance de la foi qui anime tout ce qu'elle touche, qui embellit tout ce qu'elle colore, qui calme tout ce qui irritait et qui rend douce la douleur même, parce que l'amour est plus fort que la mort. »

On le voit, c'est la foi qui lui inspirait de tels accents. Il l'avait si vive! C'est elle qui gardait sa vie pure et innocente pendant ses années d'étude ; elle qui lui faisait envisager le sacerdoce avec tant d'effroi, elle qui le faisait trembler devant l'épiscopat, elle qui lui donnait la pensée de travailler sans cesse au salut de son âme. « Demandez souvent au bon Dieu que je sois un bon prêtre, un prêtre comme je le comprends, et que je ne me perde pas en travaillant à sauver les autres. » C'est elle enfin qui était le principe de cette profonde humilité et de cette tendre piété que tous admiraient en lui.

On comprend combien la vie devait être douce avec un si aimable prélat. Nous ne nous souvenons jamais sans émotion des beaux jours qu'il nous a été donné de passer avec lui. Nous étions six à table autour de lui. Il y avait là l'un de ses enfants, l'abbé Chesnet, qui remplissait les fonctions de majordome dans le palais épiscopal. L'abbé Chesnet, qu'il avait amené avec lui de Nantes, était l'incarnation vivante du dévouement. Il allait, venait, s'agitait sans cesse, toujours pour le bon motif, ne cherchant qu'à être utile, prêt à toute espèce de sacrifices pour tout le monde, tellement empressé qu'il oubliait parfois de finir ses phrases ou de leur donner la correction française dont elles auraient eu besoin, mais n'oubliant jamais d'ouvrir à toute infortune sa bourse et son cœur. Un vieux secrétaire général de l'évêché, en retraite, l'abbé Raveneau, n'avait pu se décider à quitter l'évêché, où il avait passé sa vie. Celui-là, c'était la bonté même, avec des formes qui voulaient paraître sévères. Il ne pouvait souffrir aucune vilenie et ne cherchait ni ne ménageait ses mots quand il voulait caractériser les méchants. Il ne manquait jamais d'appeler un chat un chat et Rollet un fripon. Seulement, il ne voyait jamais de Rollet autour de lui, et tous ceux qu'il avait vus ou connus étaient de petits saints.

Ce bon chanoine était quelquefois taquiné par M. le grand vicaire, l'abbé Bompois, bonne et large nature, belle intelligence et fidèle mémoire, qui mettait bien en pratique ce conseil qu'il donnait souvent : « Faites donc pour le mieux. » Si d'aventure, ce qui était rare, pourtant, la conversation languissait, M. Bompois remettait sur le tapis quelque vieille histoire lointaine de M. Raveneau, quelque pari perdu déjà payé dix fois et que M. Raveneau payait une onzième, et les gais propos se précipitaient de nouveau, excités encore par l'enjouement de l'abbé Grolleau, alors secrétaire et mort depuis Évêque d'Évreux. C'était une nature ouverte, franche et loyale, toute prête à s'épanouir en gaieté. Il n'engendrait pas la mélancolie, et les chiffres de la comptabilité, pas plus que le sévère examen des dossiers dans lesquels, d'ailleurs, il prenait bien garde de s'absorber entièrement, ne parvenaient à tarir la source de sa bonne humeur. Plus jeune, et par conséquent plus discret, l'aimable M. Pessard, aujourd'hui prélat de la maison de Sa Sainteté, était d'une distinction parfaite, d'une aménité toujours égale ; il jouissait de tout, en délicat, ne mêlait au concert qu'une partie en sourdine, mais si bien liée et si bien sentie qu'elle semblait fondre toutes les autres dans la plus heureuse des harmonies. Enfin, le plus jeune, tout nouvellement sorti du Séminaire, l'humble auteur de ces pages, celui que Monseigneur aimait à appeler « le petit », écoutait tout le monde et, enhardi par la bienveillance de tous, laissait quelquefois échapper des propos trop juvéniles. Cela lui donnait l'occasion de recevoir quelques leçons, mais si aimables, si spirituelles et si bonnes, qu'elles auraient ajouté encore, si cela eût été possible, à la profonde reconnaissance et à la tendre vénération qui faisaient vraiment le fond de son cœur.

Tels étaient les commensaux ordinaires de l'Évêque

d'Angers. Toutes les semaines, une fois ou deux, d'autres venaient s'adjoindre à eux. C'était M. Tardif, le vénérable secrétaire général de l'évêché, homme à nul autre semblable, d'une grande sûreté de jugement, d'une mémoire prodigieuse et d'une véritable érudition, mais qui n'avait jamais eu conscience du temps. Fidèle à suivre une pensée jusqu'au bout, ne laissant un travail qu'après l'avoir entièrement épuisé, il n'arrivait guère à la lecture de son journal que vers une heure de la nuit, ce qui ne l'empêchait pas d'aller consciencieusement jusqu'au bout. Il était tellement bon que, même en s'y essayant, on ne pouvait parvenir à l'impatienter. Au secrétariat, il parlait d'ordinaire plus qu'il n'écoutait; c'était le contraire à table, où il écoutait tout, retenait tout, mais ne riait généralement qu'un quart d'heure après la plaisanterie qui avait déridé tous les autres.

Enfin nous avions Mgr Chesneau, grand vicaire, prélat de la maison de Sa Sainteté, homme d'une foi ardente, travailleur infatigable, se défiant toujours de lui-même, ne croyant jamais avoir assez fait pour le bien tant qu'il restait quelque chose à faire. Aussi bienveillant pour les autres qu'exigeant pour lui-même.

Dans ce palais épiscopal, où tous les cœurs battaient à l'unisson et où tous avaient toujours les yeux fixés sur Rome et sur le Saint-Père, c'était encore le plus chaud partisan, si ce mot peut être employé ici, des doctrines et des pratiques romaines, pour lesquelles il vivait, pour lesquelles aussi, à l'occasion, il savait souffrir. Mais nul ne portait plus loin la bonté, l'affection, la délicatesse dans la plaisanterie, l'enjouement dans la conversation, que Monseigneur. Il laissait à tous la plus grande liberté et provoquait lui-même le plus entier abandon. Il n'est qu'une chose qu'il n'eût pas pardonné : ce qui eût été contraire à la charité et au bon ton. Mais il donnait si bien l'exemple, que personne n'eût eu même la pensée de manquer à l'une ou à l'autre.

Oh! beaux jours d'autrefois! aimable vie que l'on menait à l'évêché! chers souvenirs! D'autres, depuis, ont pu vous faire revivre ou vous ont continués, mais vous datez incontestablement de cette époque.

Joubert a dit : « Il y a des gens qui portent leur velours au dehors », insinuant par là qu'ils ne le portent pas en dedans. Mgr Angebault n'était point de ceux-là. A ces qualités aimables dont nous venons de parler il joignait les vertus de son état et en portait quelques-unes à une grande perfection. Il serait difficile de dire combien il était humble. Loin de se glorifier de ses actes, il était, au contraire, toujours disposé à n'y voir que des imperfections. « Je dis bien souvent, a-t-il écrit, que je perds mon temps en bonnes œuvres. Mes secrétaires se mettent à rire, mais ce n'est que trop vrai ; on fait tout trop naturellement. »

Voilà ce qu'il redoutait par-dessus tout. Se laisser distraire de la prière, absorber par les affaires et entraîner par le tourbillon des événements extérieurs, était pour lui une véritable souffrance. Il s'en plaignait sans cesse. « O ma petite fille, disait-il à une jeune fille déjà très connue dans le monde littéraire, on sert Dieu aussi bien dans le ménage que dans le cabinet, avec Marthe qu'avec Marie pourvu qu'on se tienne humblement dans la présence du Maître. Oui, je pense qu'un jour il y aura bien des déceptions quand nous verrons passer devant nous, et haut placées, des âmes simples, candides et ignorées et, pour mon compte, je crains bien une grande humiliation. Ici-bas, je ne fais que de l'Administration, de la paperasserie, pendant que ces bonnes âmes vivent de Dieu et en Dieu. »

Il aurait voulu demeurer aussi recueilli parmi les affaires qu'au milieu de l'oraison. « Je suis tout matériel, disait-il encore à la même personne, et absorbé au sein d'un tourbillon qui ne me permet pas de penser à Dieu. Ah ! ce n'est pas ainsi que vivaient les Ambroise, les Borromée, les François-de-Sales. Dans ce temps-là, ils priaient et vivaient de Dieu. Aussi, ajoute-t-il avec une bonhomie pleine de malice, il n'y avait pas de bureaucratie, de Ministre des Cultes et de circulaires. Nous devenons machines, nous nous abrutissons et je pense que, quelque jour, je deviendrai comme feu Nabuchodonosor. »

Et ce n'était pas chez lui une manière de parler ; dans l'intimité, il ne tenait pas un autre langage. Un jour il demandait des prières à sa filleule, la Carmélite. « A la tante, lui disait-il, tu joindras le cousin, le parrain, l'ami. Tu prieras le Seigneur de lui accorder un peu de cet esprit sacerdotal dont il est si vide, de cet esprit de piété qu'il ne connaît plus, de cet esprit de prudence qu'il devrait joindre à la simplicité de la Colombe, de cet esprit surtout d'humilité qui lui mériterait quelque récompense pour des travaux dont il perd le fruit, et tu lui demanderas enfin qu'il le détache de cet esprit du monde auquel il a renoncé de bouche et qui vit encore dans son cœur. » Et aux paroles il joignait les actes : On le vit un jour, à genoux au milieu du chapitre de ses sœurs de Saint-Gildas leur demandant pardon de ses fautes. Celles qui furent témoins de cet acte disent en le racontant. « Nous étions confondues de voir notre Supérieur s'accuser avec tant d'humilité devant de pauvres filles comme nous. »

Est-il étonnant qu'avec cet humble esprit il aimât la simplicité. Ceux qui ne le voyaient qu'au milieu de la pompe des cérémonies, avec la richesse de ses ornements, sa distinction de grand Seigneur, sa dignité d'Évêque, pouvaient se faire illusion et croire qu'il était l'ami du luxe et de la magnificence. Cela n'était vrai qu'à l'autel. Rien ne lui semblait trop beau pour Dieu, et il refusa un jour le cadeau qu'on voulait lui faire d'une pendule, demandant en grâce qu'on voulût bien l'échanger pour un ostensoir.

Aussi, rentré chez lui, se retrouvait-il le plus simple des hommes. On eût vainement cherché dans ses appartements de l'Évêché le moindre objet de luxe, la plus petite œuvre d'art. Son mobilier était des plus ordinaires, et il s'en trouvait bien.

C'est qu'au fond, malgré son titre d'Évêque, malgré sa fortune personnelle, il était l'ami dévoué de la simplicité, de la pauvreté et des pauvres. Il n'y a rien qu'il ait plus aimé au monde. Notre-Dame-des-Champs, la Société des Secours Mutuels, la Congrégation des Enfants de Marie, l'œuvre des domestiques en font foi. S'il a tant aimé ses Communautés religeuses, c'est qu'elles se consacraient à l'éducation des enfants pauvres, ou au soulagement des malades pauvres dans les hôpitaux. S'il a sans cesse tourné ses regards vers sa chère Communauté de Saint-Gildas, c'est que, plus que toute autre, elle avait pour but d'élever les petits enfants de la campagne.

Toute sa correspondance fournit la preuve indéniable de son amour pour la simplicité et la pauvreté. Certes, quand les besoins de Son Ministère ou les occasions naturelles l'appelaient au château, il savait se faire tout à tous, et le charme de sa conversation, et la grâce de ses manières, et l'aisance de ses mouvements, et sa parfaite aménité faisaient les délices de ce grand monde qui ne l'a point encore oublié. Mais il avait hâte, aussitôt que les bienséances le permettaient de se retirer, de fuir et d'aller se reposer loin du bruit dans quelque petite communauté ignorée pour s'entretenir avec les bonnes Sœurs ou les petits enfants. Aussi recommandait-il aux autres la vertu qu'il pratiquait lui-même.

Il ne cessait de conseiller la simplicité : « O mes petites filles, soyez toujours bien simples. Ne faites jamais les Dames ! » Il se moquait même doucement des communautés aux apparences luxueuses, bien qu'il en comprît la nécessité, quand elles s'adressent à une certaine classe de la Société. « J'ai assisté ce matin à une première communion à... C'était plus que magnifique : luxe de parfums, d'or, d'azur et de chants... Vivent nos pauvres gildasiennes et vos Ploërmel. Nous irons, j'espère, au ciel avec nos gros sabots, notre galette et notre cidre, dussions-nous laisser passer d'abord la Rue de... » « O ma fille, écrivait-il à une supérieure de communauté, soyez simple, apprenez à vos sœurs à être simples, à vos enfants à être simples, et donnez-leur l'exemple. Soyez simple dans la démarche, dans les paroles, dans les gestes ; soyez simple en tout. »

Il est difficile d'aimer à ce point la simplicité, sans goûter aussi la pauvreté. Voici comment l'Évêque d'Angers les alliait et les confondait presque l'une avec l'autre. « A l'approche de Noël, écrivait-il à Saint-Gildas, à cette messe de minuit, demandez au divin Enfant que notre chère Congrégation ne s'écarte jamais de la Sainte étable. Nous sommes aussi des nouveau-nés, entourés de bergers et de pâtres. Oh ! demandez bien que nous conservions toujours l'esprit de simplicité, dans nos airs, dans nos visites. Opposons-nous fortement à l'esprit de luxe et d'innovation ; nous ne sommes que de pauvres petites filles, et c'est par cet esprit de pauvreté et de simplicité que nous plairons au bon Dieu. Je suis allé chez l'horloger ; j'ai commandé douze montres, mais en cuivre ; je l'ai fait exprès, je le répète : soyons toujours pauvres et simples. »

Nul ne s'étonnera donc s'il donnait si volontiers ses soins aux pauvres et aux petits. Il aimait à les voir, à s'entretenir avec eux, à leur adresser la parole. Quand il allait prendre quelques jours de vacances à la maison de campagne de la famille, à Sucé, près de Nantes, il prêchait volontiers à ces bonnes gens et il s'en applaudissait.

« Ici, sans être à l'abri des affaires qui me poursuivent jusque dans ma thébaïde, je goûte le repos de la solitude, puis j'exerce avec bonheur une espèce de ministère : deux fois j'ai fait le prône à ces pauvres gens, je le ferai probablement encore dimanche. Cette simplicité me rappelle de doux souvenirs. L'autre jour, je leur parlais du bonheur de la vie champêtre, du danger qu'il y a pour l'homme des champs à la quitter pour les villes, de l'état misérable, entouré de périls, de l'ouvrier dans les cités. Ils écoutent ces conseils qui sont neufs pour eux, et ces causeries paraissent leur être agréables. »

C'est le même esprit qui le poussait à prendre soin des enfants comme le prouve la lettre suivante :

« *Angers, 24 novembre 1858.*

« MONSIEUR ET CHER CURÉ,

« Pendant mon dernier séjour à la campagne, je me préoccupais, dans mes instants de loisir, des moyens à prendre pour donner plus de vie à certaines œuvres et tout naturellement j'ai pensé à nos chers enfants des écoles chrétiennes. Malgré les soins que leur prodiguent les bons frères, nous avons chaque année à déplorer des désertions trop nombreuses et je sens de plus en plus la nécessité de fonder dans ces jeunes cœurs les principes d'une solide piété. Pour y parvenir, permettez-moi, Monsieur et cher Curé, de vous rappeler les conseils déjà donnés par moi, sur la nécessité de soutenir ces pauvres enfants par des confessions assez fréquentes, répétées, non à des époques périodiques, mais suivant les besoins particuliers de chacun, soit pour les préparer à la grande action de la première communion, soit après pour soutenir leur persévérance.

« J'ai pensé aussi qu'il serait bon de les ranimer par quelques exercices particuliers et, après m'être entendu avec le cher frère directeur, j'ai l'intention de leur faire donner quelques exercices spirituels pour les préparer à leur fête de Saint-Nicolas. Ces exercices consisteront dans une petite instruction après la messe du matin et une autre l'après-midi, pendant trois jours; le quatrième jour, je célébrerai moi-même la messe devant les enfants de toutes les classes réunies. On les exhortera tous à se confesser pendant ces jours et Messieurs les directeurs jugeront si ceux qui ont fait leur première ou leur seconde communion pourront faire la communion au jour de la fête.

Je vous prie donc de favoriser cette œuvre utile et de vous tenir, ainsi que Messieurs vos vicaires, à la disposition de ces chers enfants, etc. ».

Mais son cœur se montrait plus encore quand, à l'occasion de quelque désastre, ou de quelque calamité ou malheur public, ou de quelque hiver rigoureux, il faisait appel à la charité de ces diocésains. Au commencement de l'année 1854, l'hiver est rude; il implore la pitié du riche. Il commence par faire le tableau des souffrances du pauvre. « A la disette est venue se joindre la rigueur de la saison... Dans nos demeures, entourés de tout ce que réclame notre délicatesse, nous nous plaignons souvent; que doivent donc souffrir ces familles exposées à toute la rigueur du froid sous le léger toit de la mansarde. Oh ! demandez-le à la dame de charité, à cette petite sœur des pauvres qui, sur nos places, suivie par la modeste voiture que traîne l'animal voué lui-même à la pauvreté, reçoit chaque jour les dons de nos revendeuses et des dames si zélées de la halle ; demandez-le à ces jeunes hommes qui, sur les traces de celui qu'ils ont pris pour patron, nous montrent jusqu'où peut s'élever la puissance de l'Association, quand elle vient s'abriter au foyer de la foi... tous ils vous diront les souffrances du pauvre et ce que couvre de détresse ce voile du silence et de la pudeur qui étouffent les plaintes et dissimulent à la charité elle-même des misères qu'elle ignorait et dont à peine elle peut mesurer la profondeur. » Il sollicite donc la charité, mais avec quelle discrétion. On est au 2 janvier, les enfants ont reçu les étrennes, il en est un qui n'en a pas reçu : « il est timide, il ne parle point, il jette seulement un regard suppliant vers vous; oh! ne l'oubliez pas, c'est le pauvre. » Et que demande-t-il, oh! rien ; pas même du superflu, il ne demande que l'inutile.

« Dans toutes les maisons, il y a des choses que l'on condamne à l'oubli, qui sont rejetées, qui n'oseraient même plus se montrer. Lorsque votre main les a mises de côté vous avez peut-être cependant pensé qu'elles pourraient avoir leur utilité un jour ; c'était comme une consolation que vous vouliez laisser à ces vieux serviteurs, en leur disant un dernier adieu : puis ils ont pris le chemin de l'exil, ils sont allés se cacher au fond de vos greniers, de vos appartements, livrés à la poussière, exposés peut-être à la dent des animaux malfaisants, ensevelis pour ne plus reparaître, excepté dans ces jours où vous changez de demeure et où ils deviennent un fardeau importun.

« Mais voilà que sonne pour eux l'heure de la résurrection : nous venons les réclamer, nous avons presque dit nous venons vous en délivrer. Oui, nous réclamons sans rougir pour nos pauvres ces ustensiles demi-brisés ; ces restes de vêtement qui, comme vous le dites, ne sont plus de mode, ces vieilleries que vous dédaignez, que vous auriez honte de montrer. Songez que nos pauvres n'ont pas de chaussures, n'ont pas d'habits, n'ont pas de meubles ; cette table boiteuse et cette chaise vermoulue pourront encore être utilisées par eux ; le lit que vous rebutez vaudra mieux encore que la paille sur laquelle ils sont couchés ; la coiffure que vous n'oseriez pas porter couvrira leur tête et la mettra à l'abri des injures du temps... »

« Faut-il vous le dire, nous ne craignons qu'une chose ; ce n'est pas votre parcimonie, oh ! non, vous nous avez appris le contraire ; c'est plutôt votre modestie ; vous ne voudrez pas donner, parce que vous auriez honte de nous présenter de telles choses. Eh bien ! il faut encore fouler aux pieds cette nouvelle espèce de respect humain ; nous avons sous ce rapport, nous osons le dire, une intelligence qui vous manque ; nous savons convertir en objets utiles, élégants peut-être, ce qui serait resté oublié ou méprisé ; et votre œil plus tard s'y tromperait, ne reconnaissant plus ce qui aura subi entre nos mains une glorieuse transformation. » Quelques jours plus tard, les membres de la société de Saint-Vincent-de-Paul parcouraient les rues de la ville d'Angers, et il leur fallait des charrettes pour recueillir tout ce qu'on leur abandonnait ; le nombre des couvertures ne se comptait pas et il y avait plusieurs centaines de paires de chaussures.

Une autre fois, la récolte avait été mauvaise, le prix du pain s'élevait, et l'on était au commencement de l'hiver. Il s'adresse de nouveau à la charité : « Nous voilà donc encore exposés à voir se renouveler ces souffrances que nous croyions à leur terme ; un hiver menaçant s'avance, la famille du pauvre gémit, elle nous dit que ses ressources sont épuisées, que le travail (même s'il ne manque pas) ne peut plus suffire aux besoins de sa subsistance ; elle tourne vers nous ses yeux noyés de larmes, et nous, élevant nos regards vers le ciel, nous nous écrions : O Père des pauvres, o vous qui, sur la terre, vous êtes fait pauvre pour notre amour, vous qui nous avez établi votre représentant près de cette portion affligée de notre troupeau, que n'avez-vous placé dans nos mains un fonds de richesse égal au trésor d'amour que vous avez mis dans notre cœur, pour compatir à ses maux !.... »

Mais tout aussitôt une pensée consolante tempère l'amertume de notre douleur. « Si nos ressources sont insuffisantes pour soulager tant d'infortunes, nous possédons, dans le cœur de nos enfants bien-aimés de notre ville épiscopale, un trésor inépuisable de charité. »

Lorsque Mgr Angebault adressait cet appel à la charité des habitants d'Angers, on était au lendemain de la tentative d'insurrection de la Marianne, les cœurs étaient encore irrités; l'effroi qu'on avait ressenti pouvait paralyser l'élan des cœurs et diminuer beaucoup l'abondance des aumônes. Monseigneur cherchait à réagir et disait à ceux qui devaient quêter : « Vous objecterait-on qu'il y a de mauvais pauvres? que ces ouvriers, pour lesquels on vient solliciter, ont la menace plutôt que la prière à la bouche, et que, tout récemment, la cité épouvantée entendait le long récit de leurs affreux projets, de leurs machinations perverses. Oh! vous leur direz que vous n'êtes pas l'avocat du crime, mais de la misère, que les malheureux pour qui vous vous chargez de mendier, que ces pauvres enfants, surtout, dont vous répétez les accents douloureux, ne doivent pas être les victimes des passions qui ont bouillonné dans le cœur de quelques misérables; vous leur direz que la justice a vengé la société et que le moyen peut-être de prévenir de nouveaux malheurs c'est d'arracher au désepoir et à des suggestions perfides l'infortuné sur les besoins duquel calculent ces hommes indignes qui, pour bouleverser notre belle patrie, comptent ses larmes et exploitent ses souffrances. » Enfin, comme il y a des familles dans le besoin mais qui ne sont pas sur les listes des pauvres, il établit des fourneaux économiques où l'on viendra acheter à prix coûtant et même au-dessous les choses les plus nécessaires à l'alimentation.

Celui qui prêchait avec tant d'amour et de délicatesse la charité offrait le premier exemple de la générosité qui donne presque sans compter. « Comment n'eût-il pas été charitable, s'écrie l'orateur chargé de l'oraison funèbre de Monseigneur? Faut-il que la charité, pour être vraie, s'affiche et s'étale? Ah! elle a sa pudeur et ses délicatesses. Ennemie de l'éclat et du retentissement, elle aime à glisser ses bienfaits sous le voile de la discrétion. O Père, dans cet auditoire, il en est, je le sais, à qui le silence pèse en ce moment et dont le cœur voudrait éclater et publier les bienfaits cachés qui ont secouru leur détresse! » Nous ne connaissons pas tous ceux qui, à ce moment, auraient pu se lever pour rendre témoignage à l'Évêque d'Angers, mais nous savons, de source certaine, qu'il y avait là un simple ouvrier cordonnier qui contenait à grand'peine l'élan de sa reconnaissance. Un jour que sa famille nombreuse souffrait de la disette générale, l'Évêque d'Angers, l'ayant appris par l'un de ses secrétaires, lui fit remettre discrètement un billet de cinquante francs. Il y avait là un jeune prêtre d'Angers qui eût raconté que, pendant qu'il faisait ses études, Monseigneur le rencontrant quelquefois seul, s'informait paternellement de ses besoins et tantôt lui glissait une pièce d'or dans la main, et tantôt l'emmenant avec lui lui remettait, en secret, quelque soutane épiscopale en lui disant : « Faites-la teindre, mon enfant, elle vous fera bon service. »

Il y avait là encore un prêtre, un curé d'une très importante paroisse, mort depuis, après une vie sacerdotale de près de soixante ans, consacrée tout entière à la charité, et qui aurait raconté comment, étant trop pauvre pour pouvoir acheter le mobilier nécessaire à cette cure, il avait entendu l'Évêque lui dire : « Acceptez, mon enfant, Dieu viendra à votre aide », et avait reçu de lui, en même temps, un billet de cinq cents francs. Combien, dans le même auditoire, y en avait-il d'autres secourus ainsi ? Dieu seul le sait.

Et ce ne sont là que les traits de sa charité privée. Il ne comptait plus quand il s'agissait d'établissements publics. Ne donna-t-il pas, un jour, 180.000 francs pour aider à payer les dettes de Combrée. Il avait de la fortune, sans doute; mais, non seulement il la dépensa, il la dépassa même. Jamais aucun partage des biens de famille n'avait été fait entre son frère et lui. En conséquence, quand il en avait besoin pour ses œuvres, il demandait de l'argent à son frère, sans compter. Rendons hommage à la générosité de M. Angebault; il était digne de son frère, l'évêque; si l'un demandait sans compter, l'autre donnait sans s'arrêter à la limite qui séparait les deux fortunes. « Peuh! disait M. Angebault, mon frère se croit millionnaire et il ne s'aperçoit pas qu'il dépense plus qu'il ne possède. Je lui donne plus que je ne lui dois. Qu'importe? Si mes enfants se conduisent bien, ils en auront toujours assez et s'ils se conduisent mal ils en auront toujours trop. »

Cette flamme de la charité, Monseigneur l'entretenait et la ravivait sans cesse par sa piété. Jusqu'à la fin de sa vie il garda, avec la fidélité à tous ses exercices de dévotion, la fraîcheur de ses premières impressions religieuses. « Il savait, a dit Mgr Guibert en prononçant son éloge funèbre, que l'évêque, pour répandre les dons célestes sur son peuple, doit prendre dans la plénitude de son cœur. Aussi se tenait-il toujours étroitement uni à Dieu par la prière et la méditation des choses saintes. Ceux qui ont été les témoins de sa vie intérieure savent qu'il avait conservé toute la régularité et les habitudes de sa jeunesse cléricale. Ses exercices de piété étaient les mêmes qu'il avait pratiqués au Séminaire. Il aimait à passer de longs moments en présence de Jésus-Christ, dans son oratoire particulier. C'est là, dans ces entretiens intimes avec le Sauveur, qu'il délassait son esprit des fatigues incessantes du ministère pastoral et qu'il puisait des forces nouvelles pour recommencer ce labeur chaque jour renaissant. Il avait aussi pour la Très Sainte Vierge un amour tout filial et il s'efforçait de la faire aimer des autres par ses prédications et par ses exemples. Il l'associait à ses peines et à ses travaux, et bien souvent il a ressenti la douce influence de sa protection maternelle. »

La dévotion au Saint Sacrement et à la Sainte Vierge faisaient, en effet, le fonds de sa piété. Chaque matin, après son oraison, il célébrait le saint sacrifice avec un profond recueillement et, le soir, il s'enfermait seul devant le Sacrement. Sa confiance en Marie n'avait pas de bornes et il s'adressait à la Sainte Vierge avec la familiarité d'un petit enfant pour sa mère. Il en avait la facilité, certes, car il avait l'âme pure et innocente celui qui, averti de sa fin prochaine, pouvait dire à cette nouvelle : « Je vais donc me confesser et pourtant, quand je l'ai fait il y a huit jours, je n'ai rien trouvé à dire à mon confesseur. »

Tous les jours il récitait son chapelet au moins une fois. C'était sa prière favorite à Marie. Nous trouvons, dans les conseils donnés par lui à une grande dame du monde, l'expression de sa pensée sur le chapelet et voici en quels termes : « Dérobez un petit moment dans la soirée pour la récitation du chapelet. Vous le dirai-je ? J'aime cette prière des pauvres, elle a un charme tout particulier pour moi, et d'abord parce qu'elle s'adresse à la bonne mère, et puis aussi, parce que je me plais à me confondre dans cette idée que devant Dieu nous ne sommes que de pauvres ignorants et qu'avec notre science et notre éducation, nous sommes peut-être moins devant lui que beaucoup de ces âmes simples et naïves qui se sauveront au sein de l'obscurité. » Cet amour de l'humble prière la lui faisait répéter en toute circonstance. Arrivé à la vieillesse, il ne pouvait plus, à cause de la surdité qui lui était venue avec l'âge, entendre les sermons. Il s'y rendait, cependant, pour l'édification publique, mais, pendant que l'orateur parlait, lui, pour le succès de la sainte parole, il disait son chapelet. Ne pourrait-on lui appliquer ses propres paroles : « âme simple et naïve » qui se sauve dans l'obscurité ? Nul doute d'ailleurs qu'il n'eût le cœur pur dont Notre Seigneur dit dans l'Évangile qu'il est bienheureux parce qu'il verra Dieu, dans le ciel, sans doute, sur la terre aussi dans les saintes clartés de la prière.

Les lumières qu'il puisait dans son commerce avec Dieu, Mgr Angebault les répandait ensuite dans les âmes qu'il dirigeait. Il fut un directeur habile. Ses aptitudes personnelles, le long usage de la vertu et les nombreux rapports qu'il eut avec des âmes pieuses lui avaient enseigné « cet art des arts » de conduire les âmes dans les voies de la sainteté. Il les y menait avec une douceur infinie mais non exempte de fermeté et d'énergie. Il y avait en lui du saint François-de-Sales. Il comprenait la nature et ses besoins légitimes. Il ne voulait pas une dévotion triste et morose et n'oubliait jamais la parole de l'apôtre : Dieu aime ceux qui le servent dans la joie. « La véritable vertu, écrivait-il à sa filleule, ne s'oppose point aux sentiments de la nature quand ils sont bien réglés. Elle est fondée sur l'humilité, la douceur et le renoncement à la volonté propre... Ce que je te recommande par-dessus tout c'est d'avoir un visage gai et ouvert ; ne sois point sérieuse et rechignée, cela nuit beaucoup à la piété », et il ajoutait, en blâmant la fausse piété, « je ne hais rien tant que ces dévotions qui, pour se satisfaire, méprisent les conseils, les obstacles, les remontrances et croient plaire à Dieu en tourmentant et en mortifiant tout le monde ». « Vous vous rappelez, écrivait-il encore, ce que je vous ai dit plus d'une fois : c'est que la piété d'une jeune fille doit être douce et suave ; soyons sévères pour nous-mêmes, doux et prévenants pour les autres. » Mais, s'il voulait qu'on tînt compte de la nature et qu'on n'achevât pas de rompre le roseau brisé ou d'éteindre la mèche fumant encore, il ne voulait pourtant pas qu'on ménageât les défauts, et il estimait qu'il n'y a pas de véritable vertu sans la souffrance et sans la croix.

« Mon enfant, avait-il coutume de dire, il faut se dépouiller du vieil homme ; il faut la sainte nudité de la Croix pour suivre un Dieu crucifié ; il faut, pour monter au calvaire, ne pas craindre de rencontrer les épines qui tombent de la tête de Notre-Seigneur. » Et à sa filleule, la carmélite, il écrit : « J'ai été touché hier de l'excès de ta sensibilité et je t'envoie le bon saint François de-Sales pour te consoler.

« Or sus, te dira-t-il, il faut pourtant s'accommoder, à

non seulement vouloir, mais à chérir, honorer et caresser le mal comme venant de la main de cette souveraine Bonté à laquelle et pour laquelle nous sommes. Que puissiez-vous bientôt guérir, si c'est la plus grande gloire de Dieu, si moins, que puissiez-vous amoureusement souffrir, afin que, guérissant ou souffrant, le bon plaisir de Dieu soit exercé! Voilà une quantité de croix et de mortifications que vous n'avez pas choisies ni voulues; Dieu vous les a données de sa sainte main; recevez-les, baisez-les, aimez-les. Mon Dieu, elles sont toutes parfumées de la dignité du lieu d'où elles viennent!

« Tu n'as sans doute jamais pensé, ma bonne Cécile, et je suis bien loin de t'avoir entretenue dans cette erreur, que tu trouverais sur le Carmel tes commodités et tes aises; tu me disais dernièrement que la rigueur de la règle n'était rien pour toi, tu y jouis de la société la plus douce, de la tranquillité la plus parfaite, d'un bonheur qu'on ne trouve point dans le monde, et où seraient donc les croix que le divin Maître t'a promises s'il ne trouvait dans la maladie le moyen d'acquitter sa promesse. Et que deviendrait donc pour une fille de sainte Thérèse la vérité de cet axiome : *Ou souffrir ou mourir*, si l'on jouissait toujours de la santé extérieure et intérieure! Puisque tu ne sais pas demander des remèdes, il faut bien que le bon Sauveur se donne la peine de t'en choisir. »

Et ce n'est pas seulement aux religieuses qu'il tenait ce langage, mais à quiconque lui remettait la direction de son âme. Il savait sans doute diversifier les conseils suivant les différentes positions de ceux qu'il dirigeait; mais le fond des conseils revenait toujours à ceci : il faut se renoncer, il faut porter sa croix.

Aux prêtres, il disait : « Vous êtes un pasteur, mais, si vous vous abandonnez au sommeil, les animaux féroces viendront ravager votre troupeau; vous êtes un laboureur, si vous craignez de porter le poids de la chaleur et du jour tout dépérira », au jeune homme, « si vous êtes un homme de cœur, vous ne pouvez pas rougir de vos principes sans être inconséquent, lâche et sans vous déshonorer » ; aux grands : « il faut vous donner et vous sacrifier, votre mission est bien belle et la Providence vous a placés plus haut comme ces fontaines publiques qu'on élève plus haut pour qu'elles portent plus loin le bienfait de leurs eaux. »

Aux pauvres, aux petits il prêchait la résignation, le courage, l'amour de Dieu et la sainte espérance ; mais, pour les riches, avec des formes toujours aimables et délicates, il leur faisait entendre de fortes vérités. « Il paraît, si j'en crois ce qu'on me dit que, cette année, on a fait ici des folies de luxe, de bals, de danses prolongées jusqu'au matin. Nos dames font des retraites, écoutent les sermons et n'en dansent que mieux. J'ai assez souvent l'occasion de leur parler dans les réunions d'associations, je ne leur cacherai pas ma pensée à ce sujet. »

Il combattait le préjugé partout où il le rencontrait. « Le monde, disait-il, n'a pas assez de dédains, de sarcasmes contre celles qu'il appelle *les vieilles filles*, contre leur dévotion, leur égoïsme. La religion les dédommage de ces outrages et elle leur donne pour mission de se sacrifier pour les parents, pour les pauvres, pour les bonnes œuvres. Ne représentent-elles pas ces diaconesses de la primitive église, Dorcas qui travaillait pour donner des vêtements aux pauvres et toutes ces saintes femmes qui répandaient de tous côtés le parfum de leurs vertus et de leurs bonnes œuvres ? Les unes sont les vierges du cloître ; les autres, les vierges du monde. Je les mets toutes côte à côte dans le catalogue des saints, ou si vous le voulez dans le martyrologe du siècle. »

Est-il besoin d'ajouter qu'il profitait de tout pour porter les âmes à Dieu. Tout lieu lui était bon pour instruire. Rien ne pouvait le détourner de sa pensée dominante, porter secours aux âmes. Un jour une jeune fille apprend qu'il va descendre au château de son père pendant une tournée pastorale. Elle lui écrit pour le prier de lui donner quelques moments d'entretien dont elle a grand besoin pour son âme. L'Évêque arrive, fait accueil à tout le monde, mais semble avoir oublié la demande de la jeune fille. On dîne. La société était nombreuse, le dîner se prolonge et l'Évêque doit repartir le lendemain. La pauvre enfant se désole en voyant qu'il lui sera impossible d'entretenir l'Évêque. Après le dîner, on passe au salon. L'Évêque est radieux et sourit à tous. Il va et vient, disant un mot aimable à tous ; puis, quand il a bien lancé la conversation dans tous les groupes, tout à coup, il s'arrête devant la jeune fille et lui dit : « Mon enfant, on n'est jamais plus seul qu'au milieu de la foule ; vous avez à me parler, je vous écoute ». Elle ouvre son cœur, elle prend son temps et l'Évêque écoute toujours. Puis, en quelques mots précis, il répond aimablement à toutes les questions, tranche toutes les difficultés et laisse la jeune fille aussi éclairée de ses lumières que ravie de son à-propos et de sa bonté.

D'un mot parfois il savait porter secours à qui en avait besoin, mais il ne comptait ni son temps, ni sa peine, quand il le fallait. L'une de ses dirigées dont nous parlerons bientôt, désire de lui quelques conseils ; il écrit longuement et lui envoie un gros cahier qu'il appelle lui-même *un arsenal* où elle pourra trouver des armes pour tous les combats. Une autre, Mme la marquise de la Bretesche, vient de se marier, elle lui demande un plan de vie. Il le trace d'une main sûre et lui envoie un cahier de dix-sept pages in-folio de son écriture la plus serrée et il la guide si bien que plus tard elle se fera religieuse dans un humble couvent de campagne dont elle a été la bienfaitrice.

Et qu'on ne croie pas que le pieux directeur poussât aux vocations religieuses. Nous verrons tout à l'heure qu'il n'en fut rien. Mais sa direction, si elle était large, n'en conduisait que mieux aux plus sublimes vertus.

Il aimait à guider l'esprit aussi bien que le cœur et n'était pas l'ennemi de la science chez la femme. Il la demandait même et voulait seulement qu'elle fût appropriée aux circonstances.

Il est vrai qu'il n'aimait ni ne conseillait la lecture des romans, qu'il trouvait dangereux. Et ce n'était pas le mauvais roman qu'il déconseillait. Il supposait qu'une femme honnête ne se permettrait pas la lecture d'un mauvais livre ou que si, par hasard, elle s'y aventurait, la peinture du vice lui ferait plutôt horreur que plaisir. Il redoutait davantage le roman dit honnête, parce que selon lui le roman était faux et dégoutait du vrai et du bien.

« Je ne vous ai point parlé des romans, écrit-il à une jeune fille dont il dirige les lectures ; il y en a de passables, d'inutiles, de dangereux, de mauvais. Je ne vous exprimerai mon opinion que sur les premiers : une jeune personne bien élevée et qui se respecte n'ouvrira jamais les derniers. Mais je vous dirai qu'en général ceux même qu'on croit lire sans danger ont toujours celui de donner des idées fausses, hors nature, de perdre le goût, d'ôter l'amour de l'étude et des occupations sérieuses, d'habituer à un genre futile qui ne peut plus supporter que des bagatelles. » Une autre fois, en traçant un plan de vie à une jeune femme de la haute société, il s'exprime dans le même sens avec plus de détail encore et plus d'énergie : « Non, non, les compositions romanesques ne formeront jamais l'esprit et le goût. On n'y rencontre ordinairement que des pensées fausses, des idées guindées ; elles changent en tout le véritable point de vue, elles embellissent les préjugés et, en traçant des portraits impossibles et hors nature, elles donnent de la vertu même des idées fausses et chimériques. Je ne dirai rien de cet autre danger si funeste de nous donner des goûts hors de notre état, par conséquent de nous le faire mépriser, de nous porter à nous élever, à nous tirer de la sphère où la Providence nous a placés, illusion funeste qui enlève d'un seul coup à une jeune femme tout le bonheur domestique et qui la condamne pour toujours aux désirs, aux regrets et aux malheurs. » Et il ajoute encore : « Voilà les dangers pour l'esprit; que sera-ce de ceux du cœur ? Oh ! mon enfant, chez une femme, le cœur est tout. Jeune encore, elle a le cœur plein de sentiment et de vie ; elle a cette candeur, cette simplicité, cette franchise de la vertu et de l'innocence. Mettez-lui à la main des compositions romanesques, et en avalant le poison son cœur se refroidira par degrés. Car, ne croyez pas que j'appelle sentiments ces émotions trop vives qui l'enflamment et qui l'exaltent. Hélas ! elle s'épuise pour des objets chimériques et elle demeurera usée par l'excès même des liqueurs fortes. »

Telle était la pensée de Mgr Angebault sur les romans. Aujourd'hui le roman, le bon, a définitivement conquis sa place dans la littérature. En se multipliant, il s'est assagi et a pu devenir un ouvrage de vérité et de bon enseignement. Mais, en réalité, il n'a pas perdu tous ses inconvénients, et si l'Évêque d'Angers vivait encore, tout en modifiant l'expression de sa pensée, ne pourrait-il pas en garder le fonds et ne permettre qu'avec une extrême réserve la lecture de ces œuvres d'imagination ?

Il déconseillait la lecture des romans, mais il voulait voir la femme, et surtout la femme chrétienne, ornée de toutes les connaissances qui conviennent à son rang et à sa condition. Il pensait que sans cela elle resterait dans un état d'infériorité regrettable à tous égards. « Je ne suis pas de ceux, écrit-il, qui ne veulent pas qu'une femme ouvre un livre ; cette exagération a toujours été hors de saison, et bien plus encore de notre temps ; il y a à puiser dans cette mine de l'histoire et du passé, et, quand même on n'envisagerait pas les lectures sous ce point de vue plus profond, moi j'aime que mon dévot, ma dévote, suivant l'expression naïve de notre bien cher saint François de

Sales, soient toujours les mieux agencés de la compagnie ; c'est-à-dire je veux que leur esprit soit orné de connaissances utiles, que la piété en eux soit relevée par la science propre à chaque condition et à chaque rang, que, dans un salon, ils ne soient étrangers à aucune conversation dans le cercle de leur position sociale, et qu'ils montrent à tous que le tabernacle peut être encore orné des dépouilles et des richesses de l'Égypte. Ne me parlez pas de ces dévotes qui ne peuvent parler que des prônes et du confesseur, qui ennuient et que l'on redoute ; il faut se faire tout à tous pour les gagner tous à la piété. »

Il allait plus loin. Quand il rencontrait une femme de talent, il l'encourageait à écrire. « Je vous engage, lisons-nous dans une de ses lettres à Mme de Marcey, à continuer de consacrer ainsi à la famille, à la société les talents que la Providence vous a donnés. Bien d'autres femmes tiennent la plume, celles-ci d'une main légère, celles-là d'une main coupable ; ne faut-il pas que quelques-unes, du moins, éclairées par la foi, prennent la plume pour défendre la religion et la famille.

« Puisque Notre Seigneur vous a armée pour le combat, continuez à le défendre, ainsi que la sainte Église, son épouse, et la famille qui repose sur les lois de son Évangile. Oh ! je n'aime pas les femmes qui veulent faire de l'esprit, cédant à un besoin de folle vanité, mais j'aime bien, mais je favorise celles qui, poussées par la foi, viennent hardiment défendre la vérité.

« Je suis bien aise, marque-t-il ailleurs à la même personne, de vous avoir mise en relation avec le digne Évêque d'Orléans. Il vous donnera, pour vos travaux, une bonne direction, et il vous poussera, car il pousse et il pousse fort. »

« Écrivant une autre fois à la mère d'une jeune fille qui avait déjà publié un ouvrage avec succès, il manifestait sa pensée en ces termes : « Je pense comme M. ***, comme vous, comme cette chère enfant, que la réserve et le silence sont l'apanage des filles, que le bruit de leur nom est un danger et que c'est par la prière surtout et le parfum de leurs vertus qu'elles doivent servir la cause sacrée de l'Église. Mais, au temps des persécutions, saint Antoine et les moines du désert quittaient leurs retraites pour venir à Alexandrie. Tous doivent accourir pour éteindre l'incendie, et au jour du combat on se fait soldat pour défendre ses foyers. Au lieu d'une lance, votre bonne L... s'est fait une arme de sa plume, et sous le voile de l'anonyme elle a bravement combattu. Je n'ai pas osé l'en blâmer, je l'ai encouragée du geste et de la voix. »

Mais, s'il encourageait, il ne flattait pas. Toujours il redoutait pour la femme auteur le poison de la vaine gloire. « J'ai lu, c'est lui qui adresse ces paroles à une jeune femme, j'ai lu avec un vif intérêt le compte rendu de M. X... et les paroles flatteuses du digne Évêque de Nîmes ; mais je vous dois toute la vérité, chère enfant, ces louanges me font peur ; j'ai craint pour votre tête, j'ai craint pour votre cœur. L'encens est une mauvaise nourriture, et combien je serais triste si on allait faire perdre à ma bonne X... le fruit de ses labeurs et de ses veilles. »

Tels étaient ses sentiments sur les femmes savantes, à égale distance d'une sévérité trop grande et d'une trop complaisante bienveillance.

A la vérité, il aimait par-dessus tout la direction des religieuses. Sa piété s'accommodait de ses rapports avec ces âmes d'élite et il leur prodiguait ses soins avec autant de joie que de dévouement. Outre un nombre incalculable de lettres particulières adressées à une foule de bonnes religieuses, il a écrit, pour les Sœurs de Saint-Gildas, un volume de Lettres sur la vie religieuse.

Ces lettres, écrites au jour le jour, n'étaient point destinées à la publicité. L'Évêque d'Angers ne songeait qu'à ses religieuses et point aux autres Communautés ; aussi restèrent-elles longtemps confinées dans le cercle de la Communauté à laquelle elles étaient adressées. Elles finirent cependant par être connues. « Des personnes expérimentées, dont le jugement devait être d'un grand poids pour l'auteur », demandèrent avec instance qu'elles fussent publiées. Mgr Angebault se fit prier longtemps. Il pensait qu'elles pouvaient convenir à Saint-Gildas « à cause de leur naïveté et de leur bonhomie paternelle », mais il craignait qu'elles ne perdissent de leur mérite en paraissant au grand jour. Il céda enfin, et il eut raison. Ces lettres furent honorées d'un bref du Pape et reçurent l'approbation d'un grand nombre d'Évêques, et elles s'écoulèrent rapidement dans les diverses maisons religieuses du diocèse d'Angers et des diocèses voisins.

Leur grand mérite vient de leur simplicité même et des détails pratiques qu'elles donnent sur la préparation des Sœurs à la vie religieuse, sur leur entrée au couvent, leur vie au noviciat, les vertus religieuses qu'elles doivent acquérir, les moyens qu'elles ont de se sanctifier et l'accomplissement de leurs vœux. Tout est prévu et expliqué avec la plus grande précision. Une seule critique a été élevée contre ce livre. On a dit que l'Évêque d'Angers accordait trop à la direction de la Supérieure. Peut-être, nous ne savons ; mais il ne faut pas oublier ce que dit aux religieuses Mgr Gay, le grand mystique de notre siècle : Diriger « ce n'est pas même d'ordinaire, dans les communautés, la fonction dont on charge le confesseur, encore que cela ne lui soit nullement interdit. Vous êtes libres en ceci, vous devez le savoir et au besoin le dire : on ne doit point vous l'imposer. Il y a plus : le directeur lui-même, que ce soit le confesseur ou un autre, n'a directement la mission de conseiller et de conduire une religieuse que pour le for intérieur et ce qui regarde la conscience. Le for extérieur et tout ce qui concerne le gouvernement du monastère ou de la congrégation, la discipline, les emplois, les distinctions et même certaines dispenses, regarde les supérieurs réguliers et spécialement la *supérieure* ou la *prieure* locale. Ceci est d'une grande conséquence pour qu'une âme ne se trompe point et ne devienne pas dans sa communauté une source de trouble et de désordre. » Il ne nous paraît pas que les conseils donnés aux religieuses par Mgr Angebault s'écartent beaucoup de cette règle tracée par Monseigneur l'Évêque d'Anthédon.

L'intérêt que Mgr Angebault portait aux congrégations, l'estime qu'il faisait de la vie religieuse, les soins paternels qu'il ne cessa jamais de prodiguer aux sœurs, pourraient induire à croire qu'il poussait à la vie religieuse. Nous avons dit qu'il n'en était rien. Il se réjouissait, certes, quand l'Esprit-Saint soufflait à quelque jeune fille le feu sacré; mais nul ne prit plus que lui de précautions pour éprouver les vocations. Il ne voulait rien de précipité, il demandait de longues réflexions, une vertu déjà solide et tenait grand compte des difficultés que pouvait opposer la famille. Cela ressort de toute sa correspondance.

C'est d'abord sa cousine, sa filleule, sa chère Cécile dont la vocation paraît déjà décidée. Sa famille est prévenue, ses supérieurs croient à la vocation. Lui, il provoque à de nouvelles considérations, il veut à tout prix éviter une fausse démarche :

« Ma chère petite Cécile, je crois, puisque tes supérieurs le croient, que le Seigneur t'appelle à le servir dans l'ordre austère que tu désires embrasser ; cependant, ma bonne amie, avant de faire cette dernière démarche qui doit décider de ton bonheur ou de ton malheur éternel, fais encore de nouvelles réflexions, implore plus que jamais les lumières de l'Esprit-Saint ; que toutes tes prières, que toutes tes communications tendent à demander au Seigneur de nouvelles lumières ; prie surtout ta sainte mère de ne pas permettre que tu entres dans le saint ordre qui la reconnaît pour patronne, si tu ne devais pas y porter toutes les vertus qu'exige un si saint état. O ma bonne amie, il en est encore temps, tu n'es point encore engagée ; on se sauve dans le monde comme dans le cloître, et tel qui se serait sauvé au milieu du tourbillon du monde vient quelquefois se perdre dans le port. Si tu éprouvais la moindre répugnance, le moindre dégoût, ne contracte pas un engagement qui sera pour toi irrévocable ; ne te laisse pas surtout retenir par la crainte de reculer après avoir fait une fausse démarche ; ta famille sera toujours prête à te recevoir et tu trouveras toujours ses bras ouverts pour t'embrasser.

« Pardonne, ma tendre Cécile, à mon amitié pour toi, si elle s'effraye à la vue des dangers où t'exposerait une démarche indiscrète et précipitée. Ah ! ton bonheur, ton repos, ton salut : voilà les seuls vœux qu'a toujours formés pour toi ton parrain et ton meilleur ami. Combien il serait malheureux s'il venait à s'apercevoir un jour que sa chère filleule serait entrée contre l'ordre du ciel dans un état saint et qui ne doit compter que des saints au nombre de ses enfants.

« Consulte donc de nouveau notre divin Maître, ou plutôt consultons-le l'un et l'autre, afin qu'il nous éclaire et qu'il nous donne, à l'un la prudence pour te diriger et à l'autre la force d'exécuter sa sainte volonté. »

Une autre fois, l'une de ses dirigées, parfaitement décidée à se faire religieuse, a donné connaissance de son intention à sa famille. Il ne veut pas la laisser partir sans lui représenter de nouveau la gravité de sa démarche, et il lui écrit :

« Des circonstances impérieuses viennent de provoquer l'ouverture que vous avez faite à vos chers parents ; je sens et vous sentez vous-même l'impression pénible qu'a dû leur faire éprouver une telle confidence. La religion sait nous élever au-dessus des sentiments de la nature ; mais elle ne les étouffe pas, elle ne les condamne pas. Dans cette circonstance importante, de laquelle dépend votre bonheur en ce monde, votre salut pour l'autre, j'ai cru qu'il était de mon devoir, de la responsabilité qui pèse sur ma conscience, de votre propre intérêt, de l'estime profonde dont je suis pénétré envers vos chers parents, de vous présenter collectivement les diverses réflexions que je vous ai déjà faites bien des fois. Je vous l'ai dit, il faut faire auparavant toutes vos réflexions, afin de n'en avoir plus à faire ensuite. » Et il lui rappelle alors toutes les objections qu'il lui a déjà présentées et lui demande de réfléchir encore avant de quitter le monde.

Mais, si nous voulons nous rendre un compte exact de ce que fut l'Évêque d'Angers comme directeur, écoutons l'histoire suivante que nous avons reconstituée d'après la correspondance de Mgr Angebault.

Un soir, au mois de décembre 1826, étant à son confessionnal, à la cathédrale de Nantes, il vit venir une jeune fille qu'il ne connaissait pas. « Un large chapeau de paille cachait cette personne bien embarrassée et bien timide. Qui était-elle ? D'où venait-elle ? Il ne l'apprit que plus tard. C'était une jeune personne du monde appartenant à une famille nombreuse et honorable. Elle avait reçu une éducation brillante et sa distinction était rehaussée par une rare beauté. Mais, si nous en croyons les souvenirs qu'elle a laissés dans son pays, elle était assez mondaine. Une déception éprouvée dans un bal fut pour elle, comme pour tant d'autres, un coup de la grâce. Elle comprit soudain la vanité de tout ce qui passe et résolut de changer de vie. Elle vint donc, soit qu'elle en eût quelque motif spécial, soit plutôt qu'elle y fût poussée par la grâce de Dieu, trouver M. l'abbé Angebault. Les conseils qu'elle en reçut la fixèrent dans la route du bien. Mais elle n'y marcha pas sans difficulté. Ses premiers pas étaient chancelants, et il fallait souvent l'encourager, la relever. La main douce et ferme de son habile directeur sut l'y maintenir malgré tous les obstacles. L'un des plus grands fut la rupture avec sa famille. Quelles causes l'amenèrent ? La correspondance de Mgr Angebault est muette sur ce point. Qu'allait devenir cette pauvre enfant, loin de sa famille et sans ressources ?

Se faire institutrice dans quelque riche maison, elle y pensa ; mais M. Angebault ne l'y engageait point : « Je crois bien, lui écrit-il, que le monde aurait maintenant bien des dangers pour vous, surtout dans la position où vous pourriez vous y trouver, au sein d'une famille étrangère, riche, lancée peut-être dans le monde comme nous le supposions dans le cas où vous seriez livrée à une éducation particulière. » Et, comme un peu en désespoir de cause, elle songeait à fuir ce monde, où son directeur lui-même voyait tant de dangers pour elle, et à se renfermer dans quelque cloître, il ajoutait : « Mais pour se soustraire au monde, faut-il y renoncer pour jamais ? Oh ! mon enfant, je vous demandais de passer deux ans au moins à Sainte-Clotilde avant de rentrer dans le monde ; permettez-moi de vous demander au moins le même délai avant de vous permettre de prendre aucune résolution fixe. Il faut d'abord reposer et calmer votre âme ; il faut ensuite vous affermir dans la vraie et solide piété. »

Sainte-Clotilde, c'était M. Angebault qui l'avait fait entrer là, dans un bon pensionnat ; car, du jour où il avait vu cette pauvre âme en peine, il avait fait tous ses efforts pour lui venir en aide. Et, comme il redoutait moins pour elle la rude vie de l'enseignement public que les douceurs d'une éducation privée, il l'avait de suite dirigée de ce côté. « J'écrivais à M..., lui dit-il, de vous placer au moins provisoirement dans un bon pensionnat. Quand même on n'aurait rien voulu vous donner, nous aurions avisé ensuite au moyen de pourvoir à votre entretien. Je veux même vous dire tout franchement une chose : j'ai pensé que dans ce commencement vous auriez quelques besoins et j'ai fait parvenir à M... une petite somme de 150 francs. Je désirais qu'il vous les remît adroitement, en prenant toutes les précautions pour ne pas vous blesser. Permettez-moi de ne plus avoir avec vous de ces craintes ; il ne doit régner entre nous que de la confiance et plus de cérémonie. » Ainsi, il ne se contentait pas de prodiguer les conseils pour la direction de l'âme, il venait encore au secours du corps. Son dévouement, toutefois, n'était pas aveugle. S'il se rendait compte des nécessités matérielles, il savait aussi quels étaient les besoins de cette pauvre âme. Après avoir passé quelque temps dans un pensionnat laïque, Mlle X... le quitta pour entrer dans une maison d'éducation tenue par des religieuses. Là elle vit sa foi se développer, sa piété devenir plus grande et sa vertu s'affermir. Ses désirs de vie religieuse redoublèrent d'intensité. Elle en fit confidence à M. Angebault. Celui-ci, avec sa prudence ordinaire, ne put que l'exhorter à de plus sérieuses réflexions. « Je sais que vous avez refusé de revenir dans votre famille et vous voilà dans une maison sainte ; quel sera votre avenir ? Vous l'ignorez encore. Quels moyens de l'assurer pour votre salut, voilà ce dont il faut vous occuper sérieusement... mais avec calme et sans appeler à la délibération cette imagination qui ne doit pas être écoutée pour un sujet aussi grave. Vous avez une âme droite, franche, excessivement sensible ; avec de telles dispositions et les dons extérieurs de la nature, vous sentez combien le monde peut avoir de dangers pour vous ; l'expérience du passé vous l'a appris et ne croyez pas que les écueils y fussent moins grands. Vous avez des principes religieux et après tout vous êtes pénétrée de cette idée si vraie : c'est qu'il faut se sauver. D'un autre côté, auriez-vous la force de soutenir, et jusqu'à la mort, une vie de séparation, d'abnégation, d'humilité, de mort au monde et à vous-même ? Il y aura nécessairement des moments pénibles, des regrets déchirants, des souvenirs amers ; la nature aura aussi à lutter contre le calice de l'agonie. Il faut voir tout cet avenir, le peser, calculer ses forces, tout en comptant sur la grâce qui ne manquera pas, et si ensuite vous preniez une résolution définitive, ne plus revenir sur une délibération consommée. »

De tels conseils n'étaient pas très pressants et ne montraient pas chez le pieux directeur une grande confiance dans une vocation si rapidement éclose. D'autres étaient plus pressés. Mlle X..., dont nous n'avons pas les lettres, s'étonnait de ces lenteurs. Mais, bien qu'elle insistât pour avoir une solution favorable, elle n'obtenait que des conseils de prudence.

« Vous m'annoncez, par votre dernière lettre, mon enfant, lui écrivait Mgr Angebault, que vous persévérez toujours dans le dessein de vous consacrer au Seigneur, et même que M. le..... voudrait hâter le moment de votre entrée au noviciat. Je suis loin de vous, et il ne m'appartient point de décider si cette démarche ne serait pas un peu précipitée. Les Israélites errèrent pendant longtemps dans le désert avant de toucher la terre promise; il fallait être préparé, par des laitues amères, à manger l'Agneau pascal avec la famille du peuple de Dieu. Nous venons à peine de quitter l'Égypte, et plus d'une fois déjà, en ce court trajet, nous avons retourné vers elle les yeux mouillés de larmes; mais enfin je n'ai rien à dire, consultez le voyant, ouvrez franchement votre cœur à votre bonne Supérieure et à celle qui est chargée de la seconder; elles ne veulent que votre bonheur et votre salut; la prudence, la délicatesse de leur conscience ne leur permettraient pas de vous pousser indiscrètement dans l'asile sacré, et si tous, de concert, pensent que vous devez faire cette démarche, allez avec confiance et ne revenez plus sur vos pas. Je ne connais rien de fâcheux comme ces indécisions perpétuelles, ces retours, ces examens sur une chose jugée, il faut faire auparavant toutes ses réflexions, pour n'en avoir plus à faire après; pour cela, il faut avoir eu le temps de peser, de juger, d'essayer ses forces, de sonder son cœur. Hélas!

hélas! ma pauvre enfant, avez-vous pensé à tout cela? Veuillez en faire l'observation à M. ..... »

Malgré tous ces conseils, Mlle X... persévérait dans ses desseins, et elle se disposait à entrer chez les Carmélites. A cette nouvelle, la prudence du directeur s'inquiète. Elle craint toujours une fausse démarche. L'ordre du Carmel est un ordre sévère. La jeune fille du monde aura-t-elle la force de soutenir les austérités de la règle? Son imagination ardente pourra-t-elle se calmer assez pour supporter la vie du cloître? « Je reçois à l'instant, mon enfant, écrit Mgr Angebault, la lettre que vous m'adressez pour m'annoncer votre projet d'entrer chez les Carmélites, mais je vous écrivais sous le couvert de Mme X..., à qui vous aviez parlé. Vous y aurez vu que mon projet n'était pas arrêté pour une maison religieuse. Je crains que cette vocation ne soit pas assez mûrie, et j'aurais désiré, comme je vous l'ai dit antérieurement, que vous eussiez commencé par bien vous foncer dans la piété; je ne voudrais pas, surtout, que votre choix fût un pis aller, et que vous entrassiez au Carmel parce qu'il faut avoir un asile; de tous les inconvénients, le plus grand serait d'exposer le salut de son âme dans un état pour lequel on n'aurait pas goût et vocation. »

Cette fois, le conseil fut suivi. Mlle X... renonça au Carmel. « Savez-vous, lui écrit un peu plus tard son directeur, que vous m'avez bien effrayé avec votre projet de Carmel? » Toutefois, l'idée religieuse ne fut pas abandonnée et, quelques temps après, nous retrouvons Mlle X... religieuse dans un couvent de Saint-François de la rue Neuve Saint-Étienne, sous le nom de Sœur C.-H. Tout étant décidé, Mgr Angebault n'avait plus à s'occuper de l'entrée en religion. Il n'y avait jamais été favorable, comme nous l'avons vu, et la suite montrera combien il avait été sage en cela. Cependant, il n'abandonna point cette âme qu'il avait tant contribué à donner à Dieu; il la suivit dans les progrès de sa vocation religieuse et continua de lui prodiguer ses conseils. Deux ans plus tard, la Sœur C.-H. dut quitter la France. Nous ne savons quels rapports s'étaient établis entre le couvent de la rue Neuve Saint-Étienne et la famille de l'ambassadeur d'Autriche, comte Appony. Toujours est-il qu'on demanda au couvent quelques religieuses pour aller à la cour de Vienne fonder une sorte de pensionnat pour les jeunes filles de l'aristocratie viennoise. L'éducation qu'avait reçue dans le monde la Sœur C.-H., ses talents et sa distinction la désignèrent tout naturellement au choix de ses Supérieurs ; elle fut chargée de cette mission délicate. Quelque naturel que parût l'événement, il ne laissa pas que d'inspirer de la crainte à Mgr Angebault. Il avait trouvé la vocation prématurée. Il ne pensait pas que la vertu fût encore assez assurée dans cette âme, et il redoutait l'effet funeste de la cour sur une personne pleine de charmes et qui n'était point encore devenue, par une longue pratique de la vertu, assez insensible aux séductions du monde. Toutefois, ne se permettant pas de juger les Supérieurs, il se borna à donner les instructions les plus sages. Il écrivit, à cette occasion, tout un volume de conseils pratiques qui devaient la guider sûrement au milieu des périls de sa nouvelle position. En les lui adressant, il lui écrivit :

« Vous vous rappellerez, mon enfant, le passé pour bénir le présent et vous redouterez le moindre vent qui voudrait encore vous lancer au milieu des écueils. Je dis cela pour ce pays de Vienne où je crains toujours le choléra morbus de la cour. Mais il est bien convenu qu'au milieu de l'agitation du pensionnat vous saurez, au fond du cœur, vous créer une petite solitude où vous irez vous reposer, comme ces disciples fatigués de leur mission même et que Jésus appelait sur la montagne pour se reposer un peu dans la prière ; au reste, nous avons causé de cela dans le cahier qui sera votre arsenal pour le combat.

« J'avais fait des vœux pour que l'obéissance ne vous

appelât pas au milieu de la séduction des cours ; le divin Maître en a disposé autrement. Que sa sainte volonté soit faite ! Il a préservé autrefois les jeunes Hébreux du feu de la fournaise ; il soutenait Pierre sur les eaux ; il vous servira encore de bouclier. Prenez confiance et portez-y une grande défiance de vous-même, l'amour de la retraite, du silence et de la sainte oraison. Il ne faudrait pas avoir quitté le petit monde du C... pour se perdre au milieu du grand monde de Vienne. Quels que soient les emplois qui vous soient confiés, souvenez-vous toujours que vous n'êtes qu'une pauvre petite fille de saint François. »

Tels furent les sages avis que la Sœur C.-H. emporta à Vienne. Il paraît qu'ils ne purent tenir bien longtemps contre la « séduction des cours ». La religieuse de Saint-François donna malheureusement raison à la sagesse de son guide ; elle n'eut pas « la force de soutenir jusqu'à la mort cette vie de séparation, d'abnégation, d'humilité, de mort à elle-même et au monde ». Du moins si, comme il y a lieu de le croire, elle ne persévéra pas, ce ne fut pas faute d'avoir été avertie. Mgr Angebault s'était montré directeur habile, dévoué, ferme et bon ; il avait tout prévu, même la chute qui pouvait suivre l'abandon de ses conseils.

La piété de Mgr Angebault était si bien entendue d'ailleurs, qu'elle ne pouvait lui nuire en rien. Chez lui, le prêtre exemplaire, le pieux Évêque, le prudent directeur n'avaient fait aucun tort à l'homme du monde, nous voulons dire aux rapports qu'il eut avec les hommes du monde. A une exquise politesse qu'il tenait de ses vertus naturelles, de sa naissance et de son éducation, il joignit toujours la prudence, la modération et le respect de l'autorité, qu'il sut toujours garder, même au temps de ses luttes les plus vives avec le gouvernement de l'Empereur. C'est une justice que lui rendaient les ministres eux-mêmes tout en le combattant. Dans l'article que publiait le *Journal Officiel* après sa mort, nous lisons ces paroles : « D'un caractère indépendant et ferme, Mgr Angebault ne se départit jamais d'une grande douceur et d'une extrême bienveillance. » Nous avons entendu M. Segris disant, dans le toast de cinquantaine : « Est-il un seul d'entre nous, Messieurs, qui, mis en rapport avec Monseigneur dans des situations et dans des conditions diverses, n'ait pu apprécier la douceur, la bienveillance et la modération dont ces relations ont toujours été empreintes. » Enfin les administrateurs du département lui rendirent le même témoignagne. L'honorable M. Vallon, préfet de Maine-et-Loire, avant de l'être du Nord, lui écrivait, après son départ d'Angers : « Votre franche et énergique direction, votre pieuse et infatigable activité, le dévouement, la bonne influence et la droiture de votre clergé m'ont donné, en toute occasion pour le bien et pour l'accomplissement des intentions de l'Empereur, un concours que je n'oublierai jamais et qui, dans la mesure du possible et des convenances, ne m'a jamais fait défaut. On en est d'ailleurs, je l'ai bien vu, convaincu à Paris. »

« Ce que j'ai trouvé, ajoute-t-il, faisant allusion à son successeur, on le trouvera, je le sais, de votre part quand on voudra. »

Tel fut Mgr Angebault, prélat d'une grande humilité, d'une ardente piété, d'une générosité sans bornes, ferme dans la lutte, doux dans le commandement, aimable toujours, administrateur actif et vigilant, défenseur intrépide de tous les droits de la sainte Église, fils soumis et affectionné du Souverain Pontife, père de son clergé et des fidèles de son diocèse et comme l'a dit, en un mot, le Nonce du Pape à Paris, Mgr Chigi, « le vrai type de l'Évêque ».

CHAPITRE XVI

Mort et Obsèques

Monseigneur tombe malade. — Ses sentiments sur sa vie. — Lettre au Pape. — L'Archevêque de Tours vient le visiter et lui administrer les derniers sacrements. — Entrevue avec la Supérieure de Saint-Gildas. — Avec sa famille. — Sa mort. — Concert de louanges sur sa vie. — Ses obsèques.

Monseigneur, depuis le 10 juin 1869, était entré dans sa quatre-vingtième année. Toutefois cet âge avancé laissait encore place aux longs espoirs. Le poids des ans ne se faisait presque pas sentir et n'avait aucunement courbé le front du vieillard. Son intelligence était aussi vive, son cœur aussi sensible et généreux. Aucune infirmité, à part un peu de surdité, n'attristait cette verte vieillesse. Nous le voyions toujours aussi alerte et aussi laborieux et nous aimions à penser que Dieu le laisserait jouir encore longtemps du fruit de ses travaux. Tout prospérait dans son beau diocèse. Les communautés religieuses s'étaient multipliées et rivalisaient de zèle ; les collèges ecclésiastiques étaient florissants et les succès de chaque année rendaient témoignage à la force des études qu'on y faisait ; le nombre des ecclésiastiques augmentait sans cesse et, tout en donnant beaucoup de sujets aux communautés religieuses et aux missions étrangères, suffisait aux besoins du diocèse. Jamais le clergé n'avait environné son évêque de plus de vénération et d'un plus filial amour.

La fin de cette vie ressemblait à ces beaux soirs d'automne où le laboureur, au repos, contemple avec joie ses riches moissons et s'enivre de leur parfum. Hélas ! ces douces soirées n'ont pas de crépuscule et font rapidement place à la nuit. Ainsi en devait-il être de la vie de Monseigneur.

Il venait, à l'été de 1869, de reprendre, comme à l'ordinaire, le cours de ses tournées de confirmation, lorsqu'il fut subitement arrêté par la maladie.

Ce qui n'avait paru d'abord qu'une indisposition causée par la chaleur de la saison et les fatigues de la visite pastorale se changea vite en un mal d'un caractère plus alarmant. De vives souffrances, jointes à une sorte de paralysie de l'estomac, empêchèrent bientôt le malade de pouvoir prendre aucune nourriture. Dès le 9 juillet, le vénérable Archevêque de Tours se préoccupe de la santé de son vieil ami. Il écrit à l'Évêché lettre sur lettre, demandant à être tenu au cours de la maladie.

La forte constitution de l'Évêque d'Angers résistait cependant et l'on put, pendant quelques semaines, conserver un peu d'espoir. Il y eut même, vers le commencement de septembre, un arrêt momentané dans la maladie. Vers la fin du mois, le mal fit de nouveaux progrès et il parut bientôt aux yeux de tous que Dieu voulait rappeler à lui son serviteur.

A cette nouvelle, tous les cœurs s'émurent. De tous côtés arrivèrent à l'Évêché des lettres touchantes demandant des nouvelles du vénérable malade ou lui portant des consolations. Les Évêques de Laval, de Luçon, les Archevêques de Tours, de Rennes, de Besançon écrivirent les premiers. Le Maire, le Préfet et le Ministre lui-même voulurent être informés de l'état du malade. Mais ceux qui se préoccupèrent le plus et à bon droit, ce furent les fidèles du diocèse d'Angers. Les jeunes gens de Notre-Dame-des-Champs, la colonie des Angevins du Séminaire des missions étrangères, le clergé, les communautés religieuses écrivirent ou firent des démarches à l'Évêché. Dans les rues de la ville d'Angers il n'était pas rare de voir les gens s'aborder par ces mots : Comment va Monseigneur? On sut alors clairement de quelle estime et de quelle vénération était entouré cet Évêque qui, depuis vingt-sept ans, n'avait cessé de combattre le bon combat et de se dévouer au bien de ses chers diocésains.

Lui, retenu par la souffrance, demeurait en pleine paix aussi disposé à reprendre le travail si Dieu lui rendait la santé que prêt à mourir si Dieu le rappelait. Et jetant un long regard sur sa vie passée, il consignait l'impression qui lui en restait, dans ces termes dignes de la simplicité et de la grandeur de son âme :

« Mon premier besoin est de témoigner toute ma reconnaissance à mes vertueux parents pour l'éducation si religieuse qu'ils m'ont fait donner. C'est à leur sage direction que je dois le bonheur de ma vie et l'espérance d'une récompense éternelle.

« Je meurs profondément attaché à la foi de la sainte Église catholique, apostolique et romaine. Le bon Dieu m'a préservé toujours de toute espèce de doute sur la foi.

« Je veux aussi consigner ici ma vénération, ma soumission, mon affection filiale pour Notre Très Saint-Père le Pape Pie IX.

« J'ai admiré son courage dans l'adversité et la noble dignité avec laquelle il a supporté la spoliation et les attaques auxquelles il était en butte.

« J'ai eu le bonheur d'aller déposer à ses pieds l'hommage de mon amour et de ma fidélité ; s'il mourait avant moi, je proteste ici, d'avance, de ma soumission pour son légitime successeur et de mon inviolable attachement à la sainte Église romaine.

« En 1842, cédant aux sollicitations du Nonce de Sa Sainteté, à Paris, Mgr Garibaldi, de vénérable mémoire, et aux avis de ceux que je devais regarder comme les organes de la volonté de Dieu, j'ai accepté, après bien des hésitations, la terrible charge de l'Épiscopat. Ce sacrifice a été le plus pénible de tous ceux que l'obéissance m'a jamais imposés et il m'a fait répandre bien des larmes au moment de ma nomination et depuis ; mais j'ai pu ne pas répondre assez aux vues de la Providence et à l'attente de mes chers diocésains.

« Je demande donc humblement pardon à Dieu des fautes que j'ai commises dans mon administration. Je fais la même demande aussi à mon clergé, si, contre mon intention, j'ai blessé quelqu'un de mes prêtres, et je les conjure tous de prier pour leur pauvre Évêque. Je l'adresse surtout à mes bonnes filles de mes communautés, auxquelles j'ai toujours porté un véritable et paternel intérêt ; enfin je l'adresse, cette demande, à mes bien-aimés commensaux.

« J'avais bien le désir de leur rendre agréable le séjour de l'Évêché par l'esprit de famille, mais j'ai pu quelquefois leur faire de la peine ; je les prie de me pardonner et je me recommande à leurs bonnes prières dans lesquelles j'ai grande confiance[1]. »

Quelque temps après, voyant qu'il allait mourir, il écrivait encore :

« Je prie Dieu d'avoir pitié de mon âme, et je me jette dans les bras de sa toute miséricordieuse bonté. J'ai beaucoup travaillé dans ma vie ; je croyais n'avoir en vue que le zèle pour la gloire de Dieu, mais, dans ces actions faites trop humainement, bien des fautes m'auront échappé, je lui en demande humblement pardon ; je demande aussi pardon aux personnes que j'aurais pu blesser, et surtout

[1] L'auteur de ces pages peut rendre témoignage de l'admirable bonté du prélat pour ses commensaux. Ayant eu l'honneur de passer cinq ans à l'Évêché, il a connu par expérience quelles étaient la douceur, l'exquise délicatesse et l'incomparable charité du vertueux prélat.

aux membres de mon clergé, à tous mes prêtres que j'aimais de tout mon cœur et aux prières desquels je me recommande.

« Mon Dieu, mon bon Jésus, ayez pitié de moi ! Marie, ma bonne, mon excellente mère, priez pour moi ! »

Cependant, la maladie précipitait son cours et le dernier moment semblait approcher rapidement. Le vingt-deux septembre, les Vicaires généraux crurent qu'il n'y avait plus lieu de cacher le danger et ils écrivirent une lettre-circulaire, pour demander au Clergé et aux fidèles leurs prières pour le bien-aimé malade.

Lui-même, sentant sa fin venir, voulut une dernière fois protester de sa soumission au Souverain-Pontife et il dicta « de son lit de mort, en entier, d'un ton simple et calme, comme le sentiment le plus naturel, coulant le plus doucement de son cœur qui en était plein », la lettre suivante :

« Très saint et bien-aimé Père,

« J'ai reçu, dans le temps, la lettre que Votre Sainteté m'a fait l'honneur de m'adresser pour m'inviter à assister au Concile œcuménique. J'avais le plus grand désir d'y répondre, et c'eût été un bonheur pour moi de me trouver réuni à mes frères pour entourer avec eux le trône de Votre Béatitude et écouter de votre bouche sacrée les oracles que l'Esprit-Saint vous inspirera. Mais, depuis trois mois, la maladie me tient enchaîné sur mon lit ; elle s'aggrave davantage et inspire des craintes sérieuses ; je tâche de me préparer le mieux qu'il m'est possible à aller rendre compte au bon Dieu de ma longue administration. Mais, j'ai encore un désir et un devoir à remplir, celui de renouveler à vos pieds l'assurance de mes sentiments d'amour, de dévouement, de soumission filiale et d'attachement à la sainte Église catholique, apostolique et romaine, au Saint-Siège et à votre Personne Sacrée. Votre Béatitude m'a comblé de sa bienveillance, je veux lui en demander un nouveau gage, en la priant de m'accorder le bienfait de sa bénédiction paternelle avec l'indulgence apostolique.

« Si le Seigneur m'accorde la grâce d'être reçu dans sa miséricorde, je le prierai de soutenir la sainte Église dans les luttes auxquelles elle est exposée dans ce moment, d'accorder ses lumières au Concile que votre sagesse a voulu réunir et de donner encore de longs jours au Père bien-aimé qui dirige si sagement la barque de saint Pierre.

« C'est dans ces sentiments que j'ai toujours vécu, que je veux mourir, et je viens déposer à vos pieds augustes l'hommage le plus profond de mon respect, de ma soumission inaltérable et de l'amour sans bornes avec lequel je suis, Très Saint et bien-aimé Père, le plus humble et le plus dévoué de vos fils. »

Cette lettre est datée du 25 septembre. Elle toucha profondément le cœur du métropolitain, le saint Archevêque de Tours. Deux jours plus tard, le 27, il écrivit à l'Évêque d'Angers:

« Monseigneur et vénérable Ami,

« On me donne régulièrement de vos nouvelles comme je l'ai demandé. Je vois avec une vive peine que vos forces ne reviennent pas.

« Ceux qui vous entourent de leurs soins si dévoués m'écrivent que vous vous abandonnez entièrement entre les mains de Dieu et que vous lui offrez de grand cœur le sacrifice de votre vie à la gloire de notre Maître et au salut de votre peuple.

« J'avais espéré quitter cette terre avant vous. Vous aviez quelques années de plus que moi, mais vous étiez beaucoup plus fort. Si Dieu en décide autrement, ce sera l'une des plus grandes épreuves qu'il m'aura envoyées. Je trouverai quelque consolation dans la pensée que la séparation ne sera pas longue et que, par vos prières auprès de Dieu, vous m'obtiendrez la grâce de défendre jusqu'à la fin, comme il convient à un Évêque, l'honneur et les droits de la Sainte Église, notre mère.

« Je sais que vous avez écrit à Notre Très Saint Père le Pape une belle lettre pour lui exprimer votre dévouement filial. Oui, vivons et mourons dans l'union intime avec le Saint-Siège de Rome et avec le Vicaire de Jésus-Christ. Cette union est la force et l'honneur de notre ministère ici-bas, elle fera notre joie et notre sécurité, quand il faudra paraître devant Dieu. J'espère pouvoir aller vous visiter une seconde fois dans votre infirmité et recueillir les bénédictions de votre bonne et fidèle amitié.

« Je n'ai jamais compris comme en ce moment, Monseigneur, tout ce qu'il y a pour vous dans mon cœur de filiale tendresse. »

Cette admirable lettre dut apporter à Mgr Angebault une grande consolation. Les sentiments chrétiens, la tendresse de l'amitié, les avertissements de la mort si doucement voilés sous la forme de simples éloges, en font un modèle achevé de délicatesse, et l'on ne sait en vérité lequel admirer le plus, ou l'ami qui les écrivit ou celui qui les inspira.

La Supérieure générale de Saint-Gildas, apprenant que le danger devenait imminent, accourut à Angers pour chercher une dernière bénédiction. A l'évêché on fit d'abord quelque difficulté pour la laisser entrer dans la chambre du vénérable malade qui était fatigué par quelques visites qu'il avait déjà reçues. Enfin on lui dit qu'elle pouvait entrer, mais qu'elle ne devrait rester que quelques minutes. L'entrevue fut extrêmement touchante. Elle s'approcha du lit de Monseigneur avec un saint respect et fut frappée du changement qu'elle remarqua dans ses traits. Il la reconnut et lui tendit la main avec une bonté paternelle. Puis tirant son crucifix, il lui dit : Connaissez-vous cela ? — Oui, cher Père, c'est un crucifix comme les nôtres. — C'est le crucifix de la Mère Marie-Thérèse. N'avez-vous pas une relique de la vraie Croix au vôtre ? — Oui, mon cher Père. — Quand je lui donnai celui que vous avez, elle me remit le sien. — Et vous l'avez toujours conservé, mon cher Père ? — Oui, répondit-il avec bonté. La Mère Marie de Saint-Paul de la Croix fit alors connaître le sujet de son voyage. Elle dit qu'elle venait, au nom de la Congrégation tout entière, lui offrir les sentiments d'amour filial et de reconnaissance dont tous les membres étaient pénétrés pour lui. Elle ajouta que tous compatissaient vivement à ses souffrances et adressaient à Dieu de ferventes prières pour sa guérison. Monseigneur lui parla de manière à lui faire comprendre qu'il sentait la gravité de son état. Il lui demanda combien de temps elle devait rester à Angers. La Supérieure lui dit qu'elle devait repartir le soir même. Il laissa deviner son désir de la revoir. Il lui dit du ton le plus touchant : « Il ne faudra jamais m'oublier ; il faudra toujours prier pour moi, n'est-ce pas ? Vous me le promettez, vous ne m'oublierez jamais ? » La Supérieure visiblement émue le promit et il lui dit qu'il allait la bénir. Elle le pria de bénir en sa personne tous les membres de sa chère famille, et il le voulut bien.

L'après-dîner elle revint. Il ne put d'abord lui parler, mais il la retint par le bras jusqu'à ce que la parole lui revînt et il lui dit : « Je ne me fais point illusion, je vois bien mon état. Vous prierez pour moi, oui, priez ; mais priez surtout pour les besoins de mon âme. Pour moi, je n'oublie personne, je prie pour tous. Dites-le au bon père de Lépertière, aux frères, aux sœurs, aux sœurs de travail, à tous, je n'oublie personne. Puis il la bénit et elle le quitta, le cœur pénétré de douleur. » Telles furent ses dernières relations sur la terre avec cette Communauté de Saint-Gildas, qui tint la première place parmi toutes les affections de sa vie.

Le jour même où la lettre de l'Archevêque de Tours parvenait à son adresse, une crise plus douloureuse faillit faire succomber le malade. M. l'abbé Chesnet, le fidèle ami de Monseigneur et de sa famille, crut devoir prévenir, par télégramme, M. Angebault. Celui-ci arriva le jeudi, dès le matin, avec sa femme. Mme Angebault n'était pas venue à Angers depuis la mort de sa fille, Mme du Rostu. Mais elle voulut absolument voir son frère avant l'éternelle séparation. Elle fut accueillie avec une grande joie et eut la consolation d'assister à la triste cérémonie de réception des sacrements qui eut lieu le même jour à onze heures du matin.

L'Archevêque de Tours, appelé en hâte, accourut près de son vénérable ami et prit avec lui les dernières dispositions. Monseigneur reçut, de sa main, le saint Viatique et l'Extrême-Onction, avec tous les sentiments de foi et d'amour qu'il avait eus toute sa vie, en présence des membres du chapitre, de sa famille, des gens de sa maison et d'une foule d'ecclésiastiques empressés de donner encore cette preuve d'amour filial à leur évêque et d'assister à cet édifiant spectacle.

Après les prières prescrites par le rituel, l'Archevêque de Tours adressa la parole à son vénérable ami. Il commenta ce mot des apôtres à Jésus-Christ : « Seigneur, celui que vous aimez est malade. Il dit que tout le monde répétait ce mot à Notre-Seigneur en le priant avec ferveur pour celui qui méritait si bien d'être appelé du doux nom d'ami de Jésus, mais qu'il savait la résignation du cher malade et que cette soumission parfaite ajouterait un fleuron de plus à l'impérissable couronne de gloire que le prince des pasteurs destinait à son serviteur fidèle. »

Monseigneur souffrait beaucoup ; mais, après avoir reçu les sacrements, il retrouva assez de forces pour adresser à ceux qui étaient présents des paroles qui émurent les assistants et leur fit verser des larmes.

Il remercia l'Archevêque de Tours pour sa bonne et fidèle amitié. Il exprima sa reconnaissance aux vicaires généraux, au clergé et aux communautés religieuses et, après avoir assuré qu'il n'oublierait jamais ses enfants, il leva la main sur tous les fronts inclinés et donna à tous une dernière bénédiction.

Ce furent à peu près ses derniers mots. Quelques heures après il perdit la connaissance, qu'il ne recouvra plus que par quelques intervalles forts courts.

A sept heures du soir, il eut une crise terrible qui fut la dernière. Après quoi il entra dans une longue agonie, sans grande douleur et où il eut encore de temps à autre des intervalles lucides.

Le vendredi, vers onze du matin, Mlle Louise de Lyrot pénétra, avec son neveu, M. Henri de la Vrignais, fils du sénateur, dans la chambre du malade. C'était une âme d'élite ayant voué une reconnaissance sans bornes à Monseigneur, qui l'avait dirigée pendant plus de quarante années. Elle aussi voulait le revoir avant de le quitter pour toujours. Elle fut récompensée de sa peine, car elle eut son dernier sourire. Il la reconnut, la salua comme à l'ordinaire, puis il demanda son neveu par ces mots : Et le grand jeune homme. Le grand jeune homme se jeta à ses pieds avec sa tante et M. Angebault. Monseigneur, qui n'avait pu, quelques instants plus tôt, lever la main pour bénir le Supérieur du Grand-Séminaire, put donner par deux fois différentes cette bénédiction à son frère et aux autres personnes présentes.

Mais, à partir de ce moment, il ne dit plus rien. Il resta assoupi, ne donnant presque plus signe de connaissance et ne se ranimant qu'aux noms de Jésus, Marie et Joseph quand ils étaient prononcés devant lui.

Mlle de Lyrot et M. Angebault le veillèrent pendant la nuit et, le lendemain à 9 h. 1/2 du matin, il rendit paisiblement le dernier soupir. Sa mort avait été douce comme sa vie.

A peine Mgr Angebault avait-il remis son âme entre les mains de Dieu qu'un concert unanime de louanges se fit entendre autour de son nom.

Ce furent d'abord les membres du chapitre qui rappelèrent, dans leur mandement, les principaux titres de Monseigneur à la reconnaissance du diocèse : « Nos temples agrandis ou relevés, le culte du Seigneur recevant une dignité et une ampleur qu'il ne connaissait pas, des témoignages sans nombre de dévouement au vicaire de Jésus-Christ, nos institutions diocésaines florissantes, la jeunesse du prêtre encouragée dans ses études, sa vieillesse garantie contre les épreuves qui l'attendaient, partout des familles religieuses naissant ou se développant à sa voix, pour répandre la bonne semence dans le champ du père de famille, lui-même se multipliant, se dépensant tous les jours de son épiscopat, pour évangéliser son vaste diocèse, le visiter dans le dernier de ses hameaux. »

Puis vinrent les lettres des Évêques dont nous ne pouvons donner que quelques extraits. L'Évêque de Poitiers parle du deuil de l'Épiscopat : « La perte de votre digne Évêque est un sujet de deuil pour tous les Évêques. Il était presque le doyen de tout notre corps et quel exemple il nous laisse ! » L'Évêque de Luçon parlait des vertus, des travaux, de la bonté, de la grâce séduisante du grand Évêque que pleurait le diocèse. L'Évêque de Moulins loue la fécondité de cette vie. « Heureux l'Évêque qui peut paraître devant son juge les mains aussi pleines et espérer une aussi belle couronne ! » L'Archevêque de Cambrai s'inquiète des conséquences de cette mort. « Je sais combien grande est la perte de notre chère Église d'Angers et combien les conséquences en peuvent être graves. » L'Archevêque de Besançon, qui avait toujours eu des relations avec lui, trace son portrait en quelques mots : « Je le connaissais depuis bien des années, lorsqu'il était encore secrétaire de l'Évêché de Nantes. Il y avait été formé à la bonne école sous Mgr de Guérines. Il était fort habile en affaires, mais surtout grandement avancé dans l'amour de Dieu, la connaissance et l'accomplissement de ses devoirs. »

« Nous n'avons pas toujours été du même avis sur quelques points, mais je reconnais que c'était la générosité de son cœur et de sa grande âme qui l'emportaient », et il ajoutait quelques jours après : « Toute la perte est pour nous qui ne voyons plus ces vives lumières et ces beaux feux qui éclairaient notre horizon. »

Enfin, M. de Falloux résumait l'opinion des catholiques dans ces mots : « Cette perte est un vide bien sensible dans les rangs des apôtres attachés au Saint-Siège et est pour l'Église un véritable deuil. »

Pendant que tous célébraient à l'envi les vertus de Mgr Angebault, une autre voix, celle qui dans les grandes causes et les grands événements est appelée la voix de Dieu, nous voulons dire la voix du peuple, redisait, à sa manière, les louanges du vénérable défunt. La crypte de l'évêché avait été transformée en chapelle ardente et on y avait déposé sur un lit d'honneur le corps de Monseigneur revêtu de ses ornements pontificaux. Tous les matins on y célébrait la messe sans interruption et, chaque jour, après les vêpres, le Chapitre y venait chanter l'absoute. Aux séminaristes avait été confié l'honneur de garder les restes de leur vénéré Père. Or, ils se fatiguèrent à faire toucher les médailles, chapelets et autres objets de piété que présentaient les fidèles à ces mains glacées qui avaient donné tant de bénédictions et versé tant d'aumônes. On estime à quarante mille le nombre de ceux qui vinrent rendre une dernière visite à celui que tous pleuraient comme un père et nul témoignage assurément n'atteste plus haut le respect, la vénération et l'amour qu'avait su inspirer le regretté prélat.

Enfin, vint le jour des obsèques, qui furent célébrées avec toute la pompe possible, une dernière fois le vénérable pontife parcourut les rues de sa bonne ville épiscopale d'Angers. Elle était en deuil et se pressait pour contempler encore ces traits aimés que la mort avait respectés jusque là. Lui, reposait à découvert sur son lit d'honneur. Il était escorté de députations venues de toutes les paroisses du diocèse. Les petits enfants des écoles, les élèves du Lycée, du Petit-Séminaire, le Clergé régulier, les Communautés d'hommes et de femmes, les chanoines et vicaires généraux de plusieurs diocèses, le R. P. Abbé de la Trappe de Bellefontaine, NN. SS. les Évêques de Luçon, de Limoges, du Mans, de Carcassonne et de Laval, Mgr l'Archevêque de Tours, le précédaient dans cette marche tout à la fois funèbre et triomphale. Il était porté par les membres de son Clergé, auxquels, touchant hommage de reconnaissance, avaient voulu se joindre les membres de sa chère Société de Secours mutuels. Les cordons du dais étaient tenus par M. le premier Président, M. le Préfet, M. le Maire d'Angers et M. le Procureur général. Le deuil était conduit par M. Angebault. On y remarquait MM. Louvet, Segris et de Civrac, députés, des représentants de toutes les autorités civiles, administratives et militaires de la ville d'Angers, à la suite desquels marchait un nombre incalculable de laïques, hommes et femmes.

En attendant l'oraison funèbre, qui devait être prononcée un mois plus tard par l'un des enfants chéris de Monseigneur, M. Subileau, supérieur du Petit-Séminaire, Mgr l'Archevêque de Tours, à la fin de la messe, monta en chaire et fit entendre un premier éloge où, retraçant rapidement la vie du prélat défunt, il sut mêler à la louange de celui qui n'était plus, de grandes et justes leçons pour les vivants. Ensuite eurent lieu les cinq absoutes réglementaires.

Le soir, à quatre heures, le corps fut descendu dans le caveau situé au milieu de la nef de la cathédrale et destiné à la sépulture des Évêques d'Angers.

C'est là que repose, auprès de ses vénérés prédécesseurs Mgr Montault et Mgr Paysant, en attendant la bienheureuse résurrection, celui qui fut, pendant vingt-sept ans, sur le siège épiscopal d'Angers, le digne successeur des Aubin, des Lezin, des Maimbœuf, des Maurille et tant d'autres saints Évêques, qui ont illustré cette Église.

ÉPILOGUE

Le vingt-neuf septembre 1859, M. Denécheau, curé de la cathédrale d'Angers, disait à Mgr Angebault, dans son discours à la fin du Synode : « Tant d'œuvres vraiment magnifiques, créées, soutenues, encouragées par vos soins ou suscitées au souffle de votre inspiration, assurent à votre épiscopat une place glorieuse dans l'histoire de l'Église d'Angers. » La page qui devait relater cette place manquait encore à nos Annales. Nous avons essayé de l'écrire. Nous n'osons nous flatter d'y avoir réussi. Bien des fois la plume nous est tombée des mains quand nous sentions plus notre impuissance.

Le voyageur qui visite aujourd'hui notre vieille cathédrale s'arrête quelques instants devant le monument de Mgr Angebault. Sur un socle de granit noir s'élève la statue en marbre blanc du saint Évêque. Le prélat est représenté, comme il convenait à sa grande piété, à genoux, les mains jointes sur son prie-Dieu, dans l'attitude de la prière. La tête est légèrement inclinée et tous les traits sont pleins de recueillement ; le pasteur prie toujours pour ceux qui lui furent confiés.

L'éminent artiste auteur de ce pieux monument ayant bien voulu nous honorer de son amitié, nous l'avons vu à l'œuvre. Nous savons combien il fut tourmenté par la crainte de ne pas rendre, aussi dignement qu'il le rêvait, les traits que son ciseau voulait immortaliser. Il a pleinement réussi. Nous voudrions avoir fait aussi bien. Nous avons connu les mêmes angoisses, les mêmes perplexités ; nous avions le même ardent désir de n'être point inférieur à notre tâche. Et nous voudrions que cet humble monument fût élevé, comme le sien, pour que cette *mémoire très chère au clergé, aux religieuses, à la jeunesse et au Siège Apostolique pût revivre pour l'exemple et demeurer en éternelle bénédiction*[1].

[1] Épitaphe de Mgr Angebault, sur le piédestal de son monument, à la Cathédrale d'Angers.

Aux Rosiers, en la fête de saint Laurent, ce 10 août 1898.

TABLE DES MATIÈRES

Pages

LETTRE DE S. G. Mgr RUMEAU, ÉVÊQUE D'ANGERS. v
AUX LECTEURS. vii

CHAPITRE PREMIER

Naissance, enfance et jeunesse de Mgr Angebault

Naissance de Guillaume-Laurent-Louis Angebault ; sa famille ; la première éducation. — Il est confié à M. Mongazon. — Il va à l'Institution Liautard. — Il étudie la philosophie sous M. Baudouin. — M. Maréchal. — Vocation au sacerdoce. — Opposition de Mme Angebault. — Il se rend au Séminaire de Nantes. — Il reçoit les ordres mineurs et le sous-diaconat. — Épreuves, fatigues. — Il songe à entrer chez les Jésuites. — Il est ordonné prêtre. — Il est nommé vicaire à Saint-Donatien, puis secrétaire à l'Évêché. — Il est nommé chanoine. — Mgr de Guérines le nomme chanoine titulaire. — Ses travaux à l'Évêché. — La maison de Retraite, la maison des missionnaires diocésains. — Soins qu'il donne aux religieuses. — La Congrégation des jeunes gens. — Il perd sa mère, son petit neveu, sa belle-sœur. — Il dirige son père 1

CHAPITRE II

Ses œuvres à Nantes, Saint-Gildas-des-Bois

Il fonde Saint-Stanislas. — Voyage à Rome. — Le choléra à Nantes. — M. Angebault refuse le titre de grand vicaire. — Il est nommé supérieur de Saint-Gildas. — Origine de la Communauté. — En quel état il la trouve. — Il pourvoit aux besoins matériels des religieuses. — Il pousse les Sœurs à l'étude. — Il leur donne des leçons. — Il compose des ouvrages pour elles. — Il écrit le Directoire. — Il les forme à la vie religieuse. — Il leur donne une chapelle et un aumônier. — Il leur procure de l'eau. — Il fonde les Sœurs de travail et les Frères. — Il rédige et publie la règle. — Il obtient de l'État la reconnaissance légale et un bref approbatif du Pape. — Il jette les fondements de la chapelle. 31

33.

CHAPITRE III

Débuts de l'Épiscopat

Nomination. — Ce qu'on en pense. — Résistance de M. Angebault. — Son acceptation. — Nomination de M. Régnier à l'Évêché d'Angoulême. — Le sacre. — État du diocèse. — Premières fatigues. — Mongazon et Combrée 62

CHAPITRE IV

Premiers travaux

Les Frères des Écoles chrétiennes. — Saint-Charles. — La Pommeraye. — La Retraite. — Les Fabriques. — Visites pastorales. — Conférences diocésaines. — Relations avec Saint-Gildas. — Une conversion. — Les tapisseries de la Cathédrale 85

CHAPITRE V

Les collaborateurs de Mgr Angebault

Services rendus par Mgr Angebault à l'histoire et à l'archéologie diocésaines. — Le palais épiscopal. — Les collaborateurs de Mgr Angebault : Vicaires-généraux, Secrétaires, Supérieurs du grand et des petits séminaires, etc. 110

CHAPITRE VI

Frères de Saint-Vincent-de-Paul

Inauguration du monument de M. Mongazon. — De l'union dans le clergé. — Un testament. — L'Esvière. — Frères de Saint-Vincent-de-Paul. — — M. Myionnet. — Maison de famille. — M. Le Prévost. — Les Angevins romantiques. — Mariage de M. Le Prévost. — La réunion intime. — Rencontre de M. Myionnet et de M. Le Prévost. — Les débuts de la communauté. — Monseigneur l'établit à Paris. 144

CHAPITRE VII

1848

Enfants de Marie. — Discours divers. — Inondations. — Disette en France et en Irlande. — La Révolution de Février. — Les élections. — L'arbre de la liberté. — Les journées de juin 172

CHAPITRE VIII

1849

Refus de l'Évêché de Nantes. — Nomination de Mgr Jacquemet. — M. Bernier et la brochure l'*État et les Cultes*. — Le marquis de Régnon. — Souscription pour le Pape. — Élections municipales. — Pie IX à Gaëte. — Le choléra. — Bénédiction de la gare d'Angers. — Pose de la première pierre de l'hospice général. — Concile provincial de Rennes . . . 197

CHAPITRE IX

Les Écoles, les Œuvres

Visite des écoles. — Adoration nocturne. — Association des domestiques. — Caisse ecclésiastique. — Nomination de Mgr Régnier à l'Archevêché de Cambrai. — Le Carmel. — La loi de 1850. — Maladie de Monseigneur. — Jubilé de 1850-51. — Société de secours mutuels. — Notre-Dame-des-Champs. — Petites Sœurs des pauvres. — Propagation de la Foi. — Sainte Enfance. — Examens des Religieuses. 222

CHAPITRE X

Le Journalisme

Rétablissement de l'Empire. — Sentiments des Évêques vis-à-vis de Rome. — Mgr Angebault et l'Infaillibilité pontificale. — La loi de 1850 et la Presse. — Lettre à M. Bonnetty. — Question des classiques. — Les Évêques et la Presse catholique. — Lettres de l'Évêque d'Angers au Nonce, à Antonelli, à Pie IX 248

CHAPITRE XI

1853 et années suivantes

Monseigneur est décoré. — Défense de la loi de 1850. — Adoration diurne. — Adoration perpétuelle. — Les missionnaires diocésains. — Congrégation de Saint-Charles. — Sanctification du dimanche. — Guerre d'Orient. — Immaculée-Conception. — Inondations de 1856. — Règles de Saint-Gildas. — Rétablissement de la Liturgie romaine. — Établissement des Capucins d'Angers. — Attentat d'Orsini 292

CHAPITRE XII

Lutte contre le Gouvernement

Plan d'administration. — Frères de Saint-Vincent-de-Paul. — Synodes diocésains. — Guerre d'Italie. — Denier de saint Pierre. — Mémoires des Évêques de la province de Tours à l'Empereur. — Tracasseries du Gouvernement. — Défense de la loi de 1850 327

CHAPITRE XIII

Communautés religieuses

Lazaristes. — Oblats de Marie. — Pères du Saint-Sacrement. — Pères de Chavagnes. — Visitandines. — Voyage à Rome. — Incident du retour. — Affaire des jeunes prêtres. — Le manifeste des 7. — La lettre d'obédience. — L'encyclique et le Syllabus 382

CHAPITRE XIV

Cinquantaine — Dernières années

Sainte-Marie et le grand Hôpital. — Mort de Lamoricière. — Cinquantaine de Mgr Angebault. — M. Duruy et les cours de jeunes filles. — Affaire Zévort. — Affaire B... — Nouvelle jurisprudence du Conseil d'État sur l'acceptation des dons et legs faits aux établissements publics religieux 421

CHAPITRE XV

Portrait de Monseigneur Angebault

Qualités physiques. — Qualités morales. — Son courage et son énergie. — Sa bonté. — La vie à l'Évêché. — Son humilité. — Son amour de la pauvreté, de la simplicité. — Sa charité. — Sa piété. — Sa direction pour les personnes du monde, pour les Religieuses — Exemple de la sagesse de Monseigneur comme directeur. 464

CHAPITRE XVI

Mort et Obsèques

Monseigneur tombe malade. — Ses sentiments sur sa vie. — Lettre au Pape. — L'Archevêque de Tours vient le visiter et lui administrer les derniers sacrements. — Entrevue avec la Supérieure de Saint-Gildas. — Avec sa famille. — Sa mort. — Concert de louange sur sa vie. — Ses obsèques 502

ÉPILOGUE 517

Angers, imp. Germain et G. Grassin. — 1366-99.

Imprimé en France
FROC031721161120
25700FR00017B/527

9 782329 492506